Katharina Erfling

Rabenschwinge

Ewig dein

FSC
www.fsc.org
MIX
Papier aus verantwortungsvollen Quellen
Paper from responsible sources
FSC® C105338

für Nina

Rabenschwinge - Band 2 der Rabentrilogie

Bibliografische Information der Deutschen Nationalbibliothek: Die Deutsche Nationalbibliothek verzeichnet diese Publikation in der Deutschen Nationalbibliografie; detaillierte bibliografische Daten sind im Internet über dnb.dnb.de abrufbar.

Katharina Erfling
August-Kierspel-Str. 94
51469 Bergisch Gladbach
katharina.erfling@gmail.com

Herstellung und Verlag: BoD – Books on Demand, Norderstedt
Umschlaggestaltung: Casandra Krammer
Umschlag Motive: www.shutterstock.de

ISBN: 9 783746 082073

Inhaltsverzeichnis

1. Gebrochene Schwingen

Nur du kannst sie aufhalten. Ariels Worte verfolgten Fynn, als er sich mühsam die schmale Treppe herunterschleppte. Schweiß stand auf seiner Stirn und sein ganzer Körper bebte vor Anstrengung, doch er trieb sich immer weiter voran. Er war ein Jäger. Jahrelanges Training hatte ihn gestählt und zu einer tödlichen Waffe gemacht. Er konnte nicht akzeptieren, dass sein eigener Körper sich nun so gegen ihn stellte.

Wenn Aisling wüsste, dass er wieder diesen Weg in die Krypta nahm, würde sie ihn einen Kopf kürzer machen. Das heißt, das hätte sie getan, bevor Pyrros und seine Diener in den Orden eingefallen waren und der Prinz der Wölfe ihm die Flügel gebrochen hatte.

Fynn hielt einen Moment lang inne, um sein pochendes Bein zu entlasten. Geräuschvoll atmete er aus. Alle schlichen sie um ihn herum, verstummten, wenn er den Raum betrat und schafften es kaum, normal mit ihm zu sprechen. Er konnte es ihnen nicht einmal zum Vorwurf machen. Der Schmerz, der ihn seit der Schlacht verfolgte, hatte sich, einer Schlange gleich, tief in seinen Brustkorb geschlichen und sich dort verbissen. Er ließ ihn nicht vergessen, weder seinen zerbrochenen Körper, noch die Last, die auf seinen Schultern lag, seit Ariel diese Welt verlassen und ihn zum Hüter des Ordens ernannt hatte.

Nur du kannst sie aufhalten! Wütend schlug Fynn gegen die harte Steinwand. Rotkäppchen war tot, ihr Orden zerschlagen.

Wen sollte er also aufhalten? Und wie? Vor wenigen Monaten hätte er Ariels Nachfolge mit Stolz angetreten und seine Sache gut gemacht. Doch jetzt hatte sich alles verändert. Er war kein Jäger mehr, nur ein Schatten seiner selbst. Und ein Hüter, der seinen Orden nicht mit der Klinge verteidigen konnte, war kein Hüter.

Der Gang wurde enger und die Stufen steiler. Sein Gehstock verlor auf der glatten Oberfläche immer wieder den Halt. Jedes Mal ging ein Ruck durch seinen Körper. Jedes Mal zuckte ein heller Schmerz durch sein Bein. Es wäre gefährlich gewesen, hätte Gefahr auch nur noch irgendeine Bedeutung für ihn gehabt. Aisling. Elyano. Die Zwillinge. Sie machten sich doch alle nur etwas vor. Er würde den Orden nicht halten können. Die Jäger würden ihn nicht als Anführer akzeptieren und rebellieren. Es würde Krieg geben. Gegen wen, wusste er nicht, ebenso wenig, wie viel Zeit ihnen noch blieb. Doch er würde kommen. Die Orden der verstorbenen Fürstinnen dürsteten bereits nach Rache, die Uneinigkeiten der Ratsmitglieder wuchsen mit jedem Tag. Nicht mehr lang, und alles würde zugrunde gehen.

Die letzte Stufe wurde Fynn zum Verhängnis. Sein Gehstock rutschte auf dem glatten Marmor weg und riss ihn von den Füßen. Erst spürte er nur die Taubheit, die sich durch sein Bein fraß, ehe der Schmerz ihn wie ein Raubtier überfiel. Doch er schaffte es kaum, das Pochen zu übertönen, das ihn schon seit Wochen quälte. Einen Herzschlag lang überlegte Fynn, einfach hier liegen zu bleiben, an nichts mehr zu denken, nichts mehr zu fühlen und die Welt geschehen zu lassen. Aber dann regte er sich. Mühevoll rappelte er sich auf und setzte seinen Weg fort.

Fynn beachtete die zahlreichen Namen kaum, die auf Schieferplatten die Wände bedeckten. Sein Blick klammerte sich fast schon Halt suchend an das Grab, das in der Mitte des Raumes lag. Ariels Grab. Als er seinen Gehstock an den dunklen Stein lehnte, kippte er mit einem lauten Scheppern zur Seite. Der Krach erreichte ihn kaum. Schwer atmend stützte er sich auf die Grabplatte. Wie konnte Ariel nur so entscheiden? Warum hatte er nicht seinen Sohn Zephir als seinen Nachfolger gewählt, sondern ihn? Den Raben, der seine Schwingen verloren hatte. Würde er nun eine andere Wahl treffen? Fynns Hände verkrampften sich, und die Schlange in seinem Inneren wand sich immer fester um sein Herz. Natürlich würde er das. Ariel hätte das nicht gewollt. Doch diese Entscheidung war unantastbar und seine Worte gingen ihm nicht mehr aus dem Kopf.

Noch nie zuvor hatte es einen neuen Hüter gegeben. Seit der Orden sich vor so vielen Jahrhunderten zusammengefunden hatte, war es stets Ariel gewesen, der an seiner Spitze gestanden hatte. Er hatte sich als Krieger in der Schlacht bewährt und seine Jäger waren ihm gefolgt, weil sie ihn respektierten und er ihnen Schutz versprach. Wie sollte Fynn sie bloß beschützen können?

Ariel... Der Gedanke an den Hüter des Ordens ließ sein Herz schwer werden. Ohne Bedenken hatte er ihn und Aisling vor so langer Zeit bei sich aufgenommen, zwei obdachlose Jugendliche, die aus ihrer Heimat geflohen waren. Er hatte sie an seinen Tisch geholt und sie wie seine eigenen Kinder behandelt. Aiofé und Zephir wurden zu ihren Geschwistern, auch wenn sie den Gedanken an seine Brüder und seine Schwester nie ganz vertreiben konnten.

„Fynn?“ Eine leise, fast schon scheue Stimme ließ ihn herumfahren. Aisling. Seine Miene blieb eine kalte Maske, als sie näher kam und die Arme um seinen Nacken schlang. Er wusste nicht, ob er sein Gesicht je wieder zu einem Lächeln zwingen konnte. Es war fast, als hätte Pyrros ihm selbst das genommen.

Aislings Lippen hauchten zaghaft über seine und einen kurzen Moment lang schloss er die Augen, spürte die Wärme, die sie ausstrahlte, als sie sich an ihn schmiegte. Behutsam strich sie eine blonde Strähne aus seiner Stirn und ließ ihre Finger weiter über seinen Kiefer wandern, über seinen Hals, bis sie über seinem Herzen stoppte. „Was machst du hier?", fragte sie leise.

„Den Toten die letzte Ehre erweisen. Antworten finden."

„Aber die Toten werden nicht mit dir sprechen können."

„Das weiß ich auch", erwiderte er schroffer, als beabsichtigt. Mit ruhigerer Stimme flüsterte er ein weiteres Mal: „Das weiß ich auch."

Wortlos bückte Aisling sich, um Fynns Gehstock aufzuheben. Mit einem traurigen Flackern in den Augen küsste sie ihn erneut und gab ihm den Stock. „Komm", sagte sie und griff nach seiner, fast schon tauben, rechten Hand. „Lass uns diesen Ort verlassen."

Er nickte stumm und folgte ihr die breitere Treppe hinauf, auch wenn die Schlange in seinem Inneren fauchte und schrie, dass es keinen anderen Ort gab, an dem er lieber verweilen wollte.

„Hast du eine Ahnung, was die da machen?", fragte Aiofé und ließ sich neben Siandra auf das Ledersofa sinken. Siandra zuckte nur mit den Schultern, ohne die Augen von den Jägern abzuwenden, die sich um einen der PCs geschart hatten. Einer von ihnen beugte sich krampfhaft über die Tastatur. Sie versuchte, den Bildschirm zu erspähen, doch er wurde von den Jungs verdeckt. Konnte ihr auch egal sein. Im Gegensatz zu Elyano stand sie nicht sonderlich auf Games.

Sie trank einen Schluck von ihrem Mango Chai und ließ ihren Blick auf der Suche nach jemanden durch den Raum schweifen. „Wo ist Fynn?", fragte sie leise.

Aiofé seufzte. „Keine Ahnung. Vielleicht ist er wieder unten in der Krypta. Aisling wollte nach ihm sehen."

Siandra nickte traurig. Alles war anders geworden, seit Rotkäppchen den Orden angegriffen hatte. Ariel war tot und Aschenputtel die letzte verbliebene Fürstin. Und Fynn... Sie spürte, wie sich eine unangenehme Enge in ihrem Hals ausbreitete. Einige Wochen waren seit dem Kampf vergangen und noch immer versagte sein Bein ihm den Dienst und sein Arm war ihm mehr Last als Nutzen. Er lebte. Etwas, das andere nicht von sich behaupten konnten. Doch Fynn war ein Jäger, der nun in einen zerstörten Körper gesperrt war. Er empfand nur das Unglück und nicht die Freude darüber, dass die Gefahr gebannt war. Vorerst.

Ihr Blick fiel auf Elyano, der bereits seit geraumer Zeit telefonierte. Bei seinem ersten Gespräch mit Pascao hatte er noch gegrinst, doch nun ließ er sich von einem der Kundschafter auf den neusten Stand bringen. Das Telefonat schien seine Laune nicht gerade zu heben. Seine Züge waren hart und so sehr Siandra sich auch anstrengte, konnte sie einfach nicht erkennen, was er dachte. Nur hin und wieder sah er zu ihr herüber und schenkte ihr ein kaum sichtbares Lächeln, gefolgt von dem warmen Schleier, der es immer schaffte, ihr Trost zu spenden.

Bei dem Gedanken an ihr letztes Gespräch wurde ihr beinahe übel. Die Fürstinnen waren tot, ihre Räte und Orden führerlos. Alle Augen richteten sich auf Köln und seine Fürstin, doch die lebte seit dem Kampf im Orden zurückgezogen und verschloss ihre Augen vor der Welt. Nachdem Beliar auf dem Neujahrsfest aufgetaucht war, hatte Fynn versucht, Kontakt aufzunehmen - ohne Erfolg. Als er seine Fürstin endlich traf, schien es fast, als hätte das Gespräch auf dem Fest nie stattgefunden. Ob das Fürstenpaar ihnen etwas verschwieg?

Siandra ließ sich in die Kissen sinken. Fynn wusste nicht, wie er mit all dem umgehen sollte - weder mit Aschenputtel, noch mit seinem Orden. Noch immer musste er vor das Volk treten und Ariels Nachfolge offiziell antreten. Erst dann hatte der Orden wieder einen Hüter. Und Fynn war derjenige, der das sinkende Schiff über Wasser halten musste.

Sie erschrak, als ein metallischer Ton aus den PC-Boxen drang und die Jäger laut fluchend durcheinanderbrüllten. Tief atmete sie durch und trank einen weiteren Schluck.

Unruhen breiteten sich in den Reichen aus. Adlige konkurrierten um Macht. Das Volk war verunsichert. Noch immer war unklar, was mit Rotkäppchens Jägern geschehen sollte, genau wie mit ihrem Offizier Pyrros, der seit dem Kampf verschwunden war. Und im Osten wurden Gerüchte laut über einen Aufstand der Halbblüter.

„Hör auf, so viel zu grübeln, das gibt nur Falten", sagte Zephir mit einem Lachen und ließ sich zwischen sie und seine Schwester fallen. Das Grinsen auf seinen Lippen konnte nicht über den Schmerz in seinen Augen hinwegtäuschen. Die Trauer um seinen Vater saß tief, auch wenn er besser damit klarzukommen schien, als seine Schwester.

Siandras Blick streifte die Jägerin. Heute schien es ihr gut zu gehen, doch sie wusste, dass sie erst gestern wieder verschwunden war. Ihr Bruder war ganz außer sich vor Sorge gewesen, als er abends vor ihrer Tür stand und Elyano bat, ihm zu helfen. Ihr Rabe hatte keine Sekunde gezögert. Er wusste, wie dicht Aiofé davor stand, etwas furchtbar Dummes zu tun und in alte Gewohnheiten zurückzufallen. Erst nach Stunden hatten die beiden sie in irgendeiner kleinen Bar in der Südstadt gefunden. Jetzt ließ ihr Lächeln nicht mehr auf den gebrochenen Menschen schließen, der noch gestern auf diesem Sofa gesessen hatte.

Siandra schielte zu Zephir. Sein Grinsen war nicht falsch,

doch es wirkte festgetackert. Wo seine Schwester auf ihre Art versuchte, den Schmerz zu vergessen, verrannte er sich in Arbeit, um nicht zur Ruhe zu kommen und darüber nachzudenken, was geschehen war.

Zephir beugte sich über die Lehne des Sofas und steckte dem Papagei eine Nuss durch die Gitterstäbe zu. Nachdem sie vor einer knappen Woche Siandras restliches Hab und Gut in den Orden gebracht hatten und sie mehr oder weniger mit Elyano zusammengezogen war, hatte auch Jack seinen Wohnort gewechselt - mitten in den Gemeinschaftsraum der Jäger. Seitdem hatte er sich als geheimes Maskottchen entpuppt und genoss die Aufmerksamkeit, mit der er den ganzen Tag überhäuft wurde.

Siandra erwiderte Zephirs Grinsen und lauschte dem Gespräch zwischen den Geschwistern, hörte ihnen aber nur mit einem Ohr zu. Aus dem Augenwinkel beobachtete sie Elyano, der das Handy in seine Hosentasche gleiten ließ und zielstrebig auf den schmalen Schreibtisch zuging. Er schien etwas Bestimmtes zu suchen und flog geradezu über die Zettelberge. Nur einmal sah er kurz auf, als Florian einen dummen Kommentar abgab. Der Jäger saß auf der Rückenlehne eines Sofas und biss gelassen in eine Pflaume. Siandra verstand nicht, was er sagte, doch Elyanos warnender Blick verriet ihr genug.

Ihr stockte ein wenig der Atem, als ihr Rabe einen ganz bestimmten Brief aus dem Wust an Blättern hervorzog. Angespannt biss sie auf ihre Lippe. Sie hätte schwören können, das Schreiben schon längst in den Untiefen ihrer eigenen Schubladen verbannt zu haben. Doch dann erinnerte sie sich. Sie hatte den Gemeinschaftsraum Hals über Kopf verlassen, um Aisling zu folgen. Aisling, die versuchte, vor ihren eigenen Schmerzen davonzulaufen. Danach hatte sie keinen einzigen Gedanken mehr an diesen Brief verschwendet.

Lies ihn nicht. Bitte ließ ihn nicht, dachte sie, doch da hatte Elyano ihn bereits überflogen und war an den entscheidenden Wörtern hängen geblieben. Er wirkte ganz schön sauer, als er auf das Sofa zukam und Siandra ihren eigenen Brief unter die Nase hielt. Doch er schaffte es schon lange nicht mehr, sie einzuschüchtern. Nicht so, wie noch vor einigen Monaten.

„Was hat das zu bedeuten?"

Okay, er war nicht nur sauer, er war richtiggehend wütend. Trotzdem schaffte sie es, seinem Blick zu trotzen. „Was meinst du?", fragte sie unschuldig, obwohl sie genau wusste, wovon er sprach. Verdammt, sie hatte es ihm doch erzählen wollen. Obwohl seine Reaktion wohl ähnlich ausgefallen wäre.

Elyano erwiderte nichts. Er warf ihr nur den Brief in den Schoß. Siandra verschränkte die Arme vor der Brust. „Hat dir deine Mutter nicht beigebracht, dass es unhöflich ist, die Post anderer Leute zu lesen?"

„Dann lass sie nicht so offen herumliegen", knurrte Elyano und schritt vor der Couch auf und ab. Er senkte den Kopf und massierte seine Nasenwurzel. Dann ging er vor ihr in die Hocke, ohne den Blick von ihr zu lösen, ohne die Härte von seinen Zügen zu verbannen. „Du willst also studieren?"

„Und wenn es so wäre? Du hast mich doch selbst gefragt, was ich mit meinem Leben anfangen möchte." Das hatte er wirklich. Erst vor wenigen Tagen hatte er sie das abends gefragt, als sie zusammen auf dem Sofa gelegen und einen Film gesehen hatten. Schon da hatte sie es ihm sagen wollen, doch es war einfach nicht über ihre Lippen gekommen.

„Damit habe ich nicht gemeint...", setzte Elyano an und strich sich fahrig durch die dunklen Strähnen.

„Wo ist dein Problem? Du tust ja gerade so, als würde ich etwas Verbotenes tun, oder einer Sekte beitreten."

„Du weißt genau, weshalb das keine gute Idee ist."
„Und du weißt genau, dass du mich nicht ewig in einem Turm einsperren kannst."
„Es ist zu gefährlich."
Siandra atmete geräuschvoll aus. All ihre Gespräche liefen derzeit auf das Gleiche hinaus: Die Gefahr, die draußen lauerte. Rotkäppchen war tot, doch die Orden waren ohne Führung. Auch wenn Siandra jetzt eine Eshani'i war - ein Gedanke, an den sie sich noch immer nicht gewöhnen konnte - erkannten die Jäger sie als das, was sie einst war. Und für viele von ihnen stand die Reinheit des Blutes über alles. Zudem wusste niemand, wohin Pyrros mit seinen Wölfen verschwunden war und ob er etwas aus dem Schatten heraus plante.
Sie wollte zum Sprechen ansetzen, als die Tür aufflog und ein Jäger eintrat, den Siandra nicht kannte. „Rabe", sagte er angespannt. „Fynn sucht nach dir."
Der Angesprochene nickte und erhob sich. „Damit sind wir noch nicht fertig", zischte er drohend, ehe er den Raum verließ.

Der Sitz vibrierte unter Siandra, als sich der Bus in Bewegung setzte. Aus einem Smartphone klang lauter Rap und ein Kleinkind schrie bereits seit geschlagenen fünf Minuten wie am Spieß, doch es erreichte sie kaum. Sie hatte eine unsichtbare Blase um sich herum hochgezogen, eine Blase aus Erinnerungen. Ihre Augen waren von den Bildern auf dem Display ihres Handys gefesselt. Wie ein rückwärts laufendes Daumenkino zogen die Fotos an ihr vorbei. Fotos, die im letzten halben Jahr entstanden waren. Sie sah sich zusammen mit Becca bei einem Badeausflug am Baggerloch. Elyano und einige Jäger bei einer Besprechung im kleinen Ratsaal - vermutlich hatten sie nicht einmal gemerkt, dass sie ihr Handy gezückt hatte. Ihre Gesichter verrieten grimmige Entschlossenheit. Auf dem Nächsten die Rücken von Fynn und Aisling. Sie lehnten an das Geländer auf einem der Balkone im Orden. Nur Fynns Gesicht war von der Seite zu sehen. Das Gesicht seiner Begleiterin war auf etwas gerichtet, das sich unter ihnen abspielte. Noch vor einigen Wochen war das Lächeln kaum von seinen Lippen zu verbannen, doch nun war alles anders.

Als der Bus hielt, steckte sie ihr Handy zurück in die Tasche und stieg aus. Wie von selbst trugen ihre Füße sie auf dem vertrauten Weg zum Haus von Beccas Eltern. Fynn hatte sie gebeten, einige wichtige Dokumente abzuholen. Ehrlich gesagt, hatte Aisling sie danach gefragt. Als Aschenputtels Reichskanzler war Teddy im Besitz von Unterlagen, die Fynn für das, was vor ihm lag, dringend brauchte - auch wenn er vermutlich nie selbst darum bitten würde. Sie hatte keine Ahnung, was das für Akten waren. Sie ahnte, dass es etwas mit der Eidsprechung zu tun hatte, die immer näherrückte. Nur noch wenige Tage, dann musste er vor den Rat und seine Jäger treten und seinen Platz als Hüter des Ordens beanspruchen. Denn auch wenn Ariel seinen Nachfolger auserwählt hatte, wusste niemand, wie sich die Jäger verhalten würden, wenn dann alles erst einmal offiziell war.

Ein etwas verwundert dreiblickender Teddy öffnete die Tür. „Siandra", sagte er und trat zur Seite, um sie hereinzubitten. „Haben wir dich erwartet? Becca ist nicht da."

„Wo ist sie?", fragte sie und folgte ihm in das Wohnzimmer, in das ihre alte Wohnung wohl mehr als einmal hineingepasst hätte. Durch hohe Fenster, die die ganze lange Seite ausmachten, fiel Licht und zeichnete Farbenspiele an die Wand. Einige Entwürfe lagen auf dem Sofa, Skizzen, Stoffproben und Muster.

„Sie hat dir nichts gesagt?", fragte der Ratsherr und ließ sich in einen der Ledersessel sinken. Seine stahlgrauen Augen verfolgten Siandra, als sie sich auf das Sofa setzte und den Kopf schüttelte. „Sie ist bei einem Freund." Siandra hob die Augenbrauen, doch sie sagte nichts. Ein Freund? Warum hatte Becca ihr nichts erzählt?

„Du bist mit Sicherheit nicht grundlos hier, oder?" Sein Mundwinkel zuckte. „Ich bezweifle, dass du gekommen bist, um mit einem alten Mann Kaffee zu trinken und ein Schwätzchen zu halten."

„Als könntest du jemals als alt durchgehen."

„Elyano hätte dich in diesen Zeiten sicherlich nicht..."

„Elyano weiß nicht, dass ich hier bin", unterbrach sie ihn.

Teddy lächelte leicht. „Oh doch, er weiß es. Da bin ich mir sicher."

Siandra wusste es ebenfalls. Immerhin spürte sie den wärmenden Schleier, der sie die ganze Zeit über begleitete. Aber sie war ihm aus dem Weg gegangen und hatte ihm nichts von ihren Plänen erzählt. „Fynn schickt mich. Er sagt, du wüsstest, worum es geht."

Ihr Gegenüber nickte und erhob sich aus seinem Sessel. Aus einem der Schränke zog er einen Aktenordner hervor, der seine besten Zeiten schon lange hinter sich hatte. „Hier", sagte er und reichte ihr die Blättersammlung. „Fynn wird damit zurechtkommen."

„Glaubst du, die Jäger werden ihm folgen?"

„Ich hoffe es. Meinen Rückhalt hat er jedenfalls. Doch ich kann nicht sagen, wie die anderen reagieren werden. Nicht alle unterstützen Ariels Entscheidung. Ein Jäger, der nicht in der Lage ist, ein Schwert zu führen, ist kein wahrer Jäger. Und nur ein Jäger, der sich beweisen kann, ist würdig, Hüter des Ordens genannt zu werden."

„Aber", wollte sie einwerfen, doch Teddy unterbrach sie kopfschüttelnd.

„Das sind Krieger. Auch wenn die alten Tage längst vergangen sind, gilt noch immer das Gesetz des Stärkeren. Von jeher haben sich die Jäger unter einem fähigen Krieger zusammengeschart und das war seit jeher Ariel gewesen. Es gibt zwar viele, die verwundert sind, dass nicht Zephir die Nachfolge seines Vaters angetreten hat, trotzdem ehren wir die Blutlinie nicht."

„Zephir ist kein Offizier. Nicht so, wie Fynn."

„Nein, Zephir hatte nie den Wunsch danach gehabt. Seine Aufgabenbereiche lagen stets woanders. Als Offizier wäre er an Köln gekettet gewesen und wir hätten unseren besten Diplomaten eingebüßt." Teddy strich über sein Kinn. „Auch wenn wir uns schon früh Gedanken über eine etwaige Nachfolge gemacht haben, hätten wir niemals wirklich erwartet, dass dieser Fall eintreffen würde. Vielleicht wollten wir es aber auch nicht sehen. Auch nur der Gedanke an diesen Verlust..." Der Ratsherr atmete geräuschvoll aus, ehe er sich wieder auf dem Sessel niederließ. „Niemand weiß, wie er mit der Situation umgehen soll. Am allerwenigsten Fynn. Wie geht es ihm?"

„Den Umständen entsprechend, schätze ich. Ehrlich gesagt, weiß niemand, wie es ihm wirklich geht. Er hat eine Mauer um sich herum errichtet. Nicht einmal Aisling schafft es, zu ihm durchzudringen." Ihr Blick schweifte über den Ordner in ihrer Hand. Vorsichtig öffnete sie ihn und blätterte durch die Seiten. Sie konnte die Schrift der Eshani'i zu schlecht lesen, um auch nur annähernd zu verstehen, was dort geschrieben stand. „Und das hier wird ihm helfen?"

„Ich hoffe es. Das ist alles, was wir über Jahre zusammengetragen haben. Ariel hat es mir zum Schutze anvertraut. Fynn war nur bei wenigen Ratsversammlungen, die die Nachfolge zum Thema hatten, anwesend. In dem Ordner finden sich Protokolle der Treffen, aber auch Gedanken, die Ariel selbst dazu hatte."

„Wirst du auch kommen, wenn Fynn vor die Jäger tritt?", fragte sie und knetete unruhig ihre Hände.

Teddy nickte. „Als Reichskanzler ist es meine Pflicht, bei dieser Zeremonie anwesend zu sein. Doch auch wenn es anders wäre, würde ich Fynn an diesem schweren Tag beistehen."

„Aisling hatte recht, oder? Für ihn hat es nie eine Entscheidung gegeben."

Ihr Gegenüber senkte den Blick. „Nein, ich fürchte nicht. Ariel hat ihn zu seinem Nachfolger bestimmt und ihn damit an seine Stellung gebunden."

„Glaubst du, er kann es schaffen?"

„Ich hoffe, dass die Jäger treu an seiner Seite stehen. Immerhin war er viele Jahre lang ihr Offizier gewesen und ein überaus guter noch dazu. Vielleicht wird das reichen. Es wird aber auch andere geben. Jene, die sich gegen Fynn auflehnen und seine Führung in Frage stellen. Und wenn das der Fall ist, sind seine Mauern hoffentlich stark genug, um diese Vorwürfe abprallen zu lassen."

„Ich habe Gerüchte gehört", begann Siandra zaghaft. „Man sagt, es wird wieder einen Aufstand der Halbblüter geben."

Teddys Hände verkrampften sich kaum merklich. „Und das ist genau, was sie sind. Gerüchte", erwiderte er mit unnachgiebiger Stimme.

„Aber was, wenn nicht?"

„Dann wird Fynn mehr Probleme bekommen, als er ohnehin schon hat." Er stand auf und ging zum Fenster herüber. Ein Schweigen breitete sich über ihnen aus, das Siandra nicht zu brechen wagte. „Ich habe auch davon gehört." Sie horchte auf, als er fortfuhr. „Die Halbblüter sollen sich unter Gabriel und Ekziel zusammenscharen. Der Orden hat sicherlich mehr Informationen, doch allein schon das Gerücht ist äußerst besorgniserregend. Die Brüder haben früher unter Fürstin Gretel gedient. Ich kann mir nicht vorstellen, weshalb sie es tun sollten." Er atmete geräuschvoll aus. „Ich kann nur hoffen, dass sich dieses Gerücht als falsch herausstellt."

„Du fürchtest dich davor."

„Natürlich fürchte ich mich davor. Ich wäre ein Narr, wenn ich es nicht täte. Es gab schon einige kleine Versuche der Halbblüter, sich aufzulehnen. Doch keiner war so verheerend, wie der Aufstand von 1792, als die Halbblüter sich den Menschen anschlossen und unter einem Anführer jeden einzelnen Orden angriffen. Sie nutzten das Chaos, das in den Reichen der Menschen herrschte, für sich und versetzten dem Orden einen schweren Schlag. Es kam auf beiden Seiten zu enormen Verlusten."

„Ariel hat dort mitgekämpft."

„Das hat er. Er hat es geschafft, Varga und seine Anhänger zurückzudrängen. Damals waren wir aber zahlreicher und im Kampf erprobter. Und nun, da Ariel nicht mehr in unserer Welt weilt und unsere Fürstin sich immer weiter von uns entfernt, kann ich nur hoffen, dass die Gerüchte Hirngespinste bleiben."

Siandra zuckte zusammen, als ihr Handy in der Hosentasche vibrierte. Ein kurzer Blick auf das Display verriet ihr, dass es eine Nachricht von Elyano war, doch sie hob den Blick, ohne sie zu lesen. „Hast du etwas Neues von ihr gehört?"

„Nicht mehr, als ihr im Orden bereits wisst. Scheinbar fühlt die Fürstin sich zurzeit unpässlich. Keine Ahnung, was wirklich dahinter steckt. Spätestens zu Fynns Eidsprechung werden wir es wohl erfahren."

Siandra horchte auf. „Werden wir?"

„Natürlich wird Fürstin Aschenputtel anwesend sein, wenn ihr neuer Hüter seinen Platz beansprucht."

Wieder summte ihr Handy, doch Siandra versuchte, es zu

überhören. Teddy hob eine kunstvoll geschwungene Augenbraue. „Elyano?", fragte er belustigt.

„Vermutlich."

Einen Moment lang verharrte der Reichskanzler, ehe er sich auf die Oberschenkel klopfte und aufstand. Mit einem leichten Lächeln auf den Lippen reichte er ihr die Hand, um ihr aufzuhelfen. „Dann ist es wohl das Beste, du machst dich auf den Weg. Elyano hat stets einen Grund, wenn er sich Sorgen macht. Du solltest seinem Gespür vertrauen. Seine Raben leisten ihm stets gute Arbeit."

„Ich würde ihn eher als paranoid bezeichnen", grummelte Siandra, ohne das Grinsen verbergen zu können. Ihr Handy klingelte immer noch - oder besser gesagt, wieder, als sie sich an der Tür von Teddy verabschiedete. Der Reichskanzler warf ihr noch einen wissenden Blick zu und versprach sich zu melden, als sein eigenes Telefon klingelte. Siandra zog ihr Handy hervor, als sie den Gartenzaun fast erreicht hatte.

„Wo bist du?", ertönte Elyanos Stimme am anderen Ende der Leitung. Er klang gehetzt und beunruhigt. Irgendetwas musste vorgefallen sein.

„Auf dem Weg zum Bus. Ich habe etwas bei Teddy abgeholt. Hat Aisling dir nichts erzählt?"

„Ein Glück." Im Hintergrund heulte ein Motor auf. „Bleib wo du bist. Ich hole dich ab."

„Aber", wollte sie protestieren, doch da hatte ihr Rabe bereits aufgelegt. Innerlich zuckte sie mit den Schultern und balancierte um die Spielzeuge herum, die Beccas Bruder auf dem Weg liegen gelassen hatte. Das gusseiserne Gartentörchen knarzte, als sie es hinter sich schloss und sich gegen den Zaun lehnte. Nur Minuten später bog ein dunkles Auto um die Ecke.

„Hast du dich hergewarpt, oder warum bist du jetzt schon

hier?", witzelte sie, als sie einstieg. Ein Blick in Elyanos Gesicht ließ ihr Lachen gefrieren. „Was ist passiert? Irgendetwas mit Fynn?"

Seine Augen waren starr auf die Straße gerichtet, doch seine Hand tastete nach ihrer und drückte sie kurz. Er schwieg einen Moment und wechselte den Gang, ehe er den Kopf schüttelte. „Nein, es ist nichts mit Fynn."

„Was ist dann passiert? Was macht dir so große Sorgen?"

Elyano rieb über seinen Nacken und bog in eine dichter befahrene Straße ein. „Unsere Jäger haben Pyrros überwältigt. Seine Wölfe hingegen waren nicht auffindbar und er selbst behauptet, nichts zu wissen."

„Braucht Fynn dich dann nicht im Orden?", fragte Siandra behutsam.

„Ich konnte nicht bleiben. Nicht, wo du da draußen warst und niemand wusste, ob Rotkäppchens Jäger noch geschlossen hinter ihrem Offizier stehen. Die Möglichkeit, dass sie sich jemanden suchen, um ein Druckmittel in der Hand zu haben und Pyrros auslösen zu können, war zu groß."

Eine Schwere breitete sich in ihrem Hals aus, die sie am Sprechen hinderte. Sie griff nach seiner Hand und ließ ihre Finger über seinen Handrücken wandern, zu den Linien, die nie ganz verschwinden würden. Doch sie waren eine Erinnerung, die keine Gefahr mehr für sie darstellte. Nicht mehr. Sanft hob sie seine Hand von der Gangschaltung und strich mit ihren Lippen über seine Fingerknöchel. „Was wird jetzt mit ihm geschehen?", fragte sie tonlos.

Ihr Rabe atmete geräuschvoll aus. „Das Tribunal wird entscheiden. Doch nach all seinen Taten wird der Ausgang klar sein."

Teddys Worte hallten in ihrem Kopf wider. Sie waren Krieger. Ihr Gesetz war das des Stärkeren und Pyrros hatte ihnen auf jede nur erdenkliche Weise geschadet. So viele von ihnen hatte er auf dem Gewissen. Es war seine Schuld, dass Fynn sein Lächeln verloren hatte. Sie wusste, was den Fürsten der Wölfe erwartete. „Wann?", fragte sie nur und schielte aus dem Fenster. Sie waren schon fast da.

„Als ich mich auf den Weg gemacht habe, warteten sie nur noch auf Aschenputtel. Und darauf, dass die Jäger mit dem verdammten Wolf eintreffen."

„Aschenputtel wird da sein?", fragte Siandra überrascht. Sie hatte die Fürstin schon seit Wochen nicht mehr gesehen - niemand hatte das, abgesehen von Fynn. Doch nicht einmal ihm hatte sie mehr als eine halbe Stunde ihrer Zeit geschenkt.

Elyano nickte und bog auf den hellen Kiesweg ein, der zum Orden führte. „Sie ist die Fürstin des Reiches. Ihr obliegt die Rechtssprechung, gemeinsam mit ihrem Reichskanzler und dem Hüter des Ordens."

„Aber Fynn wurde noch nicht offiziell eingesetzt."

„Das macht die Sache nicht einfacher."

Die beiden schwiegen, als sie aus dem Auto stiegen und sich ihren Weg in Richtung Ratssaal bahnten. Elyano hatte einen Arm um sie gelegt. Ihr war die Anspannung, die in jeder Faser seines Körpers steckte, mehr als bewusst.

Es war ungewohnt, Fynn auf Ariels Platz sitzen zu sehen und das Raunen, das in der Menge lag, verriet ihr, dass es nicht nur ihr so ging. Die Jäger saßen auf Stühlen an den langen Seiten des Raumes. Nur in der Mitte, vor den erhöht stehenden Sitzen des Hüters und des Reichskanzlers und denen der Fürsten, war Platz gelassen worden, ebenso für einen schmalen Gang, der zur Tür führte.

Siandra folgte ihrem Raben zu Aisling, die neben den Zwillingen saß. Ihre Augen waren gerötet und unter ihnen lagen die Schatten vergangener Tage und Nächte. „Wie geht es ihm?“, fragte Elyano behutsam.

Siandra hob den Blick und sah zu Fynn herüber. Sein Gesicht war hart und unnahbar und seine Hand krallte sich in die Lehne seines Stuhles. Die restlichen Stühle waren unbesetzt. Aschenputtel war noch nicht eingetroffen. Von Teddy fehlte ebenfalls noch jede Spur - was nicht verwunderlich war. Immerhin hatte er bis zu ihrem Besuch noch an seinen Mustern gearbeitet. Ob er sich bereits auf den Weg gemacht hatte?

„Wie soll es ihm gehen?“, fragte Aisling tonlos und sah zu ihren Fingern herab, die sich verkrampft ineinander verwoben hatten.

Behutsam griff Elyano nach ihnen und löste sie. „Und wie geht es dir?“

Sie lachte freudlos und sah ihn zum ersten Mal seit einer ganzen Weile direkt an. Doch sie sagte nichts.

Es vergingen einige Minuten, ehe sich die Tür öffnete. Kurz wurden die Jäger still, bis sie erkannten, dass es nur ihr Reichskanzler war, der gekommen war, um seinen Platz neben dem Hüter des Ordens einzunehmen. Kurz sah er Fynn besorgt an, ehe er sich hinsetzte. Dann schwangen die hohen Flügeltüren auf und Aschenputtel schritt am Arm ihres Gemahls herein. Mit anmutigen Schritten durchquerte sie den Raum und ließ sich neben Fynn nieder. Beliar warf dem neuen Hüter einen flüchtigen Blick zu, ehe er auf dem Stuhl zwischen seiner Gemahlin und dem Reichskanzler Platz nahm. Schlagartig verstummten alle Gespräche und sämtliche Augen richteten sich auf die Fürstin. Fast schon prüfend ließ Aschenputtel ihren Blick über die Menge schweifen. Irgendetwas war anders an ihr. Siandra konnte es nicht benennen, doch es jagte ihr eine leichte Kälte über die

Haut.

Aschenputtels Gesicht zeigte keine Regung, als sie jemandem zunickte. Der Jäger verließ den Raum und kehrte kurz danach zurück.

Die Stimmen der Menge wurden laut, als Pyrros hereingebracht wurde. Ihre Wut brodelte immer höher. „Mörder! Verräter!", tobten die aufgescheuchten Jäger. Ein jeder von ihnen hätte nichts lieber getan, als seine Waffe zu ziehen und sie dem Fürsten der Wölfe eigenhändig ins Herz zu bohren.

Pyrros keuchte auf, als ihm die Arme brutal auf den Rücken gerissen wurden und sie ihn in die Knie zwangen.

„Pyrros Raeghár, Fürst der Wölfe", sagte Aschenputtel mit seidenkalter Stimme. „Es ist lange her."

„Meine Fürstin", erwiderte Pyrros voller Spott. Rotkäppchens Offizier sah schrecklich aus. Das blonde Haar, das ihm unbändig in die Stirn fiel, war genau wie sein Bart verfilzt und blutverkrustet und seine Haut war dunkel vor Schmutz. Selbst seine Kleidung schien vor Dreck zu strotzen, als sei er durch einen Sumpf gewatet. Ein selbstsicheres Lächeln lag auf seinen Zügen, doch er wirkte abgekämpft und das raubtierhafte Funkeln war aus seinen Augen verschwunden. „Ich würde ja vor Euch auf die Knie sinken und Euch meinen Respekt zollen, aber wie mir scheint, haben Eure Lakaien mir diese Entscheidung bereits abgenommen."

„Du weißt, was dir vorgeworfen wird, Wolf?", fragte sie mit harter Stimme.

Pyrros sah aus, als würde er nachdenken. „Ihr habt recht, da gibt es einige Dinge, die ich getan habe. Aber ihr vergesst etwas Entscheidendes, meine Fürstin", sagte er und seine letzten Worte klangen mehr wie Hohn, als wie eine respektvolle Anrede. „Immerhin wart ihr die Erste, die zuschlug."

Verwirrt sah Siandra die Fürstin an. Wovon sprach er? Doch

nicht nur sie war ratlos. Die Jäger tauschten verwunderte Blicke. Es ist ein Trick. Die Erkenntnis rieselte langsam in ihren Verstand.

„Ich tat lediglich der Gerechtigkeit genüge."

„Gerechtigkeit." Pyrros spie das Wort geradezu aus. „Sagt mir, meine Fürstin, wo war die Gerechtigkeit, als ich Ariel meine Klinge durch das Herz jagte? Wo war sie, als Rabe Alessandras Kopf von ihren Schultern löste? Sagt es mir." Er lachte tonlos auf. „Gerechtigkeit. Wenn es sie einst gegeben hat, ist sie bereits vor langer Zeit gestorben."

Das Raunen in der Menge wuchs zu einem Sturm heran, schwoll an, bis zu einem fast schon ohrenbetäubenden Orkan. „Hängt ihn!", verlangten aufgebrachte Stimmen. „Nieder mit dem Wolf!"

Einige Minuten verfolgte Aschenputtel das Schauspiel schweigend, ehe sie die Stimme erhob. „Ruhe!", rief sie und mit einem Schlag verstummten die Jäger.

„Ihr habt Eure Schlächter gut im Griff, meine Fürstin."

„Mit deinen Taten hast du dir das Genick gebrochen und dein eigenes Grab ausgehoben", fuhr Aschenputtel kühl fort. „Deine Verbrechen gegen den Orden sind unverzeihlich. Geringere Vergehen wurden bereits mit dem Tode bestraft."

„Dann tut es", sagte Pyrros ungerührt. „Tut es gleich, jetzt und hier. Reißt mir mein Herz heraus und präsentiert es euren Jüngern, es ist mir gleich."

Aschenputtels sonst so sanftes Gesicht war hasserfüllt. „Genau das ist es, was du der ganzen Welt weismachen willst, was?", fragte sie mit gefährlich leiser Stimme. „Der große Wolf, der keine Angst kennt, nicht einmal vor dem Tod."

„Ich habe keine Angst vor dem Tod. Nicht das ist es, was ich fürchte, auch wenn ich auf ihn verzichten kann."

Erneut wurden Rufe laut, doch Aschenputtel brachte die Jäger zum Schweigen. „Mein Hüter", wandte sie sich nun zum ersten Mal direkt an Fynn. „Was denkst du?"

Stahl hatte sich über seine Stimme gelegt, als er zum Sprechen ansetzte. Er klang so fremd, dass es Siandra einen Stich versetzte. „Er ist ein Mörder und Verräter. Wir können ihm nicht trauen, auch nicht in Gefangenschaft. Für seine Taten hat er nur eine Strafe verdient. Und dieses Urteil sollten wir sofort vollziehen."

Die Jäger jubelten und johlten, doch Aschenputtel ließ sie mit einer Handbewegung verstummen. Ohne den Blick von Pyrros abzuwenden, sagte sie: „Das erachte ich als unklug. Vielleicht sollten wir keine voreiligen Schlüsse ziehen. Der Wolf kann uns noch von Nutzen sein."

„Das ist nicht Euer Ernst!", fuhr Fynn sie an, ehe er beinahe erschrocken verstummte und den Kopf leicht senkte. „Verzeiht mir, meine Fürstin. Ich wollte nicht..."

Aschenputtel löste ihren Blick von Pyrros und sah Fynn an. Ihre Züge wurden weich und auf einmal war sie wieder die sanfte Fürstin, die Siandra kannte. „Gräme dich nicht, Fynn. Ich weiß, dass du nichts lieber tätest, als dich an ihm zu rächen. Doch der Wunsch nach Rache darf dein Urteilsvermögen nicht schmälern. Ein Wolf in Ketten ist uns bei weitem nützlicher, als einer mit gebrochenem Genick. Also, was denkst du?"

Fynn seufzte, ehe Härte auf sein Gesicht zurückkehrte. „Du hast es gehört, Wolf. Ich werde dich verschonen - vorerst." Dann wandte er sich an die beiden Jäger, die Rotkäppchens Offizier noch immer hielten. „Führt unseren Gast in seine neuen Gemächer."

Die beiden zögerten kurz, folgten dann aber seiner Anweisung. Die restlichen Jäger protestierten lautstark. Einige von ihnen fluchten leise auf Fynn, als Aschenputtel und Beliar wortlos, wie sie gekommen waren, den Raum verließen.

Aisling eilte zu Fynn, als dieser unbeholfen aufstand, doch ihre Liebe prallte an seiner Mauer ab. Hoch erhobenen Hauptes schritt er auf die Flügeltüren zu. Siandra war sich sicher, dass er jedes feindselige Wort hörte, das die Jäger ihm an den Kopf warfen, doch er ließ es sich nicht anmerken. Seine Mauer schirmte ihn ab, schützte ihn und sperrte ihn gleichzeitig ein.

2. Kalte Winde

„Bitte tu das nicht!“, rief Aisling verzweifelt, doch ihre Stimme vermochte es kaum, zu Fynn hindurchzudringen. Etwas in seinem Inneren wollte lächeln, doch die Schlange in seiner Brust hielt ihn im eisernen Würgegriff. Aisling hatte ihn auf dem Weg in Richtung der Kerker abgefangen. Seine Hoffnung, ihr nicht zu begegnen, war unerfüllt geblieben. Er wollte nicht, dass sie sah, dass er sein Versprechen brach. Tränen glitzerten in ihren Augen und es schmerzte ihn bei dem Gedanken daran, dass er für diese tiefen Schatten auf ihrem Gesicht verantwortlich war. Als er seine Hand heben wollte, versagte sie ihm den Dienst und erinnerte ihn daran, was er nun war. Und die Schlange bohrte ihre giftigen Fänge immer tiefer in sein Herz.

Fynn sagte nichts. Er wollte seinen Weg fortsetzen, als er eine Berührung spürte, zart, wie der Flügelschlag eines Schmetterlings. Sie reichte aus, um ihn in der Bewegung gefrieren zu lassen.

Aisling lehnte die Stirn an seinen Rücken und fuhr mit den Fingern an seiner Wirbelsäule auf und ab. Tränen benetzten sein Hemd, als sie die Arme um seine Taille schlang und sich dicht an ihn schmiegte. „Tu es nicht“, flüsterte sie erstickt. „Bitte. Es ist nicht gut, wenn du zu ihm gehst.“

Er lächelte bitter. „Was kann ein Wolf in Ketten mir noch anhaben? Was kann er mir nehmen, was nicht schon längst sein Eigen ist?“

„Dein Leben.“

„Mein Leben?“ Mit behutsamer Kälte löste er ihre Hände. „Mein Leben gehört zu den Dingen, die er an sich riss.“ Er ignorierte Aislings verzweifeltes Rufen, als er seinen Weg fortsetzte. Er konnte nicht anders - er musste ihn sehen. Den Mann, der Schuld an all dem Leid war.

Nur langsam kam er auf dem unebenen Boden voran. Der Weg führte einer Spirale gleich immer tiefer ins Erdreich hinab und schien kein Ende zu nehmen. Das Pochen in seinem Bein war das Einzige, das sein Denken bestimmte.

Schwer atmend musste er eine Pause einlegen und versuchte, sein Bein zu entlasten, doch der Schmerz blieb wie ein Makel an ihm haften. Er war wie ein Fluch, der ihn nie mehr ganz loslassen würde. Vielleicht sollte er tatsächlich etwas gegen die Schmerzen nehmen. Doch er hatte bereits seinen gesunden Körper verloren, er wollte nicht auch noch seinen Geist einbüßen. Wenn er doch nur einfach vergessen könnte. Er presste die Lippen aufeinander, als mehr und mehr unsichtbare Messer durch sein Bein wanderten und seine Adern von innen aufschlitzten. Er unterdrückte einen Schmerzenslaut, als er sein Bein wieder belastete. Schritt für Schritt tastete er sich voran.

Der Wächter sah ungläubig von seiner Zeitung auf, als Fynn den Gefängnistrakt betrat. Sofort fiel Fynns Blick auf die Titelseite, von der ihm sein eigenes Gesicht entgegenlächelte. Er kannte das Foto, auch wenn es schon sehr alt war. Er hatte darauf einen Arm um Aisling gelegt und hielt sie dicht an sich gedrückt. Es war auf einem Fest aufgenommen worden, noch bevor sie verschwand. Damals waren sie glücklich gewesen, hatten Träume, Ziele, Wünsche. Nun war ihnen nichts mehr davon geblieben.

„Fy... M-mein Hüter?", fragte der Jäger und riss ihn damit aus seinen Erinnerungen.

Fynn versuchte, die trüben Gedanken zu verbergen. Sein Blick wanderte durch die Gitterstäbe. Schemenhaft konnte er Pyrros' Umrisse im Zwielicht ausmachen. „Gönn dir eine Pause", sagte er kühl. „Ich muss mit unserem Gast sprechen."

Der Wächter zögerte. „Denkst du, dass das so klug ist? Ich meine..."

„Du solltest verschwinden!", erwiderte Fynn mit eisiger Stimme. Der Jäger blieb skeptisch, dennoch raffte er die Zeitung zusammen und übergab ihm die Schlüssel.

Pyrros reagierte nicht, als Fynn in seine Zelle trat und die Gittertür hinter sich anlehnte. Seine Hände waren auf den Rücken gekettet und seine Stirn ruhte auf den angezogenen Knien. Fynn dachte schon, der Wolf würde schlafen, doch dann zuckte er. Als eine heisere Stimme an sein Ohr drang, ging ihm auf, dass der Wolf lachte.

„Scheinen ja gut auf dich zu hören, oh großer Hüter des Ordens", sagte Pyrros spöttisch und hob den Kopf. Das Grinsen konnte nicht über seinen jämmerlichen Zustand hinwegtäuschen. Doch Fynn hatte kein Mitleid. Er fühlte nur die unsägliche Pein und grenzenlosen Zorn. „Wie sind die Schmerzen?", fragte er und entlockte dem Gefangenen ein weiteres Lachen.

„Schmerzhaft." Pyrros legte den Kopf leicht schief. „Aber was interessiert es dich? Hast du plötzlich Gefallen an mir gefunden, Rabenjunge? Das wird der kleinen Aisling aber ganz und gar nicht gefallen. Oder liegt es daran, dass du mich so gerne leiden siehst? Ich bin schier entsetzt."

„Versteck dich ruhig hinter deiner Mauer aus Spott, sie wird dir nichts nützen. Und wag es ja nicht noch einmal ihren Namen in den Mund zu nehmen."

„Ich hörte, es läuft nicht so gut zwischen euch beiden. Vielleicht sollte sie die Hoffnung in dich aufgeben. Niemand kann verbitterte..." Pyros' Stimme brach, als Fynn die Spitze seines Gehstocks auf seinen Fuß stieß. „Also hast du deinen Willen noch nicht bekommen", stöhnte er.

„Aber bald schon, verlass dich drauf." Seine Hand schloss sich fester um den Stock, als er sich zu dem Wolfsfürsten herabbeugte. „Bald schon wird meine Klinge dein Blut kosten."

„Das würde sie vielleicht, wenn du sie nur heben könntest." Fynn sagte nichts. Er schlug einfach nur zu. Pyrros spuckte Blut, doch dann kehrte ein rotes Lächeln auf seine Lippen zurück. „Einen guten Schlag hast du immer noch. Nur was willst du, falsche Krähe? Was erwartest du, hier zu finden?"

„Antworten."

Pyrros hob die Augenbrauen. „Und die suchst du bei mir? Frag euren Heinrich, der steckt doch den ganzen Tag mit der Nase in Büchern."

„Was planst du? Wo sind deine Wölfe?"

Einen Augenblick lang sah er ihn unergründlich an, ehe er den Blick abwandte. „Warum sollte ich es dir verraten?"

„Dafür gibt es viele Gründe aber der Entscheidendste ist doch deine überaus günstige Lage."

Der Fürst der Wölfe hob den Kopf und ein Lächeln voll grausamer Gewissheit trat auf seine Züge. „Wie fühlt man sich, als frisch gebackener Hüter des Ordens?"

„Das geht dich einen Scheißdreck an!"
„Ariel wäre ja so stolz auf dich."
Fynns Wangen hatten sich gerötet, aus Zorn, nicht aus Verlegenheit. „Ich hätte auf meine Jäger hören sollen, als sie sagten, wir sollen dir die Zunge herausreißen und die Beine brechen. Dann würdest du keine Gefahr mehr für uns darstellen."
Pyrros' Mundwinkel zuckten. „Auge um Auge, Zahn um Zahn, oder wie sagt man so schön? Wie überaus passend."
Wütend richtete Fynn sich auf und ballte die Hände zu Fäusten. „Wenn du nicht endlich..."
„Wenn ich nicht endlich was?", unterbrach Pyrros ihn. „Womit willst du mir noch drohen? Mein Schicksal ist doch schon längst besiegelt. Glaubst du wirklich, ich wäre so naiv, anzunehmen, dass es anders wäre? Und ich kann mir kaum vorstellen, dass du mir eine Begnadigung anbieten möchtest."
„Du verdammter..."
„Gib es auf, Fynn. Bei ihm wirst du nur auf taube Ohren stoßen. Er kann dir nicht sagen, was du hören willst."
„Wie kannst du dir da sicher sein?", fragte Fynn und drehte sich zu Heinrich um. Doch der achtete nicht auf den neuen Hüter des Ordens. Sein Blick suchte den, des Wolfsfürsten.
„Wo sind deine Wölfe, Pyrros?"
„Warum sollte ich...?"
„Du weißt es nicht, habe ich recht? Deine Wölfe sind verschwunden, einer nach dem anderen und haben dich allein zurückgelassen."
Pyrros schnaubte abfällig. „Wenn du es weißt, warum fragst du dann, alter Mann?"
„Weil mir nicht klar ist, warum alles so gekommen ist."
„Dann geht es dir, wie mir", sagte Pyrros und ließ für einen kurzen Moment die Maske aus Spott fallen. Doch schnell kehrte sie mit einem siegessicheren Lächeln auf sein Gesicht zurück. „Selbst, wenn es so wäre, es würde euch nichts nutzen. Unruhige Winde ziehen auf, doch die einen verstecken sich hinter Mauern, wo andere Windmühlen bauen. Du wirst schon sehen, mein lieber Hüter. Bald schon wirst du Freund von Feind nicht mehr unterscheiden können, während die neuen, kalten Winde deine Mauern einreißen."
„Wir sollten das Urteil gleich hier vollziehen", knurrte Fynn und

wollte zu seiner linken Seite greifen, doch seine Hand versagte ihm den Dienst. Und da war auch keine Klinge, die er ziehen könnte. Eine Hand legte sich auf seinen Arm. Als er den Blick von Pyrros abwandte, sah er in Heinrichs wasserblaue Augen.

„Das ist wahre Größe", flüsterte er. „Ein Leben nicht zu nehmen, sondern es zu bewahren."

„Pah", stieß Fynn abfällig aus und schob Heinrichs Hand zur Seite. „Denk daran, großer Wolf", sagte er und trat durch die Gittertür. „Nur Rache allein währt ewig."

Auch wenn die Sonne strahlte und sie von fröhlichem Lachen umgeben war, konnte die Heiterkeit nicht so recht auf Siandra abfärben. Der September zeigte sich von seiner besten Seite: Keine einzige Wolke verdunkelte den blauen Himmel und die Luft war so warm, dass ein jeder im T-Shirt nach draußen ging. Um der Anspannung im Orden zu entkommen, war Siandra zusammen mit Becca und Aisling auf ein Festival gefahren, das auf der Wiese vor dem Fußballstadion stattfand. Doch nichts schaffte es, Aislings trübe Gedanken zu vertreiben. Sie schienen immer wieder zu Fynn in den Orden zu wandern, der sich in dieser Sekunde gemeinsam mit Elyano und Zephir auf den morgigen Tag vorbereitete. Seine Eidsprechung.

„Kommt!", rief Becca mit einem Grinsen und hakte sich bei ihren beiden Begleiterinnen unter. Nichts vermochte ihr die Laune zu verhageln. „Wir sollten uns was zu Futtern besorgen." Nur wenige Momente später schlug sie vor einem Wagen auf, der aussah, als würde er keinen einzigen Windhauch überleben. „Ich habe schon ewig kein Sushi mehr gegessen", quietschte sie.

„Becca...", setzte Siandra an, doch sie wurde von der gepresst klingenden Stimme des Verkäufers unterbrochen.

„Wollen kaufen?", fragte er und sah sie aus glasigen Augen heraus an.

Während Becca begeistert nickte und Aisling sich verhalten anschloss, winkte Siandra ab und machte sich auf die Suche nach einem Stand, der eine Kontrolle der Gesundheitsbehörde überstehen würde. Auch wenn das bedeutete, sich in eine schier unendliche Schlange zu stellen. Als sie dann schließlich mit einem dampfenden, vor Amaretto triefenden Crépe, von dannen zog, waren Becca und Aisling verschwunden. Die beiden hatten es sich im Gras bequem gemacht und lauschten den krummen Tönen eines Sängers. Siandra hatte ihn irgendwo schon einmal gesehen, doch sie konnte sich nicht daran erinnern, wann das gewesen sein sollte.

Becca winkte sie hektisch heran, als sie Siandra entdeckte. Ihr Sushi hatte sie längst verputzt. Auf ihren Beinen lag eine halbvolle Tüte Mini-Donuts, die sie, einen nach dem anderen, verschlang. Wie konnte sie so viel essen und trotzdem so dünn bleiben? *Eigentlich sollte ich sie dafür hassen*, dachte Siandra und ließ sich neben ihrer besten Freundin ins Gras fallen.

„Sieh ihn dir an", sagte Becca mit vollem Mund und verteilte Puderzucker im Gras. „Kann kaum singen, schimpft sich aber Deutschlands neuer Superstar. Selbst ich könnte das besser."

„Und du bist nicht unbedingt für deine geraden Töne bekannt. Ich glaube, selbst Elyano könnte besser singen und dabei habe ich ihn bisher nicht einmal singen gehört."

„Zephir singt gut", sagte Aisling auf einmal.

Siandra horchte auf. Das war ja mal ganz was Neues. „Ach ja?"

Sie nickte. „Aber er hat in den letzten Jahren nur noch wenig gesungen. Und jetzt... hat er ganz damit aufgehört." Sie stockte kurz. „Aiofé hat ihn immer damit aufgezogen. Dass er vor Jahren mal einen Amöbenhit hatte und sich seitdem wie der König von Mallorca fühlt. Ganz zum Leidwesen ihres Bruders. Der fühlte sich ein wenig in seiner männlichen Ehre gekränkt."

„Aber wohl nicht halb so sehr, wie nach seinem Knock-Out durch Siandra", sagte Becca und entlockte selbst Aisling ein leises Lachen.

„Hey", protestierte Siandra. „Ich hätte ja nicht ahnen können, dass er mich nur retten wollte!" Nein, damals war alles anders gewesen. Damals, als sie in einer Spirale aus Misstrauen und Verrat gefangen gewesen war, aus der sie sich nur langsam hatte befreien können. Ihr Blick streifte Aisling. Sie war froh, sie wieder lachen zu sehen, wenn auch nur kurz.

Der blonde Sänger verließ die Bühne, begleitet von dem Kreischen zweier Mädchen und etlicher erleichterter Seufzer. Eine altertümlich wirkende Gruppe trat an seine Stelle. Sie spielten auf Lauten und eigenartig wirkenden Flöten und sangen alte französische Texte. Siandra verstand nicht, wovon die Lieder erzählten, doch sie fing immer wieder Worte wie Jeunesse und l'Amour auf.

Einige Zeit blieben sie noch auf der Wiese sitzen und lauschten den Liedern der Band, doch als Aisling zunehmend stiller wurde und auch der Himmel sich langsam zuzog, beschlossen sie, sich auf den Heimweg zu machen. Nebeneinander liefen sie durch den Wald, auf dem Weg zur Straßenbahnhaltestelle. Becca hatte ihr Handy herausgezogen und schrieb jemanden eine Nachricht. Ob es der besagte Freund war, von dem Teddy gesprochen hatte? Doch Siandra wollte sie nicht nach diesem ominösen Fremden fragen. Sie hatte keine Ahnung, in welche Richtung diese Unterhaltung laufen würde und auf ein Drama konnte sie heute gut verzichten. Und so zog sie ihr eigenes Handy hervor, um es zumindest einmal wieder einzuschalten. Entgegen aller Erwartungen sprangen ihr nicht unzählige Nachrichten und Anrufe in Abwesenheit entgegen. Scheinbar war Elyano beschäftigt genug, um nicht alle paar Minuten nach seinem Handy zu greifen. Nur wusste Siandra nicht, ob das ein gutes oder ein schlechtes Zeichen war.

Einige Kinder fütterten die Schwäne am Ufer des Kahnweihers. Lautes Lachen drang von den Paddelbooten an sie heran. Becca war wieder mit ihrem Handy beschäftigt, Siandra jedoch beobachtete aus dem Augenwinkel Aisling, die von Sekunde zu Sekunde blasser zu werden schien. „Aisling?", fragte sie vorsichtig.

Die Angesprochene hob den Kopf, doch dann fuhr sie herum. Sie klammerte sich Halt suchend an einen Mülleimer und übergab sich in den metallenen Behälter. Einige alte Damen, die mit ihren fetten Hunden des Weges kamen, rümpften die Nase, doch Siandra achtete nicht auf sie. In Windeseile hatte sie die Entfernung zu Aisling überbrückt und strich ihr beruhigend über den Rücken, als sich ihr Körper wieder und wieder gegen sie auflehnte.

„Ach du Scheiße", fluchte Becca, als sie sich umdrehte, um zu sehen, wo die beiden blieben und hechtete zu ihnen zurück. „Was ist mir ihr?"

Siandra zuckte mit den Schultern und strich Aislings Haare zurück, als es erneut den Körper ihrer Freundin schüttelte. „Ihr habt Sushi von einem heruntergekommenen Imbisstand gegessen. Was denkst denn du?"

Vorsichtig richtete Aisling sich auf und nahm das Taschentuch, das

Becca ihr reichte. Sie nickte. „Das Essen. Der Stress. Das wird's sein."

Sie mussten nicht lange auf ihre Straßenbahn warten. Auch wenn Elyano darauf bestanden hatte, sie abzuholen, hatte Siandra ihn davon überzeugen können, dass Fynn ihn dringender an seiner Seite brauchte, als sie. Und es reichte ja wohl, dass sie schon einen regelrechten Verfolgungswahn entwickelte, sobald sie auch nur einen Raben sah. Auch wenn nicht jeder dieser Vögel unweigerlich zu Elyano gehören musste.

Aisling starrte stumm aus dem Fenster und Siandra wagte es nicht, sie anzusprechen. Einige Zeit hatten Becca und sie versucht, die Jägerin in eine belanglose Unterhaltung zu verstricken, doch als sie immer einsilbiger wurde, hatten sie es schließlich aufgegeben. Siandra warf Becca, die die ganze Zeit am Display ihres Handys hing, einen genervten Blick zu, ehe ihre Augen wieder aus dem Fenster wanderten.

Kurz wurde es dunkel, als sie in einen Tunnel fuhren. Siandra sah nicht auf, als das Licht nach nur wenigen Augenblicken den Waggon erhellte. Doch plötzlich dröhnte ein dumpfer Knall durch das Zugdach und ließ die Lampen flackern. Siandras Magen verkrampfte sich und selbst Becca sah kurz von ihrem Handy auf. Was war das nur gewesen? Unruhig schoss Siandras Blick umher, als das Licht auf einmal gänzlich erlosch und sie in Dunkelheit hüllte.

Mit unsicherer Hand griff Fynn nach der Klinge. Aislings Dolch. Er wusste, dass er am morgigen Tag nach ihm greifen und sich selbst in die Haut schneiden musste. Um einen Bluteid zu schwören, der die Zeiten überdauerte und nur gemeinsam mit seinem Leben endete. Doch wie sollte er den Eid mit einem lahmen Arm ablegen? Er spürte die Blicke seines Bruders und Zephirs in seinem Rücken, die ihn mitfühlend beobachteten. Doch er wollte ihr Mitleid nicht.

Er versuchte, die Schmerzen in seinem Bein zu vergessen und konzentrierte sich einzig und allein auf seine Finger, schloss sie um den Griff des Dolches. Doch sein Arm war taub und seine Bewegungen ungelenk. Viel zu krampfhaft umfasste er das geflochtene Leder. Er legte alle Kraft in seine Hand, doch nach nur wenigen gewonnenen Zentimetern fiel er scheppernd zu Boden. Fynn fluchte und schlug wütend auf den Tisch. Der Schmerz erreichte ihn kaum. Jede einzelne Sekunde war eine Erinnerung daran, wie schwach er nun war.

„Lass gut sein", sagte Elyano und legte eine Hand auf seine Schulter.

Doch Fynn presste nur die Lippen aufeinander und machte sich von seinem Bruder los. Mit schmerzverzerrtem Gesicht bückte er sich, um den Dolch aufzuheben, dieses Mal mit der linken Hand. Es fühlte sich ungewohnt an, die Klinge nicht mit seiner Schwerthand zu führen, doch immerhin schaffte er es so, sie zu heben. Er lehnte sich an die Tischkante, um nicht die Balance zu verlieren.

„Weißt du schon, was du sagen wirst?", fragte Zephir, der im Schneidersitz auf einem der Tische im Ratssaal saß. Die Tische standen noch vom gemeinsamen Essen dort, doch da viele Jäger zu Aufträgen unterwegs waren, hatten sie nicht, wie sonst, in langen Reihen gestanden, sondern waren wahllos im Raum angeordnet. „In deiner Rede, meine ich. Denk daran, wie wichtig sie ist. Immerhin..."

Fynn zuckte mit den Schultern und ließ den Dolch in einer abgehackten Bewegung durch die Luft gleiten. „Eine Rede wird mich auch nicht retten", sagte er bitter und humpelte auf einen der Stühle zu. Er konnte sich ein Stöhnen kaum verkneifen, als er sich hinsetzte und sein Bein entlastete.

Er hob den Blick und sah in die dunklen Augen seines Bruders, der seinen Blick suchte. Er hatte sich vor ihm niedergekniet und stützte sich auf den Stuhl. Tiefe Sorge stand in sein Gesicht geschrieben. Am liebsten hätte Fynn sie mit Worten vertrieben, so wie er es immer getan hatte, doch das Monster aus Hass, Schmerz und Trauer hatte sich dort eingenistet, wo einst sein Herz gesessen hatte. Und erneut wünschte er sich, etwas anderes zu spüren, als den ewig gleichen Schmerz.

„Willst du wirklich nichts gegen die Schmerzen nehmen?", fragte sein Bruder sanft, doch Fynn schüttelte den Kopf. Noch wollte er nicht kapitulieren und seinen gesunden Geist opfern.

Erst, als Elyano den Kopf drehte, bemerkte er, dass sich die Tür geöffnet hatte. Es war Llwyn, die mit geröteten Wangen in der Tür stand. Auf Elyanos Züge schlich sich ein Lächeln, als er die Hand nach ihr ausstreckte. Das ließ sich der kleine Wirbelwind nicht zweimal sagen. Llwyns Augen wanderten zu Fynn und ihr Blick bewölkte sich. „Geht es deinem Bein besser?", fragte sie vorsichtig.

„Nein", presste Fynn hervor. Er musste sich an seinem Zorn festklammern, um nicht auseinanderzubrechen. „Nein und besser wird es auch nicht."

„Fynn...", flüsterte Elyano mit Nachdruck in der Stimme, doch das machte ihn nur noch wütender.

„Nein, Elyano. Sie soll ruhig die Wahrheit kennen. Meinem Bein geht es nicht besser und wird es auch nicht. Der neue Fynn gefällt dir nicht? Kann ich nicht ändern. Mein altes Ich ist an Ariels Seite gefallen, so wie es auch mein Schicksal war." Als er die Tränen in Llwyns Augen glitzern sah, wusste er, dass er zu weit gegangen war.

Elyano zog das Mädchen kurz in seine Arme und drückte ihm einen Kuss auf den Scheitel. „Mach dir keine Sorgen, kleiner Vogel", flüsterte er in sein Haar. „Fynn geht es bald wieder besser. Er ist nur müde und sein Bein tut ihm weh. Deshalb ist er so miesepetrig. Und jetzt lauf spielen, wir müssen hier noch einiges tun."

Als das Mädchen den Raum verlassen hatte, wandte Elyano sich wieder seinem Bruder zu. Fynn konnte sehen, dass er versuchte, seine Wut zu zügeln. „Fynn", sagte er und schaffte es kaum, das Knurren in seiner Stimme zu verbergen. „Ich möchte ungern, dass unser Gespräch erneut Formen annimmt, an denen uns beiden nichts liegt, aber..."

Doch Fynn achtete nicht auf ihn. Er stützte sich auf seinen Gehstock und stand unbeholfen auf, ehe er zur Tür humpelte.

„Hey, wo willst du hin?", rief Zephir ihm nach. „Wir sind noch nicht fertig!"

„Es ist deine Pflicht...", setzte Elyano an, doch die zufallende Tür ließ ihn verstummen. Fynn folgte dem Gang ohne wirkliches Ziel. Seine Lippen verzogen sich zu einer bitteren Fratze. *Pflicht...* Er begann, dieses Wort zu hassen.

„Was war das?", rief Becca schrill. Panische Stimmen erfüllten die Luft. Aufgeregt blickten die Fahrgäste einander an und redeten wild durcheinander. Siandra tauschte einen angespannten Blick mit Aisling, doch die war bereits aufgesprungen. Die Jägerin in ihr war erwacht. „Was auch immer es war, es ist wegen uns hier", flüsterte sie, ohne ihre Augen von der Decke abzuwenden, als Siandra neben sie trat. Auch sie hörte das leise dumpfe Geräusch. Es klang, als würde jemand über das Dach laufen... oder etwas.

„Verdammt", zischte Aisling. „Ich habe alles im Orden gelassen. Nur mein Messer habe ich dabei."

Auch Siandra hatte nichts an Waffen eingepackt. Wären sie doch nur vorsichtiger gewesen.

Das Licht ging wieder an. Nach und nach atmeten die Fahrgäste erleichtert auf, doch Aisling und Siandra konnten nicht entspannen. „Was auch immer es war, es hat freundlich angeklopft", sagte Aisling leise. „Dann wollen wir doch genauso höflich sein und es in Empfang nehmen."

„Aber", wollte Becca protestieren, doch da hatte die Bahn bereits an der nächsten Station gehalten. Siandra folgte Aisling hinaus und zog ihre beste Freundin hinter sich her.

Ohne es zu merken, hatten sie den Tunnel verlassen. Die kleine Haltestelle lag verlassen und menschenleer da und wurde nur noch von einigen Laternen beleuchtet. „Was habt ihr vor?", fragte Becca ängstlich. „Ihr könnt doch nicht..."

„Ich habe einen Eid geschworen", sagte Aisling und zog ihre Waffe hervor. Siandra hatte ein kleines Schweizer Taschenmesser erwartet und nicht die handlange Klinge, die Aisling aufklappen ließ. „Ich habe geschworen, meine Welt vor den Augen der Menschen zu verbergen. Und genau das habe ich auch vor. Zeigt euch!", rief sie in die Dunkelheit.

Einen Moment lang geschah nichts, ehe eine vermummte Gestalt aus dem Zwielicht trat. Sie war nicht allein. Zwei Wölfe begleiteten sie, doch sie hatten nichts mit Pyrros' Wölfen gemein. Sie waren größer und breiter, mit massigeren Köpfen und schärferen Zähnen. Ihr Fell schimmerte rötlich und dunkle Linien schienen sich über ihren Körper zu winden.

„Wie süß", klang eine heisere Stimme unter der Kutte hervor. „Willst du mich allen Ernstes mit diesem Zahnstocher angreifen?"

„Wer bist du und was willst du?"

„Immer so gerade heraus, liebe Jägerin? Ihr habt euch weit aus eurem Bau hervorgewagt."

„Willst du uns etwa drohen?", zischte Aisling wütend.

Das Gesicht des Fremden war durch die Kutte verhüllt, doch Siandra hätte schwören können, ein Lächeln in seiner Stimme zu hören. „Drohen ist so ein hässliches Wort. Nennen wir es lieber einen gut gemeinten Ratschlag. Ich wollte lediglich ein wenig auf mich aufmerksam machen."

Siandra sah ihn nicht kommen. In der einen Sekunde stand er noch an dem Maschendrahtzaun, dann spürte sie schon seinen Atem in ihrem Nacken und einen Arm, der erstaunlich dünn war und sie dennoch mit ungeahnter Kraft festhielt. Ihr stockte der Atem, als sich metallene Kälte an ihre Haut legte.

Aisling wollte ihr zu Hilfe kommen, doch die Wolfsbestien stellten sich ihr in den Weg. „Lass sie los", verlangte ihre Freundin mit harter Stimme.

„Ich werde ihr schon nicht weh tun", sagte der Fremde und wieder hörte Siandra sein Lächeln. „Ich gebe ihr nur ein kleines Souvenir mit auf den Weg."

Siandra zuckte zusammen, als sich der Schmerz glühend heiß durch ihre Wange fraß, doch dann verschwand das Metall schlagartig. Sie spürte, wie jemand nach ihrem Arm griff und sie hinter sich zog.

Der Fremde zischte und wich zurück, als einige Jäger mit gezogenen Waffen näherkamen. „Bestellt eurem neuen Hüter einen schönen Gruß", knurrte der Fremde und schwang sich auf den Rücken einer seiner Bestien. „Die kalten Winde wehen und er sollte lernen, sich vor dem Meister der Stürme in Acht zu nehmen. Er ist nicht allein hier." Damit verschwand er so rasch im Zwielicht, wie er gekommen war.

Im ersten Moment dachte Siandra, es wäre Elyano gewesen, der sie von dem Fremden losgerissen hatte, doch als der Schein einer Laterne auf sein Gesicht fiel, erkannte sie, dass es Florian war. Seine Miene war geradezu versteinert. „Hier", sagte er und reichte ihr ein Taschentuch. „Drück das auf die Wunde."

Verwirrt starrte sie ihn an. Wo kamen sie so plötzlich her? Vielleicht führte er ja eine der Patrouillen an. Sie wollte ihn schon fragen, doch da hatte er sich schon Aisling zugewandt. Er redete schnell in eshani auf sie ein, doch sie blieb stumm, nickte nur hin und wieder. „Kommt", sagte er schließlich. „Lasst uns zum Orden zurückkehren."

Nur ein einziger Schritt. Ein Schritt und er würde wieder fliegen können. Eine kühle Brise erfasste Fynns Haar und zerrte an seiner Kleidung, doch er bemerkte die Kälte kaum. Der Schmerz in seinem Bein pochte und schrie um Aufmerksamkeit.

Nur ein weiterer Schritt und es würde enden. Die Schmerzen würden aufhören. Und doch schaffte er es nicht, diesen letzten Schritt zu tun. Er musste an Pyrros' Worte denken. Auch er hatte keine Angst vor dem Tod, denn mit ihm würde sein Sterben endlich enden. Jeder Tag war eine Schlacht und an jedem Tag fiel ein weiterer Teil von ihm auf dem Feld. Nein, er hatte keine Angst vor dem Tod. Er hatte Angst vor dem Sterben.

Nur noch ein Schritt, bloß ein kleiner Schritt. Doch sobald er seine Augen schloss, sah er Aislings Gesicht. Und erneut schmerzte sein Herz, als ihm klar wurde, dass er ihr Lächeln geraubt hatte, wie Pyrros das Seine an sich riss.

Es gab Tage, da hatte das Wort Liebe einen bitteren Beigeschmack. Er wusste, was er für sie empfand, wusste, was sie in ihm auslöste, wenn sie ihn berührte, küsste, oder einfach nur an seiner Seite lag. Doch der Schmerz höhlte ihn aus und ließ eine Leere zurück, die nichts zu füllen vermochte. Nur noch ein Schritt...

Zephir redete wild gestikulierend auf Elyano ein, als Siandra den Orden betrat. Elyanos Miene war wie versteinert und er hatte die Arme vor der Brust verschränkt, doch als er ihrem Blick begegnete, hellte sich sein Gesicht kurzzeitig auf. Bis er den Schnitt auf ihrer Wange bemerkte. Ohne auf Zephirs Proteste zu achten, stürmte er auf sie zu. Die Sorge in seinen Augen jagte ihr einen Stich ins Herz. „Wer hat dir das angetan?", fragte er mit einem Anflug von Panik in der Stimme. Er umfasste ihr Gesicht, ohne den Schnitt auf ihrer Wange zu berühren und ließ seine Finger sanft zu ihrem Hals wandern. „Wer, verdammt, hat dir das angetan?" Seine Stimme war drängend und besorgt zugleich.

„Was ist passiert?", fragte Zephir hinter ihm beunruhigt.

Jetzt erst schien Elyano zu realisieren, dass es Florian war, der zwischen Siandra und Aisling stand. Ihre Blicke trafen sich, doch der Jäger wandte seinen sofort ab.

„Es ist alles in Ordnung", flüsterte Siandra und suchte seine Lippen. Er erwiderte ihren Kuss und zog sie in seine Arme. Sie spürte die Anspannung in seinem Körper und sein Herz, das laut an ihrem schlug.

„Wo ist Fynn?", fragte Aisling leise und schlang die Arme um ihren Körper.

Zephir strich mit den Zähnen über seine Unterlippe. „Er wollte allein sein."

Aisling nickte nur und drehte sich um. Sie wusste, wo sie nach ihm suchen musste. Die Schmerzen machten ihn wechselhaft, wie die Gezeiten des Meeres, doch es gab einen Ort, an den er stets zurückkehrte, wenn alles über ihm zusammenstürzte.

Mit kühler Stimme setzte Florian Zephir und Elyano über das, was geschehen war, in Kenntnis, als sie durch die Gänge des Ordens schritten. Elyanos Miene war ebenso kalt wie die des Jägers, doch Siandra spürte den Schleier, der sie von innen heraus wärmte. Die Jäger waren tatsächlich in dem Teil Kölns auf Patrouille gewesen. Dennoch fragte sie sich, ob es wirklich der Zufall gewesen war, der sie zur richtigen Zeit an den richtigen Ort geführt hatte.

An der Tür, die zu ihrem Zimmer führte, trennten sich ihre Wege. Zephir wollte nach seiner Schwester suchen und Florian beschloss, Becca nach Hause zu fahren.

Mit sanfter Bestimmtheit drückte Elyano Siandra aufs Bett und strich noch einmal über ihre unverletzte Wange. „Warte hier", flüsterte er. Die Sanftheit seiner Stimme umarmte sie, auch wenn sie noch immer das leichte Zittern in ihr hörte.

Als Elyano den Raum verließ, wanderten ihre Gedanken sofort zu dem eigenartigen Fremden und seinen Bestien. Und obwohl ihr Leben in seiner Hand gelegen hatte, hatte sie doch nicht die Angst verspürt, die sie hätte fühlen sollen. Sie hatte nicht das Gefühl gehabt, er würde ihr ernsthaft schaden wollen. Wurde sie langsam, aber sicher verrückt? Und diese Bestien... Was waren das nur für Kreaturen? Sie waren so anders, als Pyrros' Wölfe - viel bulliger und monströser und in jedem ihrer Muskeln steckte vermutlich ungeheure Kraft.

Sie sah nicht auf, als Elyano wieder ins Zimmer trat. Das Bett senkte sich, als er sich neben sie setzte. Behutsam tupfte er mit einem feuchten Tuch über ihre Wange. Jedes Mal, wenn sie unter seiner Berührung zuckte, ließ ihn das kurz in der Bewegung gefrieren. „Es ist nicht tief", sagte er, während er die Wunde desinfizierte und verband. Er war ihr so nah, dass sie seine Stimme auf ihrer Haut spürte. Geräuschvoll atmete er aus und ein Sturm aus Sorge und Angst lag in seinen Augen, als er sich vorbeugte und mit seinen Lippen eine Linie oberhalb der Wunde zeichnete. Dann umfasste er ihr Gesicht und lehnte seine Stirn an ihre. „Tu mir das ja nicht noch einmal an, hörst du?", flüsterte er. „Mir einen solchen Schrecken einzujagen."

Sie sagte nichts, küsste ihn nur zur Antwort. Eine endlose Zeit saßen sie nur nebeneinander und genossen die Nähe des anderen. Doch ein Gedanke ließ Siandra einfach nicht los. „Du würdest es mir doch sagen, oder?", begann sie zögerlich. „Du würdest es mir sagen, wenn ihr etwas wüsstet?"

Einen Augenblick lang sah Elyano sie nur stumm an, dann streichelte er sanft über ihren Hals und zog sie dichter an sich heran. „Natürlich würde ich das. Warum fragst du?"

„Diese Wölfe..." Bei dem Gedanken an diese Bestien überkam sie ein Zittern.

„Sie gehören nicht zu Pyrros, so viel ist sicher."

„Aber zu wem gehören sie dann?", fragte Siandra und schmiegte ihr Gesicht an Elyanos Brust, lauschte dem gleichmäßigen Schlagen seines Herzens. Es war ein Spiel, bei dem sie ihren Gegenspieler nicht sehen konnten... und auch nicht alle Spielfiguren. „Zu wem gehören sie nur?", fragte sie erneut, doch nicht einmal Elyano wusste sich darauf eine Antwort.

„Was tust du denn hier?", erklang eine sanfte Stimme hinter Fynn, doch er drehte sich nicht um. Schweigend starrte er in die Ferne. Aisling trat näher an ihn heran und lehnte die Stirn an seinen Rücken.

„Wo bist du gewesen?", presste Fynn hervor. Er umfasste seinen Gehstock so krampfhaft, dass sein Arm vor Anspannung zitterte.

„Ich war mit Siandra und Becca unterwegs", flüsterte sie und strich unentwegt über seinen Rücken, ganz so, als könne sie damit die Schmerzen hinwegstreichen. Doch das konnte sie nicht. Das vermochte niemand.

„Wie war's?" Ihr Zögern beunruhigte ihn. Aisling hielt nie etwas vor ihm zurück - zumindest war das einmal so gewesen. Vielleicht hatte der Schmerz ihm auch das genommen. Er schloss kurz die Augen, ehe er sich zu ihr umdrehte. Jede Bewegung war ein Kraftakt, doch er wollte ihr ins Gesicht sehen.

Aisling sah genauso elend aus, wie er sich fühlte. Die Schatten hatten sich noch tiefer in ihre Haut gefressen und in ihren Augen glitzerte Angst. Sorge keimte in ihm auf, schaffte es, den Schmerz für einen kurzen Moment zur Seite zu drängen. „Aisling, was ist passiert?"

Einen Augenblick lang kämpfte Aisling mit ihrer Selbstbeherrschung, doch dann stahl sich ein Schluchzen aus ihrer Kehle und sie schlug die Hand vor den Mund, als Tränen über ihr Gesicht liefen. Sie strich ihm eine Strähne aus dem Gesicht, ließ ihre Finger über seine

Wange wandern und schlang dann die Arme um seinen Hals. Erneut spürte Fynn den Schmerz, doch es war nicht der, der in seinem Bein pochte. Unbeholfen legte er seinen fast tauben Arm um Aisling und zog sie dichter an sich heran. „Schht", hauchte er und küsste sie aufs Haar.

Aisling schwieg, klammerte sich an ihn, wie ein Ertrinkender an ein rettendes Seil. Die Zeit verstrich, doch für die beiden schien sie nicht zu existieren, war nicht von Belang. „Was ist passiert?", fragte Fynn schließlich behutsam. Doch Aisling antwortete nicht. Sie atmete schwer, die Hand auf Fynns Brust gepresst, als kämpfe sie mit dem Gleichgewicht. Angst überkam ihn. „Was ist mir dir?"

„Nichts. Nur ein wenig schwindelig."

„Dann setz dich", sagte Fynn und schob Aisling ein Stück von sich. Umständlich ließ er sich neben ihr auf den Boden sinken und legte seinen gesunden Arm um sie. Er atmete kurz durch, als das Gewicht von seinem Bein abfiel. Auf einmal spürte er Aislings Finger, die sanft über den Stoff seiner Hose strichen. Sie wanderten über sein Knie, seinen Oberschenkel, ehe sie ihren Arm um seine Hüfte schlang. Doch noch immer liefen Tränen über ihre Wangen, wie ein Strom, der nie mehr ganz versiegen würde. „Warum weinst du, mo cridhe?"

Aisling schüttelte den Kopf, versuchte die Tränen wegzuwischen, doch sie wollten einfach nicht aufhören zu fließen. In einer ungelenken Bewegung hob er seinen rechten Arm, brachte sie behutsam dazu, ihn anzusehen und wischte ihre Tränen fort. „Ich vermisse dich", flüsterte sie unter weiteren Tränen. „Immer. Selbst jetzt vermisse ich dich, obwohl du direkt neben mir sitzt."

Fynn sagte nichts. Er lehnte sich vor, ignorierte den Schmerz, der in seinem Bein pochte und die Schlange in seiner Brust und küsste sie. Er schmeckte das Salz ihrer Tränen und spürte die Enge, die sich in seinem Hals ausbreitete, als Aisling die Hände in den Kragen seines Hemdes krallte. „Verzeih mir", flüsterte er an ihren Lippen und küsste sie erneut mit verzweifelter Hoffnungslosigkeit. „Verzeih mir die Schmerzen, die du meinetwegen erleiden musst. Verzeih mir", stieß er hervor und spürte, wie ihm selbst Tränen über die Wangen liefen.

Aisling umfasste sein Gesicht und sah ihn einen Moment lang traurig an, ehe sie ihre Lippen über seine Wange wandern ließ. Sie hauchte Küsse auf seinen Hals und lehnte ihre Schläfe an seine. Er lauschte ihrem Atem, hielt sie nur stumm. Der Moment war perfekt, er wäre es, wenn da nicht der Schmerz lauern würde, der ihn nie ganz vergessen ließ.

3. Nec soli cedit

Der Abend war schillernd und bunt. Musik erfüllte die steinernen Gemäuer und die Eingangshalle des Ordens erstrahlte voller Glanz. Unzählige Gäste tummelten sich im Saal. Jäger, Ratsmitglieder und Abgesandte aus den entlegensten Winkeln des Reiches hatten sich zusammengefunden, um Zeuge zu werden, wenn der neue Hüter seinen Eid sprach.

Ein jeder von ihnen hatte sich in Abendkleidung geworfen, ein jeder wollte auffallen. Frauen mit Champagnergläsern. Jäger, die ihr Smartphone in die Luft streckten, um Selfies zu machen. Ratsmitglieder, die ihren gesamten Schmuck zur Schau zu tragen schienen. Auch Siandra hatte ihr edelstes Kleid aus den Untiefen ihres Schranks zutage gefördert - ein royalblaues mit Spitze am Rücken, dennoch war ihr nicht zum Feiern zu Mute. Fast schon Halt suchend klammerte sie sich an Elyanos Hand, die sie durch den Saal führte. Und mehr als einmal war sie froh, dass sie nicht mit Platzangst gestraft war.

Unwillkürlich wanderte ihr Blick die Treppe hinauf, zu der Tür, hinter der Fynn gemeinsam mit Heinrich die letzten Vorbereitungen traf, und nicht nur, weil Llwyn kichernd die breiten Stufen herunterstolperte und sich unten angekommen von Zephir durch die Luft wirbeln ließ. Siandras Blick suchte Aisling, die sich ein Stück weit entfernt mit zwei Ratsmitgliedern unterhielt. Höflich lächelnd lauschte sie den beiden Männern und nickte hin und wieder, doch selbst auf die Entfernung konnte Siandra erkennen, dass Aisling nur lächelte, um nicht zu weinen. Nicht einmal das Make-Up konnte die Sorgen verschwinden lassen, die sie belasteten. Für sie war dieser Abend genauso schwer wie für Fynn.

Als Elyano Siandra ein Glas reichte, beobachtete sie aus dem Augenwinkel, wie sich Aisling von den beiden Männern löste und die

Treppen hinaufschritt. Vorsichtig spähte sie durch den Türspalt und verschwand Sekunden später in dem Raum.

„Mach dir keine Sorgen", flüsterte Elyano und legte einen Arm um Siandra. „Es wird schon alles gut gehen." Doch sie spürte, dass er seinen eigenen Worten nicht so recht glaubte. „Aufgepasst", lachte er, als Llwyn ihn beinahe über den Haufen rannte. Sie trug ein lindgrünes Kleid und ihr Haar wurde von einem farblich passenden Band zurückgehalten. Mit geröteten Wangen strahlte sie ihrem Bruder ein breites Zahnlückenlächeln entgegen, ehe sie weiterlief.

„Sie ist einfach nicht müde zu kriegen", grinste Zephir, als er auf die beiden zukam. Mit einem vielsagenden Blick und einem charmanten Lächeln, nahm er sich ein Glas Champagner von dem Tablett eines Kellners. „Deine Großmutter ist hier, wusstest du das?", fragte er unbeteiligt und sah dem Kellner nach, während er einen Schluck aus seinem Glas nahm.

Elyano, der gerade im Begriff war zu trinken, verschluckte sich und hätte seinen Champagner beinahe auf dem Kleid einer Adligen verteilt, die sich in diesem Moment an ihnen vorbeischob. „Was?", fragte er mit hochrotem Kopf und hustete.

Siandra lächelte und klopfte ihm auf den Rücken. „Für dich vielleicht kein Alkohol mehr?", neckte sie ihn. Seine Großmutter war hier? Natürlich. Immerhin würde ihr Enkel zum Hüter des Ordens aufsteigen. Ob sie sie treffen würde? Der Raum war mit so vielen Menschen gefüllt, dass die Chancen gar nicht so schlecht standen, ihr überhaupt nicht über den Weg zu laufen. Zumal Elyano nicht gerade scharf darauf zu sein schien, ihr zu begegnen. Und Siandra war nicht sonderlich gut darin, wenn es darum ging, die Verwandtschaft des Freundes zu treffen.

„Jap, die böse Hexe des Westens ist hier", bestätigte Zephir grinsend. „Siandra, ich an deiner Stelle würde schon mal die Beine in die Hand nehmen."

Siandra runzelte die Stirn. „Was?"

„Hör nicht auf ihn, er erzählt nur Mist", raunte Elyano ihr zu. „Hörst du Zephir? Lass das."

Mit einem Hauch Misstrauen schob Siandra sich ein Stück von Elyano weg und sah ihn abwartend an. „Was ist mit deiner Großmutter?"

„Sie ist... traditionell", druckste Elyano herum.

„Traditionell?“, fragte Zephir und lachte. „Du meinst wohl eher rassistisch. Nimm dich in Acht, Siandra. Kannst froh sein, dass du dir nicht den heiligen Erstgeborenen geschnappt hast. Hätte Perry damals ein Halb...“ Er verstummte, als er Elyanos warnenden Blick sah. Mit einem verschleierten Mea Culpa verabschiedete er sich, um sich ein neues Glas zu holen.

Siandra drehte sich zu Elyano um und strich sachte über seine Brust. Seine Miene war wie versteinert. „Perry?“, fragte sie sanft.

Elyano nickte zögerlich. „Peregrine“, erklärte er leise. „Unser ältester Bruder.“

„Was ist mit ihm geschehen?“

Ihr Rabe nahm einen Schluck von seinem Sekt, ehe er zum Sprechen ansetzte. „Er ist fort. Für immer.“

Unwillkürlich musste Siandra daran denken, wie knapp Elyano dem Ruf seines Raben nur entkommen war und sie quetschte unbewusst seine Hand, so fest, dass sie seine Knochen durch die Haut spüren konnte.

Ein sanftes Lächeln schlich sich auf Elyanos Züge, als er ihre Hand an seine Lippen hob und seidenweiche Küsse auf ihre Fingerknöchel hauchte. „Komm“, flüsterte er und legte einen Arm um ihre Taille. „Ich muss noch die Runde machen. Lass mich bloß nicht mit diesen ganzen Irren allein.“

Elyano stellte sie so vielen Gästen vor, dass sie nicht einmal versuchen brauchte, sich all die Namen zu merken. Immer wieder lächelte sie höflich und schüttelte unzählige Hände, doch ihr entgingen nicht die feindseligen Blicke, die einige der Gäste Elyano zuwarfen. Der Rabe bemerkte ihr Zögern. „Sie müssen sich erst noch daran gewöhnen, dass ich jetzt auf ihrer Seite stehe“, erklärte er leise. „Auch wenn ich schon seit einer Weile hier am Orden bin, kennen viele mich nur von einer anderen Seite. Als Alessandras Henker.“

Siandra presste kurz die Lippen aufeinander, als der Name der roten Fürstin fiel. „Aber niemand hat von Rotkäppchens Plänen gewusst.“

„Oh, das haben sie tatsächlich nicht“, sagte Elyano, während er einem weiteren Ratsmitglied mit aufgesetztem Lächeln zunickte. „Aber Fürstin Rotkäppchen wusste es schon immer vortrefflich, alle um sie herum ihre eigene Wirklichkeit glauben zu lassen und in der waren wir eine Bande auftragsloser Söldner, die das Land in Angst und

Schrecken versetzten."

Erneut tauchten sie in eine Traube Fremder ein und erneut musste Siandra höflich Hände schütteln. *Immer freundlich lächeln, nicken und hoffen das es keine Frage war,* dachte Siandra, als sie endlich ein vertrautes Gesicht erblickte.

Teddy lächelte ihr aufmunternd zu, als er auf sie zukam, Elyano die Hand reichte und sie in eine kurze Umarmung zog. „Wie geht es Fynn?", fragte der Reichskanzler behutsam.

Elyano zuckte mit den Schultern. „Er packt das schon."

„Ariel hat in ihm einen würdigen Nachfolger gefunden, daran dürft ihr nicht zweifeln. Dein Bruder war schon immer der geborene Anführer."

„Ich hoffe, er erinnert sich ebenfalls daran", sagte Elyano und hatte Mühe, seine Stimme neutral klingen zu lassen. Instinktiv griff Siandra nach seiner Hand und ließ ihren Daumen in kreisenden Bewegungen über seine Haut fahren.

Teddy schien zu spüren, dass er sich auf ein Minenfeld begeben hatte, denn er lächelte ihnen noch einmal aufmunternd zu, ehe er sich zu einer älteren Dame umdrehte.

„Bist du bereit?", fragte Aisling mit unsicherer Stimme, als sie die Tür hinter sich schloss.

Fynn versuchte gerade mit fünf Fingern seine Krawatte zu richten. Sein Mund hatte einen harten Zug bekommen und tiefe Schatten lagen wie Zwielicht unter seinen Augen. Mit einem frustrierten Seufzen ließ er den Arm sinken. „Wie könnte ich das jemals sein?"

Aisling trat vor ihn, legte eine Hand in seinen Nacken und streichelte mit dem Daumen über seine Wange. Sie sagte nichts und Fynn war ihr dafür dankbar. Nichts was sie sagte, konnte etwas an seiner Lage ändern. Aisling ließ ihre andere Hand ebenfalls in seinen Nacken wandern, als sie sich daran begab, seine Krawatte zu binden. Er verschloss den Seufzer, der in ihm aufstieg, hinter seiner Mauer. Nicht einmal das konnte er noch. Als sie fertig war, schlich sich ein Lächeln auf ihr Gesicht, auch wenn ihr mit Sicherheit nicht danach war. Er jedenfalls war nicht zum Scherzen aufgelegt. „Wie praktisch", flüsterte sie und griff nach dem dunklen Stoff. Mit sanfter Bestimmtheit zog sie ihn zu sich herunter und küsste ihn. Wieder fauchte die Schlange in seiner Brust, doch er versuchte, sie zu ignorieren und erwiderte den Kuss zaghaft.

„Wo ist Heinrich?“, fragte sie an seinen Lippen.

„Ich habe ihn weggeschickt.“

Sanft steckte sie eine Strähne hinter seinem Ohr fest. „Möchtest du, dass ich gehe?“, fragte sie. Sie versuchte, es zu verbergen, doch er konnte das Zittern in ihrer Stimme deutlich hören. Vor ihm konnte sie ihre Sorgen nicht hinter einer Maske verstecken, ebenso wenig, wie er ihr seine Ängste verheimlichen konnte.

Sie drehte sich zum Gehen um, doch Fynn verdrängte den Schmerz, machte einen Schritt auf sie zu und griff nach ihrer Hand. „Nein... Bleib“, brachte er abgehackt hervor.

Aisling schluckte, ehe sie seinen Nacken umfasste und mit ihren Lippen über seine strich, ehe sie sich dicht an ihn schmiegte und seinem Atem lauschte. Unbeholfen legte Fynn seine Arme um sie, als Heinrich zurückkehrte.

„Es ist soweit.“

Siandra drehte sich ruckartig um, als eine laute Fanfare ertönte. Alle Augen richteten sich auf die Empore, die unter dem riesigen Zifferblatt thronte. Kurz blitzten Erinnerungen an Rotkäppchen in ihr auf. Die Fürstin, die sie dort oben im Uhrenkasten gefunden hatte. Der Wolf, der über sie hergefallen war. Ein Zittern überkam sie, als die Bilder sich in rasender Geschwindigkeit vor ihrem inneren Auge abspielten.

Fynn trat aus dem Schatten der Uhr hervor und ein Raunen ging durch die Menge. Ein leichtes Lächeln lag auf seinen Lippen, doch es wirkte wie in Stein gemeißelt, kalt und leblos. Es hatte nichts mehr mit dem, des immerzu fröhlichen Jägers gemein, den sie vor einigen Monaten kennengelernt hatte. Der Schmerz und der Verlust hatten ihn verändert, hatten Bitterkeit tief in sein Herz gesät.

Aisling stand ein Stück weit hinter ihm und Heinrich flankierte ihn von der anderen Seite. Sie hielt den Kopf gesenkt, auch als Fynn das eisige Lächeln von seinen Lippen verjagte und zum Sprechen ansetzte. „Auf meiner Seele liegt ein Schatten“, begann er mit kühler Stimme. „Mein Herz vermag es nicht mehr zu singen, denn wir alle trauern um unseren Hüter Ariel, der uns über viele Jahre hinweg, würdig geführt hat und aus jeder Schlacht siegreich hervorgegangen ist. Sein Tod ist ein großer Verlust, für jeden von uns und die Nachfolge, die ich antrete, lastet schwer auf meinen Schultern. Ariel werde ich niemals ersetzen können, doch ich…“

„Wie auch, mit nur einem Arm und einem Bein?“, rief jemand aus der Menge, doch die Worte prallten an Fynns Mauer ab.

„Dem Reich stehen dunkle Stunden bevor. Die Unruhen und Unstimmigkeiten unserer Gemeinschaft gehen auch den Orden etwas an, deshalb verspreche ich an diesem Abend feierlich, Aschenputtels Orden und das Reich aus diesen schweren Zeiten siegreich hinausführen.“

„Was wird mit diesem verdammten Wolf geschehen?“, rief jemand dazwischen und brachte Fynn kurzzeitig aus dem Takt. Siandra sah, wie die Mauer bröckelte, doch er krallte sich mit aller Macht an den Überresten fest.

„Über Pyrros‘ Leben wird nicht am heutigen Abend entschieden“, sagte er mit einer Stimme aus Stahl. „Mit diesem heiligen Eid“, fuhr er fort, „den ich vor den Göttinnen, meinen geschätzten Ratsmitgliedern, treuen Jägern und sämtlichen Persönlichkeiten unserer Gemeinschaft ablege, schwöre ich, den Orden der Jäger wieder in ein goldenes Zeitalter, einen nie enden wollenden Sommer zu führen.“

Aisling trat, mit immer noch gesenktem Kopf, dicht an ihn heran. Auf ihren Handflächen trug sie einen Dolch, behutsam, wie eine unschätzbare Kostbarkeit.

Er drehte sich zu ihr um und Siandra bemerkte den weiteren Schritt, den sie auf ihn zu machte. Sie nahm seinen Gehstock und reichte ihm den Dolch. Mit der linken Hand hob er die Klinge, streckte sie nach oben. „Nec soli cedo!“, rief er, als er die Schneide an seine rechte Handfläche ansetzte.

„Nec soli cedit“, antwortete die Menge tosend.

Siandra warf Elyano einen kurzen verwunderten Blick zu. „Er weicht nicht einmal der Sonne“, flüsterte Elyano in ihr Haar und strich sanft über ihren Nacken. „Der Eid. Zumindest der offizielle Teil.“ Doch Siandra hörte ihm kaum zu. Ihr Blick heftete sich an Fynn, der die scharfe Schneide des Dolches ohne auch nur eine Sekunde zu zögern durch seine Haut fahren ließ. Er hob die Hand und dunkles Blut lief an seiner Handfläche herab, tropfte zu Boden, während die Menge tobte und ihren neuen Hüter feierte. Am heutigen Abend sahen sie nur den strahlenden Offizier, der er vor dem Angriff gewesen war und glaubten an seine Worte, glaubten, dass er sie in einen endlosen Sommer führen konnte. Doch Siandra entgingen nicht die Blicke einiger Jäger, die Fynn abschätzig musterten. Einer von ihnen war Florian. Nur wenige Meter stand er von ihnen entfernt, mit verschränkten Armen und versteinerter Miene, während alle um ihn herum den neuen Hüter priesen. Und Siandra wurde klar, dass der größte Kampf noch vor ihnen lag.

„Ich hasse dich", war das Einzige, das Siandra hervorbrachte, ehe ihr die Luft ausging. Angestrengt versuchte sie, mit Becca Schritt zu halten, was alles andere, als einfach war.

Mit einer Lässigkeit, die Siandra fast schon zur Weißglut trieb, lief Becca rückwärts vor ihr her und grinste über das ganze Gesicht. „Unsinn, du liebst mich", sagte sie und lachte, als sie sich wieder umdrehte und ihr Tempo drosselte, um wieder mit Siandra auf eine Höhe zu kommen.

Siandras Laune näherte sich dem Tiefpunkt. Und das lag nicht nur an der wahnwitzigen Idee, mit ihrer besten Freundin joggen zu gehen. Sie hatte gehofft, den ganzen Problemen im Orden entfliehen zu können, doch sie verfolgten sie auch bis hierhin in den Wald. Daran konnten auch die Lieder, die lautstark aus Beccas Handy tönten, nichts ändern. Hin und wieder drehten einige Spaziergänger sich genervt zu ihnen um, doch Becca störte das nicht.

Mit den Händen deutete Siandra ein Time-Out an und verlangsamte ihr Tempo. Schwer atmend stemmte sie ihre Hände in die Seiten.

„Geht dir etwa schon die Puste aus?", fragte Becca mit einem Grinsen, als sie neben ihr hielt.

„Dämonische Todesfee", knurrte Siandra, doch dann schlich sich ein Lächeln auf ihre Lippen. Diese Wirkung hatte Becca schon immer auf sie gehabt. Sie schaffte es stets, sie aus ihren trüben Gedanken zu reißen. „Im Ernst mal, du kannst doch nur adoptiert sein. Du läufst ja wie Usain Bolt!"

Becca lachte und schlug spielerisch nach ihr. „Komm weiter", sagte sie dann und erntete von Siandra nur ein frustriertes Stöhnen. „Ich muss noch meine Kilometer laufen."

„Warum habe ich noch gleich zugestimmt, mitzukommen?"

„Weil du ein Masochist bist?", vermutete Becca belustigt.

„Jetzt hast du mein Geheimnis gelüftet. Tut mir leid, dass du es auf diese Weise herausfinden musstest."

Sie zuckte zusammen, als das blecherne Summen ihres Handys an ihr Ohr drang. Sie warf Becca einen entschuldigenden Blick zu, doch die zwinkerte nur lächelnd und widmete sich ihrem eigenen Handy.

„Hallo Eorlina", erklang am anderen Ende der Leitung die Stimme, die sie so sehr liebte. „Was macht das Joggen?"

„Läuft", sagte sie lächelnd und wich einigen Kindern aus.

Elyano lachte. „Wir sind aber ganz schön außer Form, was?"

„Was meinst du, warum ich das hier mache?", erwiderte sie sein Lachen. „Sonst bekomme ich neben euch ganzen durchtrainierten Jägern ja nur noch mehr Komplexe."

Einen Augenblick lang war die Leitung still, dann kehrte Elyanos Stimme zurück. „Sia, das musst du doch nicht..."

„Ich weiß", unterbrach sie ihn. „Trotzdem."

Ein weiterer Moment der Stille folgte, ehe Elyano wieder das Wort ergriff. „Hör mal, ich wollte dir nur Bescheid sagen, dass ich dich abhole, nachdem ich Fynn zum Arzt gefahren habe."

„Wie geht es ihm?"

Elyano seufzte. „Unverändert. Ich hoffe, er glaubt seinem Arzt endlich und nimmt die Medikamente, die er ihm verschreibt. Und hoffentlich hört er auf, ihn als Stümper und Scharlatan zu bezeichnen. Sonst können wir uns bald einen neuen Arzt suchen." Er lachte spröde, doch das Lachen blieb ihm im Hals stecken.

„Warum lässt Fynn sich überhaupt von einem Arzt behandeln? Nachdem wir..."

„Wir haben damit sein Leben gerettet", erinnerte Elyano sie sanft. „Samoel konnte ihm nicht mehr helfen, niemand von uns konnte das. Es blieb uns keine andere Wahl, als die Hilfe von Menschen zu ersuchen. Wir haben die richtige Entscheidung getroffen, daran darfst du nicht zweifeln."

Sie spürte, wie sich eine unangenehme Enge in ihrem Hals breitmachte und überspielte es mit einem Lachen. „Sonst bin ich doch die, die dich davon überzeugt, etwas richtig gemacht zu haben."

„Was soll ich sagen, du tust mir einfach gut", sagte Elyano und sie hörte das Lächeln in seiner Stimme. „Genau wie Aisling immer ein Anker für Fynn war und ist. Ihr zuliebe tut er das alles. Wenn Samoel noch leben würde..."

„Ja...", hauchte sie. Der sympathische Arzt der Jäger fiel in der Schlacht um den Orden, gerissen von einem von Pyrros' Wölfen. „Wie wird es jetzt weitergehen? Ohne Dr. Allwissend?"

„Er hatte zwei Lehrlinge, doch die können ihm nicht einmal annähernd das Wasser reichen. Wir werden sehen, wie weit sie ihn ersetzen können."

Stille legte sich über sie und Siandra lauschte nur dem leisen Motorengeräusch und seinem Atem am anderen Ende der Leitung. „Ich will dich auch nicht länger aufhalten", sagte er. „Ich wollte nur kurz deine Stimme hören. Gleich werde ich Fynn einsammeln, dann werde ich sehen, wie es ihm heute geht... und versuchen ihn ein weiteres Mal zu überzeugen."

„Wie hält er diese Schmerzen nur aus?", flüsterte Siandra.

„Ich weiß es nicht. Sicher ist nur, dass selbst seine Mauer daran zerbrechen wird, wenn wir nichts unternehmen." Er räusperte sich. „Aber du lauf mal weiter deine Runde. Becca ist doch sicherlich schon genervt."

Siandra warf einen kurzen Seitenblick auf ihre Freundin. „Die ist ganz gut beschäftigt."

Elyano schwieg einen Moment und Siandra hörte, wie er den Motor ausschaltete. „Weißt du eigentlich, wie sehr ich dich liebe?"

Eine sanfte Wärme breitete sich in ihrer Brust aus. „Ich liebe dich auch." Erneut senkte sich eine Stille über die beiden, doch es war kein unangenehmes Schweigen, es war wie eine Blase, ein geheimer Raum, der nur ihnen gehörte.

„Ich bin dann mal bei Fynn und seiner Mauer. Wenn etwas ist, ruf an", sagte Elyano. „Ich hole dich dann da ab, wo ich dich raus gelassen habe."

„Mach ich." Das Lächeln blieb an ihren Lippen kleben, auch nachdem sie aufgelegt hatte.

Beccas Stimme riss sie unsanft aus ihrer Blase heraus. „Und? Was sagt dein sexy Loverboy?"

Siandra beschleunigte ihre Schritte, um zu Becca aufzuschließen. „Er fährt Fynn zum Arzt."

„Und wie geht es ihm bei der Geschichte?"

Sie seufzte. „Die Sache mit Fynn macht ihm schwerer zu schaffen, als er sich selbst eingesteht."

„Teddy sagt, Fynn hat seine Sache bei der Eidsprechung sehr gut gemacht. Wie geht es ihm?"

Siandra seufzte und bog auf einen schmaleren Waldweg ein. „Lässt noch immer alle an seiner Mauer abprallen."

„Und Aisling?"

„Ihr setzt die ganze Sache noch mehr zu als uns. Der Stress um Ariels Nachfolge und Fynns Mauer schlägt ihr ganz schön auf den Magen, auch wenn sie versucht, es zu verbergen."

„Die Ärmste", flüsterte Becca. Einige Minuten liefen sie nur stumm nebeneinander her, ehe sie erneut das Wort ergriff. „Wie war die Eidsprechung so?", fragte sie grinsend. „Teddy wollte nicht so recht mit der Sprache herausrücken."

Auch Siandra kramte von irgendwoher ein Lächeln hervor. „Sagen wir es so: Die Jäger wissen es, ein Fest groß aufzuziehen. Warum warst du eigentlich nicht da?"

Beccas Lippen bekamen einen leicht schmollenden Zug. „Teddy meinte, die alteingesessenen Ratsmitglieder und Angehörigen der Gründerfamilien könnten es als eine Beleidigung auffassen, einen Menschen in ihrer Mitte zu wissen."

„Mich haben sie als ehemaliges Halbblut auch in ihrer Gemeinschaft geduldet", warf Siandra ein.

„Das ist etwas anderes. Du hast eine Entscheidung getroffen." Ihr Lächeln wuchs zu einem breiten Grinsen. „Außerdem hattest du Elyano an deiner Seite."

„Stimmt wohl", erwiderte sie und ließ sich ebenfalls zu einem Grinsen verleiten.

Schweigend liefen sie nebeneinander her und Siandra konzentrierte sich einzig und allein auf ihre Atmung und die Geräusche des Waldes, die sie umgaben, ihre dumpfen Schritte auf dem festgetretenen Boden, das Rascheln des Windes in den Bäumen. Sie atmete tief ein und nahm den feuchten, süßen Duft von Blumen und den Geruch nach warmer Erde in sich auf.

Siandra zuckte zusammen, als jemand nach ihrem Arm griff. Sofort blitzten Erinnerungen in ihr auf, aber sie beruhigte sich, als sie erkannte, dass es Becca war, die sie die Böschung hinunterzog. Als ihr klar wurde, was ihre Freundin vorhatte, war es bereits zu spät. „Becca!", quietschte sie, als das kalte Wasser in ihre Schuhe lief.

„Jetzt stell dich nicht so an!", rief Becca lachend und watete in die Mitte des Baches. Er war nicht sonderlich breit und doch reichte ihr das Wasser bis zur Hüfte. „Ich dachte, eine Abkühlung würde dir ganz gut tun. Und jetzt komm her", fügte sie hinzu und streckte die Hand nach ihr aus.

Auch wenn die Luft sommerlich warm war, jagte ihr das eisig kalte Wasser einen Schauer durch den Körper und ließ ihn verkrampfen. Einen Wimpernschlag lang nahm es ihr den Atem, ehe sie sich weiter vorwagte. Sie stockte in der Bewegung, als sie ein leises Lachen vernahm. Ein Lachen, das sie nur zu gut kannte. „Salomo, du alter Stalker, zeig dich gefälligst!"

Nur wenig später sprang der Kater von einem der Äste und rollte sich am Flussufer zusammen. „Was wird das, wenn es fertig ist?", fragte er mit einem Schmunzeln in der Stimme. „Querfeldeinrennen?"

„Ist er hier?", fragte Becca und erinnerte Siandra daran, dass sie den Gestiefelten Kater ja überhaupt nicht sehen konnte.

„Ja, ist er."

„Oder doch eher Militärtraining?", fragte Salomo und lief am Ufer auf und ab. „Im Ernst Siandra, du solltest öfter laufen gehen, bist ganz schön außer Fo..."

„Willst du uns etwa hier Gesellschaft leisten?", zischte Siandra und spritzte Wasser in seine Richtung. Sein Blick war Antwort genug.

Elyano hob die Augenbrauen, als Siandra zu ihm ins Auto stieg. „Ich dachte, ihr wolltet joggen gehen?", fragte er schmunzelnd und beugte sich vor, um sie zu küssen.

„Nicht", sagte sie, als er beim Ausparken einen Arm um ihre Schultern legte. „Ich bin ganz verschwitzt."

„Ich habe schon Schlimmeres ausgehalten und im Moment mache ich mir mehr Sorgen um meine Sitze."

Spielerisch knuffte sie ihm in die Seite. „Das bisschen Wasser."

„Das bisschen Abwasser, wolltest du wohl sagen“, grinste Elyano und ordnete sich in die linke Spur zum Abbiegen ein. „Die Gewässer hier sind doch so verdreckt, dass man ohne Schwierigkeiten Leichen darin verschwinden lassen könnte. Wenn es nicht schon jemand getan hat.“

„Na klasse, jetzt fühle ich mich gleich sauberer. Ich glaube zuhause muss ich mir als Erstes eine Badewanne Sagrotan einlaufen lassen.“

„Zuhause?“, fragte er und zeichnete mit seinen Fingern unsichtbare Muster auf ihren Handrücken.

„Stimmt etwas nicht?“

Elyano schüttelte lächelnd den Kopf. „Nein, alles gut. Du hast den Orden nur noch nie so genannt.“

Siandra griff nach seiner Hand und strich mit ihren Lippen über die weiche Innenseite. „Das ist er nun einmal. Mein Zuhause.“

Elyano lächelte immer noch, als er eine Hand in ihren Nacken legte und sie küsste.

„Mir wäre es ganz lieb, wenn du auf die Straße achten könntest.“

„Sonst was?“, fragte er und der Blick mit dem er sie bedachte, ließ sie innerlich brennen.

„Sonst muss jemand anderes entscheiden, wo er unsere Überreste verschwinden lassen soll.“

„So wenig Vertrauen in meine Fahrkünste?“, fragte er gequält und packte sich theatralisch ans Herz. „Das verletzt mich.“

Siandra grinste und wollte das Radio einschalten, als ihr Blick auf die Postkarte fiel, die auf dem Armaturenbrett lag. „Was ist das?“, fragte sie und griff danach.

Schlagartig verdüsterten sich Elyanos Züge. „Keine Ahnung, ist heute Mittag angekommen. An den Orden oder besser gesagt, an Fynn adressiert. Kein Absender.“

Ein wenig beunruhigt betrachtete Siandra die Postkarte. Sie war fast völlig weiß, nur ein alt wirkendes Wappen prangte auf dem kahlen Hintergrund. „Hast du eine Ahnung, was das sein könnte?“

Elyano schüttelte den Kopf und strich sich durch die Haare. „Kein Schimmer. Selbst Heinrich hat es nicht erkannt.“

Er hatte recht. Auf der anderen Seite stand tatsächlich *Fynn Montgomery - Hüter des Ordens*, aber keine Adresse, als hätte ein Bote die Karte gebracht und nicht etwa die Post. In der linken Spalte hoben sich fast schon kalligrafisch anmutende Buchstaben von dem hellen Untergrund ab. „Der Norden erinnert sich“, las sie leise vor. „Der Norden vergisst nicht. Die kalten Winde wehen und bald werden ihre Stürme auch dich erreichen.“ Sie hielt kurz inne. „Was hat das zu bedeuten? Soll das etwa eine Drohung sein?“ Nur wer wollte sie da warnen?

Elyanos Hände verkrampften sich am Lenkrad. „Ich werde jedenfalls nicht tatenlos herumsitzen und zulassen, dass irgendwer diese Drohung wahr macht und meine Familie in Gefahr bringt.“

Sie wusste, was unausgesprochen zwischen ihnen lag, wie ein Gast, den niemand eingeladen hatte. *Nicht so, wie er es bei Fynn zugelassen hatte...*

Elyano ließ sie am Orden raus und machte sich gleich auf den Weg zu seinem nächsten Auftrag. Sie fragte ihn nicht, was er vorhatte, auch wenn sie ahnte, was seine Aufgabe war. Anfangs hatte es sie gestört, nicht zu wissen, wo er sich aufhielt, doch sie hatte gelernt, damit zu leben. Immerhin war sie keine Jägerin. Sie hatte sich selbst dagegen entschieden.

„Zum Abendessen bin ich wieder zurück“, hatte Elyano ihr noch gesagt und sie hoffte, er hielt sein Versprechen. Es war das erste gemeinsame Essen seit Fynns Eidsprechung. Nicht nicht nur ihretwegen wünschte sie sich, dass er pünktlich zurückkehrte. Vor allem Fynn brauchte ihn an seiner Seite.

Nachdenklich drehte sie die Postkarte in den Händen, als sie sich einen Weg zu ihrem Zimmer bahnte, um die nasse Kleidung loszuwerden. Was hatte das nur alles zu bedeuten? Wer wollte ihnen da drohen?

Der Norden erinnert sich... Der Norden vergisst nicht... Sie hatte das Gefühl, diese Sätze schon einmal gehört zu haben, doch sie konnte sich einfach nicht daran erinnern.

In Windeseile zog sie die nasse Sporthose aus und schlüpfte in eine bequeme Jeans. Die Postkarte knickte sie und stopfte sie in ihre Hosentasche. Doch auch, als sie sich auf den Weg zum Gemeinschaftsraum machte, gingen ihr die Worte nicht mehr aus dem Kopf.

Sie wurde abrupt aus ihren Gedanken gerissen, als sie um ein Haar mit jemandem zusammenstieß. Als sie aufsah, erkannte sie, dass es keiner der Jäger war. Ihre Augenbrauen hoben sich, als einer der Kellner vom gestrigen Abend ihr schüchtern zulächelte und sich an ihr vorbeischob. *Na sieh mal einer an.*

Aiofé und ein paar andere Jäger, die Siandra nur flüchtig kannte, hatten es sich im Gemeinschaftsraum bequem gemacht und sahen sich irgendetwas im Fernsehen an. Als Siandra erkannte, was es war, zuckten ihre Augenbrauen erneut. Hartz-IV-TV vom Allerfeinsten. „Was wird denn das?", fragte sie und ließ sich in einen der Sitzsäcke sinken.

Jetzt erst schien Aiofé sie zu bemerken. „Herzlich Willkommen zum Themennachmittag Fremdschämen", grinste sie und griff nach der Tüte Chips. „Tritt näher und lass dich ebenfalls von diesem überaus gehaltvollen Programm inspirieren."

Siandra wollte etwas erwidern, als sich die Tür öffnete und Zephir hereinkam. Sein Blick wanderte sofort zum Fernseher und ein amüsiertes Grinsen trat auf seine Züge, als er über die Rückenlehne des Sofas sprang und sich neben seine Schwester fallen ließ. „Ihr tut euch tatsächlich diesen fauligen Entertainment-Eiter an?", fragte er und schob sich eine Hand voll Chips in den Mund.

„Hey, wir bilden uns", protestierte Aiofé wild gestikulierend und warf dabei fast ihr Glas um. „Das ist auch gewisser Maßen... Kunst."

„Ach so nennt man das also", sagte er lachend. Dann fiel sein Blick auf Siandra und das Grinsen wurde noch breiter. „Bist du etwa von deiner Sportexkursion zurück?"

„Nein, ich bin noch unterwegs. Das was du hier siehst, ist nur meine Projektion", gab sie trocken zurück.

„Touché"

„Elyano?", vermutete sie. Woher sollte er es sonst wissen?

Doch Zephir schüttelte den Kopf. „Salomo."

Sie hätte es sich eigentlich fast schon denken können. Hier machten Neuigkeiten sofort die Runde, egal wie unbedeutend sie auch waren. „Und du? Noch einen schönen Abend gehabt?"

Zephir sagte nichts. Seine Lippen verzogen sich zu einem halben Grinsen und er hob anzüglich die Augenbrauen, ehe er seine Aufmerksamkeit wieder der Chipstüte widmete.

„Hat dir Elyano eigentlich diese Postkarte gezeigt?", fragte Zephir, nachdem sie einige Zeit den äußerst glaubwürdigen Problemen der

Laienschauspieler gelauscht hatten.

Sie nickte und zog das geknickte Stück Papier aus ihrer Hosentasche. „Aber ich werde daraus einfach nicht schlau. Irgendwie habe ich das Gefühl, es schon mal gehört zu haben, aber ich weiß nicht wo."

„Gib noch mal her", sagte Zephir mit dem ernsten Gesicht, das man so selten bei ihm sah. Stumm überflog er die Zeilen und runzelte nachdenklich die Stirn.

Aiofé schielte neugierig über die Schulter ihres Bruders. „Kalte Winde wehen... der Norden vergisst nicht..."

„Klingt nach jemanden, den wir kennen."

Verwundert sah Siandra ihn an. Wen meinte er bloß?

Zephir hob die Augenbrauen. „Dir fällt keiner ein? Mir schon. Unser lieber Gast sagte etwas ähnliches zu mir, als ich ihn in seinen Gemächern..."

„Du warst bei ihm unten? Aber du hattest gesagt, du würdest nicht...", fiel Aiofé ihm ins Wort.

Wut verhärtete das Gesicht ihres Bruders. „Natürlich war ich da! Er hat unseren Vater umgebracht, verdammt!"

Geschlagen wandte Aiofé den Blick ab und Zephirs ganze Aufmerksamkeit schien vom Bildschirm des Fernsehers gefesselt. Als seine Schwester nach einigen Augenblicken einen Witz über das anspruchsvolle TV-Programm machte und Zephir laut lachte und einen Arm um ihre Schultern legte, schien jedoch alles vergessen.

Trotzdem gingen Zephirs Worte Siandra einfach nicht aus dem Kopf. *Klingt wie jemand, den wir kennen...* Aber das war doch nicht möglich? Pyrros verbrachte seine Zeit angekettet in der Dunkelheit, dafür hatte Fynn gesorgt. Nur was hatte das alles zu bedeuten?

Aislings 4. Geheimnis

Meinst du wirklich, das ist eine gute Idee?“, fragte Aisling und strich über Fynns Wange, doch er wandte den Blick ab. Für den Bruchteil einer Sekunde huschte Unsicherheit über seine Züge, bevor er sie wieder hinter seinen breiten Mauern versperrte. Aisling konnte ihn nicht verstehen. Niemand konnte das, nicht einmal sein Bruder. Die Last von Ariels Erbe lag allein auf seinen Schultern. Er war es, der von nun an den Kopf hinhalten musste.

„Überleg es dir noch einmal“, bat Aisling, flehte sie.

„Es ist nur ein Essen. Und als Hüter des Ordens muss ich auch dort erscheinen. Es ist meine Pflicht.“

„Sei nicht so streng zu dir. Gib dir und gib ihnen mehr Zeit, um mit der Sache...“

„Aber ich habe keine Zeit, hörst du?“, fuhr Fynn sie an. „Und ich kann mir keine Schwäche erlauben!“

„Aber...“

Fynn griff nach Aislings Schultern und erneut spürte er den Stich in seinem Herzen, als er bemerkte, wie dünn sie geworden war. Doch die Schlange in seiner Brust verdrängte diesen Schmerz und trieb ihre Fänge immer tiefer in sein Fleisch. „Glaubst du etwa, ich wüsste nicht, dass meine Jäger sich hinter meinem Rücken die Mäuler zerreißen? Glaubst du tatsächlich, ich wüsste nicht, was sie über mich sagen? Ich muss ihnen zeigen, dass ich der Hüter sein kann, den sie brauchen, auch wenn ich selbst nicht daran glaube. Ich muss sie lehren, mich zu respektieren. Du weißt, was davon abhängt!“

„Das verstehe ich, aber...“

„Nein, nichts verstehst du!“, sagte er schroff. „Keiner von euch tut das. Du bist einsam, sagst du? Weißt du eigentlich, wie einsam ich mit dieser Aufgabe bin?“

„Aber du bist nicht allein...“, flüsterte sie und wollte ihn berühren, doch er wandte sich von ihr ab.

„Doch Aisling, ich bin allein. Und daran kann niemand etwas ändern. Nicht einmal du.“

Siandra war von dem Display ihrer Handys so sehr abgelenkt, dass sie Elyanos Schleier erst bemerkte, als er direkt hinter ihr stand. Sie spürte seine Hand auf ihrer Schulter, vertraut und besitzergreifend zugleich. „Du bist zurück?“, fragte sie lächelnd.

„Wie du siehst.“

Als sie sich zu ihm umdrehte, erschrak sie. Ein kurzer, aber tiefer Schnitt verlief über sein Kinn und ein dunkler Schatten lag um sein rechtes Auge, ein Geflecht aus unzähligen feinen Adern, als hätte jemand Blut durch Tinte ersetzt. Angst machte sich in ihr breit und wieder wurde ihr bewusst, wie gefährlich sein Alltag als Jäger war. „Was ist passiert?“, fragte sie mit rauer Stimme.

Er spürte ihre Furcht und schloss sie in seine Arme, drückte einen Kuss auf ihren Scheitel. „Mach dir keine Sorgen, meine Herzensschöne“, flüsterte er in ihr Haar. „Mir geht es gut.“

Sie schob sich ein Stück weit von ihm weg, um ihn ansehen zu können. „Möchte ich wissen, was passiert ist?“, fragte sie behutsam und umfing seine Wange, strich mit den Fingerspitzen über den dunklen Schatten.

Unter ihrer Berührung schloss er die Augen und schmiegte sich in ihre Hand, doch dann schüttelte er zögerlich den Kopf. „Nein, möchtest du nicht.“

Es fiel ihr schwer, nicht nachzuhaken. Vermutlich war es wirklich besser, wenn sie es nicht wusste. Sie kramte ein Lächeln hervor, als sie ihre Finger über seine Wange tanzen ließ. „Du siehst aus, wie der Hund von den kleinen Strolchen“, grinste sie und wollte die Hand sinken lassen, doch Elyano hielt sie fest.

Statt einer Antwort zog er sie dichter an sich heran und verschloss ihre Lippen mit einem Kuss. „Wie frech“, flüsterte er und biss sanft in ihre Unterlippe. Erneut küsste er sie, stürmischer als zuvor. Sie fühlte die raue Tapete an ihrem Rücken, als er sie an die Wand presste und die Hitze, die sein Körper verströmte. Sie erwiderte den Kuss nicht weniger leidenschaftlich, vergrub ihre Finger in seinen Haaren, spürte, wie seine Hände hinab und unter ihr T-Shirt wanderten. „Das Essen", brachte sie zwischen zwei Küssen hervor und erntete von Elyano nur ein leises „Hmm".

„Wir sind jetzt schon zu spät dran."

„Verdammt", flüsterte Elyano und ließ seine Lippen noch einmal fast flüchtig über ihren Hals streichen, ehe sein Atem ihren Mundwinkel traf. Widerwillig löste er sich von ihr und legte einen Arm um ihre Taille.

Er war ihr so nah und doch so weit entfernt. Siandra wusste, bei wem seine Gedanken verweilten: bei seinem kleinen Bruder, der seine Unterstützung so dringend brauchte und sie so sehr ablehnte.

Noch bevor sie die beiden sahen, hörten sie Fynns aufgebrachte Stimme und Aislings verzweifelten Versuch, ihn zu beruhigen. „Doch Aisling, ich bin allein!", warf Fynn ihr entgegen. „Und daran kann niemand etwas ändern. Nicht einmal du."

„Fynn!"

Sein Bruder fuhr herum, als er Elyanos Stimme hörte. Ein Sturm von Gefühlen tobte in seinen Augen, doch dann rauschte er ohne ein weiteres Wort davon.

Aisling sah ihm stumm nach, die Arme um den Körper geschlungen, als versuche sie auf die Art, ihn daran zu hindern, auseinanderzubrechen. „Aisling", flüsterte Elyano und streckte die Hand nach ihr aus, doch sie wich vor seiner Berührung zurück und verschwand hinter den hohen Flügeltüren.

„Wenn ich nur irgendetwas tun könnte", presste er hervor und ballte die Hände zu Fäusten.

Siandra griff nach seinen Fingern und öffnete sie behutsam. „Du bist für ihn da", flüsterte sie. „Gib ihm Zeit."

Unzählige Jäger saßen bereits an den langen Tischen im Ratssaal. Elyano zog Siandra durch die engen Reihen zu Aiofé und Aisling. Ariels Tochter schien zu versuchen, Aisling in ein Gespräch zu verwickeln - mit mäßigem Erfolg. Siandra konnte erkennen, wie schwer es Aisling fiel, ihre unbeschwerte Maske aufrecht zu erhalten. Ihr Blick wanderte kurz zu Elyano, doch ihr Gesicht zeigte keinerlei Regung.

„Zephir, du kommst reichlich spät", bemerkte Aiofé, als ihr Bruder an sie herantrat.

„Ladies“, lächelte er charmant in die Runde. „Herr Panda“, fügte er grinsend hinzu, als sein Blick Elyano streifte und er sich auf einen der freien Stühle sinken ließ. Elyano sagte nichts, verdrehte nur die Augen.

Als Fynn den Raum betrat, verstummten schlagartig alle Gespräche und sämtliche Augen richteten sich auf den neuen Hüter. Ohne auf seine Jäger zu achten, rief er einen der Bediensteten heran und bat ihn, aufzutragen.

Das Essen war für Fynn der reinste Spießrutenlauf. Eine Zeit lang lauschte Siandra mit halben Ohr dem Gespräch zwischen Elyano, seinem Bruder und Nikolai über Einsatzpläne und Aufträge, als ein anderer Jäger sich einmischte und das Gespräch wieder auf Pyrros lenkte. „Was wirst du mit diesem verdammten Wolf machen?“

Fynns Gesicht verlor nicht an Ruhe, doch seine Augen wurden hart. „Das braucht dich nicht zu interessieren, Jäger.“

Die Hand des Mannes klammerte sich wütend an seine Gabel. „Dieser Bastard hat meine Schwester getötet. Ich will, dass er für seine Taten bestraft wird!“

„Und das wird er auch, wenn die Zeit gekommen ist“, sagte Fynn betont gelassen und nahm einen Bissen. „Aber das liegt nicht in deinem Ermessen. Es ist meine Entscheidung und die unserer Fürstin. Dem hast du dich zu beugen.“

„Wie willst du den Orden leiten, wenn du dich schon bei so klaren Fällen nicht traust, das Richtige zu tun?“, warf Florian ein.

„Es ist nicht meine alleinige Entscheidung. Unsere Fürstin...“

„Ist es das, was du dir einredest, um nachts ruhig schlafen zu können? Dass du ihren Willen befolgst?“

Elyanos Hände verkrampften sich, doch es war Aisling, die wütend dazwischenfuhr. „Jäger, du vergisst dich!“

Florian hob die Augenbrauen, halb verwundert, halb amüsiert. „Meldet sich unsere First Lady etwa auch zu Wort?“, fragte er abfällig.

„Es reicht jetzt, Florian“, knurrte Fynn wütend. „Aisling, halt dich bitte da raus!“

Aisling sah einen Moment so aus, als überlege sie, zu protestieren, doch dann wandte sie den Blick ab.

„Was wirst du gegen die Unruhen unternehmen?“, warf eine Jägerin ein. „Die Anfragen aus den äußeren Provinzen häufen sich und jeden Tag kommen mehr Nachrichten über Fehden, Mord und Tod!“

„Das werden wir in unserer nächsten Versammlung besprechen, aber nicht heute Abend."

Siandra berührte Elyanos Knie unter dem Tisch mit ihrem eigenen. Sein ganzer Körper war angespannt. Aus dem Augenwinkel beobachtete sie Aisling, die lustlos in ihrem Essen herumstocherte. Sie und Fynn saßen dicht nebeneinander und doch konnte die Kluft, die sie trennte, kaum größer sein. Dünn war sie geworden. Sie versuchte, es durch weite, unförmige Kleidung zu verbergen, doch Siandra sah es auch an ihrem Gesicht und den Schultern.

„Und wann ist diese nächste Versammlung?", fragte Florian und griff nach seinem Glas. Er tat gelassen, doch Siandra konnte die Wut sehen, die unter der Oberfläche brodelte.

„In wenigen Tagen", erwiderte Fynn kühl. „Salomo hat berichtet, dass in einem deiner Gebiete wieder höhere Narakrux-Aufkommen zu verzeichnen sind. Kümmere dich bitte gleich morgen darum."

„Der Kater sollte lernen, seine Nase nicht immer in anderer Leute Angelegenheiten zu stecken und vor seiner eigenen Tür kehren. Der Rattenfänger macht immer mehr Probleme und stellt sich quer. Er gefährdet unsere Welt, er..."

„... leistet uns seit vielen Jahren gute Dienste", vervollständigte Fynn, auch wenn er diese Worte nur widerwillig hervorzubringen schien. „Das ist es doch, was du sagen wolltest. Außerdem hat Salomo ihn gut im Griff."

„Bist du dir dessen so sicher?"

„Ich vertraue ihm."

Florian schnaubte. „Dann bist du ein größerer Narr, als ich dachte."

„Achte auf deine Worte", mischte sich Zephir ein. „Es ist dein Hüter, mit dem du sprichst!"

„Ach, was du nicht sagst", bemerkte Florian abfällig. „Bist du es nicht leid, ihm zu folgen? Aber wir wissen ja alle, weshalb Ariel ihn und nicht dich zu seinem Nachfolger auserwählt hat."

„Das reicht!", rief Zephir wütend und sprang auf, doch seine Schwester warf ihm einen Blick zu, der ihn besänftigte. Zumindest so weit, dass er sich zurück auf seinen Stuhl sinken ließ.

„So etwas dulde ich hier nicht, Florian", sagte Fynn mit kalter Stimme.

„Ach nein? Und was willst du dagegen tun? Du bist doch nur der minderwertige Nachfolger größerer Herrscher und wirst nie etwas anderes sein."

„Wie kannst du es wagen?!", mischte Aisling sich erneut ein. „Er ist dein Hüter! Ihm gilt dein Respekt!"

„Treu zu dienen, bedeutet die Wahrheit auszusprechen, so schmerzhaft sie auch sein sollte!", warf Florian ihr entgegen.

„Und doch vergisst du, mit wem du sprichst!"

„Aisling!", fuhr Fynn sie an und sie wich zurück, als er hätte er sie geschlagen. Seine Augen verengten sich, als er sich wieder seinem Jäger zuwandte. „Du verlässt auf der Stelle diesen Saal und wage es dich ja nicht, mir heute noch einmal unter die Augen zu treten."

Der Stuhl schabte lautstark über den Boden, als Florian aufsprang und aus dem Raum stürmte.

Siandra atmete schwer aus. Sie hatte nicht einmal bemerkt, dass sie die Luft angehalten hatte.

Als die Teller leer vor ihnen standen und die Gespräche sich wieder beruhigt hatten, griff Siandra unter dem Tisch nach Elyanos Hand. Sie öffnete sie, ließ ihre Finger sanft über die weiche Innenfläche streichen, setzte am Ballen an und ließ sie, wie Sonnenstrahlen bis zu den Fingerspitzen wandern. Noch immer war sein Körper angespannt, auch wenn seine Stimme völlig gelassen war, als er wieder mit Zephir und Fynn sprach.

Siandra unterhielt sich mit Aiofé und einer Jägerin namens Samantha über belanglose Dinge, wie die Filme, die in den nächsten Wochen im Kino anlaufen würden, doch ihre Augen wanderten immer wieder zu Aisling, die sich still aus allem raushielt. Sie hatte ihr Essen kaum angerührt, als Bedienstete kamen und die Teller abräumten, um das Dessert zu servieren. Siandra bemerkte den Blick, den Fynn Aisling zuwarf, doch er sagte nichts. Und mehr als einmal wünschte Siandra sich, nur irgendetwas tun zu können, um den beiden zu helfen.

Schon seit Stunden lag Siandra wach. Was sie auch versuchte, sie schaffte es nicht, einzuschlafen. Zum gefühlt tausendsten Mal drehte sie sich in Elyanos Armen um und starrte zur Decke. Ihr Rabe schlief tief und fest. Ein schwaches Lächeln schlich sich auf ihre Lippen, als ihre Augen über seine völlig entspannten Züge glitten. Tagsüber verhangen oft die Sorgen um seinen Bruder sein Gesicht, doch im

Schlaf konnte er alle Ängste hinter sich lassen.

Sie seufzte leise. Es brachte ja nichts. Sie hatte schon alles probiert, doch ehe sie sich wieder dazu erniedrigte, Schäfchen zu zählen, gab sie das Schlafen lieber ganz für diese Nacht auf.

Behutsam befreite sie sich aus Elyanos Umarmung und erntete ein kaum hörbares Grummeln. Einen Herzschlag lang gefror Siandra in der Bewegung, doch er blieb tief im Traum versunken. So leise wie möglich schlüpfte Siandra in ein T-Shirt und eine ihrer bequemen Stoffhosen und schloss die Tür hinter sich.

Der Orden war wie ausgestorben. Nur einmal begegnete sie einem der Jäger. Er trug die für sie so typische Lederrüstung. Aschenputtels Wappen, die Taube mit den ausgebreiteten Flügeln, thronte als Punzierung auf seiner Brust. Zwei Klingen kreuzten sich auf seinem Rücken. Erst dachte Siandra, er hätte sie auf seiner Patrouille nicht wahrgenommen, doch dann nickte er ihr kühl zu. Seit die Unruhen im Reich mehr und mehr zunahmen, hatte Fynn die Sicherheitsmaßnahmen im und um den Orden erheblich verschärft, doch sie konnte nicht sagen, ob diese Tatsache sie beruhigte oder eher verunsicherte.

Ihre Mutter hatte stets auf heiße Milch mit Honig geschworen, wenn sie nicht einschlafen konnte und auch wenn Siandra dem, was sie von sich gab, schon lange keinen Glauben mehr schenkte, war sie zumindest verzweifelt genug, es einmal auszuprobieren.

Doch als sie in die Küche trat, musste sie erkennen, dass das Zimmer nicht leer war. Aisling ging im Raum auf und ab, die Arme um ihren Körper geschlungen. Die Verzweiflung, die sie umgab, jagte Siandra einen Stich ins Herz. „Aisling“, flüsterte sie und jetzt erst schien diese zu bemerken, dass sie nicht mehr allein war.

„Siandra“, sagte sie mit brüchiger Stimme. „Was machst du hier?“

Siandra trat auf sie zu, doch Aisling wich zurück. „Ich konnte nicht schlafen, aber das ist unwichtig. Was ist los? Warum weinst du?“ Sie biss auf ihre Unterlippe. Was für eine dumme Frage. Aisling hatte allen Grund dazu.

Ihre Freundin wandte nur den Blick ab. „Es ist nichts“, flüsterte sie. Siandra konnte erkennen, wie verzweifelt sie versuchte, ihre unbeschwerte Maske wieder aufzusetzen, doch es gelang ihr nicht. Die Risse waren zu tief geworden, um sie noch zu kitten.

„Aisling“, flüsterte Siandra und machte einen weiteren Schritt auf sie zu. Diesmal wich sie nicht zurück. „Ich sehe doch, dass etwas nicht stimmt. Du kannst mit mir reden, egal was es ist.“

Aisling schüttelte traurig den Kopf. „Nein, kann ich nicht.“

„Aber...“

„Nein, ich kann mit niemanden darüber reden“, rief sie und ein Schluchzen drang hinter ihrer Maske hervor. „Nicht mit dir, nicht mit Elyano, ja noch nicht einmal mit Fynn.“ Ihre Stimme wurde leise. „Vor allem nicht mit Fynn...“

„Was es auch ist, wir finden mit Sicherheit eine Lö...“

„Nein Siandra! Nicht für alles gibt es eine Lösung!“

„Du musst es mir nicht sagen, aber...“

„Ich bin schwanger, hörst du?“, brach es aus Aisling hervor und mit diesem Geständnis schien auch der letzte Rest ihrer Maske hinfortgeweht. Noch enger schlang sie die Arme um ihren Körper, als er von Weinkrämpfen geschüttelt wurde. Sie schlug die Hand vor den Mund, doch sie konnte die Tränen nicht halten.

Aisling derart hilflos zu sehen, zerriss Siandra beinahe innerlich. Sie sagte nichts, zog sie nur in ihre Arme. Im ersten Moment wehrte Aisling sich gegen die Nähe, doch nach und nach verebbte ihr Widerstand. Sie barg ihr Gesicht in ihrer Halsbeuge und schlang die Arme um sie. Siandra wusste nicht, wie lange sie einfach nur dastand und Aisling hielt. Behutsam strich sie über ihren Rücken, hauchte beruhigende Worte und plötzlich war ihr klar, warum Aisling ihren Körper so sehr versteckte. Sie spürte die leichte Wölbung ihres Bauches auch durch den groben Stoff des Kapuzenpullis. „Weiß Fynn davon?“, fragte Siandra leise, obwohl sie die Antwort bereits ahnte.

Es dauerte einen Moment, ehe Aisling zaghaft den Kopf schüttelte und weitere Sekunden vergingen, bevor Siandra ihre tränenerstickte Stimme hörte. „Nein. Ich wollte ihm nicht noch eine Bürde auferlegen. Er hat genug Sorgen. Ich wollte ihm nicht noch mehr Angst machen.“

„Aber was ist mit deiner Angst?“

Aisling schien etwas erwidern zu wollen, doch nur ein herzzerreißendes Schluchzen verließ ihre Kehle. „Was soll ich nur machen, Sia?“, weinte sie. „Wie soll es nur weitergehen? Alles stürzt zusammen und es ...“ Sie schluchzte. „Das sind keine Zeiten für ein Kind. Der Orden ... Fynn ... Kein Kind sollte so aufwachsen.“

„Shht“, hauchte Siandra beruhigend. „Wir bekommen das zusammen schon hin. Du bist nicht alleine, hörst du? Du kannst immer zu mir kommen und Elyano wird auch der Letzte sein, der dich abweist. Du musst das nicht alleine durchstehen.“

Aisling sagte nichts und auch Siandra blieb stumm, hielt sie nur und war für sie da. „Wirst du es ihm sagen?“, fragte Aisling nach einer Weile mit gebrochener Stimme. „Fynn? Oder Elyano?“

Siandra schüttelte den Kopf. „Niemals.“ Sie schwieg einen Moment, ehe sie leise hinzufügte: „Er sollte es von dir erfahren. Lass dir nur nicht zu lange damit Zeit.“

Aisling nickte nur stumm und auch Siandra sagte nichts. Beruhigend streichelte sie ihr über den Rücken, während die Tränen stumm flossen, die so lange hinter einer Maske verborgen waren.

Warum mache ich das nur?, fragte Siandra sich zum wiederholten Mal, als sie den Weg in die Kerker suchte. Auch wenn sie noch nie hier unten gewesen war, fiel es ihr nicht schwer, den richtigen Gang zu finden. Immerhin hatte Elyano ihr den ganzen Orden gezeigt, mit der Ausnahme eines bestimmten Bereiches. Angespannt knabberte sie an ihrer Unterlippe. Ihr Rabe wusste nichts von ihrem Plan, hätte niemals zugelassen, dass sie zu ihm ging. Doch sie musste mit ihm sprechen. *Klingt wie jemand, den wir kennen.* Zephirs Stimme hallte in ihrem Kopf wider, als sie dem Weg spiralförmig in die Erde folgte. Ob Pyrros ihr tatsächlich helfen konnte? Und würde er es auch tun? Sie konnte es sich kaum vorstellen. Alles in ihr widerstrebte sich, einen Schritt nach dem anderen zu tun und bei dem Gedanken daran, wieder auf den Fürsten der Wölfe zu treffen, wurde ihr ganz flau im Magen. Sie dachte an die Zeit in Pyrros‘ Höhlen, an den Kampf im Orden, als seine Klinge erst Ariel und dann Fynn zu Fall gebracht hatte. Und neben dem Schauer der Vergangenheit stieg Wut in ihr auf. Wut um die Dinge, die er zerstört hatte. Ihre Gedanken wanderten zu Fynn, der ohne sein Lächeln wie ein vollkommen Anderer war und Aisling, die weder ein noch aus wusste. Aber wollten sie wirklich Pyrros‘ Blut an ihren Händen kleben haben? Siandra atmete geräuschvoll aus, als Teddys Worte ihr wieder in den Sinn kamen. Sie waren Krieger. Sie kannten es nicht anders. Das Gesetz des Stärkeren und der Rache.

Verwundert hob der Wächter die Augenbrauen, als Siandra nähertrat. „Ja?"
„Ich möchte mit dem Gefangenen sprechen", sagte sie und wunderte sich, dass ihre Stimme derart fest klang.
Die Lippen des Wächters verzogen sich zu einem herablassenden Grinsen. „Ach ja? Sagt wer?"
Siandra wollte etwas erwidern, als eine Stimme durch die Gitterstäbe hindurch an ihr Ohr drang. „Lass sie durch."
„Und was, wenn nicht, Wolf?", fragte der Wächter und schlug gegen die Gitterstäbe.
„Dann könnte mir etwas über die Saufgelage herausrutschen, die du schonmal gerne hier veanstaltest. Ich bin sicher, dein Hüter würde so etwas gerne hören."
„Willst du mir etwa drohen?", knurrte der Wächter, doch Pyrros lachte bloß.
„Nichts läge mir ferner", flüsterte das Zwielicht. „Und jetzt sei ein guter Hund, lauf zu deinem Herrchen und leck ihm die Stiefel. Ich bin mir sicher, du kannst es kaum erwarten."
„Ich werde hierbleiben", sagte der Wächter kühl und wandte sich an Siandra. „Mädel, ich hoffe, du weißt, was du da tust."
Pyrros hob den Blick, als sie in seine Zelle trat. „Hallo Prinzessin", lächelte er und seine Stimme jagte ihr einen Schauer des Ekels über den Rücken.
„Warum hast du das getan?"
Er schmunzelte und zuckte mit den Schultern. „Weil ich vermutlich noch vor meiner Hinrichtung an Langeweile sterben werde? Den ganzen Tag an eine Wand gekettet zu sein, ist nicht gerade ein Cluburlaub. Ganz abgesehen von der überaus reizenden Gesellschaft da draußen. Da ist mir ein solcher Anblick doch deutlich lieber." Siandra behagte es ganz und gar nicht, wie Pyrros sie musterte. „Da drängt sich doch die Frage in mir auf, was du dir von deinem Besuch bei mir erhoffst. Nicht, dass ich mich beschweren möchte,..."
„Antworten."
Pyrros schnaubte abfällig. „Die hat die falsche Krähe ebenfalls hier gesucht und ist doch nicht schlauer geworden."
„Wer?"
„Na, euer neuer Hüter. Der Rabe, der eigentlich keiner ist. Der

siebte Bruder, der von dem Fluch verschont blieb."

„Kennst du dieses Wappen?", fragte Siandra, ohne weiter auf seinen Spott einzugehen und hielt ihm die Postkarte unter die Nase.

Verwunderung blitzte in seinen Augen auf. „Woher hast du das?"

„Beantworte einfach nur meine Frage! Hast du dieses Wappen schon einmal gesehen?"

„Das habe ich in der Tat", gab Pyrros zu und lehnte sich ein Stück weit zurück - so weit es ihm mit seinen Fesseln möglich war.

Siandras Herz schien für den Bruchteil einer Sekunde schneller zu schlagen. „Wo?", fragte sie aufgeregt. „Wo hast du es gesehen?"

„Ich weiß, wo die Person lebt, die dieses Wappen in ihrem Banner führt. Doch ich fürchte, ich kann es dir nicht sagen. Ich bin an einen Eid gebunden."

„Dich erwartet eine Hinrichtung. Was hast du noch zu verlieren?"

Pyrros lachte auf. „Siandra, Siandra. Wann sind wir denn zu so einer kalten und erbitterten Verhandlungspartnerin geworden?"

„Antworte mir, Wolf!"

„Du solltest doch langsam wissen, dass wir mehr zu verlieren haben, als das Leben. Ich habe unter Eid geschworen, diesen Namen nie wieder auszusprechen."

„Wem hast du es versprochen?"

„Der einzigen Frau, für die ich je Gefühle gehegt habe. Alessandra."

Siandra spürte, wie ihre Chancen etwas herauszufinden, immer weiter schrumpften. Sie wusste, wie heilig die Eide waren und wie hoch die Strafen für ihren Bruch. Das musste Elyano schmerzlich erfahren.

„Tut mir leid, liebste Siandra. Ich kann dir nicht sagen, was du zu wissen begehrst. Und selbst, wenn ich dir sagen würde, wo sich diese Person aufhält, wirst du den Ort nicht finden. Ich könnte dich führen, aber was soll ich sagen?" Er hob die Hände ein Stück weit von seinem Rücken. „Mir sind die Hände gebunden." Pyrros schmunzelte. „Nicht das, was du dir erhofft hast, was? Der Wolf stirbt und mit ihm die Antwort auf deine Frage."

„Woher weiß ich, dass ich dir trauen kann?", fragte Siandra abschätzig.

Pyrros grinste halb. „Vertrauen ist solch ein überschätztes Gut. Du kannst mir nicht trauen. Vielleicht erzähle ich dir ja nur die Dinge, die du hören möchtest." Durchdringend sah er sie an. „Das ist nicht das

Einzige, das dich beschäftigt, nicht wahr?"

„Mein Leben ist ein Ponyhof", erwiderte Siandra trocken.

„Du wirkst nicht gerade glücklich. Solltest du nicht mit deinem Raben im rosa Paradies schweben und das Bett nicht einmal zum Essen verlassen?" Er grinste. „Man sagt, ein Hund könne eine Lüge riechen, warum dann nicht auch ein Wolf?"

Doch Siandra antwortete ihm nicht. Sie hörte noch seine unangenehme Stimme im Nacken, als er leise „Ciao Princess", flüsterte, ehe das Gitter hinter ihr ins Schloss fiel.

Als Siandra den Trainingsraum betrat, wurde ihr heiß und kalt zugleich. Ihr Magen krampfte sich vor Angst zusammen, als ihr Blick auf Elyano fiel, der mit geschlossenen Augen an der Decke hing. Eine gelbe Stoffschlinge lag um seine Kehle, die ihn in der Luft schweben ließ. Seine Beine waren im Schneidersitz übereinandergelegt. Wie ein Dreieck hatte er die Hände vor der Brust gefaltet, lediglich die Fingerspitzen berührten sich.

„Elyano!", entfuhr es ihr, als die Panik sie aus der Dunkelheit heraus wie ein Raubtier ansprang.

Schlagartig riss ihr Rabe die Augen auf. Ein erschrockener Ausdruck trat auf sein Gesicht, als er seinen Körper aus der Starre löste und ruckartig nach der Schlinge griff. Doch dann beruhigten sich seine Züge, als er Siandra erblickte. Mit fast schon spielerischer Leichtigkeit hob er seinen Körper aus der Schlinge und ließ sich zu Boden gleiten. Erst als Elyanos Füße wieder den festen Linoleumboden berührten, schaffte es Siandra, ihren Herzschlag in einigermaßen geregelte Bahnen zu lenken.

„Willst du mich noch ins Grab bringen?", fragte sie mit zittriger Stimme.

Elyano lächelte nur sanft, als er ihr Gesicht umfasste und sie küsste. „Mach dir keine Sorgen, meine Herzensschöne. Du bleibst noch eine ganze Weile bei mir. Dafür sorge ich."

„Dann sorg auch dafür, dass du mir erhalten bleibst", flüsterte sie und fuhr sanft über den Schatten an seinem Auge. „Was war das gerade?"

„Mein Training hat auch schon den ein oder anderen Jäger

schlucken lassen." Er strich ihr eine Strähne aus dem Gesicht, ehe er sich zu der Schlinge umdrehte und sie mit einem kräftigen Ruck aus der Verankerung löste. „Man nennt es Training des eisernen Halses", erklärte er. „Indem wir jeden Teil unseres Körpers abhärten, machen wir ihn zu einer tödlichen Waffe. Und diese Technik erlaubt es mir, mich mit Leichtigkeit aus einem Würgegriff zu befreien und zum Gegenangriff überzugehen."

„Wir?", fragte sie behutsam.

Elyano ließ sich auf den Boden sinken und deutete ihr stumm, sich zu ihm zu setzen. Behutsam zog er sie auf seinen Schoß, streichelte über ihren Nacken, als er zu erzählen begann. „Fynn hat dir erzählt, dass ich nicht immer hier im Orden gewesen bin. Doch meine Kindheit habe ich weder bei Alessandra, noch bei meinem eigenen Vater verbracht. Er hat mich und meine Brüder in die Berge verkauft, als ich gerade einmal fünf Jahre alt war. Die Gerüchte um unsere Fähigkeiten jagten uns weit voraus, woran mein ältester Bruder Peregrine nicht ganz unschuldig war." Ein leichtes Lächeln zupfte an seinen Lippen. „Er hat immer gerne gezeigt, was er kann. Man brachte uns in die Berge zu Meister Nicuan. Dort begann unsere Ausbildung. Und wir trainierten. Tag für Tag, Stunde für Stunde. Unsere Ausbildung ist vielleicht mit der der Shaolin-Mönche zu vergleichen, denn es war einst ein Schüler Nicuans, der das Wissen um unsere Kampftechniken zu den Menschen brachte. Doch unsere Ausbildung war bedeutend härter. Mein Meister hat stets gesagt, dass ein einziges Menschenleben nicht ausreicht, um all diese Techniken zu erlernen. Deshalb sind wir so begnadete Krieger, denn das Leben eines Menschen flackert hell und unruhig, wie die Flamme einer Kerze im Wind. Wir trainierten und mit den Jahren wurden aus unseren kindlichen Körpern tödliche Waffen. Mit täglichen Übungen trieben wir unsere Körper zu höchster Geschwindigkeit, Kraft und Beweglichkeit an. Denn je beweglicher du bist, desto mehr Schmerzen kannst du ertragen. Und je mehr Schmerzen..."

Elyano stockte, als Siandra ihn mit einem Kuss unterbrach und seufzte leise, während- er ihn erwiderte und die Finger über ihre Schulter wandern ließ.

Bei dem Gedanken daran, wie viele Schmerzen er schon als Kind während seiner Ausbildung erleiden musste, legte sich eine Faust aus Eis um Siandras Hals. Bilder blitzten vor ihrem inneren Auge auf.

Erinnerungen, die Rotkäppchen ihr gezeigt hatte, Bilder voller Gewalt und Blut.

„Hey", flüsterte Elyano und strich über ihre Wange. Sie hatte die Tränen in ihren Augen nicht einmal bemerkt. „Meine Ausbildung war hart, aber ohne sie hätte ich viele Kämpfe nicht überlebt. Deshalb trainiere ich meinen Körper noch heute auf die Weise, die mich mein Meister einst gelehrt hat. Denn nur so bleibt mir meine extreme Schnelligkeit und Beweglichkeit erhalten."

„Als ich dich da hängen sah, dachte ich... dachte ich..."

Elyano umfasste ihr Gesicht und strich mit den Daumen über ihre Wangen. „Glaubst du ernsthaft, ich würde freiwillig gehen und dich zurücklassen? Jetzt, da wir uns gefunden haben?" Mit sanftem Druck nahm er ihre Hand und legte sie auf seine Brust. „Spürst du es? Es schlägt ein Rabenherz in meiner Brust, doch dein Lied hat ihn verstummen lassen, kleine Nachtigall. Du hast mich zurückgeholt, als es niemand mehr vermocht hätte." Er lächelte, legte seine Stirn an ihre. „Ich liebe dich, meine Nachtigall und jetzt kann ich es dir endlich sagen. Ich liebe dich. Glaubst du wirklich, ich würde einfach so gehen?"

Siandra wusste nicht, ob sie ihrer Stimme vertrauen konnte, also antwortete sie ihm auf andere Weise, indem sie ihre Arme um seinen Nacken legte und ihn stürmisch küsste. Elyanos Lippen formten ein Lächeln, als er sich auf den Rücken sinken ließ und sie mit sich zog. Seine Hände nestelten am Saum ihres Oberteils, ehe er den Stoff ein Stück hochschob und seine Finger über ihren Rücken streichen ließ. Seine Berührung überzog ihre Haut mit loderndem Feuer und ihr Herz schlug so schnell, dass sie nicht wusste, wie es dem standhalten konnte. Sie entlockte Elyano einen tiefen Seufzer, als ihre Hände sich ebenfalls auf Wanderschaft begaben.

„Hätte ich gewusst, dass du diese Art von Training gemeint hast, wäre ich später gekommen." Erschrocken fuhr Siandra auf, als sie Zephirs Stimme hinter sich hörte. „Oder soll ich kurz vor die Tür gehen?"

Elyano griff grinsend nach einem seiner Schuhe, die achtlos in der Gegend herumlagen und warf ihn nach ihm.

Ariels Sohn wich gekonnt aus, ehe das Geschoss ihn treffen konnte. „Und immer so empfindlich."

Verlegen richtete Siandra sich auf und strich ihr Oberteil zurecht.

Elyano lag noch immer ausgestreckt auf dem Boden, hatte sich lediglich auf seine Ellbogen gestützt. „Ich lass dich dann weiter... arbeiten", sagte Siandra und wollte aufstehen, doch da hatte Elyano schon seinen Finger in ihren Ausschnitt gehakt und sie wieder zu sich heruntergezogen. „Es dauert nicht lange", flüsterte er und küsste sie, sanft, fast schon flüchtig und doch mit einer Intensität, die ihr den Atem raubte.

5. Der Marsch der Halbblüter

Mit regungslosem Gesicht starrte Fynn in die Augen des silberbraunen Windhundes. Der Hund hatte sich zu Aislings Füßen zusammengerollt und blickte ihn abwartend an. *Sieh sie dir an*, fauchte die Schlange in seinem Inneren und umschmeichelte sein Herz, ehe sie ihre Fänge tief in ihm vergrub. *Sieh an, was sie dir gebracht hat.*

„Sag doch etwas", bat Aisling mit dünner Stimme und brachte ihn wieder dazu, sie anzusehen. Ihre Hände versteckten sich in der Bauchtasche ihres Kapuzenpullovers, als sie sich an dem Hund vorbeischob und auf ihn zukam.

„Was hast du denn erwartet, Aisling?", fragte er erschöpft und strich über sein schmerzendes Bein. „Dass ich dir um den Hals falle, weil du mir einen Hund geschenkt hast? Dachtest du, ich würde mich sofort aufmachen, um mit ihm joggen zu gehen?"

„Ich dachte, er würde dir guttun ..."

„Was soll ich denn mit einem Hund? Ich kann mich ja kaum gescheit um mich selbst kümmern, wie dann um ihn?"

„Du musst das nicht alleine ..."

„Ach stimmt ja, ich bin ja nicht allein", stieß er bitter aus und wandte den Kopf um, als Elyano zusammen mit Siandra eintrat. „Was haltet ihr von meinem neuen Joggingpartner? Passt gut zu meinem Trainingsanzug, meint ihr nicht? Hans im Glück heißt er. Ist das nicht herzallerliebst?"

„Reiß dich zusammen, Fynn", sagte Elyano, darauf bedacht, seine Stimme ruhig klingen zu lassen.

„Ich soll mich zusammenreißen? Wie könnte ich das, großer Bruder? Selbst das schaffe ich nicht mehr. Was für ein Durchgangsverkehr", fügte er leise hinzu, als einer seiner Jäger hereinkam.

„Mein Herr", sagte dieser und senkte den Blick. „Der Abgesandte aus dem Nordreich ist eingetroffen."

Fynn nickte und stützte sich auf seinen Gehstock, um mühevoll aufzustehen. „Schick ihn herein."

Ein untersetzter Mann, mit breitem Schnauzbart und einem Lächeln wie ein Nussknacker trat ein. Seine blonden Haare schienen schon vor langer Zeit ausgedünnt und bedeckten seinen Kopf nur noch spärlich. Er legte seine Handflächen aneinander und deutete eine Verbeugung an. „Verehrter Hüter. Ein Stern leuchtet auf unser Wiedersehen", sagte er, als sein Blick auf die anderen Anwesenden fiel. „Sollten wir nicht irgendwo reden, wo wir ungestört..."

„Es gibt nichts, was sie nicht hören dürften. Sprecht."

„Seit unsere geliebte Fürstin Gretel bei den vier Göttinnen weilt, gerät das Reich außer Kontrolle. Der Rat hat sich aufgelöst und der Orden kann das Gleichgewicht nicht mehr lange gewährleisten. Niemand möchte seine Kinder zu uns in die Ausbildung schicken, nun da die Unruhen immer weiter zunehmen. Wie ihr wisst, kam es zu Fehden zwischen den Khaziten Jamson und Dottir und der Orden wurde bei den Kämpfen übel in Mitleidenschaft gezogen. Wir haben nicht genug Männer, um ihn wieder aufzubauen."

„Wir sind ebenfalls nicht viele", sagte Fynn ruhig und ignorierte den pochenden Schmerz in seinem Bein. „Aber eine Handvoll Jäger kann ich entbehren, um Euch zu unterstützen."

Erneut deutete der Abgesandte eine respektvolle Verbeugung an, ein wenig zu unterwürfig für Fynns Geschmack. „Der Orden wird es Euch danken. Aber das ist nicht der eigentliche Grund für meinen Besuch. Ich bin hier um Euch zu warnen." Er senkte die Stimme. „Mein Hüter Jaquar bittet Euch, die weiteren Informationen mit Bedacht zu hüten und geheim zu halten. Er fürchtet, es könne Panik in der Bevölkerung und unter den Jägern ausbrechen, wenn bekannt würde, dass die Halbblüter gen Süden marschieren."

„Das sind Gerüchte", sagte Fynn kühl.

Der Abgesandte hob kurz die Augenbrauen. „Tatsächlich? Ich habe sie mit eigenen Augen gesehen und sie wirkten durch und durch real. Sie haben sich unter zwei Anführern vereint und weichen nicht zurück, ehe nicht alle Orden zerstört und alle der Unsrigen vernichtet sind. Ich will Euch keine Angst einjagen, doch macht Euch bereit. Der Sturm wird auch Euch erreichen." Mit diesen Worten verbeugte er sich tief und nickte ihnen ein letztes Mal zu, ehe er sie in einem Raum voller Schweigen zurückließ.

Siandra spürte Elyanos Anspannung, auch wenn er sie nicht berührte. Sie hing wie ein dichter Nebel in der Luft und machte ihr das Atmen schwer. Doch auch in ihr keimte Sorge auf. Wenn die Gerüchte tatsächlich wahr sein sollten, dann standen dem Orden schwere Zeiten bevor.

Fynns Gesicht war hart wie der Stein der Mauern, die ihn umgaben. Sein Blick suchte den seines Bruders und für einen kurzen Augenblick war er nicht mehr der Hüter des Ordens, sondern nur ein Junge, der sich Hilfe bei seinem älteren Bruder erhoffte. Doch schnell zog er seine Mauer wieder hoch und ließ den Jungen hinter ihr verschwinden.

„Ich werde die Offiziere zusammenrufen", sagte Elyano mit fester Stimme und griff nach Siandras Hand, ohne den Blick von seinem Bruder zu lösen.

Fynn nickte nur stumm und ließ sich erschöpft auf einen Sessel sinken. Ohne nachzudenken trat Aisling hinter ihn und legte die Hände auf seine Schultern, streichelte sanft mit den Fingern über seinen Hals, so wie sie es immer tat. Kurz wanderte Fynns Hand zu ihrer und der Schatten eines Lächelns strich über seine Lippen, ehe er die Hand sinken ließ.

„Wir werden schon eine Lösung finden", sagte Elyano und machte einen Schritt auf seinen Bruder zu.

Fynns Lippen verzogen sich zu einem gequälten Lächeln. „Es gibt nicht für alles eine Lösung."

Siandras Augen streiften Aisling, doch die wandte den Blick ab. Sie blieb stumm, genau wie Fynn, allein mit ihren Problemen und Ängsten.

„Wohin gehst du?", fragte Elyano beiläufig, doch Siandra erkannte die Anspannung, die sich hinter seinen Worten versteckte, als er sich vom Sofa erhob und durch die Tür in den Flur trat. Abschätzend musterte er sie, ehe er seine Frage wiederholte.

Siandra atmete tief durch. Sie hatte sich geschworen, nicht einzuknicken. Man gab ihr die Möglichkeit zu studieren und die würde sie auch nutzen. Den ganzen Tag im Orden zu sitzen und nichts zu tun, machte sie auf Dauer wahnsinnig. „Zum Bus?“, fragte sie ebenso beiläufig, wie er zuvor.

„Und wohin fährt dieser Bus?“

„Zur Straßenbahn?“

„Verdammt, Siandra. Wohin?“, presste er wütend hervor.

„Zur Uni, wenn du es wirklich wissen willst!“

Elyano hob die Brauen, doch seine Augen wurden hart. Siandra schluckte, blieb jedoch stumm. „Ich dachte, wir hätten das besprochen?“, fragte er gefährlich leise.

Sie bemerkte aus dem Augenwinkel Zephir, der auf einem der Sofas im Gemeinschaftsraum saß und zu ihnen herübersah. Er war viel zu neugierig, um zu tun, als würde es ihn nicht interessieren. „Gar nichts haben wir besprochen. Ich kann nicht den ganzen Tag im Orden sitzen, das weißt du.“

„Es ist zu gefährlich“, knurrte Elyano und senkte die Stimme. „Du hast gehört, was der Abgesandte berichtet hat. Glaubst du denn wirklich, da lasse ich zu, dass dir irgendetwas geschieht? Sie werden Jagd auf uns machen. Auch auf dich! Und du weißt nicht, wie du dich wehren musst, du hast nicht die Ausbildung durchlaufen, wie ein jeder unserer Jäger.“ Mit ungeahnter Sanftheit umfasste er ihr Gesicht. Die Wut war aus seinen Augen verschwunden, aus ihnen sprach nur noch Liebe und Angst. Ihre Kehle wurde eng, als er zärtlich über ihre Wangenknochen strich. „Ich würde es nicht ertragen, wenn dir etwas zustößt. Verstehst du das denn nicht? Dir darf nichts passieren!“

„Ich weiß“, flüsterte Siandra und wandte den Blick ab. „Ich möchte mich nur nicht irgendwann fragen müssen, ob ich etwas versäumt habe, nur weil ich mich aus Angst verstecke.“

Sanft aber bestimmt brachte Elyano sie dazu, ihn anzusehen. Der Aufruhr von Gefühlen und Gedanken huschte über seine Züge, ehe er den Kopf kurz senkte und sie durchdringend ansah. „Ich werde dich hinfahren“, sagte er bestimmt. „Ich werde dich hinfahren und abholen. Du wirst dein Handy die ganze Zeit bei dir haben und mich bei dem geringsten Verdacht auf Gefahr anrufen. Bleib in großen Menschenmassen, das wird dich hoffentlich schützen.“

Sie verschloss seinen Mund mit einem flüchtigen Kuss. „Ich bin vorsichtig“, versprach sie, als er sie an sich zog und sie seinen hektischen Herzschlag an ihrem Ohr spürte.

„Dann komm", sagte Elyano und legte einen Arm um ihre Schultern. „Bevor ich es mir anders überlege. Schließlich wollen wir deinen Dozenten doch nicht warten lassen."

Pochend. Drängend. Bebend. Er war da. In jeder Sekunde, Minute, an jedem Tag war der Schmerz sein Begleiter, der ihn niemals vergessen ließ. Er hielt ihm stets den Spiegel vor, zeigte ihm, was er einmal gewesen und wie erbärmlich er nun war. Immerhin lenkte der Schmerz ihn von seinen Gedanken ab. Für diesen Umstand war Fynn fast schon ein wenig dankbar. Er biss auf seine Unterlippe und schmeckte das Blut im Mund, aber der Schmerz in seinem Bein, er blieb.

Sein Blick fiel auf Hans im Glück. Der Hund hatte den Kopf auf die Vorderläufe gelegt und sah ihn aus dunklen Augen traurig an. Sofort wanderten seine Gedanken zu Aisling. Vor so vielen Jahren hatte er im Angesicht der vier Göttinnen geschworen, immer für sie da zu sein und jegliches Leid von ihr fernzuhalten... und was tat er nun? Die Schlange in seiner Brust fauchte wild, sobald sie in seine Nähe kam, stieß sie fort, je mehr er sich nach ihr sehnte.

Fynn legte den Kopf in den Nacken, schloss die Augen, als eine erneute Welle voller Schmerz über ihm zusammenbrach. Er wollte doch nur etwas anderes spüren. Etwas anderes, als den ewig gleichen Schmerz in seinem Bein. Wieder biss er auf seine Lippe, obwohl sie längst blutig war, als sein Blick das Messer streifte, das vor ihm auf dem Tisch lag. Ohne nachzudenken, streckte er die Hand nach dem hölzernen Griff aus. Er achtete nicht auf Hans' leises Wimmern, spürte nur den Schmerz in seinem Bein, der sich einfach nicht vertreiben ließ, als er zustach.

Das Messer war scharf. Es fuhr durch Haut und Fleisch, wie eine heiße Nadel durch Butter. Fynn fluchte, als der dumpfe Schmerz durch seine Hand jagte und ihn für einen kurzen Moment von seinem Bein ablenkte. Wie in Trance zog er die Klinge heraus und beobachtete sein eigenes Blut, das sich langsam auf der Tischplatte ausbreitete, als er ein leises Schluchzen hinter sich hörte. Noch bevor Aisling hektisch nach seiner Hand griff und mit Tüchern versuchte, die Blutung zu stillen, wusste er, dass sie es war. Seine Seele, sein Leben. Aber die Kälte in seinem Inneren hatte ihn vergessen lassen, was Wärme bedeutete. Und doch. Als er Aisling mit bewegungsloser Miene beobachtete, fühlte er sich, als hätte er nicht sich selbst mit der Klinge verletzt, sondern sie.

„Denk daran, ruf mich an“, sagte Elyano zum wiederholten Male, als er sie in der Kurve am Albertus-Magnus-Platz rausließ.

Siandra lächelte und küsste ihn zum Abschied. „Mach ich. Und jetzt fahr los, ehe die Schlange hinter dir noch länger wird.“ Die Blicke der wütenden Autofahrer durchbohrten sie geradezu und das Hupkonzert wurde immer eindringlicher.

Doch Elyano grinste nur, legte eine Hand in ihren Nacken und zog sie noch einmal zu sich herunter, um sie erneut zu küssen. „Sollen sie doch warten“, flüsterte er an ihren Lippen, ehe er sich von ihr löste. „Und du bist dir sicher, dass ich nicht bleiben soll?“

„Fynn braucht dich dringender an seiner Seite, als ich.“

„Ruf an“, sagte er ein letztes Mal, ehe er den Motor startete und seinen Wagen anrollen ließ.

Siandras Blick wanderte über den weiten Platz zu dem Hauptgebäude der Kölner Universität und der Statue von Albertus Magnus. Die ausdruckslosen Steinaugen schienen sie zu beobachten, als sie mit langen Schritten zum Hauptgebäude eilte. Der Herbst hatte Einzug gehalten und der kalte Wind riss an ihrer Kleidung.

Sie zuckte zusammen, als ihr Handy klingelte. Elyano? Doch als sie auf das Display sah, stand dort nicht sein Name. Die Nummer war unterdrückt. Beunruhigt meldete sie sich, doch am anderen Ende der Leitung herrschte Stille. „Hallo?“, fragte sie erneut, aber immer noch keine Antwort. Sie war derart versunken, dass sie die Person, die von rechts kam, nicht einmal bemerkte. Erst als sie gegen sie stieß und das Gleichgewicht verlor, riss es sie in die Wirklichkeit zurück.

Spitze Steine bohrten sich in ihre Handflächen, als sie hart auf dem Boden aufkam und das Geräusch, das ihr Handy von sich gab, ließ sie Böses ahnen.

„Alles in Ordnung?“, fragte das Mädel, das sie angerempelt hatte und streckte ihr die Hand entgegen. Ihre braunen Haare hatte sie zu Dreadlocks gedreht, die von einem lockeren Band zusammengehalten wurden und ihre Nägel waren in einem schrillen Muster aus Regenbogenstreifen lackiert.

„Ja, alles in Ordnung", lächelte Siandra, als sie sich aufrichtete und nach ihrem Handy griff. Wie sie schon dachte, kaputt.

„Na dann", sagte die Fremde grinsend und steuerte den Wagen des Bäckers an, während Siandra ihren Weg zum Hauptgebäude fortsetzte. Die Wärme jagte ein Kribbeln durch ihren kalten Körper. Mit einem Seufzen ließ sie ihr Handy in der Tasche verschwinden. Das würde Elyano ganz und gar nicht gefallen. Doch jetzt hatte sie erst einmal ein dringenderes Problem: die Suche nach ihrem Hörsaal.

Orientierungslos sah sie sich um. Sie war nicht zum ersten Mal hier. Becca hatte sie begleitet, als sie hergekommen war, um sich einzuschreiben. Doch da hatte sie nicht unter Zeitdruck einen ganz bestimmten Raum gesucht. Schilder über Schilder, römische Zahlen, die zu unzähligen Hörsälen führten und mittendrin Siandra. Die Luft war so dick, dass man sie ohne Probleme mit einem Buttermesser schneiden konnte. Planlos lief sie durch die langen Flure, Treppen hoch und wieder herunter, bis sie gefühlte Jahre später endlich an dem gesuchten Hörsaal ankam. Der Raum war brechend voll, doch sie erspähte einen freien Platz weiter vorne, auf den sie sich sogleich stürzte.

„So sieht man sich wieder", grinste die Person neben ihr, als sie sich auf der unbequemen Bank niedergelassen hatte. Es war das Mädel mit den Dreadlocks. „Schwierigkeiten, den Raum zu finden?"

„Kannst du laut sagen", sagte Siandra und kramte nach Block und Stift.

„Mach dir nichts draus. Das Hauptgebäude ist das reinste Labyrinth, vor allem, wenn man sich nicht auskennt. Ich bin übrigens Marie", lächelte sie.

„Siandra", erwiderte diese das Lächeln.

„Ein ungewöhnlicher Name."

„Höre ich des öfteren", grinste Siandra.

Marie lehnte sich zurück und beobachtete ihren Dozenten, der gemeinsam mit seiner Hilfskraft versuchte, die Technik ans Laufen zu bekommen. „Bei unserem Glück beginnt die Vorlesung erst nächstes Jahr, wenn das so weiter geht", grinste sie breit.

„Wenn überhaupt." Siandra richtete den Blick nach vorne, als der Dozent seine Brille richtete, sich räusperte und seinen Vortrag begann. Er redete so undeutlich, dass sie sich ziemlich anstrengen musste, um seinen Worten überhaupt zu folgen.

„Ob ich mir das je merken kann?“ Marie seufzte und zog ein belegtes Brötchen hervor, als der Dozent eine Pause einlegte.

„Würde ich mich nicht drauf verlassen“, erwiderte Siandra mit einem Grinsen und trank einen Schluck Wasser. Sie fröstelte, als ein Windzug durch den luftigen Hörsaal fegte und zog ihren Schal enger um den Hals. „Ist dir nicht kalt?“

Marie schüttelte den Kopf, ohne den Blick von ihrem Brötchen zu heben. „Mein Ego wärmt mich“, sagte sie mit vollem Mund. „Sollte es in Deutschland irgendwann erlaubt sein, Gegenstände zu heiraten, würde ich sofort mit diesem Tomate-Mozzarella-Brötchen durchbrennen. Aber nur, um es kurz danach mit einem Chicken Teriyaki von Subway zu betrügen.“

Siandra grinste breit. „Na, wenn das so ist.“

„Wir fahren jetzt im Stoff fort“, sagte ihr Dozent plötzlich und riss sie aus ihrer Unterhaltung. „Wer noch nicht eingestiegen ist, darf laufen.“

So sehr Siandra sich auch bemühte, sie schaffte es einfach nicht, sich auf die Vorlesung zu konzentrieren. Doch sie war froh, dass ihre Gedanken ausnahmsweise mal nicht um die Probleme im Orden kreisten.

„Was hast du jetzt vor?“, fragte Marie nach der Vorlesung. „Auch schon frei?“

Siandra nickte. „Vor allem erst einmal raus aus diesem stickigen Gebäude und ein wenig die Sonne genießen.“

„Wohin geht’s denn? Fährst du mit der Bahn?“

„Mein Freund wollte mich abholen“, setzte Siandra an und zog ihr Handy hervor, als ihr schmerzhaft einfiel, dass sie es auf dem Gewissen hatte.

Marie sog scharf die Luft ein. „Na, das hat auch schon bessere Zeiten erlebt.“

„Verdammt“, murmelte Siandra und überlegte fieberhaft, ob es hier noch so etwas Antiquiertes wie eine Telefonzelle gab.

„Ich habe einen Vorschlag für dich“, riss Marie sie aus ihren Gedanken. „Ich bin mit dem Auto hier. Du rufst deinen Freund von meinem Handy aus an und sagst ihm, dass ich dich mitnehme. Als Ausgleich erklärst du mir, was der Alte in der letzten Viertelstunde gebrabbelt hat.“

„Du meinst, als du Minecraft gespielt hast?“, erinnerte Siandra sie. „Ich weiß nicht, ob das so eine gute Idee ist.“

„Komm schon, Siandra. Was hast du denn schon zu verlieren? Du kommst nach Hause, dein Freund muss nicht im Feierabendverkehr durch die Innenstadt und ich lerne noch etwas dabei.“ Sie hielt Siandra ihr goldglitzerndes Smartphone unter die Nase. „Gib dir nen Ruck.“

Das würde Elyano ganz und gar nicht gefallen. Sie hörte seine wütende Stimme förmlich in ihrem Ohr. Doch was sprach schon dagegen, zumindest aus Maries Sicht? Sie wollte nicht direkt der ersten Person, die sie an der Uni kennenlernte, vor den Kopf stoßen. Mit einem unguten Gefühl im Bauch wählte sie Elyanos Nummer.

„Ja?“, hörte sie nach einer Weile seine Stimme.

„Hey, ich bin's.“

„Siandra?“, fragte er ungläubig, ehe Sorge seine Stimme färbte. „Was ist los? Ist etwas passiert? Was ist mit deinem Handy?“

„Hat den Geist aufgegeben. Hör mal, ich rufe von dem Handy einer Kommilitonin aus an. Sie hat angeboten, mich mitzunehmen, dann brauchst du nicht herzukommen und kannst bei Fynn bleiben.“

Einen Moment war die Leitung still, ehe Elyanos Stimme zurückkehrte. „So haben wir aber nicht gewettet“, sagte er und klang wirklich sauer. „Du weißt, was wir besprochen haben.“

„Ich weiß“, flüsterte Siandra und warf Marie einen Seitenblick zu, die sich mit zwei Mitstudenten unterhielt. „Sie ist ein Mensch. Du sagtest doch selbst, ich solle mich mit Menschen umgeben. Mir wird schon nichts passieren.“

„Das gefällt mir ganz und gar nicht.“

„Fynn braucht dich jetzt - vor allem nach den Neuigkeiten. Er braucht dich als sein Bruder und Offizier an seiner Seite.“

Siandra konnte hören, wie Elyano geräuschvoll ausatmete und sah ihn förmlich vor sich, wie er auf und abging und sich durch die Haare fuhr. „Sie bringt dich gleich zum Orden?“

„Ja.“

Erneut vergingen einige Sekunden, ehe Elyano antwortete. „Du schaufelst mir nochmal mein Grab, weißt du das?“

„Gleichfalls.“

„Pass auf dich auf. Ich sehe dich dann in einer halben Stunde. Mach keinen Unfug ja?“

Mit einem leisen „Danke“ gab Siandra Marie ihr Handy zurück. Das ging problemloser, als gedacht. Sie hoffte nur, dass nicht irgendwas mit Fynn war und sie ihn deshalb so leicht herumkriegen konnte.

„Na, der ist aber besorgt“, sagte Marie lächelnd, als sie sich auf den Weg zu ihrem Auto machten. „Hätte ich noch vor einiger Zeit meinen Freund gefragt, ob er mich von der Uni abholt, hätte er mir den Vogel gezeigt und sich wieder zu seinem PC umgedreht.“

„Er macht sich schnell Sorgen“, sagte Siandra und ließ sich auf den Beifahrersitz des kleinen Golfs sinken.

Lächelnd startete Marie den Wagen und schaltete das Radio an, als sie sich in den dichten Stadtverkehr eingliederte. „Ist doch süß.“

Auf Siandras Gesicht kehrte das Lächeln zurück. „Ja, schon“, flüsterte sie, als ihr Blick aus dem Fenster wanderte. Aus den Boxen dröhnte Technomusik, eigentlich Töne, die Siandra auf den Tod nicht ausstehen konnte, doch aus irgendeinem Grund störte es sie nicht.

„Jetzt nen guten Trip und ne Runde Mario Kart auf dem N64“, träumte Marie vor sich hin und brachte Siandra erneut zum Lachen. Es tat so gut frei zu lachen, ohne dass die Sorgen die Gedanken überschatteten.

„Mach keinen Unfug, ja?“, sagte Elyano, ehe er das Handy zurück in seine Hosentasche wandern ließ.

„Siandra?“ Die Stimme seines jüngeren Bruders ließ ihn herumfahren, doch er erwiderte nichts. Der Hüter des Ordens hatte es sich auf dem Sofa bequem gemacht und zappte wahllos durch das Fernsehprogramm, in der Hoffnung, irgendetwas davon könne ihn von seinen Schmerzen ablenken. Doch weder das, noch das Stechen in seiner Hand schafften das.

Er zuckte zusammen, als Elyano ihm eine Schachtel in den Schoß warf. „Was ist das?“, fragte Fynn und beäugte misstrauisch das Pappschächtelchen.

„Tilidin“, sagte Elyano knapp und ließ sich zu ihm auf die Couch sinken. „Und bevor du auch nur irgendetwas sagst: Du wirst es nehmen. Es wird dir helfen.“

Fynn wandte den Blick ab. „Ich brauche keine Hilfe.“ Er spürte, wie Elyanos Augen zu seiner Hand wanderten, die in einen weißen

Verband gehüllt auf seinem Bein lag.

„Nimm sie", sagte Elyano und reichte ihm ein Glas Wasser. „Sofort. Du weißt, wie sehr ich dich liebe, aber ich schwöre bei den vier Göttinnen, wenn du sie nicht nimmst, werde ich sie dir mit Gewalt in den Rachen werfen."

Fynn sagte nichts, als er eine der Tabletten aus dem Plastik schnipste und sie mit einem Schluck Wasser herunterspülte.

„Ich habe mit den Kundschaftern gesprochen", sagte Elyano ernst. „Sie haben genau das bestätigt, vor dem uns der Abgesandte gewarnt hat. Die Halbblüter marschieren. Doch sie kommen nicht aus dem Norden, sondern aus dem Osten. Das verschafft uns ein wenig Zeit. Sie werden deutlich länger brauchen, bis sie uns erreicht haben. Und wir wissen nicht, wie schnell sie marschieren, welche Transportmittel sie nutzen. Sie reisen in Gruppen, wie mir scheint. Die Kund..."

„Das wird uns auch nicht retten", bemerkte Fynn bitter. „Früher oder später werden sie hier sein und den Orden angreifen. Und solch eine große Armee werden selbst die mit Blindheit geschlagenen Menschen nicht übersehen können. Rotkäppchens Plan wird doch noch aufgehen und Ariel umsonst gestorben sein."

Er hob den Blick, als er eine Hand an seinem Arm spürte und sah in die Augen seines Bruders. „Aber noch sind sie nicht hier. Vergiss das nicht. Wir müssen uns mit den verbliebenen Orden zusammenschließen und die Halbblüter im Felde besiegen."

„Hast du etwas von unserer Fürstin gehört?", fragte Fynn, doch Elyano schüttelte den Kopf. „Vielleicht hätte ich Beliar mehr Gehör schenken sollen."

„Deine Eidsprechung stand bevor. Du musstest dich auf deine neue Aufgabe vorbereiten. Niemand wird dir dafür einen Vorwurf machen. Außerdem ist es noch nicht zu spät." Fynn nickte nur und sein Bruder verstand diesen Wink. „Ich werde gleich morgen nach ihm schicken lassen."

Einige Zeit blieben die beiden Brüder stumm, teilten das Schweigen wie einen gemeinsamen Freund, jeder von ihnen in eigenen Gedanken versunken. Nach und nach spürte Fynn,wie der Schmerz in seinem Bein verebbte und bleierne Schwere hinterließ. „Ich muss immer wieder an Ariels Worte denken", gestand er. „Nur ich könne sie aufhalten, hat er gesagt. Ich verstehe das einfach nicht. Was wollte er mir damit sagen?"

„Ariels Wege waren schon zu Lebzeiten rätselhaft", sagte Elyano nachdenklich. „Was sagtest du, hat er dir vermacht?"

Verwunderung blitzte in Fynns Augen auf. „Nichts Spezielles. Bücher, Aufzeichnungen und Briefe."

„Briefe?"

„Die meisten sind offizielle Urkunden und Dokumente, oder Korrespondenzen mit dem Kopf des Rates, Jaquar, und den Fürstinnen. Ich frage mich, warum er sie mir gegeben hat."

„Das frage ich mich allerdings auch", flüsterte Elyano und seufzte.

Erneut wurde der Raum in einen Mantel des Schweigen gehüllt.

„Warum tust du das?", fragte Elyano plötzlich und auch wenn sein Bruder keinen Namen gebraucht hatte, wusste er genau, von wem er sprach. Aisling. Sein Herz wurde schwer, als er an sie dachte. „Du quälst sie."

„Denkst du, mir macht das Spaß?", presste Fynn hervor. „Denkst du, ich sehe sie gerne leiden? Denkst du wirklich, ich sehe gerne dabei zu, wie sie mehr und mehr zerbricht und vor meinen Augen schwindet? Du weißt genau, wie sehr ich sie liebe. Und doch…"

Elyano sagte nichts, legte nur eine Hand auf Fynns gesundes Bein. Sein Schweigen und seine Nähe vermochten es, die Wunden besser zu heilen, als jedes gesprochene Wort.

Fynn hob überrascht die Augenbrauen, als sein Bruder aufstand und einen Gegenstand aus seinem Rucksack fischte. Er legte die DVD ein, ehe er sich wieder zu seinem Bruder auf das Sofa setzte und ihm eine Flasche reichte, die er ebenfalls aus seiner Tasche gezogen hatte. „Bier?", fragte Fynn und spürte das Schmunzeln, das in seinem Inneren aufstieg und gegen die Mauer ankämpfte.

„Alkoholfrei", erwiderte Elyano grinsend, ehe er auf den Playbutton drückte.

Als Siandra in den Orden zurückkehrte, bot sich ihr ein eigenartig vertrautes, wie auch fremdes Bild. Elyano saß zusammen mit seinem Bruder auf einem der Sofas im Gemeinschaftsraum. Für einen kurzen Augenblick war alles wieder beim Alten. Auch wenn die Zeit zu niemanden zurückkam, schlich sich unweigerlich ein Lächeln auf ihr Gesicht, als sie die Brüder so beobachtete. Zumindest für einen kurzen

Moment waren die Sorgen aus ihren Gesichtern verschwunden. Sie wollte sich leise umdrehen, um die beiden nicht zu stören, aber da hatte Elyano sie bereits gesehen und die Hand nach ihr ausgestreckt. „Komm her", flüsterte er und sie kam seiner Einladung nach, ließ sich dicht neben ihn auf das Sofa sinken. Sie schwiegen, starrten auf den Bildschirm, auf dem eine alte Alf-Folge flimmerte, als Elyanos Atem über ihren Hals streichelte und sie seine Stimme nah an ihrem Ohr hörte. „Wie war's?", fragte er beiläufig, doch Siandra spürte, dass die Sache mit ihrem Handy und dem unfreiwilligen Mitnahmeservice noch lange nicht gegessen war.

„Anstrengend", murmelte sie, legte die Hand auf sein Bein und ließ sich nach hinten in die Polster sinken. Sie tat so, als würde sie dem kleinen, haarigen Außerirdischen mit den Augen folgen, doch Elyano ließ sich davon nicht überzeugen.

„Und wer war dieser Mensch, den du da kennengelernt hast?"

„Eifersüchtig?", witzelte sie, doch als sie in sein ernstes Gesicht sah, verging ihr das Lachen. „Da ist nichts dabei. Ich habe sie vor dem Hauptgebäude angerempelt, dabei ist mein Handy runtergefallen und zu Bruch gegangen. Als wir in der Vorlesung dann nebeneinander saßen, haben wir uns wirklich gut verstanden. Und so kam dann eins zum anderen."

Elyano sah sie einen Moment lang durchdringend an, dann nickte er zögerlich. „Pass auf", warnte er. „Wir dürfen niemandem vertrauen. Ganz besonders nicht zu diesen Zeiten."

„Sie ist nur ein Mensch. Wie kann sie uns gefährlich sein? Meinst du nicht, du übertreibst?", fragte sie mit einem Lächeln und strich mit dem Finger über seine Brust.

Geräuschvoll atmete Elyano aus. „Versprich mir nur vorsichtig zu sein, ja?"

„Das gleiche gilt für dich."

Ihr Blick wanderte wieder zum Bildschirm, doch sie kam nicht umher, kurz zu Fynn zu schielen. Ein Handy lag auf seinem Bein und er tippte fast pausenlos auf den Touchscreen ein, ehe er den Kopf wieder hob und zum Fernseher sah. Er wirkte entspannter und doch genauso unglücklich, wie zuvor. Wenn sie doch nur irgendetwas tun könnten, um ihm zu helfen, seine schwere Bürde zu tragen...

Ihre Gedanken streiften ziellos umher, doch irgendwann kehrten sie zur Uni zurück und damit zu dem eigenartigen Anrufer. Was hatte das zu bedeuten? Wer hatte sie da angerufen und warum war die Person nur stumm geblieben? Ratlos strich Siandra über ihre Arme. Was hatte das verdammt nochmal zu bedeuten?

Sie schenkte Zephir und Aiofé kaum Beachtung, als sie in den Gemeinschaftsraum kamen, es sich auf Sitzsäcken bequem machten und versuchten, Fynn in ein unverfängliches Gespräch zu verwickeln. Und es schien ihnen auch fast zu gelingen.

Siandras Gedanken durchforsteten wie wild ihre Erinnerung auf der Suche nach etwas, das ihr weiterhelfen konnte. Aber da war nichts, nur erbarmungslose Schwärze. Wer konnte hinter diesen Anrufen stecken? Wenn es Becca gewesen wäre, hätte sie es gewusst und die Jäger hatten keinen Grund sie anzurufen, immerhin war der Orden mittlerweile ihr Zuhause. Vielleicht irgendeine Telefongesellschaft... Doch dann fiel es ihr wie Schuppen von den Augen. Die Postkarte. Konnte zwischen den beiden ein Zusammenhang bestehen? Nur wer versuchte da so hartnäckig, sie zu erreichen? *Der Norden erinnert sich... Der Norden vergisst nicht.* „Wer regiert im Norden?“, fragte sie in die Runde.

Elyano sah sie verwundert an. „Das war Gretels Herrschaftsgebiet“, erklärte er.

Siandra zog die Lippen kraus. Nein, das passte nicht. Das passte ganz und gar nicht.

„Aber nicht immer“, mischte Zephir sich ein. „Anfangs war der Norden noch geteilt.“

Elyano nickte, schien sich an etwas zu erinnern. „Isabella“, sagte er schlicht.

„Isabella?“

„Ich habe dir vor einiger Zeit von ihr erzählt. Sie ist die, die den Menschen nur als Gänsemagd bekannt ist.“

Siandra erinnerte sich noch ganz genau an den Tag, als Elyano ihr seinen Lieblingsort gezeigt hatte. Den Garten, hoch oben im Orden und seinen Wächter Falada. „Es war einmal ihr Reich?“, fragte sie.

Elyano nickte. „Das war, bevor sie ihren Gemahl während des Bürgerkrieges verlor und die Einheit des Reiches zerfiel. Sie kehrte in ihre Heimat zurück und wurde eine von uns, eine Jägerin. Sie hatte nichts zu verlieren, ließ sich einzig und allein von ihren Rachegedanken leiten.“

„Doch sie starb, ehe sie ihr Ziel erreichen konnte“, sagte Fynn bitter. „Wir haben sie in den Tod geschickt.“

Fast schon erwartete Siandra Widersprüche von Elyano oder einem der Zwillinge zu hören, doch die wandten nur den Blick ab. „Was ist passiert?“, fragte sie beunruhigt. Sie bemerkte, wie sich Elyano neben ihr noch mehr verkrampfte und die Jäger kurze Blicke miteinander tauschten.

„Sie ist im Kampf gestorben, als sie den Orden verteidigt hat“, erklärte Fynn knapp. Damit schien das Thema für ihn und die anderen abgehakt, doch Siandra spürte, dass da etwas war, das die Jäger ihr verheimlichten. Elyano lachte, scherzte mit den Zwillingen, aber die Anspannung in seinem Körper blieb bestehen. Und nichts auf der Welt wünschte Siandra sich mehr, als einmal seine Gedanken lesen zu können.

6. Bittere Narben

Wie kann das denn bitte sein?", jammerte Marie und ließ ihren Kopf auf den Stapel Mitschriften sinken. „Wir machen das hier noch nicht mal eine Woche und trotzdem komme ich schon nicht mehr hinterher. Ich sag dir, das hier ist wie eine Klapsmühle mit Lehrauftrag. Aber hey, wir sind ja Eliteuni", sagte sie verächtlich.

Sie hatten sich nach ihrer Vorlesung auf die Suche nach einem freien Platz zum Nacharbeiten und Lernen gemacht – ein schier unmögliches Unterfangen in Zeiten von Dauerbaustellen und Tischknappheit. Doch nach einiger Zeit des Suchens hatten sie einen in einer der hintersten Ecken des Philosophikums gefunden, auch wenn Siandra bei den Bohrgeräuschen, die durch die Sperrholzplatten zu ihnen durchdrangen, immer wieder zusammenzuckte. Sie sagte nichts, verzog nur die Lippen, als ihr Blick über den ganzen Haufen wanderte, der noch vor ihr lag. Mathematik, Biochemie, Physiologie... Sie ließen ihnen keine Zeit um durchzuatmen. *Vermutlich, um direkt in der ersten Woche mit dem Aussieben anzufangen*, dachte Siandra und ließ ihren Blick schweifen. Sie war froh, mit Marie nach den Vorlesungen lernen zu können. Im Orden schaffte sie es einfach nicht, sich auf ihr Studium zu konzentrieren.

„Hey Grübelmonster", riss Marie sie aus ihren Gedanken. „Habe ich dich jetzt etwa in stumme Depressionen gestürzt?"

Siandra lachte. „Ich frage mich nur, wie ich auf die hirnrissige Idee gekommen bin, ich könne Medizin studieren."

„Mein Großvater hat immer gesagt, dass es der direkte Weg zu Geld, Macht, Autos und Frauen ist", sagte Marie und biss herzhaft in ihre Banane. „Vielleicht war das mal so, wer weiß. Er war als Medizinmann in seinem Dorf in der Walachei sicher ein Superstar."

„Dein Großvater ist Arzt?"

„War es."

„Das tut mir...", setzte Siandra an, doch Marie unterbrach sie mit einer raschen Handbewegung.

„Das braucht es nicht. Er ist schon lange tot."

„Und dein Vater? Ist er auch Arzt?"

Marie lachte und schüttelte den Kopf. „Großer Gott, nein. Er hat zwar auch Medizin studiert, hat dann aber einen Beruf gewählt, in dem man wirklich Geld verdienen kann. Denn machen wir uns nichts vor: Als Arzt verdienst du echt einen Scheiß. Was sich direkt auf die Anzahl an Autos und die Macht auswirkt. Und mit Frauen hatte ich nie was am Hut. Alle Frauen sind geisteskrank", sagte sie grinsend und schlug ihr Buch zu, nur um es durch ein noch Dickeres zu ersetzen. „Und was ist mit dir?", fragte sie neugierig. „Auch Mediziner in der Familie?"

„Kann man so nicht sagen."

„Was ist es dann? Messias- oder Zauberwürfelkomplex?"

Fragend hob Siandra die Augenbrauen.

„Gehörst du zu der Sorte Menschen, die die ganze Welt heilen wollen und sich selbst als Messias auftun oder zu den Anderen, die auf biegen und brechen eine Antwort finden wollen, wie Kinder, die nicht von ihrem Zauberwürfel ablassen können?"

Siandra ertappte sich dabei, auf die Unterlippe zu beißen. Was sollte sie ihr sagen? Sie hatte Anfang des Jahres wahllos Bewerbungen an Unis geschickt, nur um ihren falschen Vater zu besänftigen – besser gesagt, einer seiner Assistenten hatte das übernommen. Sie hatte gar nicht gewusst, wo er sich in ihrem Namen beworben hatte, als die Briefe erst in Siandras alter Wohnung und dann im Orden aufgetaucht waren. Bis dato hatte sie es auch immer geschafft, sie vor Elyano zu verbergen. Nur nicht alle. Der Assistent hatte sie auf sämtliche Studiengänge beworben: BWL, Jura, Medizin, bei den unterschiedlichsten Hochschulen in ganz Deutschland - ja bei einer Handvoll sogar europaweit. Nach dem Kampf im Orden war Siandra klargeworden, dass sie dem Orden anders helfen musste, als durch ihre Körperkraft. Sie wusste, dass sie den Jägern immer unterlegen sein würde, selbst, wenn sie versuchen würde, ihre Ausbildung zu durchlaufen. Und so tat sie das Einzige, um den Orden zu unterstützen. Sie begann ihr Medizinstudium, um den Verlust von Samoel irgendwann einmal ausgleichen zu können. Doch was sollte sie Marie sagen?

„Und?“, stocherte diese ungeduldig nach.

„Hat mich halt schon immer interessiert. Vielleicht bin ich ja so herzensgut, dass ich der Menschheit einfach nur helfen möchte?“

Marie grinste, während sie mit unsauberen Kullistrichen ein Diagramm skizzierte. „Also doch der Messias.“

Siandra wollte etwas erwidern, als das Handy summte, das Elyano ihr geschenkt hatte. Eine Nachricht von ihm. *Gleich Besprechung der Jäger,* schrieb er. *Noch geht es Fynn relativ gut. Tilidin scheint zu wirken. Mach dir keine Sorgen. Rabe*

„Rabe?“, fragte Marie, als sie ihr über die Schulter lugte und hob die Augenbrauen. In ihrer Stimme schwang etwas mit, das Siandra nicht deuten konnte. Erschrocken wich sie zurück. Ihre Freundin hob entschuldigend die Hände. „Sorry, wollte nicht neugierig sein.“ Einen Augenblick lang blieb sie still, doch dann siegte wieder ihre Neugierde. „Also, wer ist es?“

„Mein Freund. Elyano“, sagte Siandra und versuchte das laute Schlagen ihres Herzens zu ignorieren.

Wieder huschte ein seltsamer Ausdruck über Maries Gesicht, ehe sie von ihrem Brötchen abbiss. „Ist er in einer Art Jagdverein?“

„Könnte man so sagen“, murmelte Siandra, als sich ihr Blutdruck einigermaßen normalisiert hatte.

„Und wer ist dieser Fynn?“, fragte Marie und unterbrach sich selbst, indem sie wieder nach ihrem Stift griff und den Blick aufs Blatt senkte. „Sorry, ich bin nur neugierig.“

„Wäre mir überhaupt nicht aufgefallen“, bemerkte Siandra belustigt, um ihre Unsicherheit zu verbergen. Es durften nicht noch mehr Menschen vom Orden erfahren. Sie musste verdammt nochmal aufpassen, was sie tat und was sie sagte. „Er ist Elyanos jüngerer Bruder.“

Maries Augenbrauen hoben sich verheißungsvoll. „Und? Gutaussehend? Oder würde es schon unter Pädophilie fallen?“

Siandra lachte. „Nein, nein. Aber da hast du schlechte Karten. Er ist schon seit vielen Jahren glücklich vergeben.“ Obwohl das mit dem glücklich momentan so ne Sache war.

Einige Zeit schwiegen die beiden, konzentrierten sich nur auf ihre Unterlagen und Siandra hatte schon fast das Gefühl vollends den Verstand zu verlieren, als sie Maries Stimme hörte. „Er nimmt

Tilidin?", fragte sie und klang ehrlich besorgt.

„Du weißt, was das ist?"

„Ich bin süchtig nach Krankenhausserien", sagte sie und ihr Grinsen stahl sich zurück auf ihre Züge. „Außerdem hat mein Großvater immer viel zu gerne von der Arbeit erzählt. Obwohl, ich glaube, er hat sich einfach gerne selbst reden gehört. Was hat er denn?"

„Er hatte einen... Unfall. Bei seiner Behandlung sind einige Dinge schiefgelaufen und seitdem hat er diese Schmerzen."

„Der Ärmste", flüsterte Marie. „Aber er kann sich glücklich schätzen."

„Ach ja?"

„Ja. Immerhin hat er Menschen, wie euch an seiner Seite."

Schneller. Immer schneller. Fynns Gedanken jagten im Takt der Tachonadel. Adrenalin pochte durch seine Adern wie loderndes Feuer. Selbst, wenn er es gewollt hätte, er hätte es nicht geschafft, den Fuß vom Gas zu nehmen und die Geschwindigkeit zu verringern. Seine Reflexe als Jäger lotsten ihn im halsbrecherischem Tempo über die Stadtautobahn, immer weiter aus der Stadt hinaus. Die roten Blitze, die ihm entgegenzuckten, störten ihn nicht, sie feuerten ihn geradezu an. Euphorie brodelte in seinem Körper und am liebsten hätte er seine Freude in die Welt hinausgeschrien. Lange schon hatte er sich nicht mehr so frei gefühlt.

Als sein Handy klingelte, schaltete er die Freisprechanlage ein. Es war Aisling. „Wo bist du?", fragte sie beunruhigt.

„Mach dir keine Sorgen", sagte er. „Ich mache nur einen Ausflug."

„Aber..."

Doch da hatte er bereits aufgelegt und badete wieder im Adrenalin. Zumindest solange, bis das Handy erneut klingelte.

„Bitte komm zurück", bat Aisling und er hörte die Tränen in ihrer Stimme. Ein Teil von ihm wollte sofort den Motor drosseln, kehrt machen und zum Orden zurückfahren. Doch der andere Teil in ihm rief lauter, wollte die Freiheit, die er gerade erst zu genießen gelernt hatte, noch nicht aufgeben.

„Später", rief er gegen die Musik von Jesus Jackson an. „Mach dir keine Sorgen, mir passiert schon nichts." Er lächelte, doch dann entdeckte er das Blaulicht im Rückspiegel. „Ach du Scheiße", stieß er hervor.

„Was? Fynn, was ist los?"

„Ich muss hier was klären", sagte er knapp und legte auf. Seufzend drehte er die Musik leise und fuhr an den Straßenrand, als die Leuchtbuchstaben ihn förmlich ansprangen.

„Führerschein und Fahrzeugpapiere", verlangte der Polizist durch das heruntergelassene Fenster.

„Gibt es ein Problem, Sheriff?", fragte Fynn und spürte die Wut, die langsam aber stetig in ihm hochkochte.

„Führerschein und Fahrzeugpapiere!"

„Ja doch", zischte Fynn und kramte im Handschuhfach. Der Polizist beäugte die Papiere misstrauisch und drehte sie in den Händen hin und her, als wären sie eine Fälschung. Erst nach eingehender Betrachtung gab er sie an seinen Kollegen weiter. „Sie wissen, warum wir Sie angehalten haben?"

„Ich nehme an, nicht, weil Sie gerade nichts Besseres zu tun hatten."

Der Polizist schluckte zornig. „Wir verfolgen Sie schon eine ganze Weile. Sie haben mehr als einmal die Geschwindigkeit rapide überschritten und sich selbst und Ihre Mitmenschen in Gefahr gebracht."

„Wen soll ich denn bitte in Gefahr gebracht haben?", fragte Fynn aufbrausend.

„Aussteigen, sofort!"

„Was?"

„Ich sagte aussteigen!"

Ein unwilliger Laut stieg in seiner Kehle auf, als er den Sicherheitsgurt löste und unbeholfen das Auto verließ.

„Geht es Ihnen gut?", fragte einer der beiden Polizisten.

„Ich bin das blühende Leben, sieht man das denn nicht?", bemerkte Fynn bissig.

„Haben Sie etwas getrunken?"

„Ob ich etwas... Wie bitte?!"

„Geh doch mal bitte ans Auto und ...", wollte der unfreundliche Polizist sich an seinen Kollegen wenden, als sein Blick auf das Päckchen fiel, das in dem Fach vor der Gangschaltung lag. „Na, was haben wir denn da? Schon was eingeworfen?"

„Sehe ich etwa so aus, als würde ich den Mist zum Spaß nehmen?"
„Nur nicht frech werden, Junge."
„Davon habe ich gehört", warf der jüngere Kollege ein. „Ist zu einer echten Modedroge geworden."
„Das kann doch nicht Euer Ernst sein?!" So langsam wurde Fynn wirklich wütend. „Ich nehme das gegen meine Schmerzen und nicht um high zu werden!"
„Was ist mit Ihrem Bein?", fragte der Polizist und musterte ihn abschätzig. „Dürfen Sie in ihrem Zustand überhaupt fahren?" Es war eine Frage, doch es klang wie eine Feststellung. „Sie begleiten uns lieber aufs Revier. Zu ihrer eigenen Sicherheit."
„Nen Scheiß werd ich tun! Wem soll ich denn bitte gefährlich sein?"
„Junger Mann", knurrte der Polizist wütend. „Sie werden auf der Stelle in das Auto hinter mir steigen oder ich lege ein weiteres Bußgeld wegen Missachtung polizeilicher Anordnungen drauf!"

„Was hältst du von dem hier?", fragte Elyano und streckte ihr eine schmale Hülle über das hüfthohe Regal entgegen.
Siandra hob die Augenbrauen. „Ich dachte, du magst keine sinnlosen Actionfilme?"
„Ich sagte, ich mag keine deutschen Actionfilme und der hier ist ja wohl made in America."
Sie seufzte ergeben. „Dann mal her damit." Ruhelos streifte sie durch die Regalreihen der Videothek. Irgendwie konnte nichts sie so richtig begeistern. Ihre Gedanken wanderten zurück zum Orden. Sie hatte den halben Morgen damit verbracht, Aisling zu suchen und obwohl sie wusste, dass sie eine Jägerin war und gut auf sich selbst aufpassen konnte, kam sie nicht umher, sich Sorgen zu machen. „Hast du Aisling gesehen?", fragte sie, doch Elyano schüttelte den Kopf. Sie spürte den beruhigenden Schleier, noch bevor er um das Regal herumtrat und sanft ihr Kinn anhob. „Mach dir keine Sorgen, Eorlina", sagte er und sie las keinerlei Anzeichen von Beunruhigung in seinen Augen. „So lange ich Aisling nun schon kenne, verschwindet sie hin und wieder, wenn ihr alles zu viel wird. Niemand weiß, wohin sie geht, doch irgendwann taucht sie stets wieder auf." Er ächzte, als er den Rucksack zurück auf seinen Rücken hievte. „Warum sind wir noch

gleich vorher einkaufen gegangen?"
„Du hast doch selbst gesagt: Sia, lass erst den Einkauf erledigen, dann liegt's auf dem Weg."
„Du äffst mich gerne nach, was?"
Spielerisch streckte sie ihm die Zunge heraus und drehte sich zum Regal um. Doch auch hier, nichts.
„Ich wünschte nur, wir wären auf die glorreiche Idee gekommen, das Auto zu nehmen", jammerte Elyano.
„Jetzt stell dich nicht so an", erwiderte Siandra grinsend. „Sieh es doch so: Wir tun etwas für die Umwelt. Und außerdem kann ein Spaziergang verdammt romantisch sein."
„Ach ja?" Ein Funkeln lag in seinen Augen, als er sich blitzschnell zu ihr umdrehte und die Hände zu beiden Seiten ihres Kopfes auf das Regal stützte. Er küsste sie, fast schon zu flüchtig für ihren Geschmack, ehe sein Blick die DVDs hinter ihr streifte. „Na, was hältst du von ein wenig Nostalgie?", fragte er schmunzelnd und griff nach einer Hülle.
„Wie könnte ich denn nein zu Gizmo sagen?", fragte sie mit einem Lächeln und wand sich aus seinen Armen. Rastlos strich sie durch die Regale, hielt hie und da an, doch nichts konnte sie wirklich begeistern.
„Madame ist heute sehr wählerisch, was?", fragte Elyano, als das blecherne Summen seines Handys ertönte.
Siandra streifte weiter durch die Gänge, bis sie nach einer DVD griff. „Wenn Nostalgie, dann aber richtig", sagte sie. „Was ist das nur für eine Welt, in der sich niemand Casablanca ausleiht?" Sie stockte, als sie sich zu Elyano umdrehte und in sein ernstes Gesicht sah. „Was ist passiert?"
„Wir müssen zurück zum Orden und ein Auto holen. Fynn hat angerufen."
Siandra stockte der Atem. „Was ist mit ihm?"
„Wir sollen ihn auf dem Polizeirevier abholen."

„Was hast du dir dabei gedacht?", knurrte Elyano wütend und klammerte die Hände um das Lenkrad, ganz, als müsse er sich davon abhalten, etwas zu schlagen - oder jemandem. „Das hätte dir den Hals brechen können."
„Hat es aber nicht", entgegnete Fynn, fast schon ein wenig trotzig.

„Geschwindigkeitsübertretung, Beamtenbeleidigung und Missachtung polizeilicher Anordnungen?", fragte Elyano und schaltete eine Spur zu ruppig in den nächsten Gang. „Versuchst du, deine wilde Jugend nachzuholen? Man könnte meinen, du wärst einer der Halbstarken und nicht ein ausgebildeter Offizier. Was geht verdammt nochmal in dir vor?"

Doch Fynn schwieg, starrte aus dem Fenster, die Hände in den Stoff seiner Hose gekrallt. „Ich bin kein unmündiges Kind, Elyano!", entgegnete er nach einer Weile zornig.

„Ach nein? Manchmal kommt es mir aber so vor!"

„Ich bin dein Hüter, mir gilt dein Respekt!"

„Dann benimm dich auch dementsprechend", unterbrach Elyano ihn.

Fynn setzte zum Sprechen an, doch dann verstummte er und wandte den Blick ab. Sein Bruder starrte auf die Straße, die Lippen zu einem schmalen Strich aufeinandergepresst.

Siandras Blick wanderte zwischen den beiden hin und her. Und auch wenn sie wie Elyano wütend darüber war, wie leichtsinnig er gewesen war, konnte sie ihn verstehen. Doch das war keine Entschuldigung für ein Verhalten, das nicht nur ihn, sondern auch den Orden in Gefahr gebracht haben könnte. So gut Fynns Reflexe auch waren, es gab immer den einen Moment, in dem man nicht schnell genug war. Und wer wusste, ob ihm in seiner Raserei nicht irgendetwas über ihre Welt rausgerutscht wäre.

Ein schwerer, aggressiver Nebel schien die Brüder zu umgeben, der allen die Luft zum Atmen nahm. Die Liebe der Geschwister war schärfer als jede Klinge. Siandra erinnerte sich noch ganz deutlich an Heinrichs Worte. Es tat ihr weh, die beiden so zu sehen. Ihr Blick streifte Fynn, auf dem Beifahrersitz. Sein Mund hatte einen bitteren Zug bekommen und seine Augen waren kalt. Er hatte sich verändert. Die Schmerzen und der Verlust hatten einen anderen aus ihm gemacht. Nun war er bitter geworden, bitter und hart, wie die Mauern, die ihn zu jeder Zeit umgaben.

„Was ist, Siandra?", fragte Fynn plötzlich kühl. „Habe ich irgendwas im Gesicht?"

„Fynn", knurrte Elyano warnend, doch Siandra ignorierte ihren Raben.

„Ich kannte da einmal jemanden", flüsterte sie. „Er war mir ein Bruder. Ich mochte ihn wirklich sehr."

Ein schmerzlicher Ausdruck huschte über Fynns Züge. „Er existiert nicht mehr."

Als sie eine Hand auf seine Schulter legte, traf sein Blick den ihren. „Es kann ihn wieder geben. Er ist noch da drin, ich kann es spüren."

Fynn schwieg und Siandra tat es ihm gleich. Sie sah aus dem Fenster, während Elyano das Auto durch den dichten Stadtverkehr lotste. Aus den Boxen des Radios drangen die Stimmen von Greenday, doch Siandra achtete kaum darauf. Sie blieb in ihren Gedanken versunken, ohne einen von ihnen wirklich zu fassen.

Das Glas, gegen das sie ihre Stirn gelehnt hatte, bewegte sich und ließ sie zusammenzucken. Elyano stützte sich auf die geöffnete Autotür und lächelte leicht, ehe er ihr die Hand reichte und sie auf die Beine zog.

Als sie den Orden betraten, fiel ihr Blick sofort auf Aisling, die mit verschränkten Armen vor dem Gemälde der Fürstinnen stand. Einige Atemzüge blieb sie stumm dort stehen, versteinert, wie die Statue einer Rachegöttin, ehe sie sich von der Wand löste und auf Fynn zukam. Ihre Augen funkelten wild.

„Aisling", flüsterte Fynn und biss auf seine Unterlippe.

Der Aufruhr von Gefühlen jagte über ihr Gesicht. Trauer und Schmerz, Sorge und Wut. Die Tränen, die sie so sehr unterdrückte, glitzerten in ihren Augen. Doch sie sagte nichts, stand nur vor ihm und starrte ihn wütend an.

„Aisling", sagte er erneut, diesmal etwas lauter. Er zuckte zusammen, als ihre Hand seine Wange traf. Die Schlange in seinem Inneren fauchte laut, doch er war viel zu geschockt, um zu reagieren. Perplex strich er über die gerötete Haut. Die Schuld brannte heiß durch seine Adern, ehe sie sein kaltes Herz in Brand setzte. Er bemerkte aus dem Augenwinkel, dass sich Siandra und Elyano entfernten, doch es interessierte ihn nicht. Sein Augenmerk lag auf Aisling, die sich von ihm abgewandt hatte, die Arme eng um den Körper geschlungen.

Langsam trat er hinter sie, legte seinen gesunden Arm um ihre Schultern und zog sie dicht an sich.

„Lass mich los", flüsterte sie. Halbherzig versuchte sie, sich aus seiner Umarmung zu befreien. „Lass mich los", sagte sie erneut, doch ihre Stimme war kaum mehr, als ein Windhauch.

„Das kann ich nicht", flüsterte Fynn. Er ließ sie nicht los und nach und nach erstarb ihr Widerstand. Er barg seine Stirn an ihrem Hals, atmete ihren Geruch ein, nach einem Frühlingsmorgen, wenn die Sonne noch tief stand und Lavendel - der Geruch nach Heimat. Zaghaft hauchte er einen Kuss auf ihr Schlüsselbein. Ein Schauer jagte über seine Kopfhaut, als Aislings Finger den Weg in seine Haare fanden und bis zu seinem Nacken strichen.

„Tu das nie wieder", presste sie unter Tränen hervor. „Nimm mir die Angst um dein Leben ab. Bitte." Ihr Schluchzen zerriss ihn beinahe innerlich. Die Schlange in seinem Inneren zischte heiser, doch sie war nicht laut genug, um ihn zu erreichen. „Wir brauchen dich. Ich brauche dich", weinte sie. „Wie kannst du nur so leichtsinnig sein? Wie konntest du dich nur derart in Gefahr bringen? Ich hatte eine solche Angst um dich."

Behutsam drehte er sie zu sich um, legte die Hand in ihren Nacken und strich mit dem Daumen über ihre Wange. Die Tränen in ihren Augen und die Schatten auf ihrem Gesicht... Narben, die er hinterlassen hatte. Er beugte sich vor und küsste sie, erst zaghaft, dann immer drängender. Der Kuss schmeckte nach Schmerz und Trauer, nach verzweifelter Hoffnungslosigkeit und nach dem Echo früherer Vertrautheit. Aislings Hände krallten sich in sein Hemd, ehe ihre Finger über die Haut wanderten, die an seinem Schlüsselbein hervorblitzte. Ein stummer Schwur lag auf Fynns Lippen, ein Schwur, bei dem er sich nicht sicher war, ob er ihn halten konnte.

7. Gremlins bei Mitternacht

Jeder ihrer Schritte hallte dumpf von dem rissigen Steinboden wieder. Unzählige Fragen hielten Siandra gefangen, Fragen und Rätsel. Elyano war schon früh am Morgen zu einer Patrouille aufgebrochen, ihn konnte sie also nicht fragen. Selbst wenn - sie bezweifelte, dass er ihr etwas erzählen würde. Er wollte sie beschützen, auch wenn das hieß, sie im Unklaren zu lassen. Sie strich über ihren Nacken. All diese Rätsel, Gedanken, die sich wie ein Mantra ständig wiederholten. *Der Norden erinnert sich. Der Norden vergisst nicht.* Unweigerlich erinnerte sie sich auch an Zephirs Worte. *Der Norden war einst geteilt. Isabellas Königreich. Die Gänsemagd.*

„Oh du Falada, da du hangest“, sagte sie, als sie den weißen Pferdekopf über der Tür zum geheimen Garten erreicht hatte. Die Unsicherheit, die sich in ihre Stimme geschlichen hatte, störte sie, doch sie schaffte es nicht, sie zu verbannen.

Falada hatte die Augen geschlossen. Kurz dachte sie, er hätte sie nicht gehört, doch dann öffnete er die Lider schwerfällig. „Oh du Jungfer, da du gangest. Wenn das deine Mutter wüsst, das Herz tät‘ ihr zerspringen.“

„Habe ich dich geweckt?“

Sie hätte schwören können, dass das Pferd lächelte, als es zum Sprechen ansetzte. „Sorge dich nicht“, flüsterte es. „Ich bin so alt, wie die Träume der Menschen. Ich benötige keinen Schlaf, so wie ihr. Was führt dich zu mir? Was treibt dich in die obersten Stockwerke?“

„Ich hoffe, dass du mir helfen kannst.“

„Das hoffe ich ebenfalls. Sprich, mein Kind.“

„Du kanntest Isabella ziemlich gut, habe ich recht?“

Der Schatten von Erinnerungen huschte über seine klugen Züge. „In der Tat. Ich war viele Jahre lang ihr Begleiter, auch weit über mein irdisches Leben hinaus."

„Dann ist es wahr, was das Märchen erzählt?", fragte Siandra vorsichtig. „Du bist wirklich gestorben?"

„Keine Zeit, an die ich mich gerne erinnere. Ich hatte stets gehofft, dass Isabella diesen letzten Weg nicht gehen würde, doch ihre Liebe war stärker, als die Angst vor diesem Schritt."

„Welcher Schritt?"

„Sie vertraute einer alten Hexe, die sie mit ihren Lügen und ihrer schwarzen Magie auf ihre Seite zog."

„Und sie brachte dich zurück."

Falada seufzte. „Doch zu welchem Preis. Sie war nie wieder dieselbe, seit Mutter Cána ihren Verstand vergiftete. Meine Rückkehr hatte hohen Tribut gefordert und die Unruhen in den Reichen taten ihr übriges. Ihr Gemahl wandte sich im Bürgerkrieg von ihr ab. Isabella schaffte es nicht, diesen Verlust zu verkraften. Aber nicht nicht nur diese Tragödie hat das Königreich zu Fall gebracht. Mutter Cána hatte ebenfalls ihre Hände mit im Spiel."

Siandra runzelte die Stirn. Schon wieder dieser Name. „Aber was hätte sie davon gehabt?"

„Gretel, die ebenfalls im Norden herrschte, war nie eine Bedrohung für ihr Streben nach Macht gewesen. Isabella schon."

„Und deshalb wollte sie Isabella aus dem Weg räumen?"

Falada nickte. „Sie stellte sich quer und alles, was Widerstand liefert, muss ausgemerzt werden, wie Unkraut, das zwischen folgsamen Blumen wuchert."

„Warum hat sie ihre Meinung geändert?", fragte Siandra verwirrt. „Du hast doch gesagt, Mutter Cána hatte es geschafft, sie von ihren Idealen zu überzeugen. Was hat sie davon abgebracht?"

„Die Liebe", flüsterte Falada und schwieg einen Moment, ehe er weitersprach. „Sie hatte gehofft, die Hexe könne ihr den Liebsten zurückbringen, so wie sie es bei mir geschafft hatte. Doch Isabella wusste nicht, was damals wirklich vorgefallen war. Dass ihr Gemahl nicht starb, sondern freiwillig ging. Er hat sich von Cána kaufen lassen und kauft nun seinerseits die, die ihm nicht folgen wollen."

Siandra schwieg. So war es Isabella also ergangen. Vielleicht war es gnädiger gewesen, sie im Glauben zu lassen, ihr Liebster wäre gestorben, als mit seinem Verrat zu leben.

„Wie ist sie gestorben?“, fragte Siandra nach einer Weile. Sie dachte an die Reaktion der Jäger, an Elyano, der sich neben ihr so sehr versteift hatte. Was war nur geschehen?

Falada seufzte. „Es tut mir leid, Siandra. Ich bin nicht derjenige, der dir das erzählen sollte.“

„Aber...“, setzte sie an, doch sie entlockte dem Pferd nur eine weitere Entschuldigung.

„Kennst du dieses Wappen?“, fragte sie nach einem weiteren Moment der Stille und kramte die inzwischen ziemlich lädierte Postkarte hervor.

„Eine alte Familie“, sagte Falada ruhig. „Ich bezweifle, dass sie viele überhaupt noch kennen, wenn gleich sie sehr mächtig war. Eines der ehrwürdigen Adelsgeschlechter aus dem alten Reich. Nur, was hast du mit ihnen zu tun?“

„Der Norden erinnert sich. Der Norden vergisst nicht“, las sie von der Postkarte ab. „Hast du eine Ahnung, was das zu bedeuten hat?“

Falada schloss kurz die Augen. „Klingt fast wie eine Warnung.“

„Aber wer will uns da warnen? Und warum?“

„Das kann ich dir nicht sagen. Es gibt viele, die die Richtung, in die der Orden sich bewegt, nicht befürworten, doch ob sie deshalb zu solchen Mitteln greifen?“

„Wer ist diese Familie? Pyrros kannte das Wappen ebenfalls, aber er wollte mir nichts sagen.“

„Ach, wollte er nicht?“, fragte Falada und Siandra hörte das Schmunzeln in seiner Stimme.

Sie stockte. „Nein. Er sagte, er sei durch einen Eid gebunden.“

„Interessant... doch dann machen diese Gerüchte keinen Sinn.“

„Welche Gerüchte?“

„Man sagt, er habe sich von Rotkäppchen und ihrem Rat entsagt und sich den Halbblütern angeschlossen.“

Siandra runzelte die Stirn. Das war nicht möglich. Pyrros war Rotkäppchens Offizier. Doch die Fürstin war tot und die Trauer vermochte es jeden zu ändern... Hatten seine Wölfe ihn aus dem Grund verlassen? Aber warum hatten die Jäger ihn dann hier aufgegriffen? Warum war er dann nicht bei den Halbblütern? „Pyrros war Rotkäppchen treu ergeben ...“

„Das war ihr Rabe ebenfalls.“

Elyano hatte sich auch von Rotkäppchen abgewandt und es gab Zeiten, da wäre er ihr in den Tod gefolgt – ein Gedanke, der sie noch immer schmerzte. Doch bei Pyrros konnte sie es einfach nicht glauben, auch nicht, oder gerade nicht nach dem Tod der Fürstin. Siandra kannte niemanden, der treuer folgte... oder fanatischer. Sie konnte sich nicht vorstellen, warum er mit den Halbblütern gemeinsame Sache machen sollte. Warum sollte er sich auf die Seite derer stellen, die er verabscheute? Ihre Gedanken überschlugen sich, drehten sich einem Karussell gleich in ihrem Kopf. Warum sollte er das nur tun? Sie schluckte. Es gab nur einen Weg, das herauszufinden. Sie musste ein weiteres Mal zu Pyrros.

„Alles in Ordnung, Siandra?", fragte Falada behutsam.

„Das weiß ich nicht", antwortete sie wahrheitsgemäß. „Danke für deine Hilfe. Ich muss jetzt los."

„Vertrau nicht zu sehr", hörte sie Falada noch flüstern, ehe sie geradezu über die aufgerissenen Bodenplatten flog. Ihre aufgewühlten Gedanken jagten sie die Stufen herab. Sie musste ein weiteres Mal mit Pyrros reden und dabei hatte sie gehofft, das vergangene Gespräch würde ihr Letztes bleiben. Sie sträubte sich davor, den Fürsten der Wölfe ein weiteres Mal zu treffen, doch es war anders, als beim letzten Mal. Sie konnte es kaum begreifen, doch dieses Mal waren ihre Füße nicht wie aus Blei und ihr Herz aus Eis. Bei dem Gedanken vor Rotkäppchens Offizier zu treten, empfand sie keine Furcht mehr, nur noch die Wut, die sich hinter einer gleichgültigen Maske versteckte.

Sie wollte gerade den Weg in die Kerker einschlagen, als sich jemand bei ihr einhakte. Es waren die Zwillinge, die sie flankierten. Beide trugen sie ihre Lederrüstung. Siandra erkannte den Griff von Zephirs Zweihänder hinter seiner Schulter hervorblitzen. Seine Schwester wirkte neben ihm völlig unbewaffnet, doch Siandra entdeckte die Peitsche, die sie wie einen extravaganten Gürtel um die Hüfte geschlungen hatte.

„Was gibt`s?", fragte sie mit betont ruhiger Stimme, obwohl ihr Vorhaben schwer wie ein Mühlstein um ihren Hals lag und sie zu Boden zerrte.

„Wir müssen uns etwas überlegen", raunte Aiofé ihr zu. „Wegen Aisling und Fynn."

Zephirs sonst so fröhliches Gesicht bewölkte sich. „So kann es nicht weitergehen. Es tut mir weh, die beiden leiden zu sehen."

„Fynn hat sich so sehr verändert", flüsterte seine Schwester.

„Schmerz verändert Menschen", sagte Siandra und wandte den Blick ab. Der Schmerz hatte Fynn von Grund auf verändert. Nichts war wie zuvor.

„Aber es muss irgendetwas geben, das wir tun können", warf Zephir ein. „Wir sollten sie irgendwie ablenken. Fernab der ganzen Probleme und fernab des Ordens."

„Nur wie?", fragte Siandra leise. Früher wäre Fynn zu jeder Schandtat bereit gewesen, doch nun... „Vielleicht fällt uns ja etwas ein", murmelte sie und versuchte das Thema zu wechseln, um die trüben Gedanken fort zu wischen wie einen unliebsamen Fussel. „Ihr seid auf dem Weg zu einem Auftrag? Viel..."

Aiofé wedelte hektisch mit ihren Händen und Zephir deutete mit dem Finger eine Linie an seinem Hals an.

„Versteh schon. Nur nichts herausfordern."

Zephir wandte sich zum Gehen um, doch seine Schwester hielt einen Moment inne und schien Siandra mit ihrem Blick geradezu zu durchleuchten. Siandras Herz wich zurück und krümmte sich schuldbewusst zusammen, doch dann drehte Aiofé sich zu ihrem Bruder um. Es schlug noch immer unruhig, als sie dem spiralförmigen Gang folgte und bald darauf vor Pyrros' Zelle stand.

Der Fürst der Wölfe sah schlimmer aus als zuvor, auch wenn sie dies kaum für möglich gehalten hätte. Seine Mundwinkel zuckten, als Siandra näher kam. Am liebsten würde sie ihm dieses selbstgefällige Grinsen von den Lippen kratzen, doch sie schaffte es, die aufkommende Wut zu unterdrücken. Auch als er „Hello Cutie Pie" flötete.

„Was verschafft mir die Ehre deines Besuchs?", fragte er spöttisch, als sie sich auf einer der wenigen halbwegs trockenen Stellen im Schneidersitz niederließ. „Willst du mich etwa zu Tode schweigen?"

„Was willst du?"

„Sollte ich das nicht eher dich fragen? Immerhin besuchst du mich hier in meinem Domizil." Er richtete sich ein Stück weit auf. „Als zuvorkommender Gastgeber würde ich dir ja ein Glas Wein anbieten, doch ich fürchte, den guten Spätburgunder habe ich gerade nicht zur Hand. Bist du gekommen, um mir mein endgültiges Urteil zu überbringen? Wie gnädig von eurem glorreichen Hüter."

„Sprich nicht so von ihm! “

„Wie soll ich denn von ihm sprechen? Hast du mal seine eigenen Jäger über ihn reden gehört? Er sollte sich nicht vor den Halbblütern fürchten, sondern vor seinen eigenen Leuten. Sie werden ihn nicht akzeptieren. Er wird nie etwas anderes sein, als der Krüppel, der von seinem Thron gestürzt wird.“

„Bastard“, entfuhr es ihr und sie krallte die Hände in den Stoff ihrer Hose.

„Nenn mich wie du willst, es wird nichts daran ändern. So große Angst vor der Wahrheit?“

Doch Siandra ging nicht darauf ein. Sie atmete tief durch, versuchte, sich auf den Grund ihres Besuches zu konzentrieren. „Wo bist du nach dem Kampf im Orden gewesen?“

„Du glaubst tatsächlich, ich würde es dir sagen, was?“ Er lehnte den Kopf an die kalte Steinwand. „Du bist naiver, als ich dachte, kleine Prinzessin. Mach dir lieber mehr Sorgen um dich selbst, als um die falsche Krähe. Denkst du wirklich, dass du jetzt sicher bist, nur weil du deine Entscheidung getroffen hast? Herzlichen Glückwunsch, im Übrigen. Es gibt genug Eshani'i, die diesen Schlag gegen ihr Volk als herbe Beleidigung auffassen. Jede Entscheidung hat seinen Preis.“

Eine eiskalte Hand kroch über ihren Rücken. „Wovon sprichst du?“

„Hat dir dein Rabe etwa nichts erzählt? Die Jagd auf Halbblüter bestimmt das Leben eines Jägers, doch nicht wenige gehen weiter. Die Blutgeborenen, diejenigen, die auf die Reinheit ihres Blutes pochen, haben schon einmal die Jagd auf Unreine eröffnet. Es war nie ein Geheimnis, doch niemand tat etwas dagegen. Nicht mal euer Ariel.“

„Du lügst.“

„Warum sollte ich das tun? Du wirst sehen. Früher oder später werden sie nach deinem Kopf verlangen. Deine Entscheidung wird dir bald schon leid tun. Wenn sie nicht schon vorher ihren Tribut fordert.“

„Soll das etwa eine Drohung sein? Oder ein Versprechen?“

Pyrros lächelte gefährlich. „Nur eine Feststellung. Und jetzt sag mir endlich, was du hier willst. Schickt dich Montgomery, um die Dinge zu tun, die er selbst nicht über sich bringt?“

Wütend holte Siandra aus und schlug nach dem Wolfsfürsten. Pyrros keuchte, doch dann schlich sich das Lächeln zurück auf seine Züge. „Versuch beim nächsten Mal fester zuzuschlagen oder nimm gleich eine Klinge. Es ändert nichts an der Wahrheit. Deine Menschlichkeit wird dein Untergang sein und die falsche Krähe wird es nicht schaffen, den Orden zu halten. Die rechte Hand weiß nicht, was die linke tut und ehe wir uns versehen, läuft das gesamte Reich hier herum. Fynn wird versagen, fallen, wie einst Ariel fiel."

Siandra ballte die Hände zu Fäusten und versuchte, ihre Wut unter Kontrolle zu halten. Ihre Fingernägel bohrten sich tief in die weiche Haut ihrer Handfläche. Pyrros beobachtete sie einen Moment still, ehe er auflachte.

„Weißt du was, ich geb's auf. Ich frage dich kein weiteres Mal, warum du hier bist. Nimm das Leben, wie es kommt, oder wie sagt man? Und bis dahin genieße ich ein wenig die schöne Aussicht."

„Warum hast du ihn nicht getötet?", sprach sie den Gedanken aus, der sie schon lange quälte. „Du hattest die Möglichkeit ihn zu töten, warum hast du es nicht getan?" *Warum hast du ihn gebrochen?*, fügte sie in Gedanken hinzu.

Pyrros' Mundwinkel zuckte. „Das willst du nicht wissen, Siandra."

„Woher willst du wissen, was ich möchte? Du kennst mich nicht!"

„Ich kenne dich besser, als du denkst." Er schmunzelte. Das gefährliche Flackern in seinen Augen jagte ihr einen Schauer über den Rücken, auch wenn sie es sich selbst nicht eingestehen wollte.

„Ich weiß nicht einmal, warum ich gekommen bin", zischte sie wütend, um sich von der Kälte abzulenken, die sich in ihrem Körper ausbreitete.

„Du kannst einfach nicht ohne mich sein, was?"

„Manchmal weiß ich nicht, ob ich lachen oder lieber dein Gesicht treffen soll."

Pyrros zwinkerte ihr zu und reckte ihr die Wange entgegen. „Nimm doch zur Abwechslung mal deine Lippen und nicht die Faust."

Die Wut brodelte in ihr höher denn je, als sie sich umdrehte und ohne ein weiteres Wort aus der Zelle stürmte.

Geh einfach. Geh einfach an ihm vorbei. Er wird dich nicht sehen. Und überhaupt, du hast doch nichts Verbotenes vor. Doch auch ihre innere Stimme vermochte es nicht Siandra zu beruhigen. Ihr Herz schlug so laut, dass sie sich nicht wunderte, wenn es Elyano auf sie aufmerksam machen würde.

Ihr Rabe saß mit dem Rücken zu ihr auf dem Boden der großen Trainingshalle, die Beine im Schneidersitz überkreuzt. Mit akribischer Präzision strich er mit einem hellen Tuch über seine Klinge.

Geh schon, forderte die Stimme in ihrem Kopf sie auf. Fast jeden Tag nach ihrer Vorlesung fragte Marie sie, ob sie nicht einmal etwas unternehmen sollten und jedes Mal lehnte Siandra ab. Sie wusste genau, was Elyano davon halten würde. Mehr als einmal hatte er ihr gezeigt, was er von diesem einen Menschen hielt. Doch als Marie sie heute ein weiteres Mal gefragt hatte, hatte sie nur genickt. Warum auch nicht? Immerhin wollte sie nicht auffallen und sich wie ein ganz normaler Student verhalten. Und das konnte sie nicht, wenn sie in Elyanos goldenen Käfig saß.

Nun geh schon, feuerte die Stimme sie an. *Du bist schneller wieder da, als er gucken kann. Er wird nicht einmal merken, dass du weg bist. Nur leise...*

„Siandra, was hast du vor?“, fragte Elyano, ohne sich umzudrehen und ohne den Blick von seiner gebogenen Klinge abzuwenden.

Siandra sog scharf die Luft ein. *Verdammt.* „Weißt du, dass du manchmal echt beängstigend sein kannst?“, fragte sie und trat an Elyano heran.

Ein halbes Lächeln schlich sich auf sein Gesicht, als er seine Klinge beiseitelegte. Sie sah seine Bewegung nicht kommen. Ehe sie sich versah, lag sie bereits am Boden. Sein schwerer Körper hielt sie unten und seine Hände umfassten ihre Handgelenke. Ein gefährliches Grinsen lag auf seinen Lippen, als er sich dicht zu ihr herabbeugte und sein Atem über ihre Haut tanzte. „Und? Beängstigend genug?“

Ihr Atem raste, doch nicht, weil sie sich fürchtete. Für einen kurzen Augenblick vergaß sie, was sie eigentlich wollte, verwarf ihren Plan. Doch dann zuckte er glühend heiß durch ihr Gedächtnis. Sie küsste ihn flüchtig. „Ich bin jetzt schon spät dran.“

Elyano hob die Augenbrauen, bewegte sich jedoch kein Stück. „Zu Spät? Wofür?“

„Ich wollte mich mit Marie treffen“, murmelte sie und spürte, wie sich er über ihr verspannte. „Wir wollten nur ein oder zwei Cocktails trinken gehen, vielleicht auch eine Kleinigkeit essen“, begann sie den verzweifelten Versuch, die Situation zu retten, indem sie ihn möglichst nicht zu Wort kommen ließ. „Wir treffen uns an den Ringen, gehen vielleicht die Zülpicherstraße hoch, je nachdem, ob wir etwas finden. Die ganze Straße wird voller Menschen sein, voller Studenten, die...“

Elyano stoppte ihren Redeschwall, indem er zwei Finger auf ihre Lippen legte. Die Geste war sanft, doch seine Augen blieben hart. „Oh ja, lass uns die Gremlins nach Mitternacht füttern. Sag mal, hast du sie noch alle?!“

Seine Worte kratzten wie Sandpapier über ihre Haut, doch noch wollte sie nicht klein beigeben. Noch nicht. „Reg dich ab“, sagte sie mit betont ruhiger Stimme, obwohl ihr Herz tobte und die Nähe zu ihm es nicht gerade besser machte. „Mir passiert schon nichts.“

Elyanos Augen durchbohrten sie, dunkel und hart wie schwarzer Onyx, doch dann lockerte sich der Griff um ihr Handgelenk. Sein Blick wurde weicher, als seine Finger über die fast schon verheilte Wunde an ihrer Wange strich und kurz flackerte der Schmerz seiner stummen Selbstgeißelung in seinen Augen auf. „Ist das hier etwa nichts?“

Der Ausdruck in seinen Augen versetzte ihr einen Stich. Sie wollte diesen Schmerz vertreiben, dachte nicht mehr nach, als sie Schwung sammelte, um den Spieß umzudrehen. Elyano war viel zu perplex, um zu reagieren. Ein verblüfftes Grinsen zeichnete sich auf seinem Gesicht ab, als sie nun über ihm kniete und ihre Lippen auf seine senkte. Elyano erwiderte den Kuss stürmisch, jagte einen Schauer über ihren Körper, als seine Finger über ihre bloße Haut strichen und unter den Stoff an ihrem Rücken wanderten. Ein jähes Gefühl von Sehnsucht zuckte wie ein Blitz durch ihren Geist und ließ ihr Herz stolpern. Sie brauchte all ihre Disziplin, um die Lippen von seinen zu lösen. „Ich kann ihr nicht so kurzfristig absagen“, flüsterte sie.

Die Härte kehrte in Elyanos Augen zurück. „Das gefällt mir ganz und gar nicht“, zischte ihr Rabe. „Dieser Mensch...“

„Sie hat auch einen Namen.“

„Wie auch immer.“ Seine Augen hingen an ihr, doch sie konnte einfach nicht erkennen, was in ihm vorging. Nach endlosen Sekunden gab er ein frustriertes Knurren von sich und fuhr mit einer Hand durch sein Haar.

Siandra konnte einen Aufschrei gerade so unterdrücken, als ein Ruck durch ihren Körper ging und Elyano sie auf ihre Arme hob. „Was hast du vor?“

„Lass uns nachsehen, ob die Gremlins Hunger haben."
„Da bist du ja endlich!", begrüßte Maries Stimme sie, als Siandra das kleine Restaurant betrat.

Die ganze Fahrt über hatten sie und Elyano kaum ein Wort gewechselt, doch es war nicht unbedingt ein unangenehmes Schweigen gewesen. Auch wenn er versucht hatte, es ihr nicht zu zeigen, wusste sie, wo seine Gedanken waren. Nichts wünschte sie sich mehr, als ihm die Sorgen zu nehmen, die ihn belasteten. Sorgen um sie, Fynn und Aisling, das Reich und die Sicherheit des Ordens. Siandra hatte Marie auf der Fahrt eine Nachricht geschrieben und ihre neue Freundin hatte ihr nur Sekunden später geantwortet, dass sie drinnen auf sie warten würde. „Sorry", murmelte Siandra, als sie sich auf den dunklen Holzstuhl ihr gegenüber sinken ließ.

Doch Marie grinste nur und schob ihr einen der beiden Cocktails zu, die vor ihr standen. „Hier", sagte sie. „Der geht auf mich. Erst einmal müssen wir dir diesen mürrischen Ausdruck vom Gesicht waschen."

„Mürrisch? Ich doch nicht." Sie nahm einen Schluck von dem rötlich-gelben Cocktail und der Geschmack nach Erdbeer, Mango und Limette legte sich auf ihre Zunge.

„Kämst du niemals dazu, was?", lächelte Marie. „Also, was ist los?"

Siandra schüttelte den Kopf. „Nichts, es ist alles okay. Nur ein wenig Stress." Sie stockte kurz, als sie rötliches Fell unweit von ihr aufblitzen sah und kurz danach in Salomos Augen blickte. Hätte sie sich fast schon denken können, dass Elyano sie nicht ohne Bewachung ließ.

„Stress mit deinem Freund?", mutmaßte Marie. „Stress mit den Eltern?"

„Kann man nicht so sagen", sagte Siandra und nahm einen weiteren Schluck.

Marie bedachte sie mit einem mitleidigen Blick, ehe sie einen Kellner herbeiwinkte und ihm etwas zuraunte.

Wenig später stand ein kleines schmales Glas vor Siandra. Misstrauisch roch sie daran und ein Schwall starker Kräuter schlug ihr entgegen. „Was ist das?"

Marie grinste. „Frag nicht, weg damit!"

Siandra schmeckte die Kräuter kaum, nur den Alkohol, der sich heiß durch ihren Hals fraß.

Marie lachte. „Noch eine Runde", rief sie dem Kellner zu. „Von

Stress kann ich ein Lied singen. Mein Vater hängt mir den ganzen Tag in den Ohren. Tu dies, mach das, mach mich stolz, ich kann es kaum noch hören."

„Das kenne ich irgendwo her", sagte Siandra und verzog das Gesicht, als der Alkohol erneut durch ihren Hals ächzte.

Marie nahm den letzten Schluck aus ihrem Glas. „Halst mir immer mehr Arbeit in seiner Firma auf und erwartet trotzdem Bestnoten im Studium. Und den Hund drückt er mir auch immer wieder aufs Auge."

„Was ist das für eine Firma?", fragte Siandra, um das Thema ja von sich selbst abzulenken.

„Oh nichts interessantes", murmelte Marie und griff nach den Salzstangen, die zwischen ihnen standen. „Größtenteils Forschung. Er mischt aber auch in der Politik mit. Ich darf meist irgendwelche Botengänge machen oder Papierkram erledigen. Wie du siehst, absolut unspannend." Sie lehnte sich auf dem Stuhl zurück und orderte einen weiteren Drink.

„Und ihr habt einen Hund?", hakte Siandra nach, damit Marie nicht auf die Idee kam, weiter in dem Grund für ihren Stress zu stochern.

Marie lächelte. „Seit nem knappen Jahr. Eine Irgendwas-mit-Wolfshund-Promenadenmischung."

„Wir haben auch einen Hund im..." Sie stockte, als ihr um ein Haar das Wort Orden rausgerutscht wäre.

„Ihr?", fragte Marie mit hochgezogenen Augenbrauen. „Studentenwohnheim? Große Familie? Kommune?"

Siandra grinste. „Man kann es wohl noch am ehesten, als überdurchschnittlich große WG bezeichnen."

„Was muss das für ein Anwesen sein, in dem ihr da wohnt", entgegnete Marie mit einem breiten Grinsen. „Dir muss doch klar sein, dass du mich unbedingt mal durch euer Neuschwanstein führen musst."

Siandra überlegte fieberhaft, wie sie wieder aus der Misere herauskommen konnte und wollte zum Sprechen ansetzen, als eine Nachricht von Elyano sie aufschrecken ließ. *Fynn braucht mich wegen der Konferenz morgen. Ich habe Zephir gebeten, dich abzuholen. Ruf ihn einfach an.*

Kurz keimte die Sorge in ihr auf. Als sie den Kopf hob, begegnete sie Salomos Blick, der sie beunruhigt musterte. Am liebsten hätte sie ihm gesagt, dass alles okay war, doch der Raum war voller Menschen. Sie würden sie schneller in die Geschlossene einweisen, als sie gucken konnte, wenn sie anfing, mit der Luft zu sprechen.

„Alles okay?", fragte Marie und schob ihr einen weiteren Kurzen zu, den sie ohne zu zögern vernichtete.

Siandra nickte. „Alles okay. Elyano hat mir nur geschrieben, dass ein Freund mich abholen wird."

„Er ist ziemlich bemutternd, was?"

„Er macht sich nur Sorgen", flüsterte Siandra. „Es war nicht einfach in letzter Zeit."

„Ist es wegen seinem Bruder? Wie geht es ihm?"

„Das Tilidin hilft ihm bei seinen Schmerzen, doch es ändert nichts an den Pflichten, die schwer auf seinen Schultern lasten."

Marie hob die Augenbrauen und Siandra spürte, dass sie wieder einmal zu viel gesagt hatte. „Er hat die... Firma seines....Vaters übernommen. Doch die Geschäfte laufen nicht gut."

Maries Mundwinkel zogen sich auseinander, als sie sie mitleidig ansah. „Es ist nicht schön, in so jungen Jahren schon so viel Verantwortung zu tragen."

„Du hast ja keine Ahnung", murmelte Siandra. Niemand hatte das. Niemand wusste, was in Fynn vor sich ging.

Auf einmal klatschte Marie mit den Händen und riss Siandra schlagartig aus ihren Gedanken. „Komm", grinste sie und zog Siandra auf die Beine. „Wir gehen tanzen! Vielleicht bringt dich das auf andere Gedanken."

„Meinst du nicht, wir sollten erst...?", fragte Siandra unsicher, als Marie sie durch den Laden zog.

„Geh einfach weiter."

„Aber du kannst doch nicht...", wollte sie ansetzen, doch Marie grinste nur breit.

„Wenn du wüsstest. Du würdest mir einen Tempel errichten und mich anbeten."

8. Die Familie kommt zuerst

Wie laut prasselnder Regen drangen die Stimmen seiner Jäger auf Fynn ein, eine rauschende Masse, die kaum voneinander zu unterscheiden war. Sie redeten durcheinander, ein Kaleidoskop voller Stimmen und Stimmungen. Sein Bruder sprach ruhig auf ihn ein, doch Fynn schaffte es kaum, ihm zu folgen. Seine Gedanken rissen ihn zurück zu Aisling. Auch wenn er sie nicht geschlagen hatte, hatte er sie verletzt, tat es immer wieder und fügte ständig neue Narben hinzu. Doch er schaffte es nicht immer, die zischende Schlange in seiner Brust verstummen zu lassen.

„Fynn?“ Elyano berührte seinen Bruder an der Schulter. „Wir sollten uns zusammenfinden.“

Fynn nickte und humpelte auf den runden Tisch zu. Die Schmerzen mochten ihn nicht mehr quälen, doch noch immer fraß sich die Taubheit durch sein Bein bis in sein Herz.

Die Jäger folgten seinem Beispiel und setzten sich zu ihm an die runde Tafel. Unter die erwartungsvollen Blicke mischten sich ebenso viele misstrauische und abwartende. Er war nicht so naiv zu glauben, dass seine Offiziere geschlossen hinter ihm standen. Nur zu gut wusste er, was sie hinter seinem Rücken über ihn erzählten.

Sein Blick streifte Florian, der mit verschränkten Armen schräg von ihm saß. Lässig balancierte er auf den beiden hinteren Stuhlbeinen und tippte mit einem Stift, der in seiner Hand lag, gegen seine Rippen.

„Mein Hüter“, sagte Salomé, eine der Jägerinnen, die ihm schon seit Jahren treu dienten, neben ihm. „Heute morgen ist Kunde von Schneewittchens Orden eingetroffen.“

„Sprich“, sagte er kühl und spürte, wie sich sein ganzer Körper, wie die Sehne eines Bogens anspannte.

Kurz klemmte sie ihre Unterlippe zwischen die Zähne. „Es hat einen

Angriff der Halbblüter gegeben. Gegen eine solche Übermacht hatten sie nichts entgegenzusetzen. Als Evangelos am Orden ankam, war schon alles zu spät. Sie haben nicht einen am Leben gelassen. Auch Fürst Ibrahym ist unter den Toten."

Fynn fluchte. Verdammt! Sie waren schnell und schreckten vor nichts zurück. „Was ist mit...?"

„Die Menschen haben nichts bemerkt. Der Orden liegt außerhalb der Stadt."

Fynn wusste, was unausgesprochen im Raum lag. *Nicht wie bei uns.*

„Wir können uns ihnen nicht entgegenstellen", sagte einer seiner Wächter. „Wir sind zu wenige, kaum mehr als Schneewittchens Jäger. Wenn wir uns in der Schlacht gegen sie behaupten wollen, brauchen wir verdammt nochmal einen guten Plan!"

„Und mehr Krieger", fiel Aiofé ihm ins Wort.

„Und wie willst du das anstellen?", fragte Florian mit giftigem Unterton in der Stimme. „Wir haben nicht die Mittel, eine solche Anzahl an Söldnern zu beschäftigen."

„Noch nicht", sagte Fynn leise und lenkte damit alle Aufmerksamkeit auf sich.

„Was meinst du damit?", fragte Elyano beunruhigt. „Du willst doch nicht..."

„Es ist unsere einzige Möglichkeit, die Söldner zu bezahlen. Die einzige Chance, an genug Krieger..."

Wütend schlug sein Bruder auf den Tisch. „Du kannst ihm nicht trauen! Er gehörte zu den innersten Kreisen der roten Fürstin!"

„Er hat sich von Rotkäppchens Idealen abgewandt, genau wie der Rat, für den er steht."

„Woher willst du das wissen? Shaikos Beleton ist nicht dein Freund. Er wird dir seine Klinge in den Rücken jagen, sobald du dich von ihm abwendest."

„Es ist unsere einzige Chance."

„Das ist keine gute Entscheidung", knurrte Elyano wütend.

„Aber es ist meine Entscheidung, oder etwa nicht?"

„Wir brauchen sein Geld nicht."

Fynns Hand verkrampfte sich um das Glas, das vor ihm stand. „Wir sind zu wenige."

„Was ist mit Rotkäppchens Jägern?", fragte Florian. „Jenen, die sich bisher immer noch uneinsichtig zeigen. Wir könnten sie doch überzeugen, für uns zu kämpfen." Ein gefährliches Lächeln trat auf seine Züge. „Wir haben Mittel und Wege und Dinge gegen sie in der Hand."

„Ich werde ihnen sicherlich nicht die Fesseln nehmen, um sie durch meine eigenen zu ersetzen", entgegnete Fynn eisig. „Ich bleibe dabei. Shaikos ist unsere einzige Chance."

„Elyano hat recht", warf Salomè ein. „Wir dürfen nicht auf unsere Feinde vertrauen. Noch immer haben wir Freunde in den äußersten Regionen. Was ist mit Zhu Zemin?"

Fynn nickte nachdenklich. Zhu Zemin war einer der hohen Khagane in den Grenzreichen. Wenn er sie unterstützte, würde ihnen das eine enorme Macht an die Hand geben. Doch die Khagane waren nicht für ihre Loyalität zu den Fürstinnen bekannt. Sie interessierten sich nur wenig für die Kernreiche und hielten sich aus der Politik heraus. Die Fürstinnen ließen sie dabei gewähren. „Jemand muss mit ihm sprechen. Ihn überzeugen, uns zu unterstützen." *Jemand, dem ich vertrauen kann,* fügte er stumm hinzu. Doch dieses Feld war dünn besät und eigentlich konnte er keinen von ihnen entbehren. Es gab nur eine Person, der er zutrauen würde, den launischen Khagan von ihrer Sache zu überzeugen. Schon seit vielen Jahren war Zephir im Auftrag seines Vaters unterwegs und hatte den Orden als Diplomat vertreten. Und er kannte die Launen des Khagan besser, als die meisten von ihnen. „Zephir", sagte er und sperrte seine unsichere Stimme hinter die eiserne Maske. „Würdest du mir diesen Dienst erweisen?" Er benutzte die förmliche Bitte, der sich ein Jäger nicht entziehen konnte, aus Angst vor der Antwort.

Zephirs Mundwinkel zuckten. „Denkst du wirklich, du müsstest mich zwingen, dir zu helfen? Du solltest mich besser kennen. Ich mache mich gleich morgen auf den Weg."

„Was ist mit Matej Novotny?", fragte Elyano und richtete sich auf. „Oder Duncan McGregor? Ich diskutiere lieber mit allen Grafen, allen Khaganen und Khaziten, als auf Shaikos Beleton zu vertrauen."

Der Sommer verschwand schleichend, doch dann war er plötzlich da, der kühle nasse Herbst. Auch die Sonne, die vom Himmel schien, vermochte es nicht Siandra, zu wärmen, als sie den kleinen Hügel zur Wiese zwischen Uni-Mensa und Hauptgebäude hinabkraxelte.

Sie hatte es in dem stickigen Gebäude nicht mehr ausgehalten und um ihre Mensakarte zu verlängern, brauchte Marie sie schließlich nicht. Ihr Handy vibrierte in der Tasche. Beccas verspätete Antwort auf ihre Frage, ob sie Lust hatte, sie auf den Ausflug zu begleiten, den die Zwillinge vorgeschlagen hatten. Einfach nur raus aus dem Orden und den Problemen entfliehen, wenn auch nur für einen kurzen Augenblick. Siandra verzog die Lippen, als sie auf das Display sah. *Sorry*, schrieb Becca. Keine Zeit. Punkt. Nicht mehr und nicht weniger. *Warum frage ich dich überhaupt?*, dachte sie im Stillen und erschrak, als sie den Kopf hob.

Sie wusste sofort, dass dieser Mann kein Mensch sein konnte. Er sah aus, wie einer der typischen Businessmänner, die ihr gewöhnlich am Hauptbahnhof über den Weg liefen. Kein noch so starker Windhauch schien den akkurat zurückgekämmten Haaren etwas anhaben zu können, fast, als hätte er sich eine Lego-Frisur auf den Kopf gesetzt.

Eine dunkle Sonnenbrille verdeckte seine Augen. Doch Siandras Aufmerksamkeit galt dem dunklen Apfelschimmel, auf dem der Mann mit aller Selbstverständlichkeit saß. Nervös kaute das Tier auf dem Gebiss und trat von einer Stelle auf die andere.

Die anderen Studenten schienen das Pferd, das hier mitten auf dem Weg stand, nicht zu beachten. Wie von unsichtbaren Fäden gezogen, machten sie einen Bogen um Ross und Reiter.

Der Mann deutete eine Verbeugung an und zog die Sonnenbrille von der Nase. Seine Augen, grün wie Glasscherben aus dem Meer, kamen ihr sonderbar vertraut vor. Drei dunkle Tränen hoben sich unter dem Jochbein ab, unwiderruflich in die Haut tätowiert. Der Fremde holte einen Umschlag hervor. In einer galant wirkenden Bewegung beugte er sich zu ihr herab und reichte ihn ihr. „Der Reichskanzler übermittelt seine besten Grüße."

Siandra konnte nicht anders, als ihn verständnislos anzustarren.

„Es gibt wichtige Dinge zu besprechen. Bedeutende Angelegenheiten. Die Familie steht immer an erster Stelle, vergiss das nicht." Mit den Worten wendete er sein Pferd und war wenig später hinter der nächsten Hausecke verschwunden.

Siandra sah ihm einen Moment lang nach, ehe ihr das Gewicht

des Umschlags in ihrer Hand wieder bewusst wurde. Mit zitternden Fingern riss sie das Kuvert auf und zog den Brief hervor. Hektisch sprangen ihre Augen über die Zeilen. Shaikos hatte dies geschrieben... ihr Vater. Noch immer konnte sie es kaum begreifen. Die Buchstaben hoben sich in klarer Linie von dem Blatt ab - ohne jeglichen Schmuck oder Schnörkel. Eine förmliche Einladung.

Sie zuckte zusammen, als sich eine Hand auf ihre Schulter legte. Eilig stopfte sie den Brief in ihre Tasche und fuhr herum. Es war Marie, die sie besorgt musterte. „Alles in Ordnung mit dir?“, fragte sie vorsichtig. „Du siehst aus, als hättest du einen Geist gesehen.“

Siandra schüttelte den Kopf, ganz so, als könne sie damit auch die unguten Gedanken vertreiben. Aber egal, was sie versuchte, um sie von ihm abzulenken, sie flogen zurück zu Shaikos. „Alles okay“, murmelte sie. Doch der Brief, der schwer in ihrer Tasche brannte, verfolgte sie von einer Vorlesung in die nächste. Als sie das stickige Gebäude endlich verlassen konnte, war die Sonne schon längst am Horizont verschwunden.

„Und du bist sicher, dass ich dich nicht mitnehmen soll?“, fragte Marie zum wiederholten Male.

„Nein, es ist schon okay“, erwiderte Siandra lächelnd und umarmte sie zum Abschied. „Elyano holt mich gleich ab.“ Dass das nicht ganz der Wahrheit entsprach, brauchte ihre Freundin ja nicht zu wissen. Sie musste zumindest für einen kurzen Augenblick mit sich selbst, der Dunkelheit und der Nachtluft alleine sein, ehe sie wieder in das Chaos des Ordens eintauchte. Was wollte ihr Vater von ihr? Warum schrieb er ihr auf einmal und lud sie zu sich ein? Das war mit Sicherheit kein nettes Annähern an die verschollene Tochter. Welches Ziel verfolgte Shaikos Beleton?

Siandra war derart in Gedanken, dass sie das Auto, das langsam neben ihr herfuhr, erst bemerkte, als der Fahrer das Fenster herunterkurbelte. „Wohin so spät, mein liebes Kind?“

Sie zuckte zusammen. Diese Stimme hatte sie am allerwenigsten erwartet. „Fynn!“, stieß sie hervor, als dieser das Auto am Straßenrand hielt. „Was machst du hier?“

„Die Frage ist wohl eher: Was machst du hier?“

Siandra hob die Augenbrauen. „Ich dachte, du darfst nicht fahren? Haben sie dir nicht den Führerschein ...“

„Und ich dachte, du dürftest nicht alleine herumstreifen“, entgegnete Fynn mit einem Grinsen in der Stimme. „Außerdem fährst du.“

Siandra hob die Augenbrauen, als Fynn umständlich aus dem Auto stieg und zu ihr humpelte. Sanft pikste er ihr mit dem Finger in die Seite und ließ dann die Beifahrertür aufschwingen, um sich auf dem Sitz niederzulassen. „Kommst du?“, fragte er mit einem leichten Schmunzeln in der Stimme. „Ich werde auch nicht jünger.“

Als Siandra um das Auto herumging und sich hinter das Lenkrad fallen ließ, waren es nicht die Gedanken an Shaikos, die sie beschäftigten. Freude brodelte in ihrem Inneren, über Fynn, sein Lächeln, darüber, dass hinter all dem Schmerz und seiner harten Maske noch sein altes Ich versteckt war. Doch sie wusste auch, dass dieses Glück nicht von Dauer sein musste.

Ein hoher Ton ließ sie aufschrecken, als Hans auf dem Rücksitz gähnte und den Kopf zwischen den Sitzen hindurchschob. Mit einem sanften Lächeln kraulte Fynn den Hund hinter dem Ohr und ließ die Hand auf seinem Kopf ruhen. „Weiß Elyano, dass du dich hier alleine herumtreibst?“, fragte er, als sie das Auto gestartet hatte.

Siandra hob die Augenbraue. „Er hat dich nicht geschickt?“

„Nein. Ich musste nur unbedingt mal raus aus dem Orden. Eine Weile bin ich nur herumgefahren, bis mir der Gedanke kam, mal hier vorbeizuschauen. Sei ehrlich, Elyano hat keine Ahnung, oder?“

„Ich wäre sicher nicht hier, wenn er es wüsste. Außerdem könnte ich dich dasselbe fragen. Was stolzierst du hier herum?“

„Ich stolziere nicht, das wäre tuntig“, sagte Fynn grinsend, doch Siandra erkannte den Schatten, der sich hinter diesem Lächeln verbarg. „Und? Wie war die Uni?“, fragte er schließlich. Seine Finger strichen immer wieder über den Griff seines Gehstockes.

Siandra lächelte. „Anstrengend, wie immer.“

„Samoel war von der Herangehensweise der Menschen immer völlig fasziniert gewesen. Ich schätze, du hättest ihm jeden Tag Bericht erstatten müssen, wenn er noch...“ Er verstummte und Siandra musste schlucken. Ja, wenn er noch leben würde.

„Du kanntest ihn gut, nicht wahr?“

Fynn nickte traurig. „Er war mir ein guter Freund. Jemand, auf den ich mich immer verlassen konnte.“

Siandras Blick war starr auf die Fahrbahn gerichtet. Sie hatten nicht nur Ariel verloren, sondern auch zahllose andere Jäger, Söhne und Töchter, Brüder und Schwestern, Freunde und Familie. Doch die Zeit ließ sich nicht umkehren. Sie hatten nur die Wahl, alles dafür zu tun, damit ihr Tod nicht umsonst gewesen war.

„Wo ist eigentlich unser Mr. Martial Art?"

„Mr. Martial Art? Du meinst doch nicht etwa Elyano?" fragte Fynn und beugte sich zum Radio vor.

„Wen könnte ich sonst meinen?", erwiderte sie sein Grinsen.

„Na, lass ihn das mal nicht hören", sagte Fynn und wurde fast schon einsilbig, als er fortfuhr. „Er hat einen Auftrag."

Siandra wollte etwas erwidern, als die Klänge von Gangsters Paradise aus den Boxen drangen. Ihre Augenbraue zuckte nach oben und Fynn drückte erneut einige Knöpfe. „Cruisen?", fragte sie, als die Parade der grausamen Lieder weiterging und konnte das Lachen, das in ihr aufstieg, kaum noch bändigen. „Hast du keine anständige Musik in dieser Protzkarre?"

„Und was, wenn nicht? Wirst du mich dann mit deinem Todesblick strafen?"

Siandra verengte die Augen spielerisch zu Schlitzen und spürte die Erleichterung in ihr aufsteigen, die sie fast zu Tränen trieb. Auf einmal war alles wie früher, als wäre nie etwas geschehen.

„Ich habe keine Angst vor dir. Du bist genauso gefährlich, wie Bambi mit nem Maschinengewehr."

„Na, das will ich aber nicht gehört haben", grinste Siandra und bog an der Ampel rechts ab.

Mit einem Zwinkern erbarmte sich Fynn und beugte sich ein weiteres Mal zum Radio vor. Als die Stimmen der Toten Hosen an ihre Ohren drangen, atmete sie auf. Doch dann kehrte ihre Anspannung schlagartig zurück, als sie auf das Gelände des Ordens einbog. Elyano stand mit verschränkten Armen vor dem Brunnen in der Mitte des Platzes und folgte dem Wagen mit seinem Blick.

„Apropos Mr. Martial Art", seufzte Fynn, als Siandra den Motor ausschaltete.

Sie erwartete schon das Schlimmste, als sie aus dem Auto stieg und neben Fynn zum Stehen kam. Doch Elyano beachtete sie kaum. Sein Blick fixierte seinen Bruder. Fynns Mund bekam einen harten Zug, ganz so, als versuche er krampfhaft die Worte dahinter im Zaum zu halten. Erst nach endlosen Sekunden, in denen die beiden einen stummen Kampf miteinander auszufechten schienen, drehte Elyano sich zu ihr um. Er sagte nichts, doch sein Blick war hart und der Schleier kühl. „Komm“, murmelte er mit rauer Stimme und legte einen Arm um sie.

Sie schwiegen, während sie durch die hohen Türen des Ordens traten. Hans im Glück lief mit gesenktem Kopf neben dem humpelnden Fynn her. Der Hund schien die Spannung, die zwischen ihnen lag förmlich zu riechen. Siandras Blick wanderte immer wieder zu Elyano, doch der starrte nur stumm geradeaus. *Sag doch etwas*, flehte sie in Gedanken. *Bitte. Schrei mich ruhig an. Alles ist besser, als dieses Schweigen.*

„Ihr solltet euch umziehen“, sagte er, doch er vermied es, sie anzusehen. „Wir sind bei Ted zum Essen eingeladen.“

„Elyano“, flüsterte sie und streckte die Hand nach ihm aus, doch er drehte sich einfach um.

„Ich habe noch etwas zu erledigen.“

Siandra sah ihm einen Moment wie versteinert nach, als sich eine Hand auf ihre Schulter legte. Fynn sagte nichts, sah sie nicht an, doch seine Wärme vermochte es, ihr Kraft zu schenken.

Auch in ihrem Zimmer schaffte sie es nicht, zur Ruhe zu kommen. Von ihren Gedanken getrieben, lief sie vor ihrem Bett auf und ab und überflog wieder und wieder die Zeilen, die ihr der Bote ihres Vaters überbracht hatte. Was wollte ihr Vater nur von ihr? War das ein Trick? Langsam pirschte sich die Wut an sie heran. Jetzt wollte er etwas von ihr? Auf einmal? Die Familie steht an erster Stelle… das sagte gerade er? Er hatte versucht, sie umzubringen! Und nun sprach er von Familienzusammenhalt.

Sie versuchte ihre Hand zu entspannen, als sie spürte, wie sie das Papier zerdrückte, doch nichts half. Mit einem wütenden Seufzer beförderte sie ihn in die hinterste Ecke ihrer Schublade. Ihr Blick wanderte aus dem Fenster, über das Gelände des Ordens, an den Gebäuden vorbei, über die Wiese zu der hohen Backsteinmauer, die sie vor den Augen der Menschen verbarg. Was sollte sie tun? Sollte sie tatsächlich mit Shaikos sprechen? Immerhin war er... ihr Vater. Es fiel ihr noch immer schwer, es auch nur zu denken. Vielleicht war es eine Falle. Vielleicht wollte er das zu Ende bringen, was ihm vor Jahren nicht gelungen war.

Siandra zuckte zusammen, als Elyano von hinten an sie herantrat. Erst jetzt spürte sie den Schleier, leicht und unscheinbar wie eine Feder, der ihr Bewusstsein umspielte und seinen Atem, der über ihre Haut tanzte. „Ich dachte, du hättest noch etwas zu erledigen?“, fragte sie leise, als sich eine angenehme Gänsehaut auf ihrem Nacken ausbreitete.

Einen Moment schwieg Elyano, blieb bewegungslos, ehe er ihr Haar beiseiteschob und einen Kuss in ihren Nacken hauchte. „Ich bin ein notorischer Lügner“, flüsterte er.

Siandra wollte sich umdrehen, um ihn anzusehen, doch er legte die Arme um sie. „Was war das gerade? Warum bist du so sauer?“

„Ich habe mir verdammt nochmal Sorgen gemacht“, sagte er mit heiser klingender Stimme. „Als Fynn plötzlich verschwunden war und du...“

„Aber du wusstest doch, dass ich in der Uni bin“, entgegnete Siandra, doch Elyano ging nicht darauf ein.

„Als du nicht angerufen hast...“ Er stockte.

Erneut machte Siandra den Versuch sich umzudrehen und diesmal gelang es ihr. Behutsam strich sie über Elyanos Wange. Sie verdrängte den Gedanken an Shaikos. Elyano machte sich schon genug Sorgen. Er würde es ohnehin nicht zulassen, dass sie mit ihm sprach. Sie war sich nicht einmal sicher, weshalb sie dies überhaupt in Erwägung zog. „Mach dir nicht so viele Sorgen“, flüsterte sie und küsste ihn sanft. „Es ist nichts passiert. Mir geht es gut, Fynn geht es gut und ich glaube, deinem Bruder hat es mal gut getan, aus dem Orden herauszukommen.“

Elyano nickte nur schweigend und drückte ihr einen Kuss auf den Scheitel, ehe er ebenso geräuschlos verschwand, wie er aufgetaucht war.

„Da seid ihr ja endlich“, lächelte Teddy, als er ihnen die Tür öffnete. Im Hintergrund diskutierte Becca mit ihrer Mutter und ihr kleiner Bruder Lars lachte über etwas, das sie nicht sehen konnten. Nur wenig später verstummte das Gespräch und sie streckte ihren Kopf in den Flur.

„Ihr seid endlich da!“, rief sie und zog Siandra in ihre Arme.

„Ihr tut ja gerade so, als hätten wir uns um Jahre verspätet“, bemerkte Elyano grinsend und trat neben Teddy in den Garten.

„Denkt dran“, setzte der Reichskanzler leise an, doch Elyanos Nicken unterbrach ihn.

„Keine Angst. Wir wissen Bescheid.“ Der Schutz ihrer Welt war ihnen heilig und Beccas Mutter Sonja und der kleine Lars waren Menschen. Menschen, die nichts von ihrer Welt wussten. Und so musste es sein, so schwer es auch fiel. Zu viele Zweitgeborene wussten bereits von ihnen.

Beccas Mutter war eine begnadete Köchin. Auf einem langen Tisch standen unzählige Teller und Platten mit Vorspeisen und Salaten und auf dem Grill brutzelten bereits einige Stücke Fleisch.

„Wir wollten nicht mehr auf euch warten“, sagte Lars, ehe er Hans im Glück entdeckte. Vorsichtig tastete er sich auf ihn zu und streckte ihm die Hand entgegen. Als die raue Hundezunge über seine Haut fuhr, quietschte er vergnügt und begann den Hund mit akribischer Konzentration zu streicheln. Nur wenige Momente später tollte er mit dem Hund bereits über die Wiese und eine ausgelassen lachende Llwyn folgte ihm.

„Ihr hättet Euch nicht solch eine Arbeit machen müssen“, sagte Aisling ruhig. Ihr Gesicht war ein wenig blass. Fynn hatte den Arm um sie gelegt und stützte sich mit der anderen auf seinen Gehstock.

„Ach papperlapapp“, lächelte Sonja und deutete ihnen sich an den gedeckten Holztisch zu setzen. „Ich freue mich über jeden Besuch.“

Siandra folgte mit einem Ohr dem Gespräch zwischen Elyano, Teddy und Sonja, das fast fließend von Sport zu Politik überging. Eines musste man dem Raben lassen: Smalltalk halten konnte er. Ihr Blick wanderte zu Llwyn, die so schnell mit Lars Freundschaft geschlossen hatte, wie es nur Kinder vermochten und nun vergnügt mit ihm und Hans im Glück über die Wiese tollte. So viele Leben, die sie gelebt hatte und aus denen sie wieder herausgerissen wurde, so viel Zeit, die sie nun schon auf der Erde weilte... an manchen Tagen merkte man, dass sie eben doch noch ein Kind war, das immer wieder aufgehalten wurde, wenn es einen weiteren Schritt tun wollte. Doch die Gefahr war gebannt. Rotkäppchen war fort und Llwyn konnte endlich eine glückliche Kindheit genießen, geliebt und behütet von ihren Brüdern und dem Rest des Ordens. Denn kaum einer vermochte es, sich Llwyns schüchternem Charme zu entziehen.

Sonjas Gesicht bewölkte sich, als sie Aisling die Salatschüssel reichte.

„Ich habe von eurem Verlust gehört“, eröffnete sie traurig. „Es tut mir so leid.“

Siandra spürte, wie sich Elyano neben ihr verspannte. Er warf seinem Bruder einen kurzen, unsicheren Blick zu, doch es war Teddy, der zum Sprechen ansetzte.

„Ariels Verlust war für uns alle ein schwerer Schlag…“

„Was für ein komischer Name“, murmelte Lars mit vollem Mund, als er im Vorbeilaufen nach einem Stück Brot griff und davon abbiss. „Wie die Meerjungfrau?“

„Nein“, erwiderte Elyano mit einem Lächeln, doch Siandra erkannte, dass es nicht ehrlich war. „Sein Name bedeutet mächtiger Löwe und das war er, zu jeder Stunde seines Lebens.“

„Und du setzt dich bitte zu uns, wenn du auch etwas essen möchtest“, sagte Sonja an ihren Sohn gerichtet. Murrend rutschte Lars zu Teddy auf die Bank.

Elyano fing Llwyns Blick ein. Er richtete seinen Zeigefinger auf sie, winkte sie mit ihm heran und wies auf den freien Platz neben sich. Llwyn verzog kurz schmollend das Gesicht, ehe sie sich fügte. Einen Moment lang sah Hans im Glück sie verdutzt an, wo er doch plötzlich all der Aufmerksamkeit beraubt war, doch dann tapste er zu Fynn und ließ sich zu seinen Füßen auf den Boden sinken. Ein kaum merkliches Lächeln schlich sich auf das Gesicht des Hüters, als der Hund den Kopf auf einen seiner Füße bettete und genüsslich gähnte.

Siandra beobachtete aus dem Augenwinkel Fynn und Aisling, während Elyano mit seinem Finger kleine Kreise auf ihren Handrücken zeichnete. Ihr Rabe lauschte seiner Schwester, die mit kindlicher Begeisterung von der Katze erzählte, die sich neuerdings auf dem Gelände des Ordens herumtrieb. Fynn war ruhig, fast schon still, doch er wirkte weniger abweisend, als in den vergangenen Wochen, als würde das Tilidin langsam aber stetig seine hohen Mauern einreißen. Noch immer versteckte sich der alte Fynn hinter diesen undurchdringlichen Steinen, doch hin und wieder bröckelte die Wand und erlaubte den Blick auf sein fröhliches Lächeln.

Siandras Blick wanderte zu Aisling, die sichtlich bemüht war, Bissen für Bissen herunterzuzwängen. Ob sie es ihm schon gesagt hatte? Kaum merklich schüttelte Siandra den Kopf, verdrängte die Frage. Wenn es so wäre, wüssten sie es. Sie bezweifelte, dass Fynn so eine

Nachricht verstecken könnte. Wie würde er wohl reagieren? Ihre Erinnerung flog zurück, zu der Zeit vor dem Kampf im Orden, nach Marburg, als sie Llwyn aus Rotkäppchens Gewalt befreit hatten und die Zeit danach. Jedes Mal, wenn sie ihn zusammen mit seiner kleinen Schwester beobachtet hatte, schlich sich unweigerlich ein Lächeln auf ihre Lippen. Doch wie würde er nun auf die ganze Sache reagieren? Das war alles andere, als eine Kleinigkeit. Und was würde Elyano sagen, wenn er davon erfuhr? Immerhin wurde er Onkel.

Siandra zuckte kurz zusammen, als ihr Rabe sie mit einer sanften Geste aus den Gedanken riss. Seine Augen waren dunkel vor Zuneigung, als er das kurze Stück zwischen ihnen überbrückte und mit seinen Lippen über ihre Schläfe strich. „Sag, was grübelst du, Eorlina? Du verscheuchst mit deinem mürrischen Gesicht noch die Sonne."

„Du Held, die ist doch schon längst untergegangen."

„Dann wissen wir ja beide, wer daran Schuld ist."

Siandra wollte etwas erwidern, doch Elyano brachte sie mit einem Kuss zum Verstummen. Er schob die Gedanken und Sorgen weit weg, ließ sie zumindest für einen kurzen Moment klein und unbedeutend werden, wie ein Sandkorn, das vom Wind hinfortgeweht wird.

Fynns Blick wanderte über den reichlich gedeckten Tisch. Fast alle waren fröhlich und auch ihn vermochte die Heiterkeit hinter seiner Mauer zu erreichen. Mit einem leichten Lächeln auf den Lippen beobachtete er seinen Bruder, der nur Augen für seine Siandra hatte und keine Gelegenheit ausließ, ihr näherzukommen. Aisling und er waren auch mal so gewesen, in dieser Rosa-Roten-Brillenphase, in der man die Nerven der Mitmenschen mehr als einmal strapazierte und es selbst nicht einmal bemerkte.

Sein Blick streifte Aisling, die stumm neben ihm saß und sich nur sporadisch am Gespräch beteiligte. Ihren Teller hatte sie kaum angerührt, jeder Bissen schien eine einzige Kraftanstrengung für sie zu sein. Dünn war sie und schrecklich blass. Es tat ihm weh, sie so zu sehen. Behutsam griff er nach ihrer Hand und strich mit dem Daumen über ihre weiche Innenseite. Er spürte, wie Aisling sich unter seiner Berührung verkrampfte und dieser Umstand schmerzte ihn tief. Doch er ließ sie nicht los, legte seinen Arm dicht an ihren. Nach und nach entspannte sie sich.

Fynn spürte Teddys besorgten Blick auf sich liegen und erwiderte ihn kurz. Er war schon seit vielen Jahren ein enger Freund des Ordens, sein Freund, doch auch er konnte ihm nicht helfen. Niemand konnte das.

Er schloss einen Moment lang die Augen, als die Schatten ihn zu überwältigen drohten, doch er schaffte es, sie beiseitezuschieben.

„Kann ich aufstehen?", fragte Lars nach einer Weile und auch Llwyn sah erwartungsvoll von Elyano zu Fynn. Die Brüder tauschten einen kurzen Blick, ehe Elyano ihr mit einem Kopfnicken verstehen gab, zu verschwinden. Fynn beobachtete die beiden aus dem Augenwinkel und spürte eine Bewegung an seinem Bein, als der Windhund unter ihm aufsprang und den Kindern nachsetzte. Ein zartes Lächeln zupfte an seinen Mundwinkeln. Die Freude, ihre Schwester nach so vielen Jahren endlich wieder bei sich zu wissen, war groß, doch sie wurde getrübt von den Sorgen um den Orden und um Aisling.

Vorsichtig hob er ihre Hand und setzte einen Kuss auf ihre Fingerknöchel. Aisling wandte sich ihm zu und sah ihn an. Am liebsten würde er die Schatten über ihr mit einer Bewegung hinfortwischen, doch er hatte nicht mal die eigenen unter Kontrolle. Eine jähe Sehnsucht blitzte durch seinen Körper und mit einem stummen Seufzen ließ er seine Stirn an ihre sinken. Er brauchte sie, wie die Luft zum Atmen, konnte nicht ohne sie und ihre Nähe. Ein Kloß machte sich in seinem Hals breit, als er an die endlose Zeit dachte, in der er sie tot geglaubt hatte und dann an die unsägliche Freude, sie wieder in seinen Armen zu halten, ihren Atem auf seiner Haut zu spüren.

Ohne die Stirn von Aisling zu lösen, wanderte sein Blick zu Siandra, der Person, die ihm sein Leben, seine Seele zurückgebracht hatte. Siandra lächelte ihm sanft zu und er erwiderte es warm. Er senkte die Augen, legte Aislings Hand an sein unruhig schlagendes Herz. Kurz löste Aisling sich von ihm, doch nur um dichter an ihn heranzurutschen und den Kopf auf seine Schulter zu legen.

An manchen Tagen erschien das Leben wie ein Gastmahl, prachtvoll und üppig, an anderen, wie ein belegtes Brot, das man herunterschlingt. Letztendlich wurde man immer satt. Am Ende war nicht das entscheidend. Nach Jahren wird man vergessen haben, was man aß, nicht aber, mit wem man zusammen war.

„Was tust du denn hier, Prinzessin?", fragte Pyrros mit seinem gewohnt spöttischen Grinsen, als Siandra sich im Schneidersitz auf dem Boden niederließ.

„Du kennst meinen Vater nicht wahr?"

„Und immer so direkt, die Dame. Sag, kennt ihr Halbblüter etwa die gesellschaftlichen Gepflogenheiten der Begrüßung nicht?"

„Ich bin kein..."

„Nein, natürlich nicht", stieß er verächtlich aus.

„Ich kann mich nicht daran erinnern, dass du dich an diese ‚gesellschaftliche Gepflogenheit' gehalten hast."

Pyrros Mundwinkel zuckten. „Entschuldigt meinen Fauxpas. Einen wunderschönen guten Morgen, die Dame. Diese Farbe schmeichelt Euren Augen und lässt Euch strahlen wie der Glanz der Morgensonne."

„Und?"

Pyrros seufzte. „Was willst du denn hören, Siandra? Ob er dir ein Pony zum Geburtstag schenkt? Ob er ein ehrbarer Mann ist?"

„Warum rede ich überhaupt mit dir?" Sie schüttelte den Kopf. Wie kam sie nur auf die hirnrissige Idee, Pyrros könne ihr auch nur irgendwie helfen?

„Du bist nicht der Einzige, der sich das fragt." Er gab ein frustriertes Stöhnen von sich. „Also, was willst du hören?"

„Erzähl mir von ihm."

„Was weißt du über Shaikos Beleton?"

Siandra runzelte die Stirn. Was sollte diese Gegenfrage? „Dass er Reichskanzler ist und wichtigstes Mitglied in Rotkäppchens Rat."

„Doch das ist lang nicht alles. Er war einmal Fürst, wusstest du das?"

Einen Wimpernschlag lang sah sie ihn verständnislos an. „Nein. Aber warum ...?"

„Warum er nun in Alessandras Rat sitzt? Vor vielen Jahren hat er sein Fürstentum aufgegeben und sich in ihre Dienste begeben. Von seinen Beweggründen weiß ich nichts. Alessandra war diesbezüglich immer sehr schweigsam und mich hat es auch nie wirklich interessiert. Ob Shaikos Beleton nun im Rat saß oder nicht, am Ende hat doch Alessandras Wort gezählt."

„Dein Verhältnis zu ihm war nicht das Beste, was?"

Sein Gesicht bekam einen belustigten Zug, als er sich ein Stück weit zurücklehnte. „Ich würde lügen, wenn ich behaupte, wir wären die besten Freunde gewesen. Sagen wir es so, wir hatten nicht immer dieselbe Meinung."

„Wie ist er so?", fragte Siandra und versuchte, die Unsicherheit zu verstecken, die in ihr brodelte.

„Er ist nicht ohne Grund Reichskanzler und wurde mehr als einmal wiedergewählt. Er ist ein Denker, Stratege, doch vor allem ist er ein charismatischer Redner. Er weiß es vortrefflich, einen Gedanken so in den Verstand seines Gegenüber zu pflanzen, dass derjenige glaubt, er wäre seinem eigenen Denken entsprungen." Pyrros schmunzelte. „Doch ich frage mich, warum es dich plötzlich interessiert."

„Das geht dich nichts an!"

Pyrros Schmunzeln wuchs zu einem halben Grinsen. „Es ist immer die getroffene Katze, die am lautesten faucht. Also, was ist es Siandra? Hat Shaikos einen seiner Boten ausgesandt?"

„Woher...?"

„Ich kenne Shaikos Beleton besser, als du glaubst. Was will er von dir? Verlangt er etwas?"

„Er will sich mit mir treffen."

„Wenn ich dir einen guten Rat geben dürfte", setzte Pyrros behutsam an. „Traue niemals Shaikos Beleton oder deine Gutgläubigkeit wird dir das Genick brechen."

Siandras Augenbrauen hoben sich leicht. „Ach und dir kann ich glauben?"

Das Schmunzeln kehrte auf Pyrros Lippen zurück. „Das habe ich nie behauptet. Sei nur vorsichtig, kleine Prinzessin. Unsere Welt ist gefährlich und voller Tücken, und wenn sich nur der kleinste Sonnenstrahl zeigt, wird er vernichtet."

Entspannt schloss Siandra die Augen und genoss die warmen Sonnenstrahlen auf ihrer Haut, die durch die Scheiben der Drachenfelsbahn fielen. Elyano saß dicht neben ihr und hatte die Hand auf ihr Knie gelegt.

„Sind wir etwa müde, meine Liebe?", fragte Fynn lächelnd und brachte Siandra dazu, die Augen wieder zu öffnen. Der Hüter des Ordens saß ihr gegenüber, lässig zurück gelehnt auf einem der Sitze, den Gehstock locker in einer Hand. Zu seiner rechten Seite saß Aisling, die Finger mit den seinen verflochten und zu seiner linken Llwyn, die ihre Nase förmlich an der Scheibe platt drückte. Fynn schien heute einen verdammt guten Tag zu haben. Seine Augen strahlten und sein Lächeln wirkte fast, wie zuvor.

„Ein wenig", sagte sie und erwiderte sein Lächeln.

Der Schalk blitzte in Fynns Augen, als er sich zu ihr herüberlehnte. „Na, dann pass mal auf. Wenn ich dich gleich den Berg hochjage, bist du sicher nicht mehr müde."

„Ich glaube eher, Llwyn jagt dich den Berg rauf", warf Aisling mit einem sanften Lächeln ein. Sie legte ihre Hand auf Fynns Knie und lugte zu dem Mädchen herüber, das unruhig auf ihrem Sitz hin und her rutschte.

Fynn lachte. „Ganz ruhig, kleiner Flohsack. Wir sind doch fast da."

Llwyn grinste verlegen und richtete sich auf der Bank auf. Einige Minuten lang schaffte sie es sogar, ruhig sitzen zu bleiben, ehe sie wieder anfing herumzuzappeln. Hans im Glück verfolgte sie mit den Augen, schien von ihrer Hektik sichtlich angesteckt. Doch als er leise winselte und auf der Stelle herumlief, reichte ein kurzer Griff ins Fell und Fynns strenger Blick, um ihn wieder zur Raison zu bringen.

Siandras Augen wanderten aus dem Fenster, über die Landschaft, die langsam an ihnen vorbeizog, doch sie konnte nicht anders, als immer wieder zu Fynn herüberzuschielen, der seine kleine Schwester kitzelte. Tränen liefen ihr vor Lachen über das Gesicht und sie rief um Gnade, doch Fynn kannte kein Erbarmen. Einige ältere Frauen rümpften missbilligend die Nase, doch weder die Geschwister, noch Siandra störte es. Sie konnte die Erleichterung, Fynn endlich wieder unbeschwert zu erleben, kaum in Worte fassen. Es war fast, als würde eine ungeheure Last von ihrer aller Schulter fallen. Ihr Blick begegnete Aislings und ein leichtes Lächeln lag auf ihren Lippen.

„Na komm", flüsterte Elyano dicht an Siandras Ohr, als der kleine Zug stoppte.

Llwyn quetschte sich förmlich durch die halb geöffnete Tür und jagte mit Hans im Glück im Schlepptau den Berg hinauf. Fynn grinste breit und folgte den beiden. Als die Zwillinge den Ausflug vorgeschlagen hatten, wollte er im ersten Moment ablehnen, doch noch ehe die Worte seine Lippen verlassen konnten, hatte sein Bruder das Gespräch an sich gerissen und in seinem Namen zugesagt. Er sah zu Elyano herüber, der ein Stück weit von ihm lief und mit den Augen ihrer kleinen Schwester folgte. Und plötzlich verspürte er nicht nur die Dankbarkeit, die ihn ergriffen hatte, als Aisling zu ihm zurückkehrte, sondern auch die Erleichterung, dass sein letzter Bruder von dem Ruf seines Raben verschont geblieben war. Fynn wusste, wie dicht er davor gestanden hatte, eins mit den Nebeln zu werden.

Es war ein Jammer, dass die Zwillinge nicht mit ihnen kommen konnten, immerhin hatten sie den Ausflug vorgeschlagen. Zephir hatte nur mit seinem gewohnt lässigen Grinsen verkündet, dass dies nicht die letzte Gelegenheit war, die Raben aus Aschenputtels Taubenschlag hervorzulocken.

Mit einem Seufzen ließ Fynn sich auf den warmen Steinen oberhalb der Burgruine nieder. Sein Bein machte ihm heute kaum Schwierigkeiten, aber dennoch war der Aufstieg anstrengend gewesen. Er war nur noch ein Schatten seiner Selbst. Und doch schien es, als wäre heute nicht sein Lächeln hinter der Mauer verborgen, sondern die fauchende Schlange.

Aisling ließ sich neben ihm nieder und lehnte ihren Kopf an seine Schulter. Etwas behäbig strich er mit der rechten Hand über ihr Bein und folgte dem Gespräch zwischen Elyano und Siandra. Doch er hörte ihnen kaum zu. Die Sorgen im Orden schienen meilenweit entfernt. Er hatte fast schon das Gefühl, dass sich alles doch noch irgendwie zum Guten wenden könnte.

Fynn lächelte noch immer, als sie sich langsam an den Abstieg machten.

„Bist du dir sicher, dass du das schaffst?“, fragte Elyano ihn besorgt.

Der Hüter des Ordens legte die Hand auf die Schulter seines Bruders. „Ich packe das schon. Immerhin geht es bergab und es ist ja auch nicht mehr als ein kleiner Spaziergang.“

Elyano nickte zwar, doch er wirkte noch immer skeptisch.

Fynns Enthusiasmus konnte das nicht trüben. Nicht heute. Seine Finger verflochten sich mit Aislings, als sie dem Waldweg folgten, der sanft abfiel. Llwyn tobte mit schier endloser Energie den Weg entlang, bückte sich hier und da, um etwas aufzuheben oder einen Stock für Hansel, wie sie den Hund liebevoll nannte, zu werfen.

Fynns Blick streifte Elyano, der ihre Schwester immer wieder mit Argusaugen beobachtete. *So eine Glucke*, dachte Fynn lächelnd. Er konnte sich noch gut an Zeiten erinnern, in denen Elyano ebenso wild und leichtsinnig gewesen war, wie Llwyn. Doch das war vor vielen Jahren. Lange noch vor Llwyns Geburt, bevor ihr Vater die Brüder wie ein Stück Vieh verkauft hatte.

Eine Zeit lang liefen sie still nebeneinander her, lauschten dem Lied des Waldes und Llwyns fröhlichem Lachen. „Ist wirklich alles in Ordnung?“, fragte Aisling plötzlich besorgt. „Schaffst du es noch, oder sollen wir eine Pause einlegen? Sag es nur und…“

Er unterbrach sie, indem er sie zu sich herumzog und stürmisch küsste. Einen Augenblick lang versteifte sie sich, doch dann brach ihr Widerstand, wie Fynns Mauern, die bereits den ganzen Tag lang bröckelten. Sie ließ sich auf seiner Welle der Leidenschaft mittragen und krallte eine Hand in seine dünne Jacke. Doch ihre Anspannung kehrte zurück, als er sie dichter an sich heranziehen wollte. Unsicherheit blitzte in ihren Augen auf, ein Tumult verworrener Gedanken und auch in Fynns Kopf kam das Karussell aus Fragen einfach nicht zur Ruhe. *Was ist nur los mit dir?*, dachte er, doch nicht das war es, das seine Lippen verließ. „Es geht mir gut“, flüsterte er, ehe er sich zu den anderen umdrehte.

Elyano, Siandra und Llwyn waren bereits ein gutes Stück vorausgegangen. „Und da ist auch kein Bär drin?“, fragte Llwyn gerade Elyano, als sie näherkamen. Mit einer Mischung aus Vorsicht und Neugierde lugte sie in eine dunkle Höhle hinein.

Elyano lächelte sanft. „Nein, mein kleiner Vogel, da ist nichts.“

„Und wenn doch hättest du zwei mutige Brüder, die dich retten würden“, warf Siandra ein und sah kurz zu Fynn herüber.

Große Kinderaugen starrten Fynn an, als sie ihren Weg fortsetzten. „Ist das wahr?“, flüsterte Llwyn und sah ängstlich zu der Höhle zurück. „Du würdest den Bär verjagen, oder?“

Ein Lächeln zupfte an Fynns Lippen. „Natürlich. Elyano und ich lassen nicht zu, dass dir etwas zustößt.“

„Wie herzzerreißend.“

Hektisch fuhr Fynn herum. Noch bevor er die Quelle der Stimme ausmachte, entdeckte er die monströsen Kreaturen, die kaum etwas mit Pyrros‘ Wölfen gemein hatten. Er wusste sofort, dass dies die Wölfe sein mussten, die Aisling und Siandra angegriffen hatten und die Wut nahm stetig immer mehr von ihm Besitz. Mit einem erstickten

Laut versteckte Llwyn sich hinter ihm und Hans im Glück knurrte leise. Fynn tauschte einen schnellen Blick mit Elyano und er las die Unsicherheit in den Augen seines Bruders, die auch er spürte. Sie waren zu wenige. Sollte es zu einem Kampf kommen, hatten sie gegen diese Übermacht keine Chance.

Fynn holte tief Luft. „Wer ist da?"

„Der Wind, der Wind, das himmlische Kind", sagte der Fremde im Singsang und lachte. „Such mich doch, großer Hüter."

Der Hüter des Ordens versuchte, sich die Unruhe, die in seinem Inneren wütete, nicht anmerken zu lassen. Aus dem Augenwinkel beobachtete er die Wolfsbestien, die sie mit gefletschten Zähnen bewachten, immer wieder umkreisten, und hielt Ausschau nach dem Fremden. Doch so sehr er sich auch anstrengte, er blieb erfolglos. Sein Bruder schien ebenso ratlos.

„Ich habe euch gewarnt, mich nicht zu unterschätzen", flötete der Fremde und seine Stimme strich Fynn wie eine kalte Hand über den Rücken.

„Was willst du? Wer schickt dich?", fragte Elyano mit einem unterdrückten Knurren in der Stimme.

Der Fremde lachte. „Wer sagt, dass mich irgendwer schicken müsste?"

„Wer so feige ist, sich nicht zu zeigen, kann nur ein Lakai sein!"

Die Wolfsbestien wollten wütend zum Sprung ansetzen, doch ihr Meister hielt sie zurück. „Ganz ruhig, meine Lieben", flüsterte er ihnen aus dem Zwielicht entgegen. „Schon bald werdet ihr diesem Raben die Flügel brechen."

Unwillkürlich spannte sich Fynns ganzer Körper an. Das würde er nicht zulassen. Doch was hatte er ihnen schon entgegenzusetzen? Er konnte ja kaum laufen, geschweige denn kämpfen. Er war Elyano mehr Last als Nutzen. Deutlich hörte er die Schlange in seinem Inneren, die sich langsam durch die Ritzen der Mauer zwängte, aber noch schaffte er es, sie zurückzustoßen. Im Augenwinkel bemerkte er eine flüchtige Bewegung seines Bruders und wusste auf einmal, dass zumindest einer von ihnen nicht ganz unbewaffnet war. Und Aisling ging nirgendwo hin ohne ihr Messer - eine Klinge, die er ihr einst geschenkt hatte. Was sollten drei Jäger gegen diese Bestien ausrichten können? *Zwei*, korrigierte er sich in Gedanken. *Zwei Jäger.* Er war kein Jäger. Nicht mehr. Doch er würde nicht in Selbstmitleid vergehen, während sein Bruder kämpfte. Er würde an seiner Seite stehen und wenn die Göttinnen es so wollten, an seiner Seite fallen.

„Was wollt Ihr?“, fragte Fynn mit betont ruhiger Stimme und spürte wie Aisling kurz seine Hand drückte.

„Du hast unsere erste Warnung ignoriert, großer Hüter“, erwiderte der Fremde aus der Sicherheit der Bäume. „Und wir werden nicht ewig geduldig sein. Schon bald werden sich die Winde zu einem Sturm vereint haben und die Mauern deines kleinen Verstecks einreißen.“ Ein Schmunzeln schlich sich in die Stimme des Fremden. „Meine Freunde, kümmert euch um sie, damit sie uns dieses Mal nicht vergessen.“

Als würde eine unsichtbare Hand sie endlich freigeben, schossen die Wolfsbestien auf sie zu. Ohne eine Sekunde nachzudenken, schob Fynn die verängstigte Llwyn in Siandras Arme. Seine Hand wollte nach der Klinge greifen, die immer an seiner Hüfte gehangen hatte, aber dort war sie schon eine ganze Weile nicht mehr. Er zögerte einen Moment zu lange und spürte, wie ein Ruck durch seinen Körper ging. Ein gleißender Schmerz explodierte in seinen Rücken, als die Bestie ihn unter sich begrub.

Aisling rief seinen Namen, doch er sah sie nicht, auch nicht den Wolf, der in seiner Nähe aufjaulte. Das Einzige, was er sah, war das weit aufgerissene Maul, das auf sein Gesicht zuschnellte. Er wollte nach ihm schlagen, doch sein Arm versagte ihm den Dienst. Im letzten Moment riss er seinen Gehstock hoch. Holz zersplitterte, als sich der Kiefer der Bestie wie ein Schraubstock um ihn schloss. Doch noch ehe der Wolf sein Maul erneut auf ihn herabsinken konnte, hatte Fynn ausgeholt und ihm die Überreste seines Stockes über den Kopf gezogen.

Panisch klammerte Llwyn sich an Siandra, während der Kampf um sie tobte. Siandra versuchte, sie vor den Bildern zu bewahren, die sie umgaben und drückte sie eng an sich, während ihre Hand nach einem kräftigen Ast tastete. Einer der Wölfe lag bereits tot auf dem Boden. Eine dunkle Lache breitete sich um seinen Kopf aus, dort, wo Elyanos schmale Klinge ihn durchdrungen hatte.

Aisling kämpfte nicht weit von ihr gegen eine der Bestien. So dünn sie auch war und so schwach sie wirkte, sie war eine Jägerin, die sich auch mit ihrem kurzen Messer zu verteidigen wusste. Angst durchflutete Siandra, Angst um die beiden Rabenbrüder, um Aisling und um Llwyn. Wie eiskalter Regen rieselte eine grausame Erkenntnis in ihren Verstand. Sie konnten nicht siegreich aus diesem Kampf hervorgehen.

Hektisch schob sie Llwyn in die schmale Spalte im Fels, der sich hinter ihnen auftat. „Versteck dich", flüsterte sie und spürte erneut die Furcht, die sich in ihr Herz krallte, als sie sehen musste, wie eine der Bestien Elyano zu Boden riss. Sie wartete nicht auf die Antwort des Mädchens.

Elyanos Klinge lag im Gras, für ihn unerreichbar. Ohne, dass sie es verhindern konnte, zuckten Bilder durch ihre Erinnerung - an den Kampf im Orden, an Pyrros und Fynn. *Nein*!, schrie ihr Herz laut auf. Das würde sie nicht zulassen.

Die Bestie stand über ihrem Raben, eine Pranke an der Kehle hielt ihn am Boden. Im Laufen griff sie nach einigen Steinen und warf sie nach der Kreatur. Doch ihre Hand zitterte so stark, dass erst der dritte Stein sein Ziel fand. Knurrend drehte der Wolf sich zu ihr um.

„Verschwinde!", rief Elyano und unterdrückte ein Stöhnen, als die Wolfsbestie ihr Gewicht verlagerte. „Verdammt, Siandra! Nimm Llwyn und lauf!"

Erneut knurrte der Wolf, ehe er sich wieder Elyano zuwandte. Siandra hob die Hand um einen weiteren Kiesel zu werfen, als plötzlich ein weißer Blitz auf den Wolf herabsauste. Er blieb nicht allein. Erst, als Siandra ein weiteres Mal hinsah, begriff sie, dass es Tauben waren, die auf die Bestien zuschossen und mit ihren spitzen Schnäbeln auf sie einhackten. Der Wolf, der Elyano im festen Griff hatte, schrie vor Schmerzen auf und schnappte nach den Vögeln. Sie entwischten immer wieder im letzten Moment, bevor seine Zähne zuschlagen konnten.

Die Wolfsbestien hatten kaum eine Chance gegen die Übermacht, die sich ihnen stellte. Einem weißen Teppich gleich legten sie sich über die Kreaturen. Siandra schaffte es kaum, den Blick von dem Wolf abzuwenden, der ihren Raben bedroht hatte, auch nicht, als sein Körper zuckend am Boden lag. Sie sah erst auf, als Elyano einen Arm um sie legte und sie an sich zog. Fast schon krampfhaft klammerte sie sich an ihn und auch er hielt sie nicht minder fest. An ihrer Wange schlug sein unruhiges Herz, gejagt von dem Adrenalin des Kampfes und sie schloss die Augen, als sein Geruch in ihre Nase stieg, nach frisch gefallenem Regen und Tannennadeln. Einen Augenblick lang gestattete sie es sich, sich fallen zu lassen, ehe ein Gedanke sie aus der Dunkelheit heraus ansprang. „Llwyn!“, rief sie und machte sich von Elyano los.

Mit Tränen in den Augen kroch das Mädchen aus seinem Versteck. Es zögerte, als sein Blick über den Waldboden strich, über Aisling, die Fynn stützte, die Wölfe und Tauben, zu Siandra und Elyano.

Elyano kramte von irgendwo ein Lächeln hervor, als er ihren Namen flüsterte und Llwyn in seine Arme schloss.

„Alles in Ordnung?“, fragte Fynn, als er auf sie zu kam. Abgesehen von einer Schramme im Gesicht und dem Dreck auf seiner Kleidung ließ nichts auf den Kampf schließen, in den er verwickelt war. Er hatte einen Arm um Aislings Schultern gelegt. Die Jägerin warf Siandra einen kurzen Blick zu, doch sie konnte bei bestem Willen nicht erkennen, was in ihr vor sich ging.

„Es ist nichts passiert“, sagte Elyano und richtete sich auf. Seine Augen streiften die Überreste der Wölfe auf dem dunklen Waldboden, als eine der Tauben auf ihn zuflog und sich auf seiner ausgestreckten Hand niederließ. Ein sanftes Lächeln umspielte seine Lippen. „Aschenputtel.“

„Die Fürstin hat die Tauben geschickt?“, fragte Siandra und beobachtete, wie weitere Vögel auf Elyanos Hand und seinen Schultern landeten.

„Die Tauben haben von jeher zu ihr gehört, wie die Raben zu mir“, erklärte Elyano. Die Luft war erfüllt von leisem Gurren und dem Schlagen unzähliger Flügel.

„Was machen wir mit diesen... Bestien?“, fragte Aisling und schmiegte sich enger an Fynn. „Wir können sie doch nicht einfach hier liegen lassen?“

„Die Menschen werden sie nicht sehen können“, sagte Fynn ruhig. „Ihr Blut hingegen schon, fürchte ich. Doch wir haben keine andere Wahl. Wir können sie nicht wegbringen.“

Nein, das könnt ihr nicht. Siandra zuckte zusammen, als die liebliche Stimme an ihr Ohr drang. Sie tauschte einen kurzen Blick mit Elyano. Er hatte die Worte ebenfalls gehört und runzelte verwirrt die Stirn.

„Was zum...“, setzte er an, als die Tauben sich plötzlich in die Luft erhoben, sie einmal umkreisten und im dichten Blätterwerk verschwanden

Folgt mir..., flüsterte die vertraute Stimme. Aschenputtels Stimme.

„Was sollen wir tun?", fragte Fynn seinen Bruder, als ein Ruck durch Hansels Körper ging. Mit aufgestellten Ohren nahm er die Verfolgung auf, begleitet von Llwyn.

„Mir scheint, die Entscheidung wurde euch gerade abgenommen", lächelte Siandra und folgte dem Mädchen.

Elyano übernahm es, seinen Bruder zu stützen, als sie sich ihren Weg durch den dichten Wald bahnten. Hin und wieder blitzte etwas Weißes zwischen den Blättern und Zweigen auf und Siandra hätte schwören können, ein glockenhelles Lachen zu hören.

Sie warf Fynn einen besorgten Blick zu. Der Hüter des Ordens versuchte, sich nichts anmerken zu lassen, doch die außerplanmäßige Querfeldein-Wanderung setzte ihm ganz schön zu. Er atmete schwer und seine Fingerknöchel traten weiß hervor, so krampfhaft hielt er sich an seinem Bruder fest. Elyano schien das nichts auszumachen, doch er schaffte es nicht, die Sorgen aus seinen Augen zu verbannen.

Minuten später tat sich der Wald vor ihnen auf. Siandras Blick fiel sofort auf die Fürstin, die inmitten der Lichtung neben Beliar stand. Aschenputtel lachte, als die Tauben in einem breiten Schwarm über ihren Kopf hinwegflogen und auf das Anwesen, das sich hinter ihr erstreckte, zuhielten. Sie griff nach Beliars Hand und kam auf sie zu. Ihr Gesicht bewölkte sich, als sie ihren Hüter ansah. „Ein Glück, es ist nichts Schlimmeres passiert."

„Woher habt Ihr gewusst...?", fragte Fynn atemlos.

Aschenputtel lächelte sanft. „Ich habe meine Augen überall, mein Hüter. Aber wir sollten hineingehen. Hier draußen spricht es sich nicht gut und wir haben eine Menge zu bereden."

„Das haben wir in der Tat", murmelte Fynn und ließ sich von seinem Bruder die Anhöhe hinauf helfen.

Siandra erkannte den Garten, den sie durchquerten, als sie auf Aschenputtels Anwesen zuschritten, genau wie die große Eingangshalle, in die sie eintraten. Und obwohl ihr letzter Besuch gerade einmal ein halbes Jahr zurücklag, kam es ihr wie eine Ewigkeit vor.

„Alles in Ordnung?", fragte Elyano behutsam.

Siandra verdrängte die unerwünschten Erinnerungen, die in ihr aufstiegen und nickte stumm. Kurz hob Elyano den Kopf und fing den Blick seines Bruders auf. Der Hüter des Ordens stand nicht weit von ihm und unterhielt sich leise mit Aschenputtel. Kaum merklich nickte er ihm zu.

„Fynn braucht mich, Eorlina", flüsterte Elyano und hauchte ihr einen Kuss auf die Schläfe. „Es gibt viele Dinge zu besprechen. Kannst du dich um Llwyn kümmern?"

Siandra nickte, ehe sie nach der Hand des Mädchens griff. Sie sah ihrem Raben nach, wie er zu seinem Bruder herüberschritt und eine Hand auf dessen Schulter legte. Dann folgten sie der Fürstin durch eine der Türen.

„Und was machen wir jetzt?", fragte Llwyn und riss Siandra aus ihren Gedanken.

Siandra zauberte ein Lächeln auf ihre Lippen. „Wir werden uns erst einmal umsehen. Hier gibt es sicher viel zu entdecken."

Hans im Glück schaffte es ebenso wenig wie Llwyn, ruhig neben Siandra herzugehen. Wie zwei Gummibälle hüpften sie durch die Gänge, tobten miteinander herum, als könne nichts ihre Laune verhageln. Doch Siandras Gedanken wanderten immer wieder zurück in den Wald, zu den Bestien, die sie fast... Sie wollte nicht einmal daran denken, was gewesen wäre, hätten Aschenputtels Tauben sie nicht rechtzeitig gefunden. Die Stimme aus dem Zwielicht... Sie hatte keinen Zweifel daran, dass sie zu dem Fremden in der Kutte gehörte, der sie bereits einmal angegriffen hatte. Warum nur war ihr seine Stimme so seltsam vertraut?

Siandra zuckte zusammen, als sich eine Hand auf ihre Schulter legte. Sie hob den Kopf und sah in Beliars Augen, die sie besorgt musterten.

„Es tut mir leid, Siandra", sagte der Fürst. „Es lag nicht in meiner Absicht, dich zu erschrecken. Bastarde lernen es mit der Zeit, wie ein Schatten zu sein."

„Aber Ihr seid ein Fürst."

Beliar nickte. „Das ändert jedoch nichts an meiner Herkunft. Ich bin ein Fürst, das stimmt, aber genauso bin ich ein Bastard und ein Halbblut. Aber das wusstest du bereits, habe ich recht?"

Sie wollte etwas erwidern, als Llwyn wie aus dem Nichts angeschossen kam und um ein Haar mit Beliar zusammenstieß. Sanft lächelte der Fürst dem Mädchen zu. „Nicht so schnell, Täubchen. Ich kann mir denken, was dir auf der Seele brennt", erriet er Siandras stumme Frage, als Llwyn wieder zu Hans im Glück lief. „Du fragst dich, warum ich nichts gegen den Vormarsch der Halbblüter unternehme, wo ich doch einer von ihnen bin."

Verständnislos sah Siandra ihn an. „Aber... Eure Entscheidung..."

„Ich habe mich vor vielen Jahren zu einem Leben an der Seite meiner Gemahlin entschieden und auch wenn ich einen hohen Preis dafür zahlte, habe ich es nie bereut. Doch ich habe zu lange als Halbblut gelebt, um mich in dieser Welt vollkommen zuhause zu fühlen und werde es auch wohl nie." Er lachte, fast schon ein wenig bitter. „Die Halbblüter sehen mich ebenso wenig als einen der Ihren, wie viele der Eshani'i. Der letzte Fürst des Reiches und doch von keiner Seite gewollt. Die Ratsmitglieder pochen auf die Unreinheit meines Blutes und die Halbblüter auf meinen Verrat."

„Verrat?"

Beliar setzte sich gemächlich in Bewegung und Siandra folgte ihm langsam. Sie kamen an Aschenputtels Gemälde vorbei, dort wo Siandra ihn das erste Mal getroffen hatte. Ein zärtliches Lächeln schlich sich auf die Lippen des Fürsten, doch es verschwand als er wieder zum Sprechen ansetzte. „Die Halbblüter haben sich viel von der Verbindung zu meiner Gemahlin erhofft. Doch ich konnte keinen Verrat an meiner Tänzerin begehen und so musste ich meinen eigenen Leuten in den Rücken fallen. Gabriel und Ekziel haben mir das nie vergeben."

„Ihr kennt die beiden?"

Beliar nickte. „Ich kannte sie schon, als die beiden noch Kinder waren."

Siandras Blick wanderte über ihre Schulter zu der Tür hinter der die beiden Rabenbrüder sich mit Aschenputtel berieten. Sie dachte an die Halbblüter, die so sehr von ihrem Hass getrieben wurden, dass sie keinen anderen Ausweg, als die Flucht nach vorne sahen und an die Jäger, die mit erbarmungsloser Härte zurückschlugen. „Habt Ihr Euch jemals gewünscht, Ihr hättet anders entschieden?", fragte Siandra nach einer Weile. „Habt Ihr Euch jemals gefragt, was gewesen wäre, wenn Ihr an der Seite der Halbblüter geblieben wärt?"

Beliar bedachte sie mit einem Blick, den sie nicht deuten konnte. „Meine Entscheidung war kein einfacher Schritt", sagte er und Siandra ließ das Gefühl nicht los, dass da etwas war, das er ihr verschwieg, „doch ich habe den Weg, den ich gegangen bin, nicht bereut. Es ist natürlich, die Frage nach dem ‚Was wäre wenn' zu stellen. Aber es spielt keine Rolle. Es gibt kein zurück, keine Möglichkeit, einen anderen Weg einzuschlagen und wenn doch, wäre ich ein anderer."

9. Die Schlinge zieht sich zu

Siandra seufzte. Unaufhörlich tönte die Tetrismelodie in ihrem Kopf, als sie die Tür zum Gemeinschaftsraum hinter sich schloss und sich auf den Weg zu ihrem Zimmer machte. Gedämpft drang Aiofés Stimme durch die Wand. Bevor Ariels Tochter zu ihnen gestoßen war, hatte Siandra Aisling behutsam gefragt, ob sie schon mit Fynn geredet hatte, doch die Jägerin hatte den Kopf geschüttelt. „Ich kann nicht", flüsterte sie, ehe Aiofé und zwei weitere Jägerinnen in den Raum eingefallen waren.

„So ein jämmerlicher Krüppel!"

Sie zuckte zusammen und drängte sich an eine der Wände, als sie die Stimme hörte. Sie hatte keine Ahnung, wer dort sprach, doch er klang wütend.

„Psst", zischte ein anderer. „Pass auf, oder man wird dich noch hören!"

Der Jäger schnaubte abfällig. „Und selbst wenn. Was soll diese Schneegans denn machen? Ariel würde sich vor Scham im Grabe umdrehen. Fynn ist viel zu naiv und zu optimistisch, um ein guter Anführer zu sein. Er kann Gefahren nicht einschätzen, dazu ist er viel zu hoffnungsvoll. Doch mach dir keine Sorgen. Die Göttinnen werden schon bald richten. Er wird unsere Ideale nicht mehr lange mit seiner Unfähigkeit beschmutzen. Wäre nicht das erste Mal, dass die Führung eliminiert werden müsste."

Die Stimmen wurden leise, ehe sie ganz verschwanden. Eine eiskalte Hand kroch Siandras Rücken empor, legte sich um ihren Nacken und ihr Herz. Sie hatte gewusst, dass nicht alle Jäger auf Fynns Seite standen, doch sie hätte niemals gedacht, dass die Situation bereits so kritisch war. Was würden sie tun und wie weit waren sie bereit zu gehen? Musste Fynn um sein Leben fürchten? Angst überkam sie. Wenn es zu einem

Kampf zwischen dem Hüter und einem seiner Jäger kam, hatte er nicht den Hauch einer Chance. Würden sie ihn hinterrücks erledigen? Fynn ging es im Moment so gut. Seine Schmerzen schienen ihn nicht mehr zu belasten und immer wieder schlich sich sein gewohntes Lächeln hinter der bröckelnden Mauer hervor. Sobald sie es ihm sagte, würde es wieder verschwinden, das wusste sie. Doch sie konnte es nicht geheim halten. Er musste es wissen, um zu handeln. Und er war ihr Freund. Sie konnte es nicht vor ihm verbergen. *Elyano*, rief die Stimme in ihrem Inneren laut. Ihr Rabe würde wissen, was zu tun war.

Sie schreckte aus ihren Gedanken auf, als das Summen ihres Handys an ihr Ohr drang. Ohne auf das Display zu achten, ging sie ran. Sie wollte schon auf Elyano einreden, doch es war nicht ihr Rabe, der auf der anderen Seite sprach. Diese Stimme hätte sie am wenigsten erwartet.

„Siandra", flüsterte ihre Mutter am anderen Ende der Leitung. Kälte ergriff ihr Herz, als Erinnerungen in ihr aufstiegen, an Vero, die Beerdigung, an ihre Mutter und ihren Mann. Doch da war noch etwas. Eine leise Sehnsucht, die sich langsam an sie heranschlich und sich zu einem Kloß in ihrem Hals zusammentat. Ein Zittern überkam sie, als sie ihn herunterschluckte und ihre Stimme wiederfand. „Was willst du?", fragte sie bewusst kühl.

„Wir müssen miteinander reden", sagte ihre Mutter nach einem Moment des Schweigens. „Es gibt da etwas, das du wissen musst."

„Das müssen wir in der Tat", erwiderte Siandra und versuchte, ihre zitternde Stimme unter Kontrolle zu bekommen. Stumm hörte sie die Bitte ihrer Mutter, sie in zwei Tagen am Heumarkt zu treffen und nickte, bis ihr bewusst wurde, dass sie das nicht sehen konnte. „Wir sehen uns dort", sagte sie knapp und legte auf.

Auch als sie durch die Tür ihres Zimmers trat, hallte die Stimme ihrer Mutter in ihrem Inneren wider, gemeinsam mit der Wut, der Sehnsucht, Trauer und Erinnerung. Sie seufzte erleichtert, als der vertraute Schleier sich an ihr Bewusstsein schmiegte und versuchte, sie zu beruhigen.

Elyano stand mit dem Rücken zu ihr im Badezimmer, die Tür weit geöffnet. Erschöpft ließ sie sich auf dem Bett nieder und ließ ihren Blick über seinen nackten Rücken wandern. Ihr Rabe stand vor dem hohen Spiegel am Waschbecken und ließ eine schmale Klinge über die weiß schimmernde Wange gleiten. Er hatte den Kopf schräg gelegt, damit er sein Kinn sehen konnte. Eine seiner dunklen Stoffhosen hing locker an seinen Hüften.

„Ein wenig altmodisch, meinst du nicht?", versuchte Siandra ihre trüben Gedanken durch einen Scherz beiseite zu schieben.

Ein Schmunzeln schlich sich in seine Stimme. „Ein Problem damit?"

„Solange du nicht einen auf Sweeney Todd machst", erwiderte Siandra grinsend, doch dann holten die Gedanken sie wieder ein. Noch einmal atmete sie tief durch. „Elyano... Es gibt da etwas, das du wissen solltest. Ich..." Sie stockte, als er in der Bewegung innehielt und die Klinge auf den Waschbeckenrand legte. „Warum hörst du auf?"

„Irgendwie werde ich das Gefühl nicht los, ich sollte kein Messer an meiner Kehle haben, wenn du weitersprichst", sagte er und fuhr mit einem Handtuch über seine Wangen, ehe er sich zu ihr umdrehte. Sorge trat auf sein Gesicht, als ihre Blicke sich trafen. „Siandra, was ist los?"

„Ich glaube, die Jäger planen etwas."

Elyanos Züge verhärteten sich. „Was meinst du?"

„Ich habe gerade eben zwei von ihnen reden gehört. Sie wollen etwas gegen Fynn unternehmen und ich weiß nicht, wie weit sie gehen werden."

„Was haben sie genau gesagt?"

„Nicht viel. Sie haben gegen ihn gewettert und einer von ihnen sagte etwas davon, dass die Göttinnen bald schon richten würden."

Elyano verschränkte die Arme vor der Brust, als er auf das Bett zutrat.

„Was werden sie tun?", fragte Siandra beunruhigt, als ihr Rabe weiterhin schwieg.

„Der Ungehorsam der Jäger wird zunehmen und irgendwann werden sie ihn stürzen... oder ihm noch Schlimmeres antun."

„Aber du sagtest, Fynn ist durch Eid gebunden...", flüsterte sie und erstarrte, als die Erkenntnis über ihr einbrach. „Wenn er gewaltsam abgelöst wird..."

„...wird damit Fynns Eid gebrochen und er muss sich den Konsequenzen stellen."

Ein Schauer lief über ihren Rücken. „So weit darf es nicht kommen."

Das Bett senkte sich, als Elyano sich neben sie setzte. Mit einem

Arm stützte er sich ab und drehte sich zu ihr um. „Es wird ihm nichts geschehen. Das werde ich zu verhindern wissen."

„Aber du kannst auch nicht überall sein."

„Nein", flüsterte Elyano. „Doch ich bin nicht der Einzige, der sich um ihn sorgt. Er ist nicht allein, auch wenn er es oftmals so sieht."

Siandra dachte an Aisling und an die Distanz, die sich zwischen ihr und Fynn ausgebreitet hatte. „Meinst du, die beiden werden sich trennen?", sprach sie nach einigem Zögern das aus, was sie schon seit einigen Tagen beschäftigte.

Elyano seufzte und strich sich erschöpft über die Augen. „Keine Ahnung. Noch vor einigen Jahren hätte ich wohl gesagt, dass nichts die beiden je trennen könnte. Aber je länger ich lebe, desto klarer wird mir, dass nichts ewig wärt."

„Aber es geht ihm besser. Er lächelt wieder."

Elyanos Mundwinkel hoben sich zaghaft. „Ja, er lächelt wieder."

Siandra ließ sich zurück auf das Bett sinken. Ihr Handy wog plötzlich tonnenschwer in ihrer Hosentasche. Das Karussell der Gedanken drehte sich immer schneller in ihrem Kopf und schien kein Ende zu finden.

Neben ihr ließ sich Elyano auf den Rücken fallen und schob einen Arm unter ihren Schultern durch, um sie dicht an sich heranzuziehen. Eine Weile lagen sie nur stumm nebeneinander. Siandras Blick strich durch den Raum, zu den Strahlen, die durch das gläserne Windspiel fielen und sich in bunten Farben an der Wand brachen. „Meine Mutter hat angerufen", flüsterte sie nach einiger Zeit.

Elyano hörte nicht auf ihren Hals zu streicheln, als er sie behutsam dazu brachte, ihn anzusehen. „Was wollte sie von dir?"

„Sie will mich treffen", sagte Siandra und atmete tief durch. „Sie sagt, sie müsse mit mir sprechen."

„Hat sie gesagt, was sie von dir möchte?"

Siandra schüttelte den Kopf. „Nein. Aber ich kann mir denken, was sie mir sagen möchte." Shaikos.

Ein Schauer folgte den Küssen, mit denen Elyano ihren Hals bedeckte. „Möchtest du, dass ich dich begleite?", flüsterte er an ihrer Haut.

Wie von selbst strich ihre Hand durch seine Haare und kurz schlich ein sanftes Lächeln auf ihre Lippen. Doch dann schüttelte sie den Kopf.

„Nein. Das ist etwas, das ich alleine erledigen muss."

Mache ich damit einen Fehler? Fynns Gedanken wanderten immer wieder zu der Zeremonie, die bald stattfinden würde. Shaikos Beleton würde in den Orden kommen, um ihm seine Treue schwören und sich von Rotkäppchens Idealen öffentlich abzuwenden. Doch konnte er ihm wirklich trauen? *Ich habe keine andere Wahl,* dachte er bitter. Es gab kaum noch jemanden, der bereit war, ihn und den Orden zu unterstützen. Zephir war am Morgen aus Beijing zurückgekehrt – mit schlechten Nachrichten im Gepäck. Fynn kannte ihn gut genug, um zu wissen, was sein Lächeln versteckte. Zhu Zemin würde sie nicht unterstützen.

Aisling hatte sich neben ihm auf dem Sofa in eine Decke eingerollt und nippte immer wieder an der Tasse Tee. Der Geruch nach Mango und anderen exotischen Früchten stieg ihm in die Nase. Sie trank diesen Tee immer, wenn irgendetwas sie beschäftigte. Immer, wenn sie lieber Kreise in den Teppich laufen würde, griff sie zu ihrer Teetasse, klammerte sich regelrecht daran fest. Fynn seufzte kaum hörbar. Sie verheimlichte etwas vor ihm, doch er wusste nicht, was es war. Nie hatten sie Geheimnisse voreinander gehabt. Was war es, das sie ihm nicht sagen konnte?

Ein unterdrückter Fluch ließ ihn aus seinen Gedanken aufschrecken. Schwankend balancierte Siandra ihren Laptop auf einer Hand und hielt sich das schmerzende Knie, das nähere Bekanntschaft mit der Tischkante gemacht hatte. Etwas unsanfter, als geplant, ließ sie den Rechner auf den Schreibtisch fallen. Seit einigen Minuten war sie schon wie geladen. Sie hatte eine Zeit lang gelernt und dann mit Becca telefoniert. Doch ihre Freundin schien nicht so recht Zeit gehabt zu haben, oder sie hatten sich einfach nichts zu sagen, denn Fynn hörte die beiden nur kurz miteinander sprechen, ehe Siandra mit einem genervten Ausdruck auf dem Gesicht auflegte.

Fynn zuckte zusammen, als ein Gegenstand auf seinem Schoß landete. Er hob die Augenbrauen. Eine Controller? „Was wird denn das, wenn es fertig ist?", fragte er Siandra, die sich auf einen der dunkelroten Sesseln niederließ.

„Nenn es wie du willst. Beschäftigungstherapie, wie auch immer."

Siandra grinste und legte ein Spiel in die weiße Konsole. „Und jetzt schiebt mal eure miesen Gesichter beiseite. Nun wird gespielt."

Fynn erwiderte ihr Grinsen, griff nach einem der beiden Controller und reichte Aisling den anderen. Bald schon tönten die hellen Klänge der Spielmusik durch den Raum. Er hatte schon lange nichts mehr gespielt und dementsprechend war er eingerostet. Doch er spürte, wie die Anspannung mehr und mehr von ihm abfiel, je länger sie spielten. Und auch wenn er beim Autorennen ständig die eine fiese Kurve nicht bekam und im hohen Bogen in die Felsspalte fiel, löste sich immer wieder ein Lachen von seinen Lippen.

„Du arbeitest auch nur nach dem Prinzip Trial and Error?", stichelte Siandra beim nächsten Spiel, als er, statt sich eine Lösung zu überlegen, Pixel-suchen spielte und wild im Bild herumklickte.

„Logik ist für Leute, die kein Risiko eingehen wollen", konterte er mit einem Anflug alten Übermuts.

Auch Aisling wurde neben ihm immer lockerer und fiel bald schon in sein Lachen ein. Ihre kleine Spielfigur schickte Fynns gerade mit einem Blitzschlag zu Boden, als Zephir in den Raum trat.

Sein ernster Blick begegnete sofort dem Fynns. In seinen Augen spiegelten sich die Sorgen, die auch den Hüter des Ordens verfolgte. Doch nur den Bruchteil einer Sekunde später hatte er den Trübsinn von seinen Zügen verbannt, hatte die schlechten Gedanken wie einen Vorhang beiseite geschoben.

Aisling hob die Augenbrauen, als ihr Blick auf die Tüte fiel, die der Jäger mit sich trug. „Was ist das?"

Mit einem breiten Grinsen auf dem Gesicht kam Zephir um den Sofa herum und leerte die Tüte auf dem kleinen Tisch aus. Unzählige Plastiktütchen und Verpackungen kamen zum Vorschein, quietschbunt und mit asiatischen Schriftzügen versehen, die Fynn nicht lesen konnte. „Ein kleines Mitbringsel aus Asien", sagte Zephir und ließ sich im Schneidersitz auf einen Sitzsack sinken. „Ich dachte, wir testen ein wenig die kulinarischen Spezialitäten."

Mit den Fingerspitzen hob Siandra eine der Tüten an, in der sich ein klebrig braunes Stück hinter den tanzenden Dinosauriern auf dem Plastik versteckte. „Kulinarische Spezialitäten? Wo hast du denn die aufgeschnappt?"

„So unflexibel, Siandra?", fragte Zephir und griff nach der Dinotüte.

Vorsichtig öffnete er das Plastik und zog den klebrigen Riegel hervor. „Man muss immer offen für etwas Neues sein."

Fynn musste sich das Lachen verkneifen, als Zephir von dem seltsamen asiatischen Snack abbiss und er genau beobachtete, wie der Jäger versuchte, seinen unbeteiligten Gesichtsausdruck zu behalten.

Zephir schüttelte sich kaum merklich, als er den Rest des Riegels ins Plastik zurückschob. „Schmeckt irgendwie, wie am Lagerfeuer lecken."

Immer mehr Plastik fiel zu Boden, als sie sich durch das Sammelsurium aus staubigen, klebrigen, süßen, bitteren, scharfen Snacks durchprobierten. Fynns Blick fiel auf eine schlichte Dose und auch Zephir griff nun nach einem milchig grauweißen Energydrink. Mit einem Schmunzeln auf den Lippen prostete Fynn seinem Leidensgenossen zu und setzte die Dose an seine Lippen. Schon als die ersten Tropfen über seine Zunge rannen, schienen sich seine Geschmacksnerven förmlich aufzurollen. Er zwang sich auch noch den Rest des Schlucks herunter, ehe er gequält das Gesicht verzog. Aisling berührte besorgt seinen Arm, doch sie konnte sich das Lachen kaum mehr verkneifen. Und so sehr der eklige Zuckerschock durch seinen Körper rann, verspürte er auch die Erleichterung, sie so unbekümmert zu sehen. „Uargh", stieß er hervor und griff nach der Flasche Wasser, die am Boden stand. „Wie ein Kaugummi aus dem Automaten, den man in einer Regenpfütze aufgeweicht hat. Dagegen schmeckt Cola wie schwarzer Kaffee."

„Lass die Flasche gleich auf", sagte Zephir mit ebenso verzogenem Gesicht. „Kennt ihr das, in teuren Restaurants? Da hat man doch diese kleinen Schälchen, um sich die Finger zu säubern. Genau so schmeckt das."

Zephir ließ sich auf den Rücken sinken und lag wie tot auf dem Sitzsack. Doch nur wenig später, nachdem Siandra tatsächlich etwas gefunden hatte, das schmeckte, richtete er sich wieder auf und griff nach einem weiteren Päckchen.

„Traust du dich wieder?", grinste Fynn schadenfroh und brach sich ein Stück von etwas ab, das wie eine neonbunte Zuckerstange aussah.

Zephir zwinkerte ihm nur zu und schob sich ein längliches Teigstück in den Mund, um es in einem runter zu schlucken. Erneut verzog er das Gesicht, als er von einem Husten geschüttelt wurde. „Wie sagt man so schön?", brachte er abgehackt hervor. „Appetit kommt beim Kotzen?"

Aisling lachte neben ihm. „Warum haust du dir auch gleich das ganze Teil rein?"

„Vorsicht ist für Leute, die nicht mit Überraschungen umgehen können."

Zephir schaffte es immer vortrefflich, seine trüben Gedanken hinter seinem Lächeln zu verstecken, doch heute schien seine Fassade nicht stark genug. „Was ist los?", fragte Siandra nach einer Weile besorgt. Fynn erkannte, wie Zephir unter der Frage fast schon zusammenzuckte. Er selbst konnte die Anspannung, die sich langsam wieder in ihm ausbreitete, kaum aus seinem Körper vertreiben. Sanfte Finger strichen über sein Bein. Er sah kurz in Aislings beunruhigtes Gesicht. Natürlich spürte sie sofort, was in ihm vorging. Er hob den Kopf. In dem Blick seines Freundes lag eine stumme Frage um Zustimmung. Kaum merklich nickte er seinem Jäger zu.

„Zhu Zemin hat zugestimmt, uns einige Krieger zu schicken."

„Aber das ist doch etwas Gutes, oder nicht?", fragte Siandra verwirrt in die Runde.

Zephir zuckte mit den Schultern, ehe er den Kopf schüttelte. „Die Zahl der Krieger ist geradezu lächerlich und grenzt fast schon an eine Beleidigung. Außerdem hat er unmissverständlich klar gemacht, dass er sich aus dem Krieg im Kernreich raushalten wird. Auf seine Hilfe können wir nicht setzen."

Fynn versuchte, die Anspannung abzuschütteln, doch je mehr er es versuchte, desto stärker klammerte sie sich an ihm fest. Aislings Finger verflochten sich mit seinen, drückten seine Hand, doch die Schlange in seinem Inneren zog sich um ihn zusammen und ließ ihn nichts anderes sehen, als die Ausweglosigkeit ihrer Situation. Das Feld seiner Verbündeten waren dünn gesät. Nicht nur aus dem Osten der Reiche kamen schlechte Nachrichten. Auch Matej Novotny und Duncan McGregor hatten sich dagegen entschieden, sie zu unterstützen. Als würden die Konflikte im Kernreich sie nichts angehen. Als hätte der Krieg keinerlei Auswirkungen auf sie. In einer fahrigen Bewegung strich Fynn sich einige Strähnen aus dem Gesicht. Er hatte keine andere Wahl. Er musste auf Shaikos Beleton vertrauen. Ohne die Söldner waren sie verloren.

Noch bevor Zephir die Stimme erhob, erkannte Fynn, was ihm auf den Lippen lag. Doch auch Fynns stummes Kopfschütteln brachte ihn nicht davon ab, das Streitthema ihres letzten Gesprächs erneut auszugraben. „Wir haben noch immer Freunde in den äußeren Provinzen. Wir dürfen nicht auf..."

„Dieses Gespräch haben wir bereits beendet", sagte der Hüter des Ordens mit unnachgiebiger Stimme. Er wollte dieses Thema nicht wieder aufwirbeln, nicht jetzt, wo er sich nicht sicher war, ob er die zischende Schlange unter Kontrolle hatte. Er wollte seine Freunde nicht noch mehr verletzen.

Doch Zephir ließ sich nicht beirren. „Du weißt genau so gut, wie ich, dass Shaikos Rotkäppchens Ideale immer hochgehalten hat. Er ist nicht die Sorte Mann, die sich vom Weg abbringen oder sich von irgendwem etwas aufdrängen lässt."

„Zephir..."

„Du darfst nicht..."

Ruckartig richtete Fynn sich auf. Er konnte das alles nicht mehr hören. Er war sich ja selbst nicht einmal sicher, ob es das Richtige war, was er da tat.

Aisling legte eine Hand auf seinem Arm, als er umständlich aufstand. „Fynn...." Ihre Stimme erreichte ihn kaum. „Fynn, bitte..."

Doch er streifte ihre Hand ab, so behutsam es ihm möglich war. Eine Enge breitete sich in seiner Brust aus, als die Schlange sich wieder in seinem Inneren wand. Sie richtete sich auf und bleckte ihre langen Fangzähne, bereit, sich in sein Fleisch zu versenken. Er schüttelte nur den Kopf, traute seiner eigenen Stimme nicht, als er aus dem Raum stürmte.

In einer fließenden Bewegung ließ Fynn seinen Dolch durch die Luft gleiten. Zumindest war die Bewegung in seiner Erinnerung fließend gewesen. Leicht wie ein Flügelschlag hatte Aislings Dolch die Luft zerteilt, eins mit seinem Arm, eins mit ihm. Doch nun waren seine Bewegungen abgehackt.

Fynn spürte den kalten Schweiß, der jetzt schon über seinen Rücken wanderte und sein Oberteil im festen Griff hielt. Noch vor einiger Zeit hätten die paar Minuten Training ihn nicht so sehr verausgabt. Er biss die Zähne aufeinander und ignorierte es. Ignorierte die Stimmen, die ihn dazu drängten aufzuhören, ignorierte die Schlange, die ihn anfauchte. Verbissen wiederholte er die Bewegungen, die Heinrich ihn einst gelehrt hatte, mit akribischer Genauigkeit. Er konnte es sich nicht leisten, aufzugeben. Er konnte es sich nicht leisten, zu versagen.

Sein Bein pochte leicht. Trotz der Schmerzmedikamente, die durch seinen Blutkreislauf jagten, protestierte es gegen die starke Belastung. Seinen Gehstock hatte er auf den Boden gelegt und sein ganzes Gewicht lastete nun auf dem einen gesunden Bein. Doch lange würde er es nicht mehr aushalten. Er hatte sich verändert. Alles, was ihm früher so leicht fiel, war nun eine Herausforderung. Seine Instinkte waren falsch, über jede seiner Bewegungen musste er nachdenken. Fynn schüttelte den Kopf und vertrieb die trüben Gedanken, die sich immer wieder im Kreis drehten.

Seine Augen verfolgten den unsichtbaren Gegner, als er eine Bewegung aus dem Augenwinkel bemerkte. Die Tür zu dem großen Trainingssaal öffnete sich. Er brauchte sich nicht umzudrehen, um zu wissen, dass es Aisling war, die sich zu ihm gesellt hatte. Doch sie sagte nichts. Stumm ließ sie sich an der langen Spiegelwand auf den Boden sinken, beobachtete ihn, während er stur seine Bewegungsabläufe abspulte. Was sollte er ihr nur sagen? Es würde nicht das sein, was sie hören wollte.

Nach einer Weile ließ er den Dolch sinken. Wie von selbst glitt sein Blick zu Aisling, hielt sich an den rauchblauen Augen fest, die ihn immer so fasziniert hatten. Aisling biss sich links auf die Unterlippe – kein gutes Zeichen – und stand zögerlich auf. Ihre ganze Haltung verriet die Anspannung, die in ihr hauste. Fynn spürte, wie sich sein Herz zusammenzog. Was war es nur, das sie so sehr belastete? Lag es wieder an ihm?

Er machte einen Schritt auf sie zu und streckte die Hand nach ihr aus, strich ihr das immer länger werdende dunkle Haar hinters Ohr.

„Alles in Ordnung mit dir?“, fragte sie vorsichtig. Ihre Stimme war dünn, wie ein brüchiges Blatt Papier.

„Ich weiß es nicht“, antwortete er wahrheitsgemäß. „Ich weiß nichts mehr.“

Er schloss die Augen, als Aislings Hände sein Gesicht umfassten und er ihre Lippen auf seinen spürte. Doch er schmeckte auch das Salz ihrer Tränen. Behutsam schob er sie ein Stück von sich weg. „Aisling, was ist los?“, fragte er und eine Enge breitete sich in seiner Brust aus. „Rede mit mir.“

Ein stummes Schluchzen entrann ihrer Kehle. „Ich kann nicht", hauchte sie. „Ich kann es dir nicht sagen."

Sanft strich sein Daumen über ihre Wange. „Wir hatten nie Geheimnisse voreinander. Du konntest mir immer alles sagen. Was hat sich verändert?"

Doch Aisling antwortete nicht, starrte ihn nur aus Tränen verhangenen Augen an. Ihr Schweigen war ihm Antwort genug. Die Schlange in seinem Inneren nahm die verletzende Stille tief in sich auf und schlug triumphierend mit der Schwanzspitze, während sie sich wieder enger um sein Herz legte.

Fynn machte einen Schritt zurück, verschränkte die Arme vor der Brust. Langsam tröpfelte die Erkenntnis in ihren Verstand und ihre Augen weiteten sich vor Schreck, als sie erkannte, was er denken musste. „Nein Fynn, so ist das nicht."

„Doch, ist es", antwortete er kühl und wandte sich von ihr ab. Die Worte drängten sich wie scharfkantige Stücke Wahrheit heraus. „Warum sollte man auch dem Krüppel etwas anvertrauen. Ist doch so. Du lügst, wenn du das Gegenteil behauptest." Er wandte sich von ihr ab, konnte und wollte sie nicht ansehen.

Die Schlange in seinem Inneren nahm ihm fast die Luft zum Atmen, als Aislings Finger sanft über seinen Rücken strichen und sie ihm einen Kuss aufs Schulterblatt hauchte. „Bitte", flüsterte sie kaum hörbar. „Ich werde es dir sagen. Bei den vier Göttinnen, du wirst es erfahren. Doch ich..." Sie stockte. „Ich habe Angst..."

Fynn drehte sich um, schob die Schlange mit aller Kraft beiseite, als er das Zittern in ihrer Stimme hörte. Auch wenn der Ärger noch in ihm brodelte, brachte er sie behutsam dazu, ihn anzusehen. „Wovor fürchtest du dich?", fragte er leise. „Vor mir?"

Sie schüttelte den Kopf. Ein schwaches Lächeln blitzte hinter Tränen hervor, als sie die Hand ausstreckte und ihm eine seiner blonden Strähnen aus dem Gesicht strich. „Ich könnte niemals Angst vor dir haben. Es ist die Nachricht, vor der ich mich fürchte."

Fynn umfasste ihre Schultern, zeichnete mit den Daumen die Linie ihres Halses nach. „Sprich mit mir, Aisling. Du kannst es mir sagen."

„Ich..."

Eine leise Melodie drang plötzlich an ihre Ohren. Fynn fluchte und versuchte sein Handy zu ignorieren, doch Aisling strich über seinen

Arm. „Es ist Elyano", flüsterte sie leise. Er hatte den Klingelton seines Bruders ebenfalls erkannt, die Melodie aus dem alten Sega-Spiel, das sie immer so gerne gespielt hatten. „Du solltest dran gehen."

Ihm schwante böses, als er sein Blackberry aus der Hosentasche zog. „Shaikos ist im Anmarsch", sagte Elyano am anderen Ende der Leitung, ohne sich lange mit der Begrüßung aufzuhalten. Fynn musste sich anstrengen, um die Stimme seines Bruders durch das Heulen und Peitschen des Windes zu verstehen. „Meine Raben haben ihn gesehen. Mach dich bereit."

„Wohin so schnell, little Lady?", fragte Zephir grinsend und ließ seine Beine über das Geländer baumeln. Er schaffte es wie kein anderer, seine Sorgen zu verbergen. Siandra schenkte ihm nur ein leichtes Lächeln, während sie im Laufen in ihre Chucks schlüpfe. Mehr war heute nicht drin. Ihr Herz pochte laut in ihrem Brustkorb und erinnerte sie immer wieder daran, welcher Tag heute war und wer sich dem Orden näherte.

Als sie die Treppen hinabeilte, rannte sie beinahe Llwyn über den Haufen. Doch das Mädchen grinste nur und griff nach Siandras Hand. „Wohin gehst du?", fragte es neugierig.

„Elyano ist von seinem Auftrag zurück", erklärte sie ihr und versuchte, ihre Stimme so ruhig wie möglich klingen zu lassen. „Ich habe sein Auto vorfahren gesehen." Noch mehr als sonst zog es sie heute zu ihrem Raben. Er war ihr Ruhepol. Nur er schaffte es, sie aus den Wirren ihres Verstandes zu befreien und die Wogen ihres Herzens zu glätten.

„Dann komm", rief Llwyn lachend und lief voraus. „Schnell zu ihm!"

Elyano hob verwundert die Augenbrauen, als er die beiden herannahen sah. Mit einem Lächeln auf den Lippen ließ er die Umhängetasche von der Schulter sinken und ging in die Hocke, um seine Schwester in die Arme zu schließen. „Ich dachte, du hättest Unterricht bei Heinrich."

„Nun ja", druckste Llwyn und knetete ihre Finger. „Es ist so langweilig."

Elyano lachte. „Das ist es. Aber es ist wichtig, dass du es verstehst. Wer die Vergangenheit nicht kennt, kann die Zukunft nicht ändern, denk immer daran“, sagte er mit weicher Stimme und drehte sich zu Siandra um. Erschrocken hob sie die Hand und strich über sein Kinn, als sie den Schnitt an seiner Lippe bemerkte, der wie von einem Lineal gezogen nach unten verlief. Ein dunkler Schatten begann sich über sein Kinn auszubreiten. „Was ist passiert?“, fragte sie besorgt.

Kurz huschte ein beunruhigter Schatten über sein Gesicht, doch dann hob er die Mundwinkel zu einem selbstsicheren Lächeln. Er wollte zum Sprechen ansetzen, als Llwyn ihn unterbrach.

„Waren das die Halbblüter?“

Elyano zog überrascht die Augenbrauen zusammen. „Woher weißt du von ihnen?“

Das Mädchen wandte kurz den Blick ab, als die drei in Richtung Orden gingen. „Ich habe die Jäger reden gehört.“ Kurz schwieg es, doch die Stille hielt es nicht lange aus. Noch bevor sie die Hintertür erreichten, brach es aus ihm heraus. „Also ist es wahr? Ihr macht noch immer Jagd auf sie?“

Elyano atmete tief durch und ging vor seiner kleinen Schwester auf die Knie. Er sah kurz zu Siandra auf. So viel Wahrheit, so viel Unausgesprochenes lag in seinem Blick. „Ja…und nein“, sagte er ruhig und strich ihr übers Haar, ehe er sich wieder aufrichtete. „Mehr darfst du nicht wissen, kleiner Vogel. Noch nicht.“

Im Inneren des Ordens empfing sie die Hektik herumwuselnder Jäger. Siandra zuckte zusammen, als Zephir von dem Treppengeländer sprang und geräuschvoll aufkam. „Elyano!“, rief er und eilte ihm entgegen. „Hat der alte Hu..“ Er stockte, als sein Blick auf Siandra und Llwyn fiel. „...stenbär endlich gesagt, was wir hören wollten?“

Elyano hob belustigt die Augenbrauen und schien sich ein Lachen nur schwerlich verkneifen zu können.

„Ich bin kein kleines Kind mehr, Onkel Zephir“, sagte Llwyn plötzlich ernst. „Ich weiß genau, was du sagen wolltest.“

Zephir deutete eine förmliche Verbeugung an. „Es tut mir leid, Euch gekränkt zu haben, meine Dame. Darf ich Euch zu Eurem Zimmer begleiten?“ Llwyn kicherte und hakte sich in den angebotenen Arm ein. „Das sollte sich jemand ansehen“, sagte Zephir, ehe er sich umdrehte.

„Nur ein Kratzer“, entgegnete Elyano knapp.

„Sorg dafür, Siandra.“ Feixend tätschelte Zephir seine Wange. „Er hat doch nur sein hübsches Gesicht.“ Er duckte sich unter Elyanos spielerischen Schlag durch. Siandra hatte die Bewegung des Raben nicht einmal kommen gesehen.

„Hey!", rief Elyano ihm mit wütender Stimme hinterher, doch das Lächeln in seinen Augen strafte ihn Lügen.

Zephir hatte es geschafft, die Stimmung kurz aufzulockern, doch jetzt schlich sich Siandras Furcht wieder wie ein lauerndes Raubtier an. Bei dem Gedanken gleich ihrem Vater gegenüberzustehen, wurde ihr ganz schlecht vor Angst.

Sie sah auf, als sie Elyanos Finger spürte, die sanft über ihre Wange glitten. „Du bist beunruhigt."

„Wie könnte ich es nicht sein?", fragte sie und schlang die Arme um ihren Körper. Die Einladung ihres Vaters brannte glühend heiß in ihrem Gedächtnis. Doch sie konnte es Elyano nicht sagen. Noch nicht. Nicht, ehe sie sich nicht sicher war, wie sie sich entscheiden würde.

Elyano drückte einen Kuss auf ihre Lippen und lehnte seine Stirn kurz an ihre. „Er wird dir nichts tun. Ich werde nicht zulassen, dass dir etwas geschieht. Hier im Orden bist du in Sicherheit."

Doch wer konnte das schon wissen? Erinnerungen überfluteten sie, Erinnerungen, die sie am liebsten in die hintersten Winkel ihres Verstandes verdrängen würde. Schon einmal war aus einem Ort der Geborgenheit ein Ort des Kampfes und des Schreckens geworden. „Mach dir keine Sorgen", flüsterte sie über ihre eigene Unsicherheit hinweg. „Er wird es nicht wagen, irgendetwas zu tun."

Elyano seufzte und strich sich in einer fahrigen Bewegung durchs Haar. „Ich kann nicht anders, als mir Sorgen zu machen. Fynn macht einen großen Fehler, indem er Shaikos Beleton traut und ihn auch noch her bringt. Er wird uns unser Vertrauen danken, indem er uns ein Messer in den Rücken sticht."

Schweigend bahnten die beiden sich einen Weg durch die immer größer werdende Masse an Jägern. Doch die Aufregung und Hektik konnte nicht auf Siandra übergreifen. Sie war viel zu sehr in ihrer eigenen Gedankenwelt gefangen. „Ich wünschte, ich hätte es nie erfahren", stieß sie plötzlich hervor. „Ich wünschte, ich hätte nie erfahren, dass er mein Vater ist."

Elyanos Blick wurde sanft, als seine Finger über ihre Wange zum Hals wanderten und behutsam über ihren Nacken strichen. „Du bist nicht wie er. Mach dich nicht für seine Taten verantwortlich." Er stockte kurz. „Ich weiß gut genug, wie es ist, seine eigene Familie zu hassen."

Sie wollte etwas erwidern, als ein Schatten plötzlich aus der Dunkelheit auf Elyano zuschoss. Der Schrei blieb ihr im Hals stecken, als sie Salomo erkannte, der lässig auf Elyanos Schulter thronte.

Der Kater warf ihr einen belustigten Blick zu, ehe er sich an den Raben wandte. „Und? Wie sieht's aus? Hast du ihn zum Reden gebracht?"

Elyano verdrehte die Augen. „Er weigert sich, mit jemand Geringerem, als dem Hüter des Ordens zu sprechen."

Salomo lachte. „Jetzt hat er auch noch Ansprüche, ich glaub's ja nicht. Und das hast du wohl auch ihm zu verdanken?"

Elyano fuhr sachte über seinen Mundwinkel und grinste. „Wäre gut möglich."

Siandra wollte etwas einwerfen, nachfragen, wer für seine Blessuren verantwortlich war, als ihr Blick auf Aisling fiel. Elyano und Salomo waren derart in ihr Gespräch vertieft, dass sie sie nicht einmal sahen. Siandra setzte zum Sprechen an, doch Aisling warf ihr einen Blick zu, der ihre Frage direkt im Keim unterband. Der Ausdruck in ihren Augen war ihr Antwort genug. Sie hatte es ihm noch nicht gesagt und irgendwie konnte sie sie auch verstehen. Niemand wusste, wie Fynn reagieren würde. Seit dem Kampf im Orden war er launenhaft und unbeständig. Doch er würde es erfahren. Bald schon würde nicht einmal sie es mehr verbergen können. Da mochten ihre Tricks noch so gut sein.

Gemeinsam traten sie in die große Eingangshalle, in der sich bereits eine ganze Menge Jäger aufhielten. Ein Meer aus Stimmen durchflutete die Halle, brach sich in Wellen an den Wänden und trieb zu den hohen Fenstern hinaus. Siandra folgte Elyanos Blick, der über die Menge schweifte. Ihr Rabe war aufmerksam und von Sekunde zu Sekunde schien sein Körper mehr von Ruhelosigkeit ergriffen zu werden. Und auch sie selbst war bis in die letzte Faser ihres Körpers angespannt. Ihr Herz schlug in einem unruhigen Rhythmus gegen ihren Brustkorb und sie musste immer wieder ihren Atem beruhigen. Ohne den Blick von den Jägern zu nehmen, griff sie nach seiner Hand und drückte sie kurz, auch, um sich selbst zu beruhigen. Sie spürte, wie er sich entspannte, doch nicht lange, nur, bis sein Bruder neben ihn auf die Plattform vor dem großen Uhrenblatt trat, dort wo er vor einiger Zeit seinen Eid als

Hüter gesprochen hatte.

Die Jäger verstummten schlagartig und richteten ihre Augen auf Fynn. Der Hüter atmete sichtlich durch, ehe er mit fester, fast schon harter Stimme eine kurze Rede sprach - über das Vorrücken der Halbblüter, die bereits angegriffenen Orden und ihre Situation. Immer wieder erhoben sich leise Stimmen, doch Fynn ignorierte sie. Sein Gesicht war unbewegt, hart wie der Stein der Mauern. Er ließ sich keine Schwäche anmerken, nicht vor seinen Jägern, nicht vor ihnen. Doch Siandra sah, wie krampfhaft er immer wieder die Hand am Knauf seines Gehstocks öffnete und schloss.

Als sich die hohen Flügeltüren öffneten, hatte Siandra das Gefühl, zu ersticken. Die Angst schlug ihr wie Rauch entgegen, als sie Shaikos Beleton erblickte - ihren Vater. Mehr aus Furcht, als aus Respekt wichen die Jäger vor Shaikos zurück. Der Ratsherr saß mit einem gefährlichen Lächeln auf einem Schimmel. Das Pferd ließ sich weder von der Masse der Jäger noch von den steinernen Treppenstufen irritieren. Wie mechanisch setzte es einen Huf vor den anderen. Das Lied seiner Eisen klang hell von den Wänden wider.

„Shaikos Beleton", begrüßte Fynn den Ratsherren kühl und fügte noch etwas auf eshani hinzu.

Shaikos deutete im Sattel eine Verbeugung an. „Möge der Friede der Göttinnen auch stets an eurer Seile verweilen, mein Hüter."

„Ihr seid hierher gekommen, um Euren Eid zu erneuern und von den Idealen eurer Fürstin abzutreten."

„Eure Weisheit ist ein Geschenk des Himmels", erwiderte Shaikos und neigte den Kopf.

Der mitschwingende Spott in seiner Stimme blieb auch dem Hüter nicht verborgen, doch Fynns Lippen schrumpften lediglich zu einem dünnen Strich.

Siandra spürte den Blick ihres Vaters während der gesamten Eidsprechung auf sich liegen. Er sprach die traditionellen Worte in der alten Sprache ihres Volkes, doch seine Augen wanderten stets an Fynn vorbei und landeten bei ihr. Elyanos Schleier legte sich sanft um ihre Schultern, aber auch er konnte sie nicht beruhigen. Shaikos' Blick stach wie eine Klinge in ihren Körper. Sie versuchte, wegzusehen, versuchte, sich von ihren Gedanken an einen anderen Ort tragen zu lassen, doch es wollte ihr einfach nicht gelingen. Und da war noch etwas. Eine unbändige Angst, tief in ihrem Inneren. Das Bedürfnis, auf dem Fleck zu drehen und ganz weit weg zu laufen. Doch selbst wenn sie dem Drang nachkommen würde, hätte sie es nicht geschafft, sich von der Stelle zu bewegen. Sie war wie erstarrt. Siandra versuchte, sich durch betont ruhiges Atmen abzulenken und ließ ihren Blick schweifen. Etwas abseits entdeckte sie Heinrich, in der einen Hand der Gehstock, der seine tödlichen Klingen verbarg. Seine Mundwinkel hoben sich zu einem kurzen Lächeln, als sich ihre Blicke trafen und sofort entspannte sie sich ein wenig. Doch nur bis ihr Blick wieder auf das Pferd und seinen Reiter fiel.

„Als wenn er seine eigenen Worte glauben würde", flüsterte Elyano abschätzig. „Er ist Rotkäppchens Idealen nicht nur gefolgt, sie haben sie gemeinsam aufgebaut. Er hat stets von allem gewusst, genau wie der Rest des Reiches."

„Aber warum ist davon nie etwas nach außen gedrungen? Die anderen Ratsmitglieder, die Fürsten..."

Elyano schnaubte abfällig und folgte Shaikos mit den Augen, als dieser sein Pferd wendete und die Halle verließ. Die Jäger wichen vor ihm zurück und tuschelten unruhig miteinander. „Sein Geld kauft ihm überall Schweigen."

Erst, als Elyano einen Arm um sie legte, spürte Siandra, dass sie zitterte. Fynn ließ einen kühlen Blick über die Menge schweifen, ehe er sich ebenfalls abwendete und ohne ein weiteres Wort die große Halle verließ.

„Wenn die Wut, die in ihm brodelt, herausbricht, möchte ich nicht in seiner Nähe sein", murmelte einer der Jäger in ihrer Nähe, doch Siandra achtete nicht darauf. Ihr Herzschlag wollte sich einfach nicht beruhigen. Wie auf der Flucht schlug es gegen ihre Rippen und schien fast schon einen Weg hinaus zu verlangen.

Der Aufruhr der Gefühle hatte sich noch nicht beruhigt, als sie Elyano folgte, der neben Aisling trat. „Warum tut er das nur?", flüsterte diese tonlos.

Elyano seufzte. „Ich verstehe ihn schon lange nicht mehr."

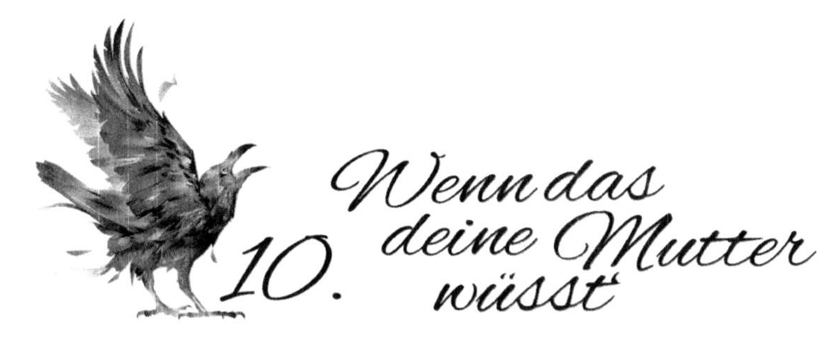

10. Wenn das deine Mutter wüsst

Wo ist Elyano?“ Zephir sah auf, als er Siandras Stimme hörte. Er lag mehr auf dem Tisch, als dass er daran saß. Mit der einen Hand stützte er seine Stirn und griff blindlings nach dem Glas Wasser neben ihm.

„Kopfschmerzen?“, fragte Siandra mitleidig und schob das Glas ein Stück weit in seine Richtung. Von dem Jäger war nur ein Grummeln zu hören.

„Fynn hat Elyano ausgesandt, etwas für ihn zu erledigen. Er wird wohl vor heute Abend nicht zurückkehren“, antwortete Aiofé für ihren Bruder. Noch einmal bürstete sie über ihr langes weißblondes Haar, ehe sie es zu einer eleganten Frisur flocht. Siandra hob kurz die Augenbrauen. Sonst sah sie Ariels Tochter nur in ihrer gewohnten Jägerkluft. Heute trug sie ein eng geschnittenes dunkles Kleid mit schlichten silbernen Verzierungen an dem gewagten Ausschnitt.

„Noch was vor?“

Aiofé lächelte halb. „Ich habe ein Date. Zum Brunch.“

Zephir richtete sich ruckartig auf und drehte sich umständlich zu seiner Schwester um. „Du hast was?“

„Jetzt tu mal nicht so verwundert.“

„Wer ist es?“

Aiofé verschränkte die Arme vor der Brust. „Du kennst ihn nicht.“

„Wie kann ich ihn nicht kennen? Ich kenne unsere Jäger und es muss ja wohl...“ Er stockte. „Es ist doch wohl kein Mensch?!“

„Nein!“ Aiofés Stimme überschlug sich fast. „Natürlich nicht!“

„Also, wer ist es?“

„Du musst nicht alles wissen!“, fauchte sie und griff nach ihrer Handtasche.

Unauffällig schob Siandra sich aus dem Gemeinschaftsraum, jedoch nicht, ohne den Geschwistern noch einen Blick zuzuwerfen. Seit Elyano ihr auf dem Neujahrsfest von Aiofés Problemen erzählt hatte, konnte sie es nicht verhindern, sich auch immer wieder Sorgen um die Jägerin zu machen, die ihr eine gute Freundin geworden war. Im Moment schien es ihr gut zu gehen, doch sie hatte erlebt, wie schnell das umschlagen konnte. Siandra verdrängte die trüben Gedanken. Aiofé war erwachsen. Sie würde schon wissen, was sie tat.

Elyano war also zu einem Auftrag unterwegs. Das war gut. So musste er sich wenigstens keine Sorgen machen. Was er nicht wusste, konnte ihn auch nicht beunruhigen.

„Wohin gehst du?"

Sie hielt im Schritt inne, als sie Aislings Stimme hörte. Ihre Freundin hockte auf dem Schreibtisch in Fynns Arbeitszimmer. Der Hüter des Ordens saß auf dem Stuhl neben ihr, über einige Papiere gebeugt. Er richtete sich auf, als Siandra nähertrat. Aisling sah heute etwas besser aus. Die Schatten lagen immer noch tief unter ihren Augen, doch ihr Gesicht hatte mehr Farbe bekommen.

Fynns Züge hingegen waren bitter und er wirkte abgekämpft. Sie fragte sich, welche Sorgen ihn heute belasteten…und ob sie mit ihrem Vater zu tun hatten.

„Ich muss in die Stadt. Treffe mich mit jemandem am Heumarkt."

„Fynn kann dich hinfahren", sagte Aisling und stand auf.

„Sicher?", fragte Siandra unsicher. „Er hat doch sicherlich genug zu tun. Ich möchte nicht..."

Aisling warf ihr einen durchdringenden Blick zu, doch dann richtete Fynn sich auf.

„Nein, schon in Ordnung. Aisling kann das hier zu Ende bringen. Wird Zeit, dass ich mal wieder hier rauskomme."

Auf dem Weg zum Auto schwieg Fynn, auch als er den dunklen BMW vom Gelände des Ordens lenkte. *Geht es dir gut?* Die Frage lag Siandra auf der Zunge, doch sie schluckte sie herunter, ehe sie ihr herausrutschen konnte.

„Wo hast du Elyano hingeschickt?", fragte sie und zog die Handtasche auf ihren Schoß.

Fynns krampfhafter Griff um das Lenkrad lockerte sich ein Stück weit. „Willst du das wirklich wissen?"

Sie biss sich kurz auf die Lippe. „Nein", antwortete sie

wahrheitsgemäß. „Aber vielleicht wäre es besser, ich wüsste es."
„Er hat sich zusammen mit einigen Jägern auf die Suche nach den Kundschaftern der Halbblüter gemacht. Seine Raben helfen ihm dabei."
Sie kannte die Jäger gut genug, um zu wissen, was sie tun würden, sobald sie die Halbblüter gefunden hatten. Und dass es auch für sie nicht ganz ungefährlich war.
„Mit wem triffst du dich?", fragte er nach einer Weile, als er auf die Stadtautobahn auffuhr. „Tut mir leid, ich will nicht neugierig sein."
„Ich treffe mich mit meiner Mutter."
„Mit deiner Mutter?"
Sie nickte. „Sie sagt, sie müsse mit mir sprechen. Dass sie mir etwas erklären muss."
„Und du fürchtest dich vor ihrer Antwort."
„Ein wenig", gestand sie.
„Das brauchst du nicht", sagte Fynn mit plötzlich weicher Stimme. „Es wird nichts ändern. Egal, was sie dir sagen wird, es ändert nichts daran, was du bist." Nach einer Weile flüsterte er: „Soll ich dich begleiten?"
Siandra lächelte schmal. „Nein, ist schon in Ordnung. Ich packe das schon. Immerhin überlebe ich ja auch Tag für Tag im Orden. Wer hätte das vor einem Jahr für möglich gehalten?"
„Aber du bist kein Halbblut mehr", sagte Fynn ernst und fuhr von der Autobahn ab. „Du bist jetzt eine von uns."
„Es gibt viele, die das nicht so sehen."
„Es gibt auch viele, die mich nicht an ihrer Spitze sehen wollen. Wir sind, was wir sind, Siandra." Er zuckte zusammen, als ein Martinshorn erklang. Hastig sprang sein Blick über die Spiegel und seine Hände krampften sich erneut um das Lenkrad.
„Ganz ruhig", sagte Siandra und legte eine Hand auf seinen Arm. „Der Krankenwagen fährt in die andere Richtung."
Fynn nickte nur stumm und atmete schwer aus. Sie schwiegen, während er sich durch den dichten Stadtverkehr schlängelte. Siandra warf immer wieder beunruhigte Seitenblicke auf den Hüter des Ordens. Warum machte ihn die Sirene nur derart nervös?
Fynn atmete erst wieder ruhiger, als er auf einem Parkstreifen zum Stehen kam. „Alles in Ordnung mit dir?", fragte Siandra besorgt. Fynn

machte keinerlei Anstalten sich zu bewegen, starrte unentwegt auf den Asphalt vor ihnen.

„Alles in Ordnung", sagte er tonlos. „Ich muss noch etwas in der Innenstadt erledigen. Danach hole ich dich hier wieder ab."

Siandra nickte nur stumm und stieg aus dem Auto aus. Der Tumult der Gefühle war mit einem Schlag zurückgekehrt, als sie an das Treffen dachte, das vor ihr lag. Was würde ihre Mutter ihr sagen? Würde sie endlich die Wahrheit erfahren? Ihr Blick wanderte zu der Reiterstatue, die über dem Heumarkt thronte und mit leblosen Augen auf die Menschen herabsah. Sie fragte sich, ob ihre Mutter ihr etwas erzählen würde, was sie nicht schon längst wusste.

Als sie das kleine Café betrat, entdeckte sie ihre Mutter sofort. Sie saß an einem der runden Tische und nippte an einer breiten Tasse Kaffee. Siandra atmete tief durch, als eine Welle von Gefühlen sie zu überschwemmen drohte. Doch sie würde sich nicht von ihnen beherrschen lassen. Sie versuchte, sie in ihrem Inneren wegzusperren, als sie sich an den Tisch setzte.

„Siandra", sagte ihre Mutter und griff kurz nach ihrer Hand.

Ein Stich jagte durch ihr Herz, doch sie versuchte, es zu ignorieren. Sie begrüßte sie bewusst kühl, um die kleine Stimme in ihrem Inneren zum Verstummen zu bringen. Hastig drehte sie sich auf dem Stuhl um und bestellte sich etwas zu trinken.

Ihre Mutter schwieg eine Weile, ehe sie zum Sprechen ansetzte. „Du fragst dich sicher, warum ich dich herbestellt habe."

„Du sagst es." Angespannt krallte Siandra eine Hand in den Stoff ihrer Hose. Sie fühlte sich hin und her gerissen, zwischen dem Verlangen, einfach aufzustehen und aus dem Café zu türmen und ihrer Mutter um den Hals zu fallen. Minuten vergingen, ohne dass einer der beiden etwas sagte. Erst, nachdem der Kellner das hohe Glas vor Siandra abgestellt hatte, schien wieder Leben in ihre Mutter zu kommen.

„Ich habe gehört, du hast deinen Vater kennengelernt", sagte sie leise und nippte an ihrer Tasse.

„Flüchtig."

„Es tut mir leid", flüsterte ihre Mutter und für einen kurzen Moment schien die Schuld und die Trauer sie zu überwältigen. Sie strich über ihre Augen, ganz, als würde sie eine Träne hinfortwischen. „Du hättest es schon viel früher erfahren müssen. Doch ich wusste einfach nicht, wie ich es dir sagen sollte. Wir wussten es nicht. Liza war ebenso ratlos, wie ich. Immerhin ist das keine Information, die man zwischen Tür und Angel erzählt."

„Aber ich hätte ein Recht gehabt, es zu erfahren."

Sie nickte. „Ja das hättest du. Und es tut mir leid, dass ich dir diese Informationen vorenthalten habe."

„Tante Liza sagte, ihr habt mich vor ihm versteckt, weil er mich töten wollte." Siandra wunderte sich, wie fest ihre Stimme klang, obwohl ihr Innerstes rebellierte und sie sich mehr als alles andere Elyano an ihre Seite wünschte. Doch das musste sie alleine schaffen. Es war ihre eigene Bürde.

Ihre Mutter schluckte. „Shaikos konnte es einfach nicht verstehen. Er hat nur all das gesehen, was du nicht warst und nicht das, was du bist. Er wollte all dem ein Ende setzen. Doch ich konnte es nicht. Ich konnte dich nicht für seine Sache opfern. Also bin ich gegangen und Liza hat mir dabei geholfen. Ich hatte so gehofft, dass er dich niemals finden würde. Dass diese Welt dich niemals finden würde. Doch ich habe mich getäuscht."

„Du wusstest also davon", sprach Siandra das aus, was ihr schon lange klar war. „Du wusstest von dieser Welt und hast mich im Unklaren gelassen."

„Es war sicherer für dich, nichts zu wissen."

Siandra seufzte. Das hatte Teddy auch gesagt, damals, als sie erfahren hatte, dass auch er sie jahrelang im Unwissen gelassen hatte und vielleicht hatten die beiden auch recht. Vielleicht war es wirklich sicherer für sie gewesen, nichts zu wissen. Und doch fragte sie sich, ob sie vielleicht anders auf vieles reagiert hätte, hätte sie wenigstens etwas geahnt. „Aber", setzte sie an und strauchelte über die Gefühle, die sie zu übermannen drohten. „Wie hast du von der Welt erfahren? Du bist doch..." Sie traute es sich kaum auszusprechen, hatte Angst vor der Antwort.

„Ich bin ein Mensch, bin es immer gewesen. Ich habe Shaikos im Studium kennengelernt. Er war schon zwei Semester weiter als ich und wusste es mit seiner charmanten Art sogar den störrischsten Dozenten auf seine Seite zu ziehen. Und auch mich hatte er schnell von sich überzeugt. Ich hatte nicht das einfachste Verhältnis zu meinen Eltern.

Aber Shaikos war auf seine Art immer für mich da, hat es immer geschafft, mich aus jedem Tief wieder herauszuziehen. Er war mein bester Freund." Ein wenig zu krampfhaft schloss sich ihre zitternde Hand um die Kaffeetasse. Siandra schwieg, wollte ihre Mutter nicht unterbrechen, auch wenn ihr unzählige Fragen auf der Zunge lagen. Ihre Mutter seufzte. „Es gab Zeiten, da hätte ich alles für ihn getan. Er hat mich immer unterstützt, selbst als ich mein Studium abbrach und einen Mann heiratete, den er auf den Tod nicht ausstehen konnte. Auch wenn er meine Entscheidungen oftmals nicht gutheißen konnte, war er für mich da. Und auch ich habe ihn unterstützt, so gut ich konnte. Doch den letzten Schritt konnte ich nicht mit ihm gemeinsam tun."

„Was war dieser Schritt?", fragte Siandra und spürte, wie sich ein Kloß in ihrem Hals bildete. Hastig trank sie einen Schluck von ihrem Cappuccino.

„Es war der letzte Schritt, um die Forschungen zu vollenden."

Bei dem Wort Forschungen brach der Schatten von Erinnerungen über Siandra zusammen und riefen einen Namen unweigerlich in ihr Gedächtnis. Rotkäppchen.

„Shaikos war schon immer ein ehrgeiziger Wissenschaftler. Er wusste es, sogar mich immer wieder von seinen Forschungen zu begeistern und das, obwohl Naturwissenschaften nie etwas waren, das mich interessierte. Doch Shaikos hatte schon immer so eine Art, andere für sich einzunehmen. Als er mich um meine Unterstützung bat, habe ich sofort zugestimmt, auch wenn mir nicht klar war, was das für mich heißen würde. Ich wurde seine rechte Hand, unterstützte ihn bei seinen Forschungen, auch wenn er mir nie sagte, worum sie eigentlich kreisten. Doch ich war naiv und gutgläubig und habe seine Handlungen niemals hinterfragt. Ich kann mich noch gut an den Abend erinnern, an dem er mir mitteilte, dass seine Forschungen endlich Erfolge erzielten. Wir feierten es zusammen mit seiner Kollegin Alessandra und anderen Forschern, doch irgendwann blieben wir alleine zurück. Und eins kam zum anderen." Siandras Mutter schloss kurz die Augen, als die Erinnerungen sie übermannten und nahm einen Schluck aus ihrer Tasse. „Als ich herausfand, dass ich von meinem besten Freund schwanger war, wusste ich nicht weiter. Ich traute mich nicht, mit Shaikos darüber zu reden, obwohl er immer der Einzige war, dem ich alles erzählen konnte. Also beichtete ich es Liza, seiner Schwester. Sie drängte mich, es ihm zu erzählen und das tat ich auch. Hätte ich es bloß nicht getan. Wäre ich einfach gegangen, dir wäre so viel erspart geblieben. Doch ich erzählte ihm davon. Du hättest Shaikos Gesicht sehen sollen. Ich dachte, er würde wütend werden, brüllen und Dinge durch die Gegend werfen, doch er blieb ruhig. Jedenfalls für einen kurzen Augenblick. Er freute sich. Ich konnte es kaum glauben. Doch ich hatte eine Familie, einen Mann und eine kleine Tochter. Shaikos hatte aber einen Plan und wusste es, mir die Unsicherheit zu nehmen. Mein Leben verwandelte sich nach und nach immer mehr zu einer einzigen großen Lüge. Doch ich hinterfragte es nicht. Ich genoss die Zeit mit meiner Familie, doch genauso genoss ich sie bei Shaikos, Alessandra und den anderen Forschern. Ich hätte niemals geglaubt, dass ich irgendwann einmal vor meinem besten Freund fliehen müsste. Erst viel später erfuhr ich, dass Shaikos mich in vielen Dingen belogen und hinters Licht geführt hatte. Doch in einer Sache hatte er nie gelogen: in seiner Zuneigung zu dir."

„Aber er wollte mich töten! Wie groß kann seine Zuneigung da sein?"

Das Gesicht ihrer Mutter verdüsterte sich. „Es ist bei weiten nicht mein Wunsch, Shaikos in Schutz zu nehmen, doch ich glaube, in seiner eigenen verdrehten Sicht der Dinge hat er keine andere Möglichkeit gesehen. Ich weiß nicht, was er in dir sehen wollte, weiß nicht, was für Forschungen ihn angetrieben haben, doch es lief in eine andere Richtung, als er sich erhofft hat, in eine Richtung, die ihm Angst machte. Und so wollte er all dem ein Ende bereiten. Doch ich konnte es nicht. Nach so vielen Jahren, in denen ich immer seinem Wort gefolgt bin, habe ich mich gegen ihn gestellt und bin geflohen. Liza hat mir dabei geholfen alles in die Wege zu leiten und unterzutauchen, genau wie Thomas, der schon seit vielen Jahren ein guter Freund war. Die erste Zeit lebte ich in ständiger Angst, Shaikos würde uns doch noch finden, doch nach und nach beruhigte ich mich. Ruhe kehrte ein und ich genoss die Zeit mit meinen zwei Mädchen und meinem Mann, auch wenn ich nichts schrecklicher vermisste, als meinen besten Freund. Doch du warst in Sicherheit und das war die Hauptsache."

„Aber warum wollte er mich töten?", fragte Siandra mit zittriger Stimme. „Was für Forschungen waren das, die schief gelaufen sind?"

Ihre Mutter senkte den Blick. „Ich weiß es nicht. Er hat mir nie davon erzählt und ich habe nie nachgefragt. Mir hat es immer gereicht, Teil eines großen Ganzen zu sein. Doch an dem Tag, als er mir eröffnete, was er mit dir vorhatte, konnte ich ihm nicht mehr länger folgen."

„Und du hast nie wieder etwas von ihm gehört?"

Ihre Mutter schüttelte den Kopf. „Auch wenn ich ihm immer alles erzählte, was mich belastete, gab es viele Dinge, die er nicht wusste. Er kannte nie den Namen meines Mannes, wusste nicht, welchen Namen ich nach der Hochzeit angenommen hatte. Es waren alles Dinge, die ihn nie interessierten und die ich ihm nicht auf die Nase binden wollte. Erst später wurde mir klar, dass er wohl nur auf der Lauer gelegen hatte, um auf den richtigen Moment zum Zuschlagen zu warten."

„Und doch hast du mir alles verheimlicht."

„Siandra..."

Siandra spürte, wie die Gefühle sie zu übermannen drohten. Was hatte Shaikos nur mit ihr vorgehabt und was war schief gelaufen?

„Du warst nie in Gefahr", flüsterte ihre Mutter. „Thomas hatte stets ein Auge auf dich..."

„Ich war nie in Gefahr?", brach es aus Siandra heraus. „Er war es aber nicht, der mich vor den Jägern oder den Wölfen bewahrt hat!" Nein, das war Elyano gewesen.

„Du musst mir glauben, dass ich immer nur dein Bestes wollte", sagte ihre Mutter mit schwacher Stimme und griff nach ihrer Hand. Siandra zog sie nicht weg. „Ich habe mir immer gewünscht, dass du niemals mit dieser Welt in Kontakt kommen würdest. Dass sie dich nicht finden würde."

Siandra biss auf ihre Unterlippe, um ihre Gefühle in Zaum zu halten. Auf einmal musste sie an Falladas Worte denken. *Wenn das deine Mutter wüsst', das Herz tät ihr zerspringen.* War es nur ein Zufall gewesen oder wusste das Pferd Bescheid? Siandra schüttelte kaum merklich den Kopf. Nein, das konnte nicht sein.

„Es gibt immer noch einen Weg zurück" sagte ihre Mutter und riss sie aus ihren Gedanken. „Ich bin mir sicher, dass Liza dir erneut helfen kann, unterzutauchen. Ich muss mir nur überlegen..."

„Ich werde nicht fliehen. Nicht jetzt, nicht nachdem ich einen Ort gefunden habe, den ich mein Zuhause nennen kann und jemanden, der mich wirklich liebt."

Siandra schmerzte es, als sie die Tränen sah, die über die Wangen ihrer Mutter liefen. „Wenn er dich tatsächlich lieben würde, dann würde er dich gehen lassen. Er würde nicht zulassen, dass Shaikos auch nur eine Möglichkeit hat, dich zu finden. Ich weiß nicht, was dein Vater tun wird, ob seine Liebe zu dir den fanatischen Forscher in ihm zum Verstummen bringen kann. Doch darauf möchte ich es nicht ankommen lassen. Du musst fort, Siandra! Und wenn er dich wirklich so sehr liebt, wie du sagst, dann wird er es verstehen..."

„Nein!", rief Siandra unter aufkommenden Tränen, so laut, dass sich die anderen Gäste, die ein ganzes Stück von ihnen entfernt saßen, geschockt zu ihnen umdrehten. „Du kannst sagen, was du willst, ich werde nicht fliehen. Ich werde ihn nicht verlassen, auch wenn das heißt, dass ich meinem Vater gegenübertreten muss."

„Siandra..."

Die Tränen hatten sich nun endgültig an die Oberfläche gedrängt. „Nein! Du kannst nichts sagen, um mich umzustimmen. Ich bin nicht, wie du!" Sie sprang so ruckartig auf, dass ihr Glas beinahe umgekippt wäre, aber es war ihr egal. Ihre Mutter rief ihr hinterher, doch sie wollte nichts mehr hören.

Tränen verschleierten ihre Sicht, als sie über die glatten Steine des Heumarktes lief. Immer wieder spürte sie die beunruhigten Blicke der Menschen auf sich liegen, doch sie ignorierte sie. Sie wollte einfach nur weg.

Siandra sah das Auto nicht kommen. Erst, als sie das Quietschen der Reifen auf dem Asphalt hörte, begriff sie, dass sie auf die Straße gelaufen sein musste. Vor Schock war sie wie gelähmt, sah nur das Auto immer näherkommen. Mit einer ungeahnt schnellen Reaktion bremste der Autofahrer seinen Wagen. Kurz vor Siandra kam er zum Stehen, doch noch immer schaffte sie es nicht, sich zu bewegen. Erst die Stimme des Autofahrers riss sie aus ihrer Starre. „Siandra!" Sie kannte die Stimme. Es war Fynn, der sie nicht minder geschockt ansah und mühsam aus dem Auto kletterte. Das Hupkonzert hinter ihm ignorierte er, als er auf sie zu humpelte und sie in seine Arme zog. „Sag mal, spinnst du?", wisperte er in ihr Haar. „Was hattest du denn auf der Straße verloren, verdammt nochmal?" Er schob sie ein Stück von sich weg, um sie anzusehen. Sein Blick wurde weich, als er die Tränen bemerkte, die noch immer über ihre Wangen liefen. „Komm", flüsterte er und strich flüchtig über ihre Wange. „Bevor die hinter uns noch einen Herzinfarkt bekommen."

Sie konnte einfach nicht aufhören zu weinen. Auch als sie in Fynns Auto saß, flossen die Tränen in unaufhaltsamen Strömen über ihre Wangen, als hätte ihre Mutter etwas aufgebrochen, das nicht mehr zu kitten war. Sie bemerkte kaum, wie Fynn an den Straßenrand fuhr und das Auto anhielt. „Siandra", flüsterte er. „Was ist passiert?"

Doch sie antwortete nicht. Konnte es nicht.

„Ich weiß ja nicht, was deine Mutter dir erzählt hat, aber es ändert nichts daran, wer du bist. Du gehörst zu uns, nur das ist, was zählt."

„Sie hat mir von meinem Vater erzählt", sagte sie nach einer ganzen Weile mit brüchiger Stimme. „Und mich dazu gedrängt, fortzugehen und unterzutauchen, damit er mich nicht findet. Sie wollte, dass ich euch verlasse, Elyano verlasse, damit Shaikos nicht die Chance bekommt, seinen Plan doch noch zu vollenden."

Siandra hatte den Blick abgewandt, doch Fynn brachte sie behutsam dazu, ihn anzusehen. „Elyano wird nicht zulassen, dass dir auch nur irgendwas passiert und das weißt du. Er schützt, das was er liebt und wie sehr er dich liebt, kann jeder sehen. Und auch ich schwöre dir, alles in meiner Macht Stehende zu tun, damit deine Mutter nicht recht behält."

Siandra sagte nichts, lehnte nur ihren Kopf an seine Schulter. Ein stummer Schwur lag auch auf ihren Lippen. Sie würde alles daran setzen, damit es Fynn und auch Aisling wieder besser gehen würde. „Fährst du mich nach Hause?", fragte sie nach einer ganzen Weile des Schweigens. „Bitte."

Fynn nickte nur mit einem leichten Lächeln auf den Lippen und lenkte seinen Wagen zurück in den Stadtverkehr.

Auf dem Weg zurück in den Orden schwiegen beide, allein mit ihren eigenen Gedanken. Auch wenn die Tränen auf ihren Wangen versiegt waren, war da noch immer der Kloß in ihrem Hals, der sich einfach nicht löste. Immer wieder flogen ihre Gedanken zu ihrer Mutter und zu dem Mann, der sich ihr Vater nannte.

Fynn zog die Augenbrauen zusammen, als er auf das Gelände des Ordens fuhr. Siandra folgte seinem Blick und entdeckte Elyano, der an den runden Brunnen lehnte, die Arme vor der Brust verschränkt, das Gesicht unnahbar und kühl. Woher wusste ihr Rabe, dass er hier auf sie warten musste? Ob Fynn ihm Bescheid gegeben hatte? Doch ein

Blick in sein Gesicht verriet ihr, dass er von dem Auftauchen seines Bruders genauso verwundert war, wie sie.

Siandra konnte nicht erkennen, was in Elyanos Kopf vorging, als er auf das Auto zukam und die Beifahrertür öffnete. Doch als sein Blick auf Siandra fiel, wurden seine Augen weich. Er schickte einen stummen Dank an seinen Bruder, ehe er einen Arm um Siandra legte. Er fragte sie nicht, was passiert war, hielt ihr keinen Vortrag. Sanft navigierte er sie durch den Orden, bis zu dem kleinen Bad, das an ihr Zimmer angrenzte. Fast schon teilnahmslos stand Siandra da, während Elyano Wasser in die Badewanne einließ und schließlich auf sie zu kam. Mit routinierten Bewegungen machte er sich an ihrer Kleidung zu schaffen und hauchte immer wieder seidenweiche Küsse auf ihre Haut. In Rekordzeit zog er sich selbst aus und half ihr in die Badewanne. Er sagte nichts, nahm sie nur in die Arme und hielt sie fest. Erst die Wärme des Wassers und das Gefühl, das seine Haut auf ihrer auslöste, ließ die Kälte, die sich in ihrem Inneren ausgebreitet hatte, langsam schmelzen. *Wenn er dich wirklich lieben würde, dann würde er dich gehen lassen...* Die Stimme ihrer Mutter verfolgte sie und ließ sie nicht mehr los. Der Gedanke an ihren Vater. Doch sie würde nicht feige fliehen.

„Eorlina", flüsterte er in ihr Haar. Erst, als sein Daumen die Tränen sanft hinweg strich, wurde ihr klar, dass sie wieder weinte. „Wo bist du gewesen?"

Siandra schluckte, als sie den vertrauten Schleier spürte, der den letzten Rest der Kälte aus ihrem Körper verbannte. „Ich habe mich mit meiner Mutter getroffen", flüsterte sie und erzählte ihm stockend von dem Treffen mit ihr. Elyano hörte ihr ruhig zu. Er hatte einen Arm um sie geschlungen und strich mit der anderen Hand an ihrem Oberschenkel auf und ab. Seine Wange lag an ihrer und sie spürte seinen Atem, der über ihre Haut tanzte. Sein ganzer Körper spannte sich an, als sie ihm erzählte, was ihre Mutter verlangte. „Das würde ich niemals zulassen", stieß er hervor. „Ich liebe dich. Ich würde doch niemals zulassen..."

Sie drehte sich zu ihm um, sah tief in die dunklen Augen, die so sehr von den Sorgen der vergangenen und kommenden Wochen überschattet wurden. Stumm legte sie die Hände auf seine Schultern, und strich mit den Daumen über seinen Hals, als sie sich vorbeugte und ihn küsste. Erst flüchtig, dann mit immer drängenderer Leidenschaft. Sie wollte einfach nur vergessen. Die Worte ihrer Mutter, der Gedanke an Shaikos. Sie wollte sie hinwegstreichen, wie der Frühling den Schnee des Vorjahres. Elyano seufzte rau an ihren Lippen und erwiderte den Kuss mit einer Intensität, die ihr die Knie weich werden ließ. Seine Hände wanderten über ihren Körper, schienen überall zur gleichen Zeit zu sein. „Du bist so wunderschön." Seine Worte strichen über ihre Haut und drangen bis in Inneres. Sie vergrub die Hände in seinen Haare, als sie ihn stürmisch küsste und sich dicht an ihn drängte. Die Hitze seiner Berührungen ließ sie vergessen, zumindest für einen kurzen Augenblick. Er trug sie auf den Wogen der Leidenschaft hinfort, an einen Ort, fernab all ihrer Probleme und Sorgen, an dem es nur sie beide gab.

11. Ein Weg zu Stärke

Ich werde dich ja so was von fertig machen!", rief Fynn mit einem Grinsen und rollte in einem Rollstuhl auf das Indoor-Feld. Siandra beobachte ihn lächelnd, als er erst seinen Bruder und dann Zephir neckte und beinahe schon zur Weißglut trieb. Wie gut, dass die beiden ähnlich kindisch sein konnten. Wenn es sein musste, legten sie jedoch eine Engelsgeduld an den Tag, die Siandra jedes Mal von Neuem verblüffte – vor allem bei Zephir.

Fynn hatte heute einen guten Tag. Er schien keine Schmerzen zu haben, war fast schon euphorisch und aufgekratzt. Seine Energie würde er beim Paintball noch früh genug loswerden können.

„Hat einer von euch meinen Schuh gesehen?", fragte Siandra in die Runde.

Aiofé hob die Augenbrauen. „Wie kannst du bitte einen Schuh verlieren?"

„Pass auf, Eorlina", sagte Elyano mit samtweicher Stimme. „Du hast schon einmal einen Schuh nach mir geworfen. Soll sich das etwa wiederholen?"

Siandra streckte nur spielerisch die Zunge heraus, als er ihr ihn mit einem Zwinkern, wie einen gläsernen Schuh anbot. „Für meine Tänzerin", lächelte er.

Mit einem halben Grinsen auf den Lippen ging sie auf das Spiel ein und streckte ihm den einsamen Fuß entgegen.

Einer der Jäger, die sie begleiteten, gab einen frustrierten Laut von sich. „Nicht das noch. Beliar war damals schon kaum auszuhalten. Du musst jetzt nicht auch noch einen auf ‚Und sie lebten glücklich bis ans Ende' machen."

„Zu spät", erwiderte Elyano und küsste Siandra flüchtig, ehe er sich zu seinem Bruder umdrehte und die Hand nach den Griffen des

Rollstuhls ausstreckte.

Die Jäger waren in Bestform. Kaum, dass der Startschuss gefallen war, verteilten sie sich in unmenschlicher Schnelligkeit auf dem Feld und gingen dazu über, sich gegenseitig zu verfolgen. Die Jagd war ihre Bestimmung, das war nicht zu übersehen. Sie kannten die Tricks, wussten genau, wie sie reagieren mussten, um ihr Opfer mit einer Finte in die Falle zu locken. Siandra schaffte es kaum, ihnen zu folgen und bezweifelte nicht, dass Elyano den Jägern eingebläut haben musste, ihr Welpenschutz zu gestatten. Immer wieder liefen Jäger an ihr vorbei, doch sie schienen einen Bogen um sie zu machen. Im Gegensatz zu der Schnelligkeit mit der sie einander auswichen und angriffen, waren Siandras Bewegungen eher lachhaft.

Florian hatte zur Jagd auf Aiofé angesetzt. Siandra hatte immer gedacht, dass er keine Sekunde zu lang in der Nähe der Brüder aushielt. Warum war er überhaupt mitgekommen? Ihre Blicke trafen sich und für den Bruchteil einer Sekunde schien er auf sie zukommen zu wollen. Doch er stoppte in der Bewegung, als Zephir dicht an ihr vorbeisprintete. Sie verdrängte Florian aus ihren Gedanken und verfolgte einen der Jäger - angesichts seiner enormen Schnelligkeit ein unmögliches Unterfangen - als er plötzlich dicht hinter ihr stand. Er hob die Hand, stockte jedoch, schien etwas sagen zu wollen, doch er blieb stumm.

„Siandra!“

Als Aiofés Stimme an ihr Ohr drang, lief Florian plötzlich los, ohne ihr noch einen weiteren Blick zu schenken. Mehr aus Reflex drehte sie sich ruckartig um und schoss auf den Jäger, der in ihre Richtung vor den Zwillingen floh.

„Verdammt“, murmelte er. „Von einer Unreinen ausgeschaltet.“

Doch sie achtete nicht auf den Jäger. Zephir kam grinsend auf sie zugelaufen, die Hand zum High Five ausgestreckt. „War ne verdammt gute Idee, herzukommen! Fynn und Elyano sind ja kaum mehr zu bremsen.“

Lächelnd beobachtete Siandra die Brüder, die im halsbrecherischen Tempo über das Feld rasten und einen Jäger nach dem anderen ausschalteten. Fynn hielt das Gewehr in der linken Hand, während sein Bruder den Rollstuhl derart geschickt und schnell manövrierte, dass es Siandra mehr als einmal Angst und Bange wurde. Becca war auf die Idee gekommen. Das hinderte sie aber nicht daran, noch am Morgen abzusagen. Scheinbar war etwas anderes wichtiger gewesen. Auch Aisling war zuhause geblieben. Als Fynn hörte, dass es ihr nicht gut ging, wollte er auch im Orden bleiben, doch sie hatte es geschafft, ihm das auszureden - zum Glück. Der Hüter des Ordens war gelöst, wie schon lange nicht mehr.

„Komm", sagte Aiofé und hob ihre Waffe. „Wollen wir doch mal sehen, ob du mit deinem Studium nicht unerkanntes Potenzial aus dem Fenster schmeißt!"

Fynn war in einem einzigen Adrenalinrausch gefangen. Er fühlte sich so gut, wie schon lange nicht mehr und genoss jede Sekunde in vollen Zügen. Trotzdem konnte er es nicht verhindern, dass ihn seine Gedanken zurück in den Orden trugen. Was war mit Aisling los?

„Wo ist eigentlich Elyano?", fragte Zephir, der ihn durch die Halle schob. Er hatte seinen Bruder schon vor fast einer halben Stunde abgelöst.

Fynn ließ seinen Blick kurz über das Spielfeld wandern. Wohin Elyano verschwunden war, konnte er sich eigentlich fast schon denken. „Vermutlich hat er sich mit Siandra irgendwohin verzogen."

Zephir lachte hinter ihm, als er in einem halsbrecherischen Manöver einem der Jäger auswich und Fynn diesen mit einer der Farbkugeln traf. „Man könnte meinen, diese rosarote Brillen-Phase hat irgendwann ein Ende!", rief er gegen den Lärm in der Halle an.

Fynn grinste. „Du weißt doch, Elyano übertreibt gerne schon mal." Er drehte ruckartig den Kopf herum, als er eine Bewegung aus dem Augenwinkel vernahm. „Achtung!"

Doch Zephir hatte den Jäger, der sich aus dem Hinterhalt angeschlichen hatte, ebenfalls bemerkt. Mit Leichtigkeit wendete er den Rollstuhl. Fynns Kugel traf ihren Angreifer an der Schulter und brachte ihn aus dem Gleichgewicht.

Nach einer Weile standen sich nur noch Florian, Zephir und Fynn gegenüber. Der Hüter des Ordens ließ seinen Blick wachsam über das Gelände schweifen. Er konnte Florian nicht entdecken, doch das hatte nichts zu heißen. Er kannte ihn mittlerweile gut genug, um zu wissen, dass er noch irgendwo auf dem Feld war. Wenn es vermeidbar war, griff Florian niemals direkt an. Wie der Biss einer Schlange ließ er seine Falle stets aus dem Zwielicht heraus zuschnappen.

„Was meinst du, wo er steckt?", flüsterte Zephir leise und schielte beunruhigt um die nächste Ecke. Fynns Blick hingegen wanderte hoch. Florian wurde nicht ohne Grund Wanderfalke genannt. Wenn sie mit ihm rechnen konnten, dann von oben. Einen kurzen Moment lang dachte er, eine Bewegung auf dem kleinen Dach zu erahnen, doch als er seinen Blick darauf richtete, konnte er nichts erkennen.

„Er ist hier", antwortete er ebenso leise. „Er beobachtet uns von oben und wartet nur auf den rechten Moment, um zuzuschlagen."

Kurz fiel sein Blick auf seinen Bruder, der Siandra hinter sich her zog und ein Lächeln schlich sich auf Fynns Gesicht. Elyano drehte sich immer wieder halb zu ihr um und flüsterte ihr etwas ins Ohr, das sie kichern ließ. Es tat gut, Elyano nach so langer Zeit endlich glücklich zu sehen. In seiner Zeit bei Rotkäppchen hatte er stets eine undurchdringbare Maske wie eine zweite Rüstung getragen, doch nun trat endlich wieder das Lächeln hervor, das ihn als kleinen Jungen stets wieder aufgebaut hatte.

„Achtung!" Jetzt war es Zephir, der ihn aus den Gedanken riss. „Rechts von dir!"

Fynn duckte sich unter dem Schuss hindurch, schaffte es aber nicht, einen eigenen Treffer zu landen. Der Rollstuhl kippte beinahe, als Zephir sich ruckartig in Bewegung setzte.

„Wo kam der denn plötzlich her?", zischte Zephir nah an seinem Ohr und sah über die Schulter, um nach Florian Ausschau zu halten. Doch der Jäger verfolgte sie nicht. Jedenfalls nicht von hinten.

„Wanderfalke", sagte Fynn schlicht und ließ seine geschulten Augen immer wieder nach oben wandern. Es war riskant, durch die schmalen Gänge zu rasen. An jeder Ecke konnte Florian auf sie lauern, in jedem Winkel konnte er stecken. Doch nicht nur er war auf der Jagd. Auch sie waren auf der Suche nach ihm.

Nach einer Weile wurde Zephir langsamer. „Er ist hier nicht", sagte er und drehte den Rollstuhl, um ihn aus dem Labyrinth der engen Gänge herauszuschieben. „Vielleicht hat er sich aufs freie Feld zurückgezogen."

Doch Fynn achtete nicht darauf, was Zephir sagte. Aus dem Augenwinkel bemerkte er eine Bewegung und schoss, dicht an Zephir

vorbei.
„Hey!“, protestierte Zephir und fluchte, doch dann fuhr sein Blick herum.
Ungläubig starrte Florian auf den bunten Fleck an seinem Arm, ehe seine Augen zum Hüter des Ordens wanderten. Fynn hielt die Luft an, als der Jäger respektvoll den Kopf neigte. Was hatte das denn zu bedeuten? Wie vom Donner gerührt saß Fynn da, konnte kaum glauben, was da eben geschehen war. Von jedem anderen hätte er eine solche Reaktion eher erwartet, als von Florian.
„Welche Leitung ist dem denn durchgeschmort?“, fragte Zephir hinter ihm ebenso fassungslos, ehe er mit den Schultern zuckte und breit grinste. „Auch gut. Ich glaube, wir haben gewonnen.“
Fynn grinste, als Zephir ihn zu den anderen schob und sein Blick auf seinen Bruder fiel. Der Rabe hatte einen Arm um Siandra gelegt und schien auf ihn zu warten. Doch nicht das war es, weshalb Fynn sich das Lachen kaum verkneifen konnte. Es waren die vielen Farbflecken, die auf der Kleidung seines Offiziers verteilt waren.
„Was ist denn mit dir passiert?“, fragte er prustend.
Elyano verdrehte die Augen. „Ich bin in einen ausgeklügelten Hinterhalt geraten.“
„Wenn man eben nicht mehr mit dem Kopf denkt...“ flötete Aiofé und duckte sich unter Elyanos spielerischen Schlag hindurch. „Unser lieber Rabe hatte nur Augen für Siandra und hat mich und die anderen Jäger nicht gesehen, die sich von hinten angeschlichen haben. Siandra hat den Lockvogel gespielt und wir haben den großen Offizier in die Knie gezwungen.“
„Ich weiß ja, wenn man verliebt ist, verliert man schon mal den Kopf“, sagte Zephir feixend. „Aber wenn du nicht aufpasst, verlierst du ihn noch tatsächlich.“
„Mach dir nichts draus“, sagte Siandra und küsste ihn auf die Wange.
Elyanos Mundwinkel zuckte. „Da hast du aber etwas gut zu machen.“
„Später, mein Lieber. Später.“
Fynn lächelte, als er aus seinem Rollstuhl aufstand. Doch die Freude über Elyanos Glück konnte ihn nicht lange von seinen Sorgen ablenken, von den Sorgen, die um Aisling kreisten. Er versuchte, die Schlange, die ihn so lange in Frieden gelassen hatte und die nun wieder

hervorkroch, verstummen zu lassen, doch sie blieb hartnäckig. Leise zischte sie in seinem Inneren.

„Wo ist eigentlich Florian?", fragte einer der Jäger plötzlich hinter ihnen. Verwirrt sah Fynn sich um. Er hatte recht. Florian war wie vom Erdboden verschwunden. Doch er tat es nur mit einem Schulterzucken ab. Nichts, was ihn zutiefst stören würde. Immerhin hatte sein Jäger noch einen Dienst im Orden abzuleisten.

Fynn richtete sich auf und verlagerte das Gewicht von einem Bein auf das andere, als Mirko, einer seiner Jäger, mit vor Wut starrem Gesicht auf ihn zu kam und ihn so heftig anrempelte, dass er beinahe das Gleichgewicht verlor. „Du hättest Ariels Beispiel folgen sollen", zischte er hasserfüllt und gab der Schlange noch mehr Grund zu wüten.

Aus dem Augenwinkel bemerkte er, dass Elyano den Jäger ebenso gut verstanden hatte. Wütend ballte er die Fäuste, doch Fynn schüttelte nur kaum merklich den Kopf, als der Zorn sein Herz umspülte. Er versuchte, die Schlange hinter der Mauer wegzusperren, wie es ihm in den letzten Tagen gelungen war, doch sie ließ sich kaum zurückdrängen. Ohne die Miene zu verziehen, griff er nach der Paintball-Waffe, die noch in seiner Reichweite lag und drückte ab. Er traf den Jäger dreimal. Mit einem wütenden Aufschrei stürzte sich Mirko auf Fynn. Doch er hatte nicht mit Elyano gerechnet. Kurzerhand schlug dieser zu und schickte den Jäger, der seinen Angriff nicht kommen gesehen hatte, zu Boden. Mirko fiel auf einen Glastisch, der unter seinem Gewicht brach.

Fynn starrte ihn perplex an, doch der Rabe zuckte nur unschuldig mit den Schultern. Er wusste, dass sein Bruder seit langem mit Mirko eine Rechnung offen hatte und den Schlag mit Sicherheit ebenso lange erhofft hatte.

„Was ist hier los?", rief plötzlich eine erboste Stimme hinter ihnen. Als Fynn sich zu der Quelle der Stimme umdrehte, erkannte er, dass es ein Mitarbeiter sein musste. Er konnte nicht anders, als zu grinsen, als er an Elyanos Worte dachte, die er ihm voller Wut an den Kopf geworfen hatte. „Wie war das noch mit der wilden Jugend? Mir scheint, wir sind beide unverbesserlich."

Fynns erster Weg führte ihn zu den Zimmern, die er mit Aisling bewohnte. Wie immer war es Zephirs diplomatischem Geschick zu verdanken, dass sie heil aus der Paintball-Halle herausgekommen waren. Es dauerte nicht lange, bis er den Inhaber von einer Anzeige abbringen konnte - hinausgeworfen hatte er sie trotzdem und zwar im hohen Bogen. Mirko hatte ihn kurz wütend angefunkelt, ein Taschentuch auf seine blutige Nase gepresst und war dann abgerauscht. Sein Rücken hatte scheinbar nichts abbekommen. Seitdem hatte Fynn ihn nicht mehr gesehen, doch er verschwendete auch keinen weiteren Gedanken an Mirko. Er dachte nur noch an Aisling und an ihr Geheimnis, das ihn einfach nicht losließ.

Aisling saß auf dem Sofa, als Fynn mit dem Rücken die Tür aufstieß. Etwas umständlich trat er in den Raum, ein Tablett mit Tee zwischen Arm und Brust geklemmt und stakste auf sie zu. Aisling hob den Blick von ihrem Buch und wollte aufspringen, doch er schüttelte nur den Kopf und stellte das Tablett auf dem niedrigen Couchtisch ab. Der kleine Kessel wackelte bedrohlich, blieb aber stehen. Mit einem leichten Lächeln auf den Lippen beugte er sich vor und küsste sie.

„Wie war‘s?“, fragte sie an seinen Lippen.

„Es war schön“, sagte er und erzählte ihr kurz von ihrem Tag in der Paintball-Halle. Den unschönen Teil ließ er aus. Er wollte Aisling nicht weiter beunruhigen und auch selbst nicht mehr daran denken. Am liebsten würde er die Gedanken an die Ausweglosigkeit seiner Situation im hintersten Winkel seines Verstandes verschließen. In seinem Inneren rief alles danach zu fliehen, als er an das dachte, was vor ihm lag. Eine Schlacht, der sie sich stellen mussten, wenn sie nicht wollten, dass die Halbblüter sie überrannten. „Das ist nicht wichtig“, flüsterte er. „Wie geht es dir?“ *Was ist mit dir?*

Er spürte, wie ihre Hand in seinen Nacken wanderte und ihn zärtlich streichelte. „Mach dir keine Sorgen“, antwortete sie sanft. „Es geht mir gut.“ Ein weiches Lächeln lag auf ihren Lippen, doch er konnte die Schatten nicht übersehen, die in Aislings Augen lagen und das Geheimnis versteckten, das sie vor ihm hegte. *Was ist nur los mit dir?*, fragte er sich im Stillen erneut, doch er sagte nichts. Er wagte es nicht, sie zu fragen, hatte Angst vor der Antwort. Ein unausgesprochenes Wort konnte schmerzhafter sein, als jedes Gesagte, doch er fürchtete sich davor, dass sie sich noch weiter von ihm abwandte.

Sie beugte sich vor und küsste ihn, sanft, fast schon flüchtig, ehe sie sich an ihn schmiegte. Er hörte das Klingeln seines Handys und spürte die Vibration an seinem Bein, doch er ignorierte es. Er wollte in diesem Moment verweilen, wollte die Probleme des Ordens wenigstens für einen Moment vergessen. Er seufzte und lehnte die Stirn an ihre Halsbeuge. Hier war er, der einzige Ort, an dem er sich nicht verstellen musste. Er wollte ihn nicht gleich wieder verlassen. Den ganzen Tag über musste er stark sein. Er wollte doch einfach nur hier liegen, nicht an das Gestern oder Morgen denken und einfach nur an ihrer Seite sein.

„Du solltest vielleicht drangehen", brach Aisling schließlich die Stille, als der Anrufende es bereits das dritte Mal versuchte. „Was auch immer Elyano möchte, es scheint wichtig zu sein, wenn er nicht aufgibt. Vielleicht gibt es Probleme..." Ihre Stimme erstarb.

Widerwillig löste Fynn sich von ihr und griff nach seinem Handy. „Was ist los?", fragte er etwas ruppiger, als beabsichtigt.

„Du musst sofort kommen", verlangte sein Bruder ohne Umschweife. „Es ist etwas passiert, als wir unterwegs waren. Du wirst als Hüter des Ordens gebraucht. Sofort!"

Mit einem unguten Gefühl im Bauch stand er auf. Hans im Glück hob den Kopf, als würde er den Tumult in Fynns Inneren zu bemerken und sprang hastig auf. Fynns Augen weiteten sich, als er erkannte, dass auch Aisling Anstalten machte ihm zu folgen. „Was tust du da?", fragte er perplex. „Bleib hier. Du..."

Sie verschloss seinen Mund mit ihren Lippen. „Ich komme mit dir", sagte sie bestimmt und griff nach seiner Hand. Fynn wollte etwas erwidern, doch sie zog ihn bereits durch die Tür. Er versuchte die Schlange in seinem Inneren, die sich gegen Aislings Berührung wehrte, zum Schweigen zu bringen, aber ihr leises Zischen drang selbst hinter den Mauern, die er um sie herum errichtet hatte, hindurch.

Er fand Elyano und einige andere Jäger im Ratssaal. Zu seiner Verblüffung musste er feststellen, dass auch Pyrros dort war. Der Fürst der Wölfe lehnte in seinem geschwächten Zustand an einer Mauer und wirkte nicht wie der mächtige General, der er noch vor der Gefangenschaft gewesen war. Als Pyrros Fynn entdeckte, verzog sich sein Mundwinkel zu einem halben Grinsen und das triumphierende Funkeln in seinen Augen brachte den Hüter des Ordens beinahe zur Weißglut. „Was ist hier passiert?", verlangte er zu wissen und klammerte sich an seiner Wut fest, um seine Stärke zu bewahren.

„Unsere Jäger scheinen ihren Eid nicht mehr ganz so ernst zu nehmen", erwiderte Elyano mit schneidender Stimme. Sein Bruder stand mit verschränkten Armen neben Pyrros. Fynn war sich sicher, dass er nur darauf wartete, den Wolf bei einem Fluchtversuch mit einem gezielten Schlag zu Boden zu schicken. Siandra legte beruhigend eine Hand auf den Arm ihres Raben. Kurz wandte er sich ihr zu und seine Augen wurden weicher, doch der Ausdruck verschwand, als er sich wieder zu dem Wolf umdrehte.

Fynns Blick wanderte zu den Jägern, die auf der Stirnseite des Raumes standen. Einer von ihnen saß auf dem Boden und hielt sich den Kopf, während ein anderer ohne die Wand zu seiner Rechten wohl nicht im Stande wäre, gerade zu stehen. Nur Florian stand hoch erhobenen Hauptes da und bot Fynn die Stirn. Er erwiderte seinen Blick mit einer Härte, die selbst Fynn für einen kurzen Moment zögern ließ. Er klammerte sich noch fester an die Wut und spürte, wie Aisling sanft seine Hand drückte.

„Warum ist er hier?", fragte Fynn und warf einen Blick auf den Wolfsfürsten.

Das selbstgefällige Lächeln auf Pyrros' Lippen verschwand nicht, auch nicht, als er mit den Schultern zuckte. „Was kann ich denn dafür, dass eure Jäger einfach viel zu gutgläubig sind?"

Fynn achtete nicht auf ihn, sondern wandte sich an seinen Bruder. „Was ist passiert?"

„Die Jäger, die Pyrros bewachen sollten, sahen es scheinbar nicht für nötig, eine gewisse Ernsthaftigkeit an den Tag zu legen. Anstatt ihre Arbeit zu erledigen, haben sie sich lieber... anderweitig vergnügt. Und damit Pyrros Tür und Tor geöffnet." Elyano warf einen geringschätzigen Blick auf die Jäger, die mehr an der Wand hingen, als an ihr standen. Fynn brauchte nicht genauer hinzusehen, um zu erkennen, dass sie sich irgendetwas eingeworfen haben mussten.

„Was hat er damit zu tun?", fragte Fynn, als seine Augen erneut Florian streiften. Der Jäger erwiderte seinen Blick mit der gleichen Härte.

„Es war seine Aufgabe, Pyrros zu bewachen, doch anstatt seinen Pflichten nachzukommen, hat er diese beiden dazu beauftragt. Und wie sehr dies von Erfolg gekrönt war, wissen wir ja."

„Wo bist du gewesen, Florian?", fragte Fynn mit seidenkalter

Stimme. „Du hättest sofort zurückkehren sollen. Was war wichtiger, als dem Befehl deines Hüters nachzukommen?“

„Er hat sich mit einem Menschen getroffen“, warf der Jäger ein, der die Wand als Stütze missbrauchte.

„Halt die Schnauze!“, raunzte Florian ihn an. „Das geht hier niemanden etwas an.“

Siandra hielt die Luft an. Konnte das...? Nein, das war nicht möglich.

„Wenn du dadurch deine Pflichten vernachlässigst, geht es mich sehr wohl etwas an! Was hast du mit einem Menschen zu schaffen?“

„Er trifft sich schon eine ganze Weile mit ihr. Scheint einen echten Narren an ihr gefressen zu haben.“

„Wenn du nicht gleich dein verdammtes Maul hältst...“

„Florian!“, herrschte Fynn ihn an. „Ist das wahr?“

Kurz zuckte der Jäger unter Fynns Stimme zusammen, ehe er seine gleichgültige Maske wiederfand und dem Hüter des Ordens die Stirn bot. „Und wenn dem so wäre?“

„Du kennst das Gesetz. Es ist verboten, einen Menschen...“

„Und was ist mit Thomas Brockmann?“, warf Florian ein. „Seit Jahren lebt er mit einem Menschen zusammen und macht nicht einmal einen Hehl daraus. Diese scheinheiligen Gesetze gehören schon seit langem überholt!“

„Aschenputtel weiß davon und er kennt die Konsequenzen seiner Entscheidung. Er lebt als Ausgestoßener unter Seinesgleichen.“

„Er ist ein führendes Ratsmitglied, sogar Reichskanzler!“, rief Florian erbost. „Wie ausgestoßen kann er da sein?!“

„Die Mitglieder des Rates gehen dich nichts an, Jäger! Du kannst dir sicher sein, dass Thomas Brockmann gelernt hat, mit den Konsequenzen zu leben.“

„Das ist doch Wahnsinn! Wie sollen wir einem Hüter folgen, der mit zweierlei Maß misst? Einem scheinheiligen Hüter, der es nicht einmal schafft, seinen Orden vor den Bedrohungen von außerhalb zu schützen. Wie kann dir nur irgendwer vertrauen, wo du uns doch schon bereitwillig in die Hände unserer Feinde begibst?!“

Fynn spürte, wie die Schlange sich immer weiter aus ihrem Gefängnis hinter der Mauer hervorwagte und die Wut sein Herz umspülte. Der Hass nahm sein ganzes Denken ein. Der Hass und die Angst. Angst davor, was passieren würde, wenn ihr Respekt vor ihm noch weiter sank. Er wusste genau, was mit ihm geschehen würde, wenn sie zu dem Schluss kamen, dass sie jemand anderen an ihrer Spitze sehen wollten. Sie würden ihn stürzen und den Eid damit brechen. Ein Eid, der erst mit dem Tod enden durfte... Kurz schloss er die Augen, wünschte sich weit weg von hier. Doch es gab keinen Platz für Selbstmitleid oder Schwäche. Das Spiel hatte sich geändert und niemand würde ihm die Regeln erklären. Aisling strich sanft über seinen Arm und er spürte Hans im Glück, der sich an sein Bein schmiegte.

Sein Blick wanderte über die Jäger. Er musste auf Kleinigkeiten mit erbarmungsloser Härte reagieren, nur so hatten sie Respekt vor ihm. Es gab keinen Weg zurück. Besser man wurde gefürchtet, als für schwach gehalten. „Marius?", rief er einen der jüngeren Jäger heran, die das Treiben atemlos verfolgt hatten. „Sag mir. Ihre Zehen brauchen sie nicht unbedingt zum Jagen, oder irre ich mich da?"

Fynn ignorierte den fassungslosen Blick seines Bruders. Er wusste genau was er tat. Was er tun musste.

Marius schien noch nicht ganz zu begreifen, was er damit meinte. „N-nein, mein Hüter", antwortete er verwirrt.

„Lass Jacob rufen", erwiderte Fynn und drehte sich zum Gehen um. „Mal sehen, ob sie immer noch denken, sie könnten sich meinen Befehlen widersetzen, wenn ihnen zwei von ihnen fehlen."

Er spürte die entsetzten Blicke, die in seinen Rücken stachen und brauchte sich nicht umzudrehen, um zu erkennen, dass sein Befehl Wirkung gezeigt hatte. Florian fluchte ungehemmt und Aisling rief seinen Namen, doch er konnte es sich nicht erlauben, schwach zu wirken. „Vergeude deine Worte nicht an ihn", sagte Florian mit hasserfüllter Stimme. „Sein Herz ist schon lange tot."

Vielleicht hatte er recht. Vielleicht musste es das auch sein, damit er bestehen konnte. Fynn strich flüchtig über den Kopf des Hundes, der neben ihm hertrottete, ehe er den Raum verließ.

Aisling schlang die Arme um ihren Körper, als Elyano und Siandra an sie herantraten. Der Rabe legte einen Arm um sie, zog sie an sich heran und Aisling ließ ihn gewähren. „Er wird immer härter und grausamer", flüsterte er und beobachtete aus dem Augenwinkel die drei Verurteilten, die von einer handvoll Jäger abgeführt wurden.

Elyano strich behutsam über ihren Arm. Nach einem Moment der Stille flüsterte er „Solange er mit dem Hund noch so liebevoll umgeht, habe ich noch Hoffnung."

Angespannt verwebte Aisling ihre Finger. „Warum tut er das nur? Warum denkt er..."

„Er sucht einen Weg, sich vor den Jägern zu behaupten. Einen Weg, seine Stärke zu beweisen..."

Aisling schwieg, genau wie Siandra und Elyano. Stumm starrten sie die Tür an, durch die Fynn verschwunden war. Es musste doch irgendeinen Weg geben...

„Warum tut es nur so weh?"

„Weil auch du immer noch hoffst...", flüsterte Elyano traurig.

„Wusstest du, dass er hier ist?", fragte Siandra ihrem Raben und beobachtete Fynn beunruhigt, der sich vor seinem Büro mit Shaikos Beleton unterhielt. Ihr Vater trug einen grauen Anzug und wirkte fast, wie einer der Geschäftsmänner, die sie immer wieder auf dem Hauptbahnhof umrannten. Elyano schüttelte den Kopf. Er wirkte genauso verwundert wie sie. Warum hatte sein Bruder ihm verschwiegen, dass Shaikos kommen würde?

„Wir sollten bald zuschlagen", sagte Shaikos nachdrücklich. „Eine Schlacht wird bereits im Kopf gewonnen und wir sind den Halbblütern meilenweit voraus. Unser Heer wird sie überrennen, noch bevor sie überhaupt merken, was passiert."

Der Ratsherr verneigte sich und wandte sich zum Gehen um, als sein Blick auf Siandra fiel. Ein halbes Lächeln stahl sich auf seine Lippen, als er näherkam und sie plötzlich am Handgelenk packte. Siandra merkte, wie Elyano sich anspannte und mit dem Ich-brech-dir-alle-Knochen-Blick, den er so gut beherrschte, dazwischengehen wollte, doch Shaikos hauchte ihr nur einen Kuss, kalt wie Dunst, auf ihre Wange. „Denk an meine Einladung, Tochter", flüsterte er, ehe er den Kopf neigte und ohne ein weiteres Wort davonrauschte.

„Was wollte er?", fragte Elyano, als er einen Arm um Siandra legte und sie dicht an sich zog.

„Nichts." Siandra war so perplex, dass die Lüge einfach über ihre Lippen kam. Ihr Herz schlug schnell in ihrer Brust, getrieben von ihren zwiegespaltenen Gefühlen. *Was sollte sie bloß tun?* Ihr Blick wanderte zu Elyano, über seine Züge, die Augen, die seinen Bruder verfolgten.

Sie musste es ihm sagen. Elyano würde wissen, was zu tun war. Bei dem Entschluss beruhigte sich ihr Inneres ein wenig.

Fynn stand in der Eingangshalle vor einigen seiner Jäger und verteilte Aufträge. Die Jäger hatten allesamt den Blick gesenkt, doch Siandra erkannte den Widerwillen, in einigen Gesichtern. Sie wagten es nicht, etwas zu tun. Fynns drastische Maßnahmen hatten sich schnell im ganzen Orden herumgesprochen. Doch war Grausamkeit der richtige Weg, um die Jäger dazuzubringen, ihm zu folgen?

„Führt einen Glückstanz auf, weint still in der Ecke oder was auch immer ihr vor einem Auftrag tut, aber macht es leise", hörten sie noch Fynn sagen, ehe er sich zu ihnen umdrehte. Das Gespräch mit Shaikos schien seine Laune eher verschlechtert, als verbessert zu haben. Kurz flackerte Erleichterung auf, als er seinen Bruder entdeckte, doch sie verschwand schnell.

„Du bist von deiner Patrouille zurück?", stellte Fynn ruhig fest.

Elyano nickte. „Keine besonderen Vorkommnisse rund um den Rhein. Du hattest mir gar nicht gesagt, dass Shaikos kommen würde. Was habt ihr besprochen?"

„Nichts Wichtiges", blockte Fynn ab. „Reine Routine."

Siandra sah ganz genau, dass Elyano seinem Bruder nicht glaubte. Sie hatten beide gehört, was Shaikos gesagt hatte und das hatte nicht gerade nach Routinemaßnahmen geklungen. Doch Elyano schwieg.

„Er hat mir nahegelegt, noch einmal mit dem Rattenfänger zu sprechen. In der momentanen Situation ist es unausweichlich."

„Was ist passiert?"

Fynn atmete tief durch. „Aschenputtel ist verschwunden."

Entgeistert starrte Elyano seinen Bruder an. „Was?"

„Genau wie ich es sage. Das Schloss ist wie ausgestorben. Selbst Beliar ist wie vom Erdboden verschluckt. Weder unsere Jäger noch Salomos Späher haben etwas herausfinden können. Wir brauchen sie. Du weißt, dass mir ohne sie die Hände gebunden sind."

„Und du glaubst, der Irre kann dir helfen?", fragte Elyano mit vor Missachtung triefender Stimme.

„Der Irre hat die Mittel und Wege, sie zu finden. Es bleibt mir nichts anderes übrig, als ihn um Hilfe zu bitten." Er schwieg einen Moment, schien die richtigen Worte zu suchen. „Begleitest du mich zu ihm?" Er hob den Kopf, als er eine Hand auf seiner Schulter spürte.

„Das brauchst du nicht zu fragen. Natürlich komme ich mit dir. Aber bist du sicher, dass du das willst? Niemand würde es dir übel nehmen, wenn du jemand anderen schicken würdest."

Doch Fynn schüttelte nur den Kopf. „Es ist leicht, seine Pflicht zu tun, solange es nichts kostet. Außerdem hat er ja scheinbar ausdrücklich nach mir verlangt." In seinem Ton schwang Spott und Abneigung mit.

Siandra ließ ihren Blick zwischen den beiden Brüdern hin und her wandern. Was war zwischen dem Rattenfänger und Fynn bloß vorgefallen?

„Fährst du auch mit?", fragte der Hüter des Ordens sie plötzlich.

Elyano sah seinen Bruder eindringlich an. „Meinst du, das ist so eine gute Idee? Du kennst ihn doch."

„Ist er denn gefährlich?", fragte Siandra und sah die beiden Brüder vorsichtig an.

Fynn schüttelte den Kopf. „Nur für den gesunden Menschenverstand. Er ist zwar irre, aber er ist harmlos. Es wird dir nichts passieren. Außerdem schadet es dir mit Sicherheit nicht, ein wenig mitzubekommen, was geschieht. Immerhin geht die ganze Sache auch dich etwas an. Du bist jetzt eine von uns."

Elyano runzelte die Stirn, schien nicht ganz mit dem, was sein Bruder da von sich gab, einverstanden zu sein.

„Ich komme gerne mit", sagte sie, ehe ihr Rabe etwas einwenden konnte. Sie verstand zwar noch nicht ganz, was Fynn damit bezwecken wollte, doch sie war unheimlich gespannt auf den Mann, der sich Rattenfänger nannte. Wie viel hatte er wohl mit der Person in Grimms Märchen gemeinsam?

Elyano nickte nur und warf seinem Bruder einen durchdringenden Blick zu.

„Es kann sicherlich nicht schaden, etwas weiblichen Charme auf unserer Seite zu haben," sagte der Hüter mit einem Augenzwinkern. Kurz schien wieder der alte Fynn hinter der Mauer hervorzulugen.

Auf der Fahrt zum Rattenfänger schwiegen die beiden Brüder und auch Siandra ließ ihre Gedanken in die Ferne schweifen. Ihre Augen streiften Elyano, der gebannt auf die Straße starrte. Nur hin und wieder warf er einen Blick in den Rückspiegel und schenke ihr dieses kleine Lächeln, das sie so sehr liebte.

Auf dem Sitz neben ihr hatte sich Salomo eingerollt. Der Kater hatte sich ihnen gezwungenermaßen angeschlossen - ein Umstand, den er nur mit reichlich Murren akzeptiert hatte. Doch Fynn war hart geblieben und seitdem hatte der Gestiefelte Kater ihnen beleidigt den Rücken zugewandt und schwieg beharrlich.

Elyano beschleunigte die Geschwindigkeit, als er die Stadt verließ und über kurvige Landstraßen fuhr. Aus dem Radio drangen ruhige Gitarrenklänge und ein leicht schiefer Gesang. Das Lied erinnerte Siandra an ein Computerspiel, zu dem Becca sie vor einiger Zeit genötigt hatte. Als sie an ihre beste Freundin dachte, breitete sich eine unangenehme Enge in ihrer Brust aus. Was verschwieg sie ihr? Sie warf einen Blick auf ihr Handy, doch auf ihre letzte Nachricht hatte sie bisher nicht reagiert.

„Eorlina?", fragte Elyano behutsam und die Sanftheit seiner Stimme umarmte sie. Seine Augen musterten sie besorgt durch den Rückspiegel.

Siandra zwang sich zu einem Lächeln. „Alles in Ordnung. Wie lange brauchen wir noch?"

Seine Augenbrauen zogen sich leicht zusammen. Er schien ihr das Lächeln nicht wirklich abzukaufen, doch er ging nicht weiter darauf ein. „Nicht mehr allzu lange, schätze ich."

Elyano behielt recht. Kurze Zeit später hielt er das Auto auf einem grob gepflasterten Parkplatz inmitten der Einöde. Ein Feldweg führte durch ein schmales Maisfeld in den Wald hinein. „Auf geht's", sagte der Rabe, ehe er aus dem Auto stieg.

Zwei Reiter kamen ihnen auf dicken Haflingern entgegen, als sie den Weg entlangschritten. Die Herbstsonne schien sanft auf sie herab, auch wenn der Wind immer kühler wurde.

Die beiden Brüder steuerten ein weitläufiges Grundstück an, das hinter dem kurzen Waldstück lag. Ein hoher Maschendrahtzaun führte außen herum und war an manchen Stellen etwas höher als an anderen. Elyano ruckte ein paar Mal an dem gusseisernen Tor, ehe es sich knarzend öffnen ließ. „Nach Ihnen", lächelte er und hielt es Siandra galant auf.

Zielstrebig liefen Elyano und Fynn über die etwas schüttere Wiese auf der unzählige Hühner pickten und nur gelangweilt die Köpfe hoben, als sie vorbeigingen. Fynn hatte das ein oder andere Problem mit dem unebenen Boden, doch er ließ sich nichts anmerken und stapfte voraus. Sein Gesicht war bewegungslos und ließ keinen einzigen Gedanken an die Oberfläche dringen.

Ein schäbiger Wohnwagen stand inmitten der Wiese. Neben ihm türmte sich ein kleiner Schuppen auf, mit einem dünnen Vordach aus Paletten. Zwei Hühner pickten auf dem Plastik, das auf das Holz genagelt war, herum, andere versteckten sich unter den Sperrholzplatten, die an die Wand des Wohnwagens gelehnt waren.

„Bist du sicher, dass du das tun willst?", fragte Elyano seinen Bruder ein letztes Mal, doch Fynn antwortete nicht. Er klopfte einmal an die Tür, ehe er eintrat.

„Mal schau'n ob die Briefkastenfresse überhaupt da ist."

„Salomo!", fuhr Elyano den Kater an. „Halt dich bitte zurück! Wir wollen etwas von ihm, vergiss das nicht."

„Ist doch wahr! Obwohl, wo wollte er schon sein? Ist ja nicht so, als hätte er ausufernde Hobbys." Er ließ seinen Blick über das heruntergekommene Grundstück schweifen. „Manchmal denke ich wirklich, er ist mental etwas... herausgefordert."

Die Luft in dem Wohnwagen war stickig und raubte Siandra beinahe den Atem. Ein Geruch, der sie entfernt an eine Zoohandlung erinnerte, schlug ihr entgegen. Auf dem zweiten Blick war der Wohnwagen deutlich geräumiger, als angenommen und verwinkelter, als er von außen den Anschein machte.

„Lorenzo! Wo steckst du?"

Siandra hob die Augenbraue, verkniff sich jedoch die Frage, die auf ihren Lippen lag. Sie wollte dem Hüter des Ordens folgen, als Elyano nach ihrem Arm griff und sie eindringlich ansah.

„Es gibt da etwas, das du wissen solltest", setzte Elyano an. „Der Rattenfänger ist... speziell."

„So nennt man das also?" Salomo sprang auf eine dreckige Anrichte. Gelbe Fusseln zeichneten sich auf der dunklen Oberfläche ab, wie auch auf dem fleckigen Boden und den anderen Möbeln.

Siandra hob erneut die Augenbrauen, doch Elyano rollte nur mit den Augen und legte einen Arm um sie.

Sie wusste nicht, was sie erwartet hatte, doch der Rattenfänger warf all ihre Vorstellungen über den Haufen. Fynn stand mit verschränkten Armen vor einem Mann, lehnte an einen marode wirkenden

Kleiderschrank und wirkte ganz schön wütend. Der Rattenfänger saß auf einem verblichen geblümten Sessel, die Beine über die Armlehne gelegt. Sein Blick glitt über Siandra und ein laszives Grinsen trat auf seine Züge. Augenblicklich trat Elyano näher an sie heran.

Seine schmuddelig wirkenden braunen Haare hatte der Rattenfänger mit einem Strohband aus dem Gesicht gebunden. Auf seinem Schoß saß ein Falke, den er mit etwas Gelben fütterte. Siandra brauchte einen Moment, um zu begreifen, dass er die Überreste eines Kükens in den Händen hielt. „Ich zoch mir eine Falken mere denne ein Jahr", lächelte er, ohne den Blick von Siandra abzuwenden und steckte sich das nächste Stück selbst in den Mund. Das leise Knirschen und Knacken trieb Übelkeit in ihr auf, doch sie schaffte es einfach nicht, den Blick abzuwenden. Es war wie ein Autounfall. *Da bekommt das Wort Knusperhühnchen eine ganz neue Bedeutung...*, dachte sie nur angewidert.

„Sît wilkomen, mîn vriunde"

„Sprich neuhochdeutsch, damit wir dich alle verstehen, Rattenfänger", sagte Fynn kalt.

„Immer so ernst, mein Hüter?", fragte der Rattenfänger grinsend und goss sich aus einer Karaffe eine schal wirkende Flüssigkeit in ein Glas. „Begrüßt man denn so einen alten Freund? Nachdem wir so viel miteinander durchgemacht haben?"

„Wir sind keine Freunde", presste Fynn hinter geschlossenen Zähnen hervor, besann sich dann jedoch auf den Grund ihres Besuches. Sie durften ihn nicht gegen sich aufbringen. Das Feld ihrer Verbündeten war dünn gesät.

„Wie geht es deiner Liebsten?" Der Rattenfänger grinste nur und ging nicht auf Fynns Zorn ein. „Sie hat mich schon lange nicht mehr hier besucht. Sag bloß, du steckst dahinter. Bitte richte ihr doch aus, dass ich an sie denke", sagte er mit einem Lächeln, das Siandra einen Schauer über den Rücken jagte.

Fynn brauchte all seine Kraft, um sich zu beherrschen. Krampfhaft ballte er die Hände zu Fäusten. „Fahr zur Hölle!", brach es aus ihm heraus.

„Habe ich Euch etwa verärgert, mein Hüter? Vergebt mir, das lag nicht in meiner Absicht." Sanft strich er durch das Gefieder des Vogels, ehe er leise Worte raunte und der Falke durch ein kleines Fenster

hinaus hüpfte. „Was wollt ihr hier?“
„Aschenputtel ist weg.“
Die Augenbrauen des Rattenfängers zogen sich zusammen. „Wie, weg?“
„Wie ich es schon sagte, weg. Verschwunden.“
Siandra wurde heiß und kalt zugleich. „Könnte sie... tot sein?“
Fynn schüttelte den Kopf. „Nein, das würden wir merken. Auch an dir würde das nicht spurlos vorübergehen. So unsicher und schwach das Netz im Moment auch ist, eine solche Erschütterung, wie, wenn einer der alten Eide erlischt, würde jeder spüren.“
„Und Beliar?“
„Auch er ist fort. Selbst Elyanos Raben haben sie bisher nicht finden können.“
Der Rattenfänger schnaubte verächtlich. „Und da habt ihr an mich gedacht.“
„Gewissermaßen.“
„Ich kann meine Späher aussenden und sie haben bisher immer das gefunden, was sie finden sollten. Doch es wird euch kosten.“
„Darüber können wir uns später unterhalten“, erwiderte Fynn kalt. „Wichtiger ist, dass wir sie finden. Ohne Aschenputtel sind uns die Hände gebunden.“
Der Rattenfänger grinste. „Stimmt ja. Ihr Hüter ist hörig und kann nichts ohne ihr Einverständnis machen. Zumindest, wenn es um die interessanten Dinge geht.“ Er stockte kurz. „Hüter, was habt Ihr vor?“
„Das geht dich nichts an“, wich Fynn aus. „Könnten die Halbblüter etwas mit ihrem Verschwinden zu tun haben?“
„Schon möglich“, überlegte der Rattenfänger. „Wenn jemand einen Hass auf Aschenputtel haben kann, dann sie. Und wenn jemand die Halbblüter mehr verabscheut als andere, ist es unsere Fürstin.“
„Aschenputtel hasst die Halbblüter?“, fragte Siandra. *Aber... das passte doch alles nicht zusammen.*
Der Rattenfänger hob die Augenbrauen. „Und wie sie sie hasst. Aschenputtel hat einen wahren Feldzug gegen die Halbblüter unternommen. Sie war die erste Fürstin, die das Edikt der Jagd unterzeichnet hat. Ich kenne kaum jemanden, der die Halbblüter mehr verachtet, als sie.“
„Aber warum hat sie mich dann verschont? Warum war sie immer

so nett zu mir?“

„Das kann ich dir auch nicht verraten“, sagte der Rattenfänger und zuckte mit den Schultern, ehe er sich in seinem Sessel aufrichtete. „Keine Ahnung, warum sie ausgerechnet an dir einen Narren gefressen hat.“

„Beliar war doch auch ein Halbblut.“

„Ja, das war er“, sagte Fynn plötzlich leise. „Für ihn hat sie ihre Prinzipien fallen gelassen. Doch das ändert nichts an der eigentlichen Tatsache. Sie wird nicht eher ruhen, bis alle Halbblüter vernichtet sind.“

Ein betretenes Schweigen breitete sich im Raum aus. Der Rattenfänger ließ den Blick über seine Besucher wandern, ehe er bei dem Hüter des Ordens hängenblieb. „Ich hörte, du machst mit dem Feind gemeinsame Sache. Denkst du wirklich, es ist so klug, auf Shaikos Beleton zu vertrauen? Er lebt nur für seine Kriege, weil andere für ihn sterben und sein Arm reicht jetzt schon viel zu weit.“

Fynn schnaubte nur abfällig. „Wie anrührend. Sorgst du dich etwa um uns?“

„Ich sorge mich nur um mich selbst. Tote sind schlechte Verbündete, denk daran, mein Hüter.“

„Mach dir da mal keine Sorgen. Kümmere du dich lieber um deinen Auftrag.“

„Meine Arbeit kostet. Könnt ihr es euch überhaupt leisten?“ Der Rattenfänger grinste selbstgefällig.

Fynn gab seinem Bruder nur ein stummes Zeichen. Der Rabe trat vor und zog ein Bündel Scheine aus der Gesäßtasche seiner Hose. Einen Augenblick lang kam Siandra nicht umher, ihn perplex anzustarren. Nur Männer schafften es, so viel Geld so entspannt in der Hosentasche mit sich herumzutragen.

Der Rattenfänger hob die Augenbrauen. „Fühlt sich leicht an.“

„Du bist nur so stark geworden“, erwiderte Elyano.

„Du weißt also, was dein Auftrag ist?“, fragte Fynn und drehte sich bereits zum Gehen um.

„Natürlich, mein Hüter. Wie könnte ich Eure Anweisung vergessen, mein Hüter?“, entgegnete er, doch Fynn ging nicht auf den Spott in seiner Stimme ein. Ohne eines weiteren Wortes zur Verabschiedung drehte er sich um und verließ den Wohnwagen.

Siandra spürte eine Hand in ihrem Rücken und Elyanos Atem streichelte sanft über ihr Ohr. „Geh schon mal vor. Ich muss etwas klären."

Siandra nickte nur und folgte Fynn, doch sie hörte Elyanos Stimme laut und klar, genau wie die, des Rattenfängers.

„Was willst du denn noch, Rabe?", fragte er gelangweilt.

„Ich hätte eine weitere Möglichkeit für dich, dir etwas Geld nebenbei zu verdienen."

„Ich bin ganz Ohr."

Elyanos Stimme ging in Flüstern unter, doch Siandra hörte den Namen Shaikos so deutlich, als hätte Elyano ihn aus den windschiefen Fenstern herausgebrüllt.

12. Ein goldener Käfig

Nein, nein nein!", rief Siandra und hetzte dem Bus entgegen. Es war nass, es war kalt und sie hatte bei Weitem keine Lust in diesem Wetter auf den nächsten Bus zu warten. Mit klopfenden Herzen und brennender Lunge sprang sie in das Innere des Fahrzeuges und wäre beinahe auf dem feuchten Boden ausgerutscht. Im letzten Moment konnte sie sich noch an einer Stange festhalten. Verständnislos starten zwei ältere Damen sie an. Siandra lächelte ihnen nur übertrieben freundlich zu, ehe sie sich auf einen der Sitze fallen ließ.

Der Bus hatte noch nicht einmal die nächste Ampel passiert, als Siandras Handy vibrierte. Der Ärger, der sich so lange in ihrem Inneren versteckt hatte, kroch aus seiner Ecke hervor, als sie Beccas Namen auf dem Display entdeckte. „Ja?", fragte sie und versuchte gar nicht erst Freundlichkeit vorzugauklen. Zu tief saß die Wut über die letzten Wochen, Wochen in denen sie sich zurückgezogen und gar nicht mehr gemeldet hatte. Aber da war noch etwas. Sorge um ihre beste Freundin und davor, dass sich ihr ungutes Gefühl bewahrheitete.

„Hallo Sia..." Beccas Stimme war leise und wurde von dem Rauschen in der Leitung fast verdeckt. „Hast du gerade Zeit? Ich muss dir etwas sagen. Etwas Wichtiges."

Siandra schwieg einen Moment. Sorge und Ärger konkurrierten in ihrem Inneren, doch der Ärger kämpfte sich an die Oberfläche. „Was ist los?", fragte sie etwas ruppiger, als beabsichtigt.

„Ich... ich weiß nicht, wie ich es dir sagen soll." Siandra hörte wie Becca am anderen Ende der Leitung leise schluckte und die Luft tief einsog. „Ich habe dir etwas verschwiegen. Dabei wollte ich es dir schon so lange sagen. Er..."

„Es ist Florian oder?"

Stille breitete sich zwischen den Freundinnen aus. Es dauerte eine ganze Weile bis Becca zum Sprechen ansetzte und Siandra blieb ebenfalls still. „Woher...?“

„Fynn hat es herausgefunden und mit ihm sämtliche Jäger des Ordens.“

„Jetzt verurteilst du mich sicher.“

Siandra seufzte. „Ich verstehe es nur nicht. Wie lange schon?“

„Seit meinem Geburtstag.“

„Seit deinem...“ Siandra atmete geräuschvoll aus.

„Bitte! Ich konnte es dir nicht sagen!“

Siandra hörte ihr nicht mehr zu. Als ihr Bus an der Haltestelle hielt, legte sie wortlos auf und trat ins Freie. Wie von selbst fanden ihre Füße den Weg, den sie täglich von der Uni nach Hause lief. Warum war sie eigentlich so sauer? Weil Becca ihr nichts erzählt hatte? Oder war es, weil es um Florian ging? Sie vertraute ihm nicht, wusste nicht, was er von Becca wollte und was er bezweckte. War es also Ärger, der sie fest im Griff hielt oder Sorge?

„Siandra! Warte doch mal!“ Eine Stimme erklang hinter ihr, als sie in die große Eingangshalle trat. Grinsend legte Zephir einen Arm um sie. Doch der fröhliche Ausdruck auf seinem Gesicht wich und seine Augenbrauen zogen sich zusammen, als er in ihre Augen sah. „Was ist los?“

Siandra schüttelte den Kopf, verdrängte ihre Sorgen wie einen unliebsamen Gedanken. „Es ist alles okay. Woher kommst du?“, fragte sie um auf andere Gedanken zu kommen. Doch als sie einen Blick auf den Jäger warf, beantwortete sie sich die Frage selbst. „Du hattest einen Auftrag.“

„Eine leichte Patrouille. Fynn ist vorsichtig geworden.“

„Zurecht.“

Zephir nickte. „Zurecht.“

„Gibt es etwas Neues über die Halbblüter?“

Zephirs Lippen wurden schmal. „Ich weiß nicht mehr als du. Fynn plant etwas, doch jedes Mal, wenn ich ihn danach frage, wird er eintönig. Shaikos Worte vergiften seinen Verstand und es gibt nichts, das wir tun können.“

„Wir müssen Fynn vertrauen“, murmelte Siandra und hakte die Daumen in den Bund ihrer Hose. „Sobald wir anfangen einander zu misstrauen, haben wir verloren."

Einige Zeit liefen die beiden stumm nebeneinander her, beide in ihren eigenen Gedanken versunken. Siandra wollte Zephir etwas fragen, irgendetwas, nur um die Stille zu unterbrechen, als sie sein beunruhigtes Gesicht sah. Kurz darauf bemerkte auch sie die Stimmen, die er schon vor ihr gehört haben musste.

„Nein, Elyano!", rief Fynn wütend. Er lief in ihre Richtung, schien sie jedoch nicht zu bemerken. „Ich werde deine Spielchen nicht weiter mitspielen!"

„Jetzt bleib doch endlich stehen, verdammt!", knurrte Elyano, als er hinter ihm um die Kurve bog.

Zornig fuhr Fynn zu seinem Bruder herum, baute sich vor ihm auf, doch der bot ihm die Stirn. Einige Augenblicke funkelten die beiden sich stumm an. „Ich kann ja verstehen, dass du dir unheimliche Sorgen um sie machst und das auch zurecht. Aber meinst du nicht, das geht zu weit?"

Elyanos Augen wanderten von seinem Bruder zu Siandra und erstarrten. Kurz huschte ein Ausdruck panischer Erkenntnis über seine Züge. „Fynn", knurrte er.

„Seitdem die Fürstinnen bei den Göttinnen weilen, ist das Netz der Eide immer schwächer geworden und hat sämtliche Kommunikationswege abgeschnitten. Das weiß ich! Aber ihr wird schon nichts passieren, nur weil du sie nicht ständig im Blickfeld hast. Meinst du da nicht, ein Peilsender in ihrem Handy ist ein bisschen über..."

„Fynn!"

Jetzt erst schien Fynn ihre Zuhörer zu bemerken. Seine Augen weiteten sich kurz vor Schreck, ehe er eine stumme Entschuldigung an seinen Bruder sandte, doch der achtete nicht auf ihn.

Elyanos Augen hatten etwas Flehendes, als er auf Siandra zukam. Einen Augenblick lang war Siandra wie versteinert. Ein Peilsender? In ihrem Handy?! Was war bloß in Elyano gefahren, als er sich das überlegt hat? Und wie...? Glühend heiß fiel es ihr ein. Natürlich. Das Handy. Elyano hatte es ihr geschenkt...

„Siandra", flüsterte Elyano und streckte die Hand nach ihr aus, doch sie wich vor seiner Berührung zurück. *Das ist doch alles nur ein böser Scherz*, dachte sie, als sie das Weite suchte.

„Siandra, kannst du mir endlich erzählen was los ist?" Besorgt sah Marie sie an und rutschte auf dem Sofa im Empfangsraum hin und her. „Dass du mir am Telefon nichts sagen wolltest, schön und gut, aber so langsam kannst du mal mit der Sprache rausrücken. Und was haben wie eigentlich hier in diesem Bonzen-Büro zu suchen?"

Siandra atmete tief durch. Es war dumm, eine Kurzschlussreaktion, doch nun war es zu spät umzukehren. Ihr Vater wusste mit Sicherheit schon längst, dass sie hier war. Da war sie sich ganz sicher. Und nicht nur, weil die Sekretärin an dem dunklen Schreibtisch immer wieder nervös herüberlugte.

„Ich habe mich mit Elyano gestritten."

„Ach Mensch", murmelte Marie mitleidig. „Was ist denn passiert?"

„Er hat es übertrieben. Einfach übertrieben."

„Noch kann ich deine Gedanken nicht lesen. Also, was hat er getan?"

„Er..." Sie schüttelte den Kopf. „Das ist nicht wichtig. Er hat mir nur wieder einmal bewiesen, dass er mir nicht vertraut."

Marie lächelte ihr aufmunternd zu. „Gibt es denn dafür einen Grund?"

Wenn er wüsste, dass ich hier bin? Vermutlich. Sie verdrängte den Gedanken. Ihr Handy hatte sie in einer beeindruckenden Flugkurve in den Pool geworfen. Mit dem alten Prepaid-Handy konnte Elyano sie nicht orten. Sie bezweifelte, dass er auch nur irgendwie wusste, wo sie war. Kurz pochte ein Schuldgefühl in ihr auf, doch sie drängte es nieder. „Er macht sich eben Sorgen."

Marie schwieg einen Moment und ließ ihren Blick durch den hellen Raum schweifen. „Das erklärt aber nicht, weshalb wir hier sind?"

„Ich werde meinem Vater gegenübertreten. Aber ich..."

Sie hob den Blick, als Marie nach ihrer Hand griff. „Du musst mir nichts erklären. Dafür sind Freunde doch da."

Siandra wandte die Augen ab. Sie fühlte sich schlecht. Weil sie die Gutmütigkeit ihrer Freundin missbrauchte. Weil sie sie nicht nur als seelische Unterstützung mitgenommen hatte, sondern auch als Schutz vor ihrem eigenen Vater. Einem Menschen würde er nichts tun. Vor den Augen eines Menschen würde er es nicht wagen, etwas zu tun.

„Siandra Ecker?", fragte die dunkelhaarige Sekretärin und legte den Telefonhörer mit einem lauten Knacken in die Gabel. „Herr Beleton hat in wenigen Minuten Zeit für Sie. Sie können in seinem Büro auf

ihn warten."
Siandra nickte und richtete sich auf.
Shaikos' Büro war groß und hell eingerichtet. Es war ganz anders, als Siandra es sich vorgestellt hätte. Hier arbeitete er? Oder war alles nur ein Trugbild? Ein Schauspiel für die Menschen? Es wirkte viel zu... normal, zu menschlich.
Hohe Fenster bedeckten eine der langen Seiten. Siandras Blick wanderte hinaus, glitt über den Media Park, zum Kino bis hin zu dem künstlichen See auf dem sich einige Menschen mit Tretbooten vergnügten.
Unwillkürlich trat Siandra einen Schritt zurück, als sie zwei Jäger auf Patrouille sah, auch wenn sie sich sicher war, dass sie sie hier oben nicht bemerken würden. Sie ließ sich neben Marie auf einen der Stühle vor dem weißen Schreibtisch sinken.
Ihre Freundin starrte gebannt auf das Aquarium, das sich hinter dem Tisch auftürmte. Gelangweilt zog ein kleiner Katzenhai seine Runden. „Was sagtest du, war dein Vater noch gleich von Beruf?"
„Er ist ... Politiker."
Marie schmunzelte. „Scheint es weit gebracht zu haben."
Siandra antwortete nicht. Ihr Blick schweifte über die hohen Wände, als er an einem Gemälde hängen blieb. Zwei Personen waren hoch zu Ross in einem lichten Wald abgebildet. Sie erkannte ihren Vater auf dem Bild, doch er war viel jünger und seine Züge weicher. Die dunkelhaarige Frau auf dem Schimmel kannte sie nicht. Irgendwie kam ihr das Pferd nur seltsam vertraut vor.
Siandra zuckte zusammen, als die Tür mit einem Ruck aufgerissen wurde. Shaikos Blick traf den ihren, bevor er kurz zu Marie sah und die Augenbraue hob.
„Willkommen die Damen", sagte Shaikos mit einem kühlen Lächeln auf den Lippen und bat sie sich zu setzen. Beunruhigt bemerkte Siandra den Blick, den Shaikos ihrer Freundin zuwarf, doch sie konnte ihn einfach nicht lesen. Auf einmal breitete sich ein Lächeln auf Shaikos Lippen aus. Er hob die Hand wie zum Gruß und ließ sie blitzschnell wieder sinken.
Eine eisige Kälte kroch unter Siandras Haut und in ihre Knochen, als ihre Begleiterin neben ihr zusammensackte. „Marie!", rief sie entsetzt. Maries Puls schlug normal, doch sie schien weit weg, reagierte nicht

auf Siandras Stimme. „Was hast du mit ihr gemacht?!“

„Dachtest du wirklich, ein menschlicher Schutzschild würde dir helfen? Dachtest du wirklich, du würdest einen brauchen?“

„Was hast du ihr angetan?“, fragte sie ein wenig leiser.

Doch Shaikos lächelte nur. „Unterschätze mich nicht. Wer mächtig ist, kann sich keine Skrupel erlauben. Fynn muss das langsam, aber sicher lernen. Und auch du solltest es dir merken. Das ist der Lauf der Dinge.“ Er stand auf und ging auf einen hohen Schrank zu. „Die eigene Unsterblichkeit bringt eine große Verantwortung mit sich, Siandra. Du wirst sie alle sterben sehen, deine Freunde, deine menschliche Familie, alle.“

Eine schwere Wehmut überkam Siandra, als ihr Vater an dem Gedanken rüttelte, der sie die ganze Zeit über verfolgte. „Warum hast du mich herbestellt?“

Einen kurzen Augenblick lang dachte Siandra, so etwas wie Schmerz über seine Züge huschen zu sehen, doch der Ausdruck verschwand und wich einem halben Lächeln. „Reicht es dir nicht, dass ich mein eigen Fleisch und Blut sehen wollte? Groß bist du geworden, seit deine Mutter dich mir gestohlen hat. Was für eine Ironie, dass Rotkäppchen dasselbe einst mit Pyrros tat.“

Siandra zog die Stirn kraus. „Also, was ist es?“

Shaikos sah sie nur an, ein Blick, der sich förmlich in sie bohrte und füllte wortlos aus einer Karaffe eine helle Flüssigkeit in ein Glas. „Das ist eine lange Geschichte, liebe Tochter und mit trockenem Mund redet es sich schlecht.“ Er ließ die Flüssigkeit in dem bauchigen Glas schwenken, ehe er einen Schluck nahm und sich wieder setzte. „Du hast recht“, sagte ihr Vater plötzlich nach einer Weile des Schweigens. „Bei der Einladung hatte ich einen Hintergedanken. Ich brauche deine Hilfe.“

Siandra hob die Augenbrauen? „Du? Brauchst meine Hilfe? Wie sollte ich dir helfen können?“, fragte sie und krallte die Finger in den Stoff ihrer Hose, versuchte an der gespielten Selbstsicherheit festzuhalten. „Und warum sollte ich es tun?“

„Die Halbblüter gehen uns alle an. Wenn es dir so sehr zuwider ist, mir zu helfen, dann sieh es als Dienst an deinen Hüter, an den Raben, den du so sehr vergötterst und dein neues Zuhause. Sie werden nicht lange bestehen, sobald die Halbblüter sie gefunden haben.“

Siandra versuchte die Angst niederzukämpfen, die in ihr aufstieg. „Aber was sollte ich dagegen tun können? Soll ich sie etwa infiltrieren?"

Shaikos lachte, doch es war kein heiteres Lachen. „Nein, von dir würden sie sich sicherlich nicht beeindrucken lassen. Zumal du sie nicht finden wirst. Nicht du bist es, den wir für diese Operation benötigen. Du kannst Gabriel nicht zur Vernunft bringen, zumindest nicht allein."

Siandra runzelte die Stirn. Ein ungutes Gefühl beschlich sie. „Wer ist es?"

„Der Wolf, den ihr in Ketten gelegt habt."

Eiskalt rieselte die Erkenntnis in ihren Verstand. Pyrros. Doch sein Schicksal war besiegelt. Selbst, wenn er sich bereit erklären würde, ihnen zu helfen - was sie sich nicht vorstellen konnte - es änderte nichts an der Situation. Fynn würde ihn nicht freiwillig gehen lassen. Nicht nach all dem, was er getan hatte. „Das ist unmöglich", stieß sie hervor und versuchte ihre zitternde Stimme so emotionslos wie möglich klingen zu lassen. „Pyrros ist bereits ein toter Mann."

Shaikos stand auf und kam um den Tisch herum auf sie zu. Misstrauisch beobachtete sie ihn, als er sich neben ihr auf der Tischkante niederließ.

„Es gibt bei uns ein Sprichwort. Du kannst einen Wolf mehrmals rasieren, aber nur einmal häuten." Siandra zuckte unter den Worten ihres Vaters zusammen und entlockte ihm ein weiteres Lachen. „Wir dürfen nicht zulassen, dass Fynn mit Pyrros' Tod einen folgenschweren Fehler begeht. Du musst etwas dagegen tun."

„Aber warum sollte er auf mich hören? Dir scheint er zu glauben, warum überzeugst du..."

„Verwechsle niemals Zusammenarbeit mit Vertrauen, Siandra."

„Fynn wird ihn niemals gehen lassen", sagte sie leise. „Er wird ihn nicht befreien. Nicht, wenn ich ihn darum bitte."

Ihr Vater sah sie einen Moment lang regungslos an, ehe ein kühles Lächeln auf seine Züge trat. „Aber es gibt eine Person, der er glauben wird. Eine Person, der er sein Leben anvertrauen würde. Oder soll ich besser ein Rabe sagen?"

Siandra schluckte. „Er würde das niemals tun, er..."

Sie zuckte zusammen, als Shaikos mit der flachen Hand auf den Tisch schlug. „Kannst du oder willst du es nicht verstehen? Pyrros ist wichtig! Nur er kann das Unheil, das mit schnellen Schritten auf uns zukommt, noch abwenden!“

Siandras Augenbrauen zogen sich zusammen. „Warum sollte er mehr ausrichten können als Fynns Jäger?“

Shaikos Mundwinkel zuckte. „Blut, Siandra. Blut und eine gemeinsame Vergangenheit, das sind die Gründe, auch wenn Pyrros seinen Halbbruder lange nicht als solchen anerkannt hat.“

Geschockt starrte Siandra ihren Vater an.

„So überrascht, meine Liebe? Pyrros‘ Vater war schon immer sehr umtriebig, vor allem, nachdem Mutter Cána ihm die Macht gegeben hat, den Wolf für kurze Zeit abzulegen. Auch wenn er dafür einen hohen Preis zahlen musste.“ Ein gefährliches Funkeln huschte über seine Züge und für einen kurzen Augenblick sah Siandra den erbarmungslosen Krieger hinter der Fassade des resoluten Geschäftsmannes.

„Gabriel hegt schon seit seiner Kindheit eine große Bewunderung für seinen tierischen Bruder. Wenn er jemanden an sich heranlässt, dann ihn. Und Pyrros wird dir auch helfen Zugang zu den Halbblütern zu finden und sie zu einer friedlicheren Lösung zu überzeugen. Der Norden braucht eure Hilfe.“

Der Norden... Stumm sah Siandra ihren Vater an. Wenn er Recht hatte, war Pyrros ihre einzige Chance an die Halbblüter heranzukommen. Aber wie sollte sie das schaffen? Fynn hatte den Wolf zum Tode verurteilt. Daran konnte auch Elyano nichts ändern. „Was, wenn ich dir nicht helfe?“, fragte sie und biss sich rechts auf die Unterlippe.

Fast schon unbeteiligt beobachtete Shaikos den Rest der Flüssigkeit in seinem Glas. „Wir sind alle nur Bauern in einem größeren Spiel“, sagte er und nahm einen Schluck. „Niemand kann sagen, wer den König letztendlich Schachmatt setzt. Doch eins ist sicher. Fynn hat den Halbblütern nichts entgegenzusetzen. Seine Mauern sind zu dünn und seine Jäger zu wenige. Sollte es zu einem Kampf kommen, wird er unterliegen.“

„Würdest du das endlich mal lassen?“, fragte Fynn gelangweilt und beobachtete seinen Bruder, der wie wild im Zimmer auf und ab lief, Schubladen heraus riss und in den entlegensten Winkel seines

Wohnzimmers suchte. „Du machst mich nervös." Er streckte sich und richtete sich ein wenig in dem tiefen Ohrensessel auf. Ein Ruck ging durch den warmen Körper zu seinen Füßen, als er ihn mit dem tauben Fuß berührte. Mit einem sanften Lächeln auf den Lippen strich Fynn über Knecht Ruprechts Kopf und kraulte ihn hinter den Ohren, als er sich wieder gähnend auf dem Boden niederließ.

„Ich bin ein bisschen in Eile", presste sein Bruder hinter geschlossenen Zähnen hervor.

Fynn rollte nur mit den Augen. Er wusste, dass Elyano irgendetwas für Siandra geplant hatte, doch er wollte einfach nicht mit der Sprache herausrücken. „Kann man dir irgendwie helfen?", fragte er mit gehobenen Augenbrauen, als Elyano zum wiederholten Male fluchend gegen seinen Sessel stieß.

„Ich suche meine Schuhe!"

„Hast du nicht mehr als ein Paar?", fragte Fynn und lachte, doch sein Bruder warf ihm nur einen bösen Blick zu. Fynn seufzte resigniert, ehe das Grinsen auf seine Lippen zurückkehrte. „Geh doch ohne hin, wie ein Büßer. Passt doch."

Der Rabe warf ihm nur einen entnervten Blick zu, ehe er sich zu der nächsten Kommode umdrehte. Fynn lehnte sich wieder im Sessel zurück. Wie würden sie weiter vorgehen? Erst vor einer Stunde hatte er sich mit einer Handvoll seiner Jäger beraten. Seine Überlegung, den Orden zu verlassen, hatte er vorerst noch für sich behalten. Er atmete schwer aus und strich durch seine hellen Strähnen. Was blieb ihm schon anderes übrig? Shaikos hatte recht. Wenn die Halbblüter sie im Orden angriffen, hatte er zwar die breiten Mauern, die ihn schützten, doch dann wäre das, wofür sie all die Jahre gekämpft, alle Tode, die sie dafür bezahlt hatten, vergebens gewesen. Ein Preis, den er nicht zu zahlen bereit war. Aber wohin konnten sie bloß gehen? Aschenputtel war verschwunden und auch der Rat war ihm keine große Hilfe. Seine Ratsmitglieder stritten sich um Kleinigkeiten, zerfetzten sich in dem Kampf darum, wer an ihrer kleinen Spitze stehen sollte und sahen die großen Probleme nicht. Doch Shaikos unterstützte ihn. Shaikos hatte einen Plan, wie sie unbeschadet aus der ganzen Sache hinauskommen könnten. Er musste ihm vertrauen.

Sein Kopf fuhr herum, als die Tür aufgerissen wurde. Noch bevor er in das bleiche Gesicht der jungen Jägerin - Samantha, eine von Aiofés

Freundinnen, wenn er sich nicht täuschte - sah, wusste er, dass etwas schlimmes passiert sein musste. Kälte ergriff ihn, als er sich auf seinen Gehstock stützte und aufrichtete. „Was ist passiert?“

„Du musst sofort kommen“, sagte Samantha mit zitternder Stimme und schaffte es kaum, ihre Gefühle hinten an zu stellen, wie sie es in ihrer Ausbildung gelernt hatte.

Fynn wollte der Jägerin folgen, als er eine Hand auf seiner Schulter spürte. „Soll ich das für dich erledigen?“, fragte sein Bruder behutsam, doch Fynn schüttelte den Kopf. Er durfte keine Schwäche zeigen. Er musste seinen Jägern beweisen, dass sie ihn respektieren und ihm folgen konnten.

Samantha führte sie nach draußen, zu dem kleinen Park im Hinterhof, in dem Aisling sich so gerne aufhielt. Schon von weitem sah er die Traube Jäger, die sich gebildet hatte und aufgeregte Stimmen drangen an sein Ohr. Er beschleunigte seine Schritte, als die Kälte immer weiter von ihm Besitz ergriff und die Schlange laut in seinem Inneren fauchte.

Sein Blick streifte Mirko, der sich eine stark blutende Wunde am Arm zuhielt. Ein anderer Jäger stand mit dem Rücken zu ihm. Erst auf dem zweiten Blick erkannte Fynn den Eindringling, den sein Jäger überwältigt hatte. Er bohrte dem Fremden ein Knie in den Rücken und bog seine Arme in einem unnatürlichen Winkel nach oben, während er sein Gesicht in den hellen Kies presste.

„Was ist hier passiert?“, fragte Fynn kühl und wunderte sich selbst über die Härte seiner Stimme.

„Ein Kundschafter der Halbbluter“, erklärte Mirko gepresst und hob den Kopf, als Samantha seinen Arm verband. „Er hat versucht, Informationen zu sammeln, als wir ihn aufgegriffen haben. Marc und Thea hat‘s dabei erwischt.“

Fynn drängte die Trauer zurück, die sich in ihm ausbreitete, als sein Blick die leblosen Körper streifte, die etwas abseits bei den Blumenbeeten lagen. „Bringt ihn rein“, verlangte er. „Er wird uns schon sagen, was er weiß. Jeder Mann hat seinen Preis - oder seine Schmerzgrenze.“

Elyano griff nach seinem Arm und zwang ihn ihm ins Gesicht zu sehen. „Bitte sei vernünftig.“

Doch die Stimme seines Bruders schaffte es nicht, ihn zu erreichen.

Die Wut in seinem Inneren beflügelte ihn.

„Ich werde fliehen!", rief das Halbblut und wehrte sich gegen den Griff der beiden Jäger, als sie ihn zum Gebäude schleifen wollten. „Ich habe es bisher immer geschafft, zu entkommen. Das wird euer Ende sein! Die Ära der Halbblüter hat bereits begonnen! Ihr könnt es nicht mehr aufhalten! Ich werde entkommen!"

„Wohl kaum", entgegnete Fynn kalt und wandte sich an die beiden Jäger, die ihn führten. „Brecht ihm die Beine."

Elyano starrte ihn entgeistert an, doch das war ihm gleichgültig. Die Halbblüter kamen hier her und bedrohten seinen Orden, seine Familie. Sie hatten es nicht anders verdient. Die Wut schlug immer höhere Wellen in seinem Inneren. Zornig wandte er sich an Mirko. „Wie ist er hier reingekommen? Wohl kaum über die Mauer, also was ist hier passiert? Dieser Bereich hätte bewacht werden müssen!"

Mirko senkte kurz den Blick. „Zwei der jüngeren Jäger hatten die späte Schicht."

„Und was ist mit ihnen?"

„Wir haben sie schlafend vorgefunden."

„Dann lasst sie schlafen", sagte Fynn gleichgültig und wandte sich zum Gehen um.

Verwirrt sah Mirko ihn an. „Mein Hüter?"

„Lasst sie für immer schlafen."

Er achtete nicht auf die schockierten Blicke seiner Jäger und auch nicht auf Elyano, der immer wieder seinen Namen rief, als er über den unebenen Boden in Richtung Hintertür humpelte, Knecht Ruprecht dicht an seiner Seite.

Scheiße! Scheiße! Scheiße! Fynn kam gerade rechtzeitig zur Toilette, ehe er sich lautstark übergab. Was machte er denn bloß? Er wollte das alles nicht. Er hatte nie darum gebeten, solche Entscheidungen zu treffen. Es dauerte eine Weile, bis sein Magen sich beruhigte und er seine Stirn an das kalte Porzellan lehnte. Er wollte aufstehen und seinen Befehl widerrufen, doch das würde ihn noch schwächer wirken lassen. Und das Letzte, was er jetzt noch gebrauchen konnte, war, dass seine Jäger ihn noch weniger respektierten. Sollten sie ihn ruhig fürchten. Das würde ihn nicht den Kopf kosten. Zitternd richtete Fynn sich auf. Er hatte eine Scheißangst davor, was passieren würde, sobald seine Jäger sich gegen ihn entschieden. Auf so etwas hatte Ariel ihn nicht vorbereitet. So etwas hatte niemand kommen gesehen.

Ungesehen schaffte er es, sich in sein Büro zu schleppen. Die Angst in seinen Adern feuerte die Wut geradezu an. Sie hatte sich zu einer einzigen Masse verklumpt und drückte seinen Hals zu. Es interessierte ihn nicht, ob irgendjemand ihn hören konnte. Er brüllte seine Angst, seine Wut heraus, griff nach den Vasen, die auf dem Schreibtisch standen und warf sie gegen die Wand. Fassungslos fuhr er sich mit beiden Händen durch die Haare. Was zum Teufel hatte er bloß vor? Wenn er damit so weitermachte, schaffte er es tatsächlich, den Orden mit Erfolg gegen die Wand zu fahren. Er musste ihren Kopf aus der Schlinge ziehen, dafür sorgen, dass seine Jäger ihn respektierten, aber wie sollte er das bloß anstellen? Alles lief aus dem Ruder. Der Krach war ohrenbetäubend, als er den PC in einer Bewegung vom Tisch fegte und den Stuhl in Richtung Bücherregal warf. Doch all das schaffte es nicht seine Wut zu vertreiben. Es fachte sie nur noch mehr an.

Eine bösartige Ruhe nahm von ihm Besitz, als sein Blick auf die Armbrust fiel, die auf einem der Tische lag. Mit einem Fuß trat er auf die Armbrust und lehnte sich gegen den Tisch, um sie mit beiden Händen zu spannen. Er legte einen Bolzen an und schoss auf eines der Gemälde in der Wand. Immer mehr Bolzen durchbohrten das Landschaftsgemälde, als es plötzlich an der Tür klopfte. Fynn reagierte nicht darauf. Er wollte jetzt nicht mit irgendjemandem sprechen. Er zielte geradewegs auf die Tür, als sie aufflog und sein Bruder ins Zimmer trat. Elyano funkelte ihn wütend an, aber Fynn nahm die Waffe nicht herunter. Er zielte immer noch auf Elyanos Brustkorb. „Ich bin nicht in Stimmung für Störungen", sagte Fynn kühl.

„Was zum Teufel sollte das? Was ist nur in dich gefahren?!", brüllte Elyano ihn an.

„Wage es ja nicht, meine Entscheidungen in Zweifel zu ziehen!", entgegnete er nicht weniger wütend und legte die Armbrust gesichert auf den Schreibtisch. Elyanos Blick wanderte von den Porzellanscherben auf dem Boden, zu seinem zerstörten Computer bis hin zu den Bolzen, die in der Wand steckten, doch er sagte nichts. Sein Gesicht war eine wutverzerrte Maske. „Ariel hätte niemals zu solchen Mitteln gegriffen. Ariel hätte..."

„Ich bin nicht Ariel", unterbrach Fynn ihn.

Elyano schüttelte. „Aye, das bist du nicht. Aber das", er zeigte auf die Verwüstung in dem kleinen Büro. „Das bist du auch nicht."

Fynn presste die Lippen aufeinander. Sein Bruder hatte leicht reden. Er wollte nicht so sein. Aber das war nun einmal seine einzige Möglichkeit. Seine einzige Chance. „Ich habe keine andere Wahl."

„Man hat immer eine Wahl", erinnerte Elyano ihn an den Spruch, den er schon viel zu oft von Heinrich gehört hatte. Er konnte ihn nicht mehr ertragen. „So wirst du nur Angst säen. Das bist nicht du, Fynn. Du musst umkehren", sagte er mit Nachdruck in der Stimme und drehte sich zum Gehen um. „Ich habe mich übrigens um das Problem mit unseren Schlafmützen gekümmert. Sie werden in Zukunft wachsamer sein."

Fynns Augenbrauen zogen sich zusammen, aber er konnte die Erleichterung, die ihn überkam, nicht ignorieren. „Du hast dich über mich hinweggesetzt." Es war keine Frage, sondern eine Feststellung.

Doch Elyano antwortete nicht. Er hielt kurz inne, ohne sich zu ihm umzudrehen, ehe er durch die Tür verschwand. Nie zuvor hatte Fynn sich so allein gefühlt.

Besorgt musterte Siandra ihre Freundin, die ungewohnt still in ihrem Eisgetränk stocherte. Das Knacken des Crusheises war das Einzige, das durch das dichte Stimmengewirr in dem Coffeeshop zu ihr durchdrang.

„Und ich bin echt bei deinem Vater im Büro zusammengeklappt?", fragte sie und hielt sich kurz die Augen zu. „Wie unsagbar peinlich."

Siandra lächelte ihr zu und probierte selbst von dem Getränk, das die Dame am Tresen ihnen aufgeschwatzt hatte. Ein wenig zu süß für ihren Geschmack. „Ach, das ist doch nicht schlimm."

„Ehrlich, so was ist mir noch nie passiert. Wie war's denn? Was wollte er?"

„Nichts spezielles", druckste Siandra und rührte in ihrem eisigen Getränk. „Wollte wissen, wie es mit mir weitergeht, wie das Studium läuft. Das Übliche eben." Sie konnte die Erleichterung kaum verbergen, der sie überrollte. Marie hatte also nichts bemerkt. Was auch immer Shaikos mit ihr gemacht hatte - es war effektiv gewesen.

„Und doch hast du dir solche Sorgen gemacht."

Siandra seufzte. „Wir haben nicht gerade das einfachste Verhältnis zueinander."

„Ich weiß was du meinst", entgegnete Marie und grinste breit. „Dein Vater kann ganz schön furchterregend sein. Da hat es mich kurzerhand aus den Latschen gehauen."

Siandra konnte nicht anders, als das Grinsen ihrer Freundin zu erwidern, doch es verblasste, als sie auf das Display ihres Handys sah. Noch eine SMS von Elyano. *Wo bist du?,* schrieb er. *Bitte, lass mich wenigstens wissen, dass du in Sicherheit bist.* Siandra knabberte auf ihrer Unterlippe, als das schlechte Gewissen sich unweigerlich in ihr ausbreitete. Es fehlte nicht viel, um sie einknicken zu lassen. Vielleicht war genau das der Grund, weshalb sie ihm aus dem Weg ging. Sie hatte gedacht, dass er es mittlerweile endlich mal schaffen würde, ihr zu vertrauen. *Falsch gedacht*, dachte sie bitter.

Sie zuckte zusammen, als plötzlich eine bunte Schachtel dicht vor ihrer Nase schwebte. „Ein Keks für deine Gedanken?", fragte Marie und legte den Kopf schief.

Ein kurzes Lächeln huschte über Siandras Lippen, als sie nach dem Gebäck griff. „Es ist nichts", murmelte sie. „Nur Elyano. Er vertraut mir einfach nicht. Er versteht nicht, dass er mich nicht einsperren kann."

„Aber das würde er vermutlich am liebsten. Wenn es nach ihm ginge, würde er dich wohl in einen goldenen Käfig stecken und den ganzen Tag auf dem Rücken herumtragen. Ich kenne solche Kerle. Es sind die, die dich am bedingungslosesten lieben", sagte Marie mit einem fast schon verträumten Lächeln auf den Lippen.

Siandra schreckte auf, als ihr Handy wieder klingelte. Seufzend zog sie es hervor.

„Elyano?"

Sie nickte und überflog die Nachricht. „Er will sich mit mir am Rhein treffen."

„Und?", fragte Marie mit unverhohlener Neugier. „Gehst du hin?"

„Ich weiß nicht..."

„Komm schon, Siandra. Bist du denn nicht neugierig darauf, was er vorhat?"

„Doch schon."

„Wo ist dann das Problem?", fragte Marie und sah sie durchdringend an.

Ja, was war eigentlich das Problem? Siandra wollte zum Sprechen ansetzen, als ihr Gegenüber das Wort erneut an sich riss.

„Ich kann verstehen, dass du ihn ein wenig schmoren lassen willst, aber so hartnäckig, wie er versucht dich zu erreichen, wäre ich doch verdammt neugierig darauf, was er will. Auch auf die Gefahr hin, wie ein Glückskeks zu klingen: Du solltest deinem Herzen folgen."

Siandra lachte und verschluckte sich beinahe an ihrem Eisgetränk. „Vielleicht sollte ich es tatsächlich." Was hatte ihr Rabe bloß vor?

Die Sonne wanderte schon gemächlich zum Horizont, als Siandra am Rhein ankam. Schnell sah sie Elyano. Er stand an das Geländer der Hohenzollernbrücke gelehnt und sah sie nur an. Ihr Herz machte einen Sprung, als sich ein Lächeln auf seinen Lippen ausbreitete.

„Du bist gekommen", flüsterte er, fast schon ein wenig erleichtert und reichte ihr seine Hand.

„Ja", sagte sie nur. Zögerlich ergriff Siandra seine Hand und ging neben ihm über den Weg, der neben den breiten Schienen über den Rhein führte. Einige Zeit schwiegen beide. Erst, als sie das Ufer ein wenig hinter sich gelassen hatten, blieb Elyano stehen und zog Siandra in seine Arme. Mit einem stummen Seufzen auf den Lippen schmiegte sie sich an ihn. Ein Teil von ihr verteufelte ihr schamloses Herz, das sofort auf ihn ansprang und seine Nähe vermisst hatte. Immerhin war sie noch immer wütend auf ihn. Doch als sich seine Lippen auf ihre senkten, konnte sie nicht anders, als den Kuss zu erwidern.

„Es tut mir so leid", flüsterte er und steckte ihr eine Strähne hinters Ohr. „Bitte verzeih mir. Ich habe nicht nachgedacht." Er strich über ihre Wange, ließ seine Finger in ihren Nacken wandern. Seine Lippen folgten der Spur, die seine Berührungen vorgaben. Kurz schob er sie ein Stück von sich weg um sie anzusehen, ehe er sie wieder dicht an sich zog. „Unsere Welt ist gefährlich, Siandra und du bist mir das Wichtigste. Ich konnte doch nicht zulassen, dass dir..."

Siandra sagte nichts, unterbrach ihn mit einem Kuss, den er erst behutsam, dann immer drängender erwiderte. „Ich weiß, dass du dir Sorgen machst. Was meinst du, was für Ängste ich bei jedem deiner Aufträge ausstehe?"

Sie hob den Blick, als er seine Daumen über ihren Hals gleiten ließ und die Sanftheit seiner Stimme sie umarmte. „Es war nicht richtig, dich einsperren zu wollen."

„Nein, war es nicht."

„Ich sah keinen anderen Weg, dich in Sicherheit zu wissen. Nicht nachdem das Netz der Eide uns kaum mehr trägt und meine Raben fort sind, um die Halbblüter aufzuspüren."

„Sie fehlen dir." Es war eine Feststellung, keine Frage.

„Sie sind ein Teil von mir. Ein Teil, der viel zu lange schon fort ist."

Schweigend lehnte sich Siandra mit dem Rücken an seine Brust und spürte seine pochenden Herzschlag, der immer ruhiger wurde. Elyano legte die Arme um sie, um sie noch dichter an sich heranzuziehen und schmiegte seine Wange an ihre.

Still beobachteten sie die Schiffe, die dem Sonnenuntergang entgegentrieben und die Möwen, die ihnen kreischend eine gute Fahrt wünschten.

„Warum wolltest du dich hier mit mir treffen?", fragte Siandra nach einer Weile. „Warum nicht im Orden?"

Siandra spürte Elyanos Lächeln an ihrer Wange. „Muss ich denn einen Grund haben?"

„Ich dachte, ihr Jäger hättet für alles einen Grund."

Elyano drehte sie zu sich herum und zupfte spielerisch am Kragen ihrer Bluse. „Immer noch so neugierig, mo cridhe?" Er küsste sie flüchtig, zu flüchtig für Siandras Geschmack und löste sich dann von ihr.

Im ersten Moment begriff Siandra nicht, als er in seine Tasche griff und einen kleinen Gegenstand hervorzog. Fast schon stiegen ihr Tränen der Rührung in die Augen, als ihr Blick auf das kleine Vorhängeschloss fiel. „Ich hätte nicht gedacht, dass du so kitschig sein kannst", sagte sie und lachte, um ihre Verlegenheit zu überspielen.

„Und gefällt's dir?", fragte Elyano sanft.

„Ob es mir...? Natürlich gefällt es mir!" Stürmisch fiel sie ihm um den Hals und küsste ihn.

Elyano lachte dumpf. „Aufgepasst. Sonst fallen wir zusammen mit dem Schlüssel in den Rhein", murmelte er an ihren Lippen. „Und das ist ja wohl nicht Sinn der Sache."

Siandra konnte nicht aufhören zu lächeln, als sie es der Tradition nach an dem Gitter der Brücke befestigten.

„Nur den Schlüssel“, grinste Elyano und beugte sich über das Geländer der Brücke. „Zum Baden ist es ein wenig zu kalt. Und außerdem wollen wir doch nicht die Narakruxe verärgern, oder doch?“

„Lieber nicht“, erwiderte Siandra sein Lächeln und tat es ihm gleich. Noch lange, nachdem der Schlüssel gesunken war, starrten die beiden Arm in Arm auf die Wasseroberfläche und genossen die Nähe des anderen.

13. Der Wolf in Ketten

Vielleicht war es doch ein wenig viel gewesen, dachte Fynn keuchend und stützte sich an der kalten Steinwand ab. Einen kurzen Augenblick lang gab er sich der Schwäche hin, atmete tief ein und aus und genoss die Kälte an seiner Stirn, bevor er sich aufrappelte und weiterlief. Normalerweise vertrug er deutlich mehr. Normalerweise. Die Tabletten, die er gezwungenermaßen nahm, hatte er dabei nicht bedacht. Vielleicht hätte er nicht so übertreiben sollen. Doch nachdem er ein Glas geleert hatte, hatte er bereits wieder zur Flasche gegriffen. Es war ein verdammter Teufelskreis gewesen und er war in seinem Inneren gefangen. Immerhin ließ es ihn kurz vergessen. Den ganzen Tag lang musste er für die anderen stark sein, musste ihren Kopf irgendwie wieder aus der Schlinge ziehen. Ihr Schiff steuerte geradewegs auf das Verderben zu und er war nicht imstande, das Ruder herumzureißen. Die ganze Zeit über musste er stark sein. Nun fühlte er sich leer, wie ein Stein, der durch stetige Wassertropfen ausgehöhlt wurde.

„Fynn!“

Noch bevor er die Tür schwerfällig hinter sich schloss, hörte er Aislings beunruhigte Stimme und spürte ihre Hände, die sich um sein Gesicht schlossen. Ihre sanften, weichen Hände. Er schloss die Augen und tauchte tief in ihren Geruch ein, spürte die Wehmut, die ihn überkam, als er an die ganze Zeit dachte, die sie schon an seiner Seite stand. Unbeholfen, fast schon ruckartig, legte er einen Arm um ihre Schultern und zog sie dicht an sich heran. Er wollte sie spüren, ihr nahe sein und für einen Moment all die Probleme vergessen, vergessen wer und was er war.

„Fynn, was...?“

Doch anstelle einer Antwort verschloss Fynn ihre Lippen mit

einem Kuss. Stürmisch presste er seine Lippen auf ihre, drängte sie mit seiner Zunge auseinander und sie ging darauf ein, erwiderte den Kuss leidenschaftlich, ließ sich auf der Welle der Lust mitreißen. Fynn ließ seine Hand über ihre Schultern zu ihrer Taille wandern und nestelte an ihrem Oberteil, als er sie noch enger an sich heranziehen wollte. Er merkte gar nicht, wie Aisling sich plötzlich anspannte. Erst, als sie versuchte, sich von ihm loszumachen, spürte er, dass etwas verdammt schief lief.

„Nein, Fynn..."

„Was...?"

Ihre Augen hatten einen seltsamen Ausdruck angenommen, den er nicht lesen konnte. „Das bist nicht du", flüsterte sie traurig.

Er wollte ihre Sorgen vertreiben. Erneut umfasste er ihr Gesicht und küsste sie, drängend, hoffend. Nur mühsam schaffte Aisling es, den Kuss zu unterbrechen. Sie brauchte all ihre Selbstbeherrschung, um sich von ihm zu lösen und den Kopf zu schütteln. „Nein. Nicht jetzt. Nicht so."

Als Aisling ihn sanft küsste und in Richtung Bett schob, spürte er, wie all seine Kräfte ihn verließen. Die Decke des Zimmers drehte sich und er schaffte es gerade so, sich auf seinen wackeligen Beinen zu halten, ehe er mehr auf das Bett fiel, als dass er sich legte.

„Warum hast du das getan?", fragte Aisling, auch wenn Fynn spürte, dass sie keine Antwort erwartete. Er schloss die Augen und sanfte Schwärze umhüllte ihn, nahm ihm gnädig einen kleinen Teil der Schmerzen und des Schwindels. Nur ab und zu öffnete er sie, um einen Blick auf Aisling zu erhaschen. Doch seine Schwäche machte ihm nichts aus. Nicht hier, nicht bei ihr. Hier war keiner seiner Jäger, der über ihn urteilte. Hier war nur seine Aisling, die immer hinter ihm stand, egal was er tat. In einem Punkt hatte Elyano unrecht. Hatte er selbst unrecht. Sie hatten keine Geheimnisse voreinander. Sie verschwiegen einander nichts. Er würde ihr nichts verheimlichen. Sanft strich Aisling durch sein Haar und sah traurig auf ihn herab. „Tu das nicht", flüsterte sie. „Tu das nie wieder. Alkohol dient dem Vergnügen, nicht dem Schmerz."

„Snooker?" Siandra hob die Augenbrauen, als sie in den Gemeinschaftsraum trat und ihr Blick auf den Fernseher fiel. „Ein

Snooker-Turnier? Kann man sich etwas langweiligeres ansehen?"

„Vielleicht eine der amerikanischen Kitschserien, die du so gerne guckst?", fragte Elyano grinsend, der mehr auf dem Sofa lag, als dass er saß.

„Das ist Kultur!"

Zephir saß im Sitzsack am Fenster und starrte gebannt auf den Fernseher. Elyano tippte etwas auf sein Handy ein, ohne den Blick von Siandra abzuwenden. Nur kurz streiften seine Augen das Display als der unverkennbare Ton eine neue Nachricht ankündigte. Sofort legte sich seine Stirn in Falten.

„Alles in Ordnung?", fragte Siandra besorgt und trat auf das Sofa zu. Als Elyano keine Anstalten machte, zur Seite zu rücken, legte sie sich kurzentschlossen zu ihm. Er seufzte, als sie ihre Hand über seine Brust gleiten ließ.

„Ich hatte mein privates Handy ausgeschaltet", murmelte er und tippte erneut einige Zeilen. „Macht eigentlich keinen Unterschied, weil kaum jemand die Nummer benutzt. Außer mein liebenswerter Bruder, der gestern Abend seine Zeit scheinbar dafür genutzt hat, mir volltrunken SMS zu schreiben."

„Fynn?", fragte Siandra perplex. Sie hatte ihn seit dem gestrigen Abendessen nicht mehr gesehen. Mit einem Schauer erinnerte sie sich an die Härte, die wieder auf sein Gesicht getreten war. Kurz hatte Elyano ihr von dem erzählt, was vorgefallen war - auch wenn sie um jedes Wort kämpfen musste. Sie wollte nicht glauben, dass Fynn sich schon so weit von ihnen entfernt hatte, dass es keinen Umweg mehr gab. Sie mussten ihm helfen, sich selbst wiederzufinden. Doch wie sollten sie das, wenn er jede Hilfe so entschieden ablehnte?

Elyano presste die Lippen aufeinander. „Du kannst mir glauben, dass ich jedes noch so kleine Bisschen meiner Selbstbeherrschung brauche, um nicht aufzuspringen und ihm dafür den Arsch aufzureißen."

„Er nimmt doch Tabletten..."

„Ich gehe mal ganz schwer davon aus, dass die Sache nicht sonderlich gut ausgegangen ist. Vermutlich liegt er gerade in diesem Moment in einem der Badezimmer und kotzt sich die Seele aus dem Leib."

Siandra schmiegte sich enger an ihren Raben. „Was hat ihn nur dazu getrieben?"

Doch Elyano antwortete nicht und sie hatte auch keine Antwort erwartet. Sie brauchten nicht auszusprechen, was Fynn belastete. Das war offensichtlich, vor allem nach den jüngsten Ereignissen. Sie sah auf, als Elyano ihr Kinn umfasste und sie sanft küsste. „Ist bei dir alles in Ordnung?“

Sie nickte nur stumm. Die ersten Klausuren hatte sie bereits hinter sich gebracht. Jetzt hatte sie ein paar Wochen Luft, bevor sie und Marie wieder den Lernmarathon aufnehmen mussten.

Elyano verflocht seine Finger mit ihren und zog ihre Hand näher an sich heran, um einzelne Küsse auf ihre Knöchel zu hauchen.

Sie lächelte, doch ihre Gedanken wanderten wieder zu Fynn, den ganz andere Probleme plagten, als sie. Sie wusste nicht, wie schlimm es um den Orden stand. Elyano versuchte, die Probleme von ihr fernzuhalten, auch wenn sie bereits mittendrin steckte. Und auch die meisten anderen Jäger wussten nicht viel mehr, als sie.

Die Worte ihres Vaters kamen ihr in den Sinn. Sie brauchten Pyrros, um an die Halbblüter heranzukommen. Doch das war unmöglich.

„Du bist so still“, flüsterte Elyano sanft.

„Psst, ich hab ne Wette auf das Turnier laufen“, sagte Siandra trocken und tat so, als würde sie den Geschehnissen auf dem Bildschirm folgen.

„Da ist doch noch etwas. Woran denkst du?“

„An die Halbblüter“, antwortete sie wahrheitsgemäß. „Ich kann sie nicht vergessen.“

Elyano runzelte die Stirn. „Aber du weißt, dass du dir keine Sorgen zu machen brauchst. Dir wird nichts geschehen.“

„Das kannst du nicht wissen. Sie werden nicht vor dem Orden Halt machen.“

„Mach dir keine Sorgen“, flüsterte er und küsste sie auf den Scheitel. „So weit wird es nicht kommen.“

„Fynn will gegen sie in den Krieg ziehen“, stellte sie fest. „Aber selbst mit den Söldnern meines Vaters sind wir zu wenige.“

Elyano antwortete nicht, doch sie sah, dass dies keine neue Information für ihn war.

„Wir können diesen Krieg nicht mit Gewalt für uns entscheiden!“

„Das ist mir auch bewusst!“, knurrte Elyano.

„Wir müssen Kontakt zu ihnen aufnehmen. Sie mit der Fürstin und Fynn an einen Tisch bringen. Vielleicht gibt es eine Einigung, die auch ohne Blut auskommt.“

„Glaubst du wirklich, ein bisschen reden, räumt einen jahrhundertelangen Konflikt aus der Welt?", fuhr er sie an. Zephir hob den Kopf und sah Elyano fragend an, doch der Rabe ignorierte ihn. „Zumal sicherlich keiner von ihnen bereit ist, sich mit uns an einen Tisch zu setzen. Immerhin könnten wir sie hinterrücks abstechen." Seine Stimme war an Bitterkeit kaum zu überbieten.

„Und wenn sie sich auf neutralem Boden treffen?" Elyano versuchte, sie zu unterbrechen, doch sie sprach über seine Stimme hinweg. „Was, wenn sie die Bedingungen stellen und den Ort wählen? Vielleicht wären sie dann bereit,..."

„Nein, Siandra! So funktioniert das alles nicht! Aschenputtel würde sich niemals darauf einlassen und auch Fynn wird Bedenken haben."

„Und wenn ich an ihrer Stelle mit ihnen spreche? Im Auftrag des Ordens?"

„Darauf lasse ich mich nicht ein."

„Aber Elyano..."

„Nein, Siandra! Das ist zu gefährlich! Und wie willst du auch an sie herankommen? Die Kundschafter haben nichts genau erfahren können, keinen genauen Standort und erst recht nicht Gabriels und Ekziels Aufenthaltsort. Wie willst du sie erreichen?"

„Es gibt jemanden, der uns helfen kann. Einer, der sehr vertraut mit ihnen ist und auf den sie hören würden."

Elyano hob die Augenbrauen. „Von wem sprichst du?"

„Pyrros. Er ist Gabriels Halbbruder. Auf ihn wird er hören. Er wird wissen, wo sie sich aufhalten und kann uns hinführen."

„Was...?" Woher...?" Wie vom Donner gerührt starrte er sie an. „Das kannst du nicht ernst meinen?!"

„Wir müssen Pyrros vertrauen."

„Hörst du eigentlich, was du da redest? Wer sagt uns, dass er uns nicht nur hereinlegt? Er ist der Feind, Siandra! Wir können ihm nicht trauen."

„Elyano hat recht", mischte Zephir sich ein. „Wer weiß, ob er uns anlügt, wie er es schon immer getan hat." Seine Züge wurden bitter. „Er hat schon zu viele Leben auf dem Gewissen."

Elyano umfasste ihr Gesicht mit beiden Händen, als sie den Blick abwenden wollte. „Versprich mir, dass du nichts unüberlegtes tust", verlangte er sanft aber bestimmt. „Pyrros kann uns nicht helfen und ich werde mit Sicherheit nicht das Risiko eingehen, dass er uns in den Rücken fällt. Und genauso wenig gehe ich das Risiko ein, dass dir etwas passiert, indem ich dich zu den Halbblütern schicke. Du musst es mir versprechen."

Zögerlich nickte Siandra und küsste ihn. „Ich versprech's", sagte sie, als ihre Lippen sich voneinander lösten.

Eine Weile lagen sie ruhig beieinander und beobachteten mehr Zephirs Reaktionen auf das Snooker Turnier, als das Spiel an sich. Siandra wurde fast schon schläfrig, als der schrille Klang des alten Handys sie aus ihrer Gedankenleere riss. „Marie", murmelte sie, als sie auf das Display sah. „Wir müssen noch unseren Anatomie-Vortrag besprechen." Sie wollte sich aufrichten, doch Elyano schlang die Arme um sie und zog sie dicht an sich heran.

„Was wird denn das, wenn's fertig ist?", fragte sie und konnte sich das Lächeln kaum verkneifen. Ihre Stimme wurde durch seine Haut gedämpft.

„Geh nicht", murmelte er an ihren Haaren. „Ich lieg grad so gut."

„Glaub mir, ich würde auch lieber hierbleiben, als mich mit der Uni herumzuärgern."

Widerwillig ließ er sie los, zog sie nur ein letztes Mal zu sich herunter um sie zu küssen. Noch einmal sah er ihr tief in die Augen. „Vergiss nicht, du hast es versprochen", erinnerte er sie nachdrücklich an den Verrat, den sie bereits begonnen hatte.

Siandras Herz schlug ihr bis zum Hals, als sie durch die Gänge des Ordens schlich. Das, was sie vorhatte, konnte kein gutes Ende nehmen. Sie versuchte die Unruhe in ihrem Inneren zu besänftigen, doch sie schaffte es kaum, die vorwurfsvollen Stimmen aus ihrem Kopf zu verbannen.

Elyano hatte unrecht. Sie brauchten Pyrros, mussten ihm vertrauen, sonst waren sie verloren. Sie mussten die Halbblüter davon überzeugen, dass ein Kampf sinnlos war. Vielleicht würden sie ihren Worten Gehör schenken. Immerhin war sie eine von ihnen gewesen. Es war ein Risiko, das sie eingehen musste. Auch wenn sie noch keine Idee hatte, wie sie das bewerkstelligen und beide Parteien an einen Tisch bringen sollte. Eines war sicher: Ohne den Fürsten der Wölfe ging es nicht, so sehr sich auch alles in ihr widersetzte einen Fuß vor den anderen zu setzen. Doch es war anders, als noch vor einigen Wochen. Der Gedanke an seinen Tod verschaffte ihr keine Genugtuung mehr.

Sie hatte alles genau geplant. Die meisten Jäger waren zu Aufträgen unterwegs, auch die Zwillinge und Elyano. Und Fynn würde den ganzen Tag keinen Fuß aus seinem Büro heraussetzen. Es war riskant, doch sie konnte es schaffen, Pyrros ungesehen über den wenig genutzten grauen Gang aus dem Orden heraus und zu ihrer alten Wohnung im Haus ihrer Tante zu schmuggeln. Wenn sie das geschafft hatte, würde sie weitersehen. Dafür sorgen, dass er sie zu den Halbblütern brachte.

„Kann ich dir irgendwie helfen?", fragte der Jäger, der Pyrros bewachte freundlich, aber dennoch mit Skepsis in der Stimme.

Siandra schluckte kaum wahrnehmbar und kramte all ihre Selbstsicherheit hervor. „Der Hüter des Ordens verlangt dich zu sehen. Sofort!"

Einen Moment lang sah der Jäger sie nur perplex an, ehe er nickte. Es war nicht das erste Mal, dass er sie mit dem Wolfsfürsten allein ließ. Er würde es sich wohl anders überlegen, wenn er wüsste, was sie tatsächlich vorhatte.

Pyrros starrte sie verwundert an und hob kurz eine Augenbraue, als sie in seine Zelle trat. Dann schlich sich ein halbes Grinsen auf seine Züge. „Ich hätte nicht gedacht, dass du den Mumm hast, den Jägern derart ins Gesicht zu lügen."

„Wer sagt, dass ich lüge?"

„Prinzessin, vergiss nicht, ein Wolf riecht Lügen wie ein Hund." Ein animalisches Funkeln trat in seine Augen, als Siandra sich zu ihm herunterbeugte. Der Geruch, der ihr entgegenschlug, hervorgerufen von wochenlanger Gefangenschaft, ließ sie zögern.

„Tut mir leid, ich habe heute doch tatsächlich mein Eau de Toilette vergessen. Hast du etwa keine Angst, dafür hier bei mir in den Kerkern zu landen? Nicht, dass ich etwas dagegen hätte." Mit einem lasziven Grinsen auf den Lippen ließ er seinen Blick über ihren Körper wandern.

„Sei still", zischte sie und zog den Schlüssel hervor, um sich an dem Schloss zu schaffen zumachen.

Pyrros stöhnte tonlos, als sich die Ketten von seinen Handgelenken lösten und gerötete Haut freigaben. Doch schnell wich der gequälte Ausdruck seinem typischen Grinsen. „Ich wusste gar nicht, dass du so vortrefflich mit Schlössern umgehen kannst, Prinzessin."

„Sei leise und komm endlich!", zischte sie und half ihm auf. Pyrros war verdammt dünn geworden und schwach auf den Beinen, doch die Aussicht, den Kerkern endlich zu entkommen, trieb ihn an.

Einen Moment zögerte der Wolfsfürst jedoch. „Warum tust du das?", fragte er und seine Augen nahmen einen Ausdruck an, den Siandra nicht deuten konnte.

Sie hielt einen Moment inne, ehe sie zum Sprechen ansetzte. „Ich habe beschlossen, dir zu vertrauen."

Pyrros lachte kurz und bitter auf. „Eine furchtbare Entscheidung."

Durch die lange Gefangenschaft war Pyrros schwach auf den Beinen, doch sein Stolz gestattete es ihm nicht, sich von Siandra stützen zu lassen.

„Komm hier lang", flüsterte sie und lotste ihn in Richtung des grauen Ganges. Sie wusste von Elyano, dass er lange schon nicht mehr genutzt wurde. Er lag zu weit ab und führte in den hintersten Winkel des Ordens.

„Wie praktisch, dass die Jäger keine gute Nase haben, was? Meine Wölfe hätten uns sofort entdeckt." Ein wehmütiger Ausdruck trat auf seine Züge.

„Was ist mit ihnen wirklich geschehen?", fragte sie und atmete auf, als sie den grauen Gang erreichten. Hier sollte keiner der Jäger ihnen entgegen kommen.

„Ich habe sie verkauft", flüsterte Pyrros mit einer Traurigkeit, die Siandra nicht von ihm kannte. Doch plötzlich wurde der Wolfsfürst aufmerksam, legte eine Hand auf Siandras Schulter. „Prinzessin", sagte er ruhig, ohne die Hand wegzunehmen. „Ich fürchte, wir bekommen Besuch."

Ihr Herz überschlug sich, als sie versuchte, einen Ausweg zu suchen. Doch der lange Gang war kahl und ohne Möglichkeit sich zu verstecken. Und Pyrros war nicht in der Lage schnell zu laufen.

„Siandra, was...?" Fassungslos starrte Fynn sie an, als er hinter der nächsten Ecke hervortrat. Seine Stimme wurde hart und schnellte über den Boden wie ein Peitschenschlag. „Was denkst du, was du da tust?!"

Aisling war bei ihm und der verletzte Ausdruck in ihren Augen schmerzte Siandra ebenso, wie die Härte in Fynns Stimme. Eine weitere Jägerin stand neben den beiden, die sie mit verschränkten Armen kalt ansah. Von allen Jägern des Ordens, warum mussten sie ausgerechnet ihm über den Weg laufen? Plötzlich wurde sie sich glühend heiß Pyrros Hand auf ihrer Schulter bewusst und sie machte sich von ihm los.

Pyrros spannte sich neben ihr an und schien in Kampfhaltung überzugehen und auch Fynns Hand zuckte zu seiner linken Seite, ehe sie sich um seinen Gehstock krampfte. Aisling legte ihre Hand auf seine und schien ihn zumindest ein wenig zu beruhigen - äußerlich jedenfalls.

„Hör auf, verdammt", zischte Siandra Pyrros kaum merklich an und zu ihrer eigenen Verwunderung entspannte der Wolf sich etwas neben ihr.

„Siandra, erklär mir das!", verlangte Fynn mit erbarmungsloser Härte in der Stimme. Er zischte der Jägerin neben ihm etwas auf eshani zu, die daraufhin etwas in ihr Handy tippte.

„Wir brauchen ihn!", entgegnete Siandra und versuchte die Panik, die ihren Magen rebellieren ließ, herunterzuschlucken. „Er ist der einzige Schlüssel zu den Halbblütern, der einzige Schlüssel zum Frieden."

„Das hast nicht du zu entscheiden!"

Ein Jäger trat an seine Seite, sichtlich außer Atem. „Mein Hüter?", setzte er an und verbeugte sich unterwürfig. „Ihr habt mich rufen lassen?"

Fynn wandte den Blick nicht von Siandra ab, als er zum Sprechen ansetzte. „Bring den Wolf zurück in seine Zelle. Wenn Siandra meint, über seine Freiheit zu entscheiden, wird sie sich freuen zu hören, dass sie damit seine Hinrichtung beschlossen hat."

„Nein!" Siandra wunderte sich selbst über die Kraft, mit der sie Fynn die Stirn bot. Die Angst um all das, was sie kannte und liebte, brannte in ihrem Inneren wie ein Leuchtfeuer. Sie brauchten Pyrros. Sie brauchten ihn für die Aufgabe, die vor ihnen lag, um die Halbblüter aufzuhalten, doch Fynn sah es einfach nicht.

Der Hüter des Ordens wurde starr vor Wut. „Du wagst es, dich meinen Anordnungen zu widersetzen?!", polterte er. Siandra erkannte ihn nicht mehr, fürchtete sich vor dem Mann, zu dem er geworden war.

Noch bevor sie Elyano sah, spürte sie den Schleier, der sich warm um ihre Schultern legte. Doch heute konnte er sie nicht beruhigen, er versetzte sie nur noch mehr in Panik.

Ihr Rabe tauchte plötzlich hinter seinem Bruder auf. Er erstarrte, als er Siandra und Pyrros sah, wollte zu ihr laufen, doch Fynn hielt ihn mit einer forschen Handbewegung auf.

„Was hindert mich daran, dich zusammen mit Pyrros in die Kerker zu werfen? Was hindert mich daran, dir die gleiche Strafe zukommen zu lassen, die auch der Wolf erwartet?"

Siandra zuckte zusammen und auch Elyano und Aisling starrten Fynn geschockt an. Die Panik verknotete ihr Inneres zu einer einzigen heißen Masse, die sie unaufhaltsam weiter zu Boden zog.

„Fynn...", knurrte Elyano und ballte die Hände zu Fäusten.

„Das ist Hochverrat, mein lieber Bruder. Du weißt, was anderen widerfahren ist, die sich meinen Anordnungen widersetzt haben."

Elyano schob sich vor seinen Bruder. Siandra konnte die Augen ihres Raben nicht sehen, doch sie hörte die Anspannung in seiner Stimme, die Furcht, die auch sie ergriffen hatte. Sie wussten nicht, wie weit Fynn gehen würde. „Pass auf, was du sagst", knurrte er. „Du vergisst dich."

„Jetzt wagst du es auch noch? Siehst du nicht, was sie getan hat? Sie wollte den Wolf freilassen! Du weißt, wofür er verantwortlich ist! Sie weiß es! Und doch wollte sie ihn ziehen lassen!"

„Wir brauchen ihn", mischte Siandra sich ein. „Nur er kann uns den Weg zu den Halbblütern weisen! Nur er kann..."

„Siandra!" Die Wucht von Elyanos Stimme schlug sie förmlich. So wütend hatte sie ihn noch nie erlebt. Kurz sah er sie an und seine Augen waren dunkel und hart wie Onyx, ehe er sich wieder zu seinem Bruder umdrehte. „Es war nur ein dummer Fehler", sagte er mit leisem Zorn. „Sie wird nicht..."

„Warum versteht ihr nicht?!" Verzweiflung packte sie mit kalten Händen. Wenn sie Pyrros Leben beendeten, war alles verloren. „Bitte, ihr müsst mir vertrauen!"

„Ach ja? Müssen wir das?"

Harte Blicke trafen sie, die sich tief in ihr Innerstes bohrten, doch sie versuchte ihnen standzuhalten. Elyanos kalte Augen trafen sie am meisten. Sie kämpfte gegen die Tränen und die Verzweiflung an, doch von Sekunde zu Sekunde fiel es ihr schwerer. „Elyano, bitte..."

„Hast du etwa vergessen, was er getan hat?", fragte Fynn mit vor

Wut leiser Stimme. „Wie können wir ihm vertrauen? Und wie können wir dir noch vertrauen, wo du uns so hintergangen hast?!"

Aisling versuchte ihn zu beruhigen, streichelte über seinen Arm, doch er schob sie unbarmherzig von sich weg.

„Fynn, lass es!" Mit einem Schauer erkannte Siandra, die dunklen Schemen, die sich auf Elyanos Hand ausbreiteten. Die Wut ließ seine Stimme immer härter werden.

„Sie ist ein Verräter, Elyano, begreifst du es nicht?", brüllte Fynn ihn an. „Sie ist ein Verräter genau wie Pyrros und verdient..."

Fynn keuchte, als Elyanos Faust ihn im Gesicht traf und taumelte zurück. Einen Augenblick lang starrte er seinen Bruder fassungslos an, ehe er seinen Gehstock fallen ließ und umso härter zurückschlug.

„Hört auf damit!", rief Siandra verzweifelt, doch sie schaffte es nicht die Brüder zu trennen, die immer wieder aufeinander einschlugen. Sie hörte die Schritte erst, als Heinrich sie zusammen mit einigen Jägern fast erreicht hatte.

„Was ist hier los?", fragte er kühl und ließ seinen Blick über die kämpfenden Brüder zu Pyrros und Siandra gleiten. „Jetzt trennt die beiden endlich, Herrgott nochmal!", herrschte er die Jäger neben ihm an, die die Brüder an den Armen packten und auseinanderzogen.

Keuchend stützte Fynn sich auf seinen Gehstock und fuhr über seinen blutunterlaufenen Wangenknochen. Elyano strich sich in einer fahrigen Bewegung das Blut weg, das von seiner Augenbraue hinablief. Siandras Herz raste. Sie wollte auf Elyano zugehen, doch der Ausdruck in seinen Augen hielt sie davon ab.

„Fynn", flüsterte Aisling und strich über seine Wange, versuchte, ihn mit leisen Worten zu beruhigen, doch sie prallten an der Wand ab, die er wieder hochgezogen hatte.

„Lass mich in Frieden!", fauchte er sie an.

Doch dieses Mal gab sie nicht klein bei. „Es reicht. Hör auf!", fuhr sie ihn an und ihre Augen funkelten angriffslustig.

Fynn starrte sie einen Moment lang perplex an. Es kam selten vor, dass ihre sanfte Seite schwieg.

Er sah auf, als Heinrich eine Hand auf seine Schulter legte. Der alte Mann sah ihn durchdringend an, schien eine Antwort zu erwarten. „Vielleicht hat sie Recht", sagte Heinrich nach einer Weile. „Vielleicht kann er uns wirklich weiterhelfen. Wenn Gabriel jemanden an sich heranlässt, dann ihn." Er verstärkte den Druck auf seine Schulter, als der Hüter des Ordens zornig den Blick abwenden wollte. „Ich verstehe deine Wut. Wut ist ein Monster, das ständig nach Vergeltung schreit. Doch dieses Mal darfst du ihr nicht die Kontrolle überlassen." Er folgte Fynns Blick zu Siandra und Pyrros. Angespannt hatte Siandra die Arme um ihren Körper geschlungen, während Pyrros selbstgefällig an der Wand lehnte. „Der Kopf ist rund, damit das Denken seine Richtung ändern kann."

Fynn ballte die Hände zu Fäusten, wirkte unruhig, wie ein Raubtier in einem Käfig. Siandra sah genau, wie sehr er mit sich kämpfte. Irgendwann seufzte er, doch es klang nicht erleichtert. Sein Finger richtete sich auf sie und sein Blick bohrte sich tief in ihr Inneres. „Du bist für ihn verantwortlich", fauchte er sie an und wandte sich dann an seine Jäger. Es klang fast wie eine Drohung. Er zischte einige Worte, die Siandra nicht verstand, ehe seiner Stimme lauter wurde. „Geleitet ihn auf sein Zimmer!"

Einer der Jäger drängte sich an Siandra vorbei und packte Pyrros am Arm. „Wenn er deinen Tod anordnet, werde ich der Erste sein, der schießt, Wolf!", zischte er ihn an.

„Sollte er den Versuch wagen, zu fliehen, kannst du das meinetwegen gerne tun", sagte Fynn hinter ihm kühl, fast schon emotionslos, ehe er sich umdrehte und ging.

Elyano sah sie nur einen Moment schweigend an und folgte seinem Bruder. Ein heißer Schmerz fuhr durch Siandras Inneres, gefolgt von einer bodenlosen Leere. „Elyano...", hauchte er und kurz hielt er inne. Doch er schüttelte nur den Kopf und war im nächsten Moment hinter der Kurve verschwunden. Siandra kämpfte mit den Tränen und schlang die Arme um ihren Oberkörper. Die Ablehnung schmerzte sie körperlich. Als sie sich zu Pyrros und den Jägern umdrehte, lag ein eigenartiger Ausdruck in den Augen des Wolfes. War es Mitleid? Sie schüttelte kaum merklich den Kopf. Nein, so etwas kannte er nicht.

Sie folgte den Jägern, die Pyrros in sein neues Zimmer geleiten sollten. Ihr entgingen nicht die Blicke, die sie ihr immer wieder zuwarfen, doch sie versuchte sie zu ignorieren. Die Schuld brannte sich tief durch ihr Innerstes und auf einmal schoss Rotkäppchens Stimme durch ihren Kopf. Sie erinnerte sie daran, dass die Jäger sie niemals akzeptieren würden. Siandra biss auf ihre Unterlippe, so fest, dass es schmerzte. Vielleicht hätten sie sie akzeptiert, doch mit ihrer Aktion hatte sie sich diesen Weg für immer verbaut.

„Rein oder raus?", blaffte der Jäger. Siandra hatte gedacht, dass die Jäger den Wolfsfürsten zurück in die Kerker bringen würden, doch da hatte sie sich getäuscht. Mechanisch folgte sie Pyrros in das Zimmer, vor dessen Türen sich die Jäger als Wächter postierten. Es war die richtige Entscheidung, das wusste Siandra. Doch das änderte nichts an den Schmerzen, die diese Entscheidung mit sich zog. Sie dachte an Elyano und der Schmerz schien ihr ganzes Denken einzunehmen.

Plötzlich spürte sie eine Berührung an der Schulter, die sie aufblicken ließ.

„Kopf hoch Prinzessin", flüsterte Pyrros ungewohnt mitfühlend. „Sonst fällt die Krone herunter."

Sie versuchte zum Sprechen anzusetzen, doch kein einziges Wort kam über ihre Lippen.

Pyrros ließ seinen Blick durch das Zimmer schweifen und sein gewohntes Grinsen kehrte auf seine Lippen zurück. „Früher war es hier irgendwie weniger deprimierend."

„Du warst schon einmal hier?" Siandra horchte auf.

„Ja... vor langer Zeit."

„Was hast du hier gemacht?"

Pyrros seufzte. „Mein falscher Vater wollte, dass ich ein Jäger werde, wie er einer war. Doch es war nicht richtig, das spürte ich. Manchmal glaube ich, ich wusste damals schon tief in meinem Inneren, wo mein Platz in dieser Welt war." Seine Stimme war traurig und voller Wehmut. Er räusperte sich. „Keine Zeit jedenfalls, an die ich mich gerne erinnere."

„Was ist passiert?"

„Ich bin gegangen", antwortete er knapp und ließ sich auf das Bett fallen. Der Schmutz, den er dabei verteilte, störte ihn nicht. Und wieder trat das halbe Grinsen auf seine Lippen, hinter dem er sich so oft versteckte. „Ein extravagantes Gefängnis, doch ein Gefängnis wird es bleiben. Nicht umsonst postieren Jäger vor der Tür und vor meinem Fenster." Er richtete sich wieder ein Stück auf und sah Siandra durchdringend an. „Und doch hast du mich in gewisser Weise befreit, Prinzessin. Also, was willst du?"

„Bring mich zu den Halbblütern. Du bist der Einzige, der uns jetzt noch helfen kann."

Pyrros lächelte traurig, ehe er nickte. „Ich weise dir den Weg und führe dich unbeschadet zu ihnen. Doch ich wünschte, du hättest um einen anderen Lohn für meine Befreiung gebeten."

Mit einem unguten Gefühl verließ sie Pyrros ‚Zimmer' und spürte sofort die feindseligen Blicke der Jäger, die sie in eine Zeit zurückversetzten, als sie noch ein Halbblut in ihren Hallen gewesen war. Sie unterdrückte den Impuls, umzudrehen und wegzulaufen und kramte all ihr Selbstbewusstsein hervor, um hoch erhobenen Hauptes an den Jägern vorbeizugehen.

Sie wollte sich eigentlich sofort in ihrem Zimmer verkriechen, doch als sie durch die Eingangshalle lief, fiel ihr Blick auf Elyano. Ihr Rabe stand zusammen mit Fynn, Aisling und zwei weiteren Jägern vor dem Gemälde der Fürstinnen. Siandra knabberte auf ihrer Unterlippe, als sie näher herantrat. Sie musste an ihnen vorbei, doch da war auch ein unsichtbarer Sog, der sie unweigerlich immer näher an die Gruppe heranzog. Einer der beiden Jäger war Florian. Mit verschränkten Armen hörte er seinem Hüter zu, nickte nur hin und wieder stumm. Fynn hielt Aislings Hand, doch sie starrte ins Leere und schien weit entfernt. Siandra verstand nicht, worüber sie sprachen. Ihre Sprache war anders, als das gälisch, das Elyano so oft mit seinem Bruder sprach. Vermutlich die alte Sprache, von der Elyano ihr einst erzählt hatte. Eshani.

Vorsichtig ging Siandra auf sie zu. Der Schleier, der sich sonst immer warm um ihre Schultern legte, war kalt und schneidend. Siandra versuchte mit aller Macht, den Kloß in ihrem Hals herunterzuschlucken, doch er blieb standhaft. Sie wollte sich umdrehen und gehen, als sie eine Berührung an ihrem Handgelenk spürte. Ohne den Blick von Fynn abzuwenden, der immer noch etwas zu erklären schien, griff Elyano nach ihrer Hand und hielt sie fest. „Nicht", flüsterte er. Kurz trafen sie seine Augen. Sein Blick war nicht mehr finster, doch seine schmalen Lippen verrieten ihr, dass er noch immer wütend auf sie war.

Plötzlich richtete sich Fynns Blick auf sie. „Ich hoffe, ich mache keinen Fehler Pyrros zu trauen", sagte er kühl.

Die Enge in ihrem Hals breitete sich immer weiter in ihrem Körper aus, als sie seinem Blick standhielt. „Wenn du ihm nicht vertraust, dann vertrau mir."

Kurz pressten sich Fynns Lippen aufeinander. „Vertrauen kann man nicht einfordern!“

„Vertrau mir, das wird sie ein wenig gnädiger stimmen“, sagte Aisling und lotste ihren kanariengelben Opel Corsa durch den Kölner Stadtverkehr.

Siandra war davon noch nicht ganz überzeugt. Misstrauisch beäugte sie die fettigen warmen Papiertüten, die auf ihren Beinen lagen. „Na, wenn du meinst“, murmelte sie und zog eine Pommes aus dem Inneren der Tüte. „Von den Dämpfen wird man ja fast schon high.“

„Ich habe Fynn schon mehr als einmal mit Fastfood geködert.“

„Ich bezweifle, dass das die Sache mit Pyrros gut machen wird.“

„Du hast es nur gut gemeint“, sagte Aisling traurig und bog auf die Landstraße ab, die quer durch den Wald führte.

„Ja, so kann man es auch nennen.“

„Fynn wird sich bald beruhigen und verstehen, was du damit bezwecken wolltest.“

„Hoffen wir es mal“, erwiderte Siandra pessimistisch und biss auf ihre Unterlippe. Immerhin hatten sie den Ausflug unternommen, um auf andere Gedanken zu kommen und nicht, um im Selbstmitleid zu baden. Sie dachte an die vergangenen Stunden. Aisling hatte sie am Morgen mit dem Vorschlag überrascht und Siandra hatte nicht einen Moment gezögert. Erst hatte sie überlegt, auch Marie einzuladen, sich dann aber dagegen entschieden. Das war eine Sache, die sie alleine mit Aisling machen musste. An Becca wollte sie gar nicht erst denken.

Aisling hatte endlich wieder richtig gelacht. Die Probleme um den Orden schienen hoch oben in der Luft, an Bord der Seilbahn, keinen Platz zu haben. Und nicht nur Aisling hatte den Ausflug genossen. Für einen kurzen Moment konnte Siandra Elyano und ihren Verrat hinter sich lassen, ihn einfach vergessen.

Im Radio lief ein Oldie, irgendein Lied von den Andrew Sisters. Aisling trommelte mit den Fingern im Takt der Musik auf das Lenkrad. Die Dunkelheit rollte immer näher an die Fensterscheibe heran und wich erst ein Stück weit, als Aisling das Fernlicht einschaltete.

„Ich weiß, dass du das vermutlich nicht hören willst, aber hast du eigentlich mit Fynn gesprochen?“

Aislings Lippen wurden schmal. „Es hat sich nicht ergeben."

Unsicher knabberte Siandra auf ihrer Unterlippe, fürchtete, das Falsche zu sagen und ihre Freundin zu sehr zu drängen. „Du wirst es nicht mehr lange verbergen können", sagte sie behutsam und fragte sich insgeheim, wie Aisling es bisher gelungen war. Wenn man es wusste, waren die Anzeichen nicht zu übersehen. „Er sollte es von dir erfahren."

Aislings Hände verkrampften sich am Lenkrad. „Ich weiß. Aber jedes Mal, wenn ich es ihm erzählen wollte, ist irgendetwas anderes passiert. Als würde irgendetwas verhindern wollen, dass ich es ihm sage. Vielleicht war es meine Angst vor seiner Reaktion."

„Ich würde ja mit dir gehen, aber ich glaube, das kommt schlecht", sagte Siandra, um Aisling aus ihrem Loch zu reißen.

Ein kurzes Lachen verließ Aislings Lippen und hinterließ ein sanftes Lächeln. „Danke", flüsterte sie. Mehr war nicht nötig.

„Vorsicht!", rief Siandra plötzlich, doch Aisling hatte den Schatten auf der Fahrbahn längst gesehen. Die Jägerin riss das Steuer herum, versuchte auszuweichen. Siandra wurde nach vorne geworfen, als das Auto von der Straße abkam. Ihr Kopf schlug gegen das Glas der Beifahrertür und einen kurzen Moment lang wurde ihr schwarz vor Augen. Doch dann sah sie das Unterholz in Schemen am Fenster vorbeirauschen. Der enge Gurt schnürte ihr die Luft ab. Das Letzte, was sie sah, war der Baum, der sich unaufhaltsam auf sie zubewegte.

14. Scharfkantige Wahrheit

Dichte Nebelschwaden umschmeichelten ihr Bewusstsein, als Siandra langsam wieder zu sich kam. Im ersten Moment wusste sie nicht, wo sie war. Ihr Körper war schwer, wie wenn sie nach einem langen Tag in der Uni endlich in ihrem Bett lag. Doch sie spürte, dass etwas anders war. Sie konnte nichts sehen und auch das Atmen fiel ihr schwer. Schmerzen hatte sie keine, aber trotzdem stimmte etwas nicht. Ihr Blick lichtete sich ein wenig, doch sie konnte noch immer nichts erkennen. Da war etwas Feuchtes, das über ihre Wange lief. Warmer Regen? Leise rieselte etwas, als sie versuchte sich aufzurichten. War das etwa Glas?

Ihr Gehirn begann langsam zu arbeiten. Kälte kroch unter ihre Haut, als die Bilder vor ihrem inneren Auge aufblitzten. Der Schemen auf der Fahrbahn, das Auto, das von der Straße abgekommen war, der Baum...

„Aisling?!“ Sie versuchte sich zu ihrer Freundin umzudrehen, doch etwas hinderte sie daran. Der Sicherheitsgurt!, brach die Erkenntnis über ihr zusammen. Er war es, der ihr das Atmen schwer machte. Sie versuchte tief einzuatmen, als ihr schlagartig schlecht wurde. Sie konnte kaum etwas sehen. Was war mit Aisling passiert? Erneut rief sie ihren Namen, versuchte nach ihr zu greifen.

„Es ist okay“, erklang die zitternde Stimme ihrer Freundin. „Ich glaube, wir haben Glück gehabt.“

Siandra unterdrückte das hysterische Lachen, das in ihr aufstieg und versuchte ruhig zu bleiben. Der Schwindel zerrte an ihr, als sie vorsichtig den Sicherheitsgurt abtastete. „Kannst du dich bewegen?“, fragte sie und bekam den Verschluss zu fassen. Er hatte sich verbogen und klemmte. Siandra biss die Zähne aufeinander, drückte und zog, doch er bewegte sich kein Stück.

„Kaum“, sagte Aisling und schien genau wie Siandra nach einem Ausweg zu suchen. „Kommst du an dein Handy?“

„Ich versuch‘s.“ Ihre Finger schmerzten von der Wucht mit der Siandra auf den Gurt einarbeitete. Millimeter für Millimeter bewegte er sich. Sie atmete erleichtert auf, als er endlich nachgab und sie sich nach vorne beugen konnte. Sofort bereute sie es, als Übelkeit und Schwindel mit einer Wucht über ihr einbrachen, die ihr die Tränen in die Augen trieb. Sie kämpfte den Brechreiz nieder und griff nach ihrer Tasche.

„Kein Empfang. Verdammt!“, fluchte sie und unterdrückte den Drang ihr Handy durch die zerstörte Scheibe zu werfen.

„Wir müssen Elyano anrufen“, sagte Aisling mit zittriger Stimme. „Wir müssen Elyano erreichen.“

„Was ist mit dem Netz der…“

„Zu schwach. Du würdest dich selbst in dem Nebel verlieren.“

Siandra tastete nach der Beifahrertür. Sie spürte sofort, dass sie unnatürlich eingedrückt war. Der Griff ließ sich kaum ziehen, klemmte fest. Verzweiflung machte sich in ihr breit. „Jetzt geh auf, verdammt!“, zischte sie und riss an dem Hebel, bis er endlich nachgab. Sie brauchte all ihre Kraft, um die Autotür aufzustemmen und aus dem Auto zu robben. „Es wird alles wieder gut“, murmelte sie einem Mantra gleich. Sie versuchte sich aufzurichten und musste sich am Metall der Tür festhalten, als die Erde sich plötzlich drehte. Erst nach einigen ruhigen Atemzügen schaffte sie es, sich vom Auto zu lösen.

Ihre Schritte waren unsicher und sie wankte wie ein Betrunkener auf dem unebenen Boden. Der warme Regen auf ihrer Stirn und ihrer Wange wollte nicht versiegen und sie spürte das Echo des Schmerzes, das sich langsam an schlich, doch sie schien sich nichts gebrochen zu haben. Mehr noch als um sich selbst, machte sie sich Sorgen um Aisling. Ihre Angst schlug immer wieder in Panik um. Ihr durfte nichts passiert sein. Ihrem ungeborenen Geheimnis durfte nichts passiert sein.

Erst weiter oben hatte ihr Handy wieder Empfang. Still lag die Straße vor ihr, als hätte sie sämtliche Geräusche verschluckt. Was auch immer auf der Fahrbahn gestanden hatte, es war verschwunden.

Noch nie erschienen ihr die Freizeichen länger als in diesem Moment. Bitte geh ran, bitte geh ran, bitte geh ran, flehte sie in

Gedanken.

„Siandra?", erklang Elyanos verwunderte Stimme am anderen Ende der Leitung. „Wolltet ihr nicht…?"

„Elyano, wir… d-da war etwas auf der Straße… d-das Auto… wir…", stotterte sie.

„Was ist passiert?", fragte er alarmiert.

„Du musst kommen. Bitte!"

„Ich bin sofort da", sagte er und legte auf.

Vorsichtig stolperte sie zurück zum Auto. Die Fahrertür hatte ebenso viel abbekommen, wie ihre Seite und das Glas der Scheibe war zersplittert. Krampfhaft hielt Aisling sich am Lenkrad fest.

„Elyano kommt", sagte Siandra, als Panik sie durchfuhr. „Verdammt, er weiß doch gar nicht, wo wir sind, er…"

„Er wird uns finden." Aislings Stimme klang ruhig, doch sie spürte, dass sie sich etwas vormachte.

Siandra griff nach der Türklinke und zog daran, doch sie bewegte sich kein Stück. Ihr Blick fiel auf ihre Freundin, die sich nun viel mehr an dem Lenkrad abstützte, als sich an ihm festhielt. Ein Schnitt verlief über ihre Wange.

„Kommst du an den Griff?", fragte Siandra und versuchte ihre Stimme ruhig klingen zu lassen, auch wenn sie sich fast überschlug.

Aisling antwortete nicht, doch an dem Rumpeln aus dem Inneren des Autos erkannte Siandra, dass sie versuchte nach dem Stück Metall zu greifen.

„Ja!", gab sie zurück. „Aber er bewegt sich nicht."

„Diese verdammte Tür muss doch irgendwie aufzubekommen sein!" Siandra fluchte, als sie sich die Finger einklemmte. Sie zerrte an dem Griff, warf ihr ganzes Gewicht daran, doch es bewegte sich nicht. „Verdammt nochmal", fluchte Siandra und spürte, wie die Verzweiflung sie überrannte. „So wird das nie…" Sie hob den Kopf, als Scheinwerfer herannahten.

„Yano…", flüsterte Aisling und Siandra kamen beinahe Tränen der Erleichterung, als sie hörte, wie der Wagen hielt und die Tür ins Schloss fiel.

„Siandra?!"

„Wir sind hier!", rief Siandra mit zitternder Stimme und konnte ein leises Schluchzen kaum unterdrücken, als Elyano durch das Unterholz auf sie zu kam. Seine Augen waren weit vor Panik. Doch sofort trat der Krieger in ihm an die Oberfläche, der Jäger, der es schaffte, in jeder Situation die Lage zu überblicke. „Lass mich mal", sagte er sanft und griff nach dem Hebel. Mit aller Kraft riss er daran und Siandra dachte schon, er ginge zu Bruch, als das Metall endlich nachgab.

Elyanos Blick flog prüfend über Aisling, ehe er den Gurt löste und ihr aus dem Auto half. Aisling krallte sich in Elyanos Hemd, atmete schwer. Siandra sah die stumme Frage auf seinem Gesicht, die Frage, vor der sie schon einmal gestanden hatten und sie wusste, warum er zögerte. Vor einiger Zeit noch hätte er sie ohne Umschweife in den Orden gebracht, doch nun...

„Sie muss sofort ins Krankenhaus!", sagte Siandra mit fast schon schrill klingender Stimme und nahm ihm die Entscheidung ab.

„Fynn, er..."

„Sie muss in ein Krankenhaus", zischte Siandra und stützte sich an Elyano. „Das weißt du ebenso gut wie ich."

Sein Blick streifte Aisling, als er sie hochhob. Aisling krallte sich kurz noch stärker in sein Hemd. „Ich bin schwanger", brach es aus ihr hervor..

Elyanos Augen weiteten sich. Vorsichtig und doch so schnell wie möglich bettete er sie auf dem Rücksitz seines Autos und half Siandra in den Wagen. Auch wenn er äußerlich ruhig wirkte, tobten die Gefühle über sein Gesicht.

Auf dem Weg zum Krankenhaus ignorierte er sämtliche Ampeln und Geschwindigkeitsbegrenzungen. Sein Blick sprang immer wieder gehetzt von der Fahrbahn zu Siandra und in den Rückspiegel zu Aisling. Trotz der Schnelligkeit, die er an den Tag legte, fuhr er so behutsam und sachte wie möglich. Es interessierte ihn nicht, dass er beim Abbiegen beinahe einen Arzt überfahren hätte, genauso wenig, dass er mitten vor dem Haupteingang hielt.

„Nun hören Sie mal! Sie dürfen hier nicht parken!", rief die erbost klingende Stimme des Mannes, der beinahe unter Elyanos Reifen gekommen wäre. Die Wut verschwand schlagartig von seinem Gesicht, als sein Blick auf Siandra und Aisling fiel. „Wir kümmern uns darum", sagte er und legte die Hand kurz auf die offen stehende Autotür, bevor er zwei seiner Kollegen herbeirief.

Trotz der Betäubung, zuckte Siandra immer wieder unter der Berührung des Arztes zusammen. Elyano hielt ihre Hand und in seinen Augen lag etwas, das sie noch nie in diesem Maß bei ihm gesehen hatte.

„Es ist bald vorbei", murmelte der Assistenzarzt, als er vorsichtig das Glas aus den Wunden entfernte und sich daran machte, die tiefe Schnittwunde auf ihrer Stirn zu nähen. Der Schnitt verlief quer über ihre Stirn und kreuzte ihre Augenbraue. Nur ein Zentimeter tiefer... sie wollte es sich gar nicht ausmalen.

„Tut mir leid", murmelte der Arzt immer wieder, wenn Siandra zusammenzuckte. Der Blick, den Elyano ihn zuwarf, wirkte scheinbar sehr einschüchternd.

„Du musst ihn anrufen", sagte Siandra, als fast alle Glassplitter entfernt waren. Die Ärzte hatten Aisling sofort weggebracht, um sie zu untersuchen. Elyano wollte nach ihr sehen, doch sie ließen ihn noch nicht zu ihr und so konnten sie nur abwarten.

Elyano nickte und drückte noch einmal ihre Hand, ehe er aufstand und sein Handy zückte. Seine Stimme zitterte, als er Fynn knapp erklärte, was geschehen war. Immer wieder drehte er sich zu ihr um, ganz als müsse er sich vergewissern, dass sie noch da war und dass es ihr gut ging.

Siandra bemerkte kaum, dass Aisling auf einem Bett rein geschoben wurde. Der Assistenzarzt kümmerte sich um ihre Schnittwunde und nähte ihn mit geübter Hand. Erst, als der Arzt die Wunde verband und von ihr abließ, schaffte es Siandra, zu ihr herüberzusehen.

Elyano hatte darauf bestanden, dass sie beide in einem Zimmer untergebracht wurden. Sie wusste nicht, womit er die Krankenschwestern in Zeiten von Bettenmangel und Zimmerknappheit überreden konnte und sie wollte es auch nicht wissen.

Aislings Augen waren geschlossen, doch sie schien ruhig.

Ein noch jung wirkender Arzt stand neben dem Bett, als die Krankenschwester sich darum kümmerte, es Aisling so angenehm, wie möglich zu machen. „Gehören Sie zur Familie?", fragte er Elyano und dieser nickte.

„Sie ist die Frau meines Bruders."

Der Arzt lächelte leicht. „Ihre Schwägerin hatte wirklich Glück im Unglück. Sie hatte leichte Blutungen, doch die konnten gestillt werden. Der Rest ist nur von oberflächlicher Natur. Wir würden aber beide", sein Blick streifte Siandra, „lieber noch dabehalten, um ein mögliches Schleudertrauma oder eine Gehirnerschütterung auszuschließen. Ist der Ehemann schon auf dem Weg?"

Aisling riss die Augen auf. Ihr unsicherer Blick sprang durch den Raum, als Elyano an ihre Seite trat und kurz nach ihrer Hand griff. „Er müsste jeden Moment..."

Er stockte und kurz danach hörte auch Siandra Fynns unwirsche, panische Stimme, die durch den Flur fegte, um die Schwestern nach den Weg zu fragen. Wenig später stand er in der Tür, eine Hand auf dem Gehstock, die andere an den Türrahmen gelehnt. So hatte Siandra den Hüter des Ordens noch nicht erlebt. Panik stand in seine Augen geschrieben. Panik um Aisling und Panik vor diesem weißen Klotz der Menschen. Er stand in der Tür, als würde eine unsichtbare Barriere ihn aufhalten.

Der Arzt trat auf ihn zu und reichte ihm die Hand. Er lächelte freundlich, um einen augenscheinlich jungen werdenden Vater zu beruhigen. „Sie sind der Ehemann? Machen Sie sich keine Sorgen, es ist alles glimpflich abgelaufen. Mutter und Kind sind wohlauf. Die beiden müssen einen Schutzengel an ihrer Seite gehabt haben."

„Die... beiden?" Für den Bruchteil einer Sekunde wurde Fynns Gesicht starr, als seine Augen zu Aisling wanderten. Sie sah ihn nur traurig an. Etwas Flehendes lag in ihrem Blick.

„Alles in Ordnung mit Ihnen?", fragte der Arzt besorgt.

Hektisch fuhr Fynn zu ihm herum. „Natürlich, was soll denn mit mir sein?!", fuhr er ihn an.

„Aber Herr..." Der Arzt warf einen kurzen Blick auf das Krankenblatt. „Montgomery. Sie haben allen Grund sich zu freuen. Es ist alles noch gut gegangen."

Doch Fynn reagierte nicht auf ihn. Er sah zu Aisling, schien in ihrem Blick nach einer Antwort zu suchen. Schmerz lag in seinen Augen, Schmerz und Unverständnis. Einen Moment lang war er starr wie die sterilen Wände um ihn herum, ehe er sich umdrehte und den Raum fluchtartig verließ.

Perplex starrte der Arzt ihm hinterher. „Ich muss nach meinen Patienten sehen", murmelte er.

Auch Elyano drückte noch einmal Siandras Hand und folgte seinem Bruder.

„Aisling?“, fragte Siandra behutsam, als Stille im Raum eingekehrt war, doch ihre Freundin reagierte nicht. Teilnahmslos starrte sie aus dem Fenster und stumme Tränen rannen ihr über die Wangen. Es war zwecklos. Sie reagierte nicht auf sie, was auch immer sie sagte. Nichts, was sie sagte, konnte es besser machen.

Nur wenig später kehrte Elyano zurück. Siandra hob den Blick, doch auf ihre stumme Frage hin, schüttelte er nur den Kopf.

Er setzte sich zu ihr und legte seine Hand auf ihre. Mit einem traurigen Lächeln verflocht sie ihre Finger mit seinen. Sie spürte die Anspannung, die seinen Körper beherrschte und zeichnete mit dem Daumen sanfte Kreise auf seinen Handballen. Noch immer lag Angst und Sorge in seinem Blick, als er ihre Hand an seine Lippen hob und kleine Küsse auf ihre Fingerknöchel hauchte.

Siandra wusste nicht, wie lange sie regungslos im Dämmerlicht des Zimmers gesessen hatten, als sie aufgeregte Stimmen hörten, die sich von dem einheitlichen Treiben des Krankenhauses abhoben. Sie warf Elyano einen fragenden Blick zu, als er aufstand.

„Die Zwillinge“, sagte er schlicht. „Ich kümmere mich drum.“

Siandra nickte nur und ließ ihren Blick kurz zu Aisling wandern. Sie lag immer noch unverändert da, doch ihre Tränen waren getrocknet.

Gedämpfte Stimmen drangen durch die Tür hindurch. Sie erkannte sie, doch sie verstand nicht, was sie sagten. Als die Tür sich wieder öffnete, war es jedoch nur Elyano, der ins Zimmer trat.

„Sie gehen zu Fynn“, erklärte er leise.

„Wo ist er?“

Elyano zeigte zur Decke. „Auf dem Krankenhausdach. Zumindest ist er vorhin da gewesen. Er kehrt oft zu hoch gelegenen Orten zurück, wenn alles um ihn herum bricht.“ Er drückte ihr einen Kuss auf den Scheitel und ging auf Aislings Bett zu. Sie hob mechanisch den Kopf, als die Matratze sich senkte und er nach ihrer Hand griff. „Aisling“, flüsterte er und strich über ihre Hand. „Warum hast du denn nichts gesagt?“

Es dauerte eine Weile, bis sie leise zu sprechen begann. „Ich habe es nicht gewagt. Ich wollte ihm und euch anderen nicht noch mehr Sorgen bereiten. Und als ich es ihm sagen wollte, da war er jedes Mal...“, sie stockte, „es hat einfach nicht gepasst.“

„Aber warum bist du nicht zu mir gekommen?“, fragte Elyano

bekümmert. „Du hast doch sonst immer mit mir gesprochen."

Traurig sah Aisling ihn an. „Ich weiß es nicht. Vielleicht hatte ich Angst, du würdest es Fynn sagen. Dabei weiß ich doch, dass du das niemals getan hättest. Vielleicht hatte ich Angst davor, du würdest mich drängen, es ihm zu sagen."

Elyano erwiderte nichts. Er legte eine Hand in ihren Nacken und zog sie dicht an sich heran. Einen Moment schien Aisling wie erstarrt, dann schlang sie schluchzend die Arme um ihn. Minutenlang war das Zimmer still, nur unterbrochen von Aislings Schluchzen. Nach einer Weile löste sie sich von ihm und strich über seine Wange.

Elyano blieb noch eine Weile. Sie redeten nicht viel, sahen sich eine belanglose Fernsehsendung nach der nächsten an. Keiner von ihnen achtete auf den Fernsehbildschirm. Sie waren völlig in ihren eigenen Gedanken gefangen. Elyano schien nicht zur Ruhe zu kommen. Von einem inneren Teufel getrieben, sprang er immer wieder auf und verließ das Zimmer, nur um wenig später zurückzukehren.

Erst als die Krankenschwestern ihn nachdrücklich an die Besuchszeiten erinnerten, ging Elyano, kehrte jedoch am nächsten Morgen früh zurück - mit einem aufgeklebt wirkenden Lächeln und einigen frischen Croissants. Schließlich konnte er sie ja nicht mit dem Krankenhausfraß allein lassen. Und so verging der Vormittag. Fynn blieb verschwunden und auf Aislings stumme Frage schüttelte Elyano nur den Kopf. Siandra schluckte. Wo war Fynn nur? Sie machte sich Sorgen um ihn, genau wie um Aisling.

Siandra saß im Schneidersitz auf dem Krankenhausbett und grübelte schon seit geraumer Zeit über einem Kreuzworträtsel, das Elyano ihr aufgebrummt hatte. Diese Untätigkeit machte sie noch rasend. Aber nicht das war es, das sie frustriert aufstöhnen ließ. „Ich bin zu dumm für so etwas", jammerte sie und schob ihrem Raben das Heftchen zu.

Elyano feixte. „Und so was nennt sich Studentin."

„Mach's doch besser, wenn du es so gut kannst", brummelte Siandra. Sie hob die Augenbrauen, als Elyano plötzlich aufstand und auf die Tür zuging. Noch bevor das Klopfen den Besucher ankündigte, zog Elyano die Tür auf - und blickte in die verdutzten Augen von Becca. „Ich glaube, das ist gerade kein guter Zeitpunkt...", wollte er sie gerade abwimmeln, doch Siandra schüttelte den Kopf.

„Ist schon okay, Elyano", sagte sie und stand auf. „Ich möchte mit ihr reden."

Ihr Rabe drehte sich zu ihr um und strich sanft über ihren Hals, ließ seine Hand in ihren Nacken wandern. „Du solltest noch nicht aufstehen."

„Mir geht es gut. Wirklich. Du brauchst dir keine Sorgen zu machen. Mir ist weder übel, noch schwindelig und wenn ich doch umkippen sollte... ich bin in einem Krankenhaus. Himmel, was soll schon passieren? Mir geht es gut", fügte sie noch hinzu, als Elyano sie noch immer abwartend ansah. „Wirklich."

„Na gut. Aber geh nicht zu weit weg", sagte Elyano und küsste sie, ehe er sich auf den Stuhl neben Aislings Bett niederließ.

Becca und Siandra liefen einige Minuten schweigend durch den Krankenhausflur, ehe Becca das Wort ergriff. „Ich wollte nicht, dass es so kommt. Und vor allem wollte ich nicht, dass du es so erfährst."

„Aber so ist es nun mal geschehen."

„Ja", flüsterte Becca und ließ sich auf einer Metallbank nieder. Siandra tat es ihr gleich. Unsicher sah Becca auf ihre Hände hinab, verknotete ihre Finger förmlich ineinander. „Er hat mich darum gebeten", begann sie schließlich. „Florian hat mich darum gebeten, es niemanden zu sagen. Nicht einmal dir. Ich glaube, er hatte Angst davor, was ihm von den Jägern blühte, wenn sie es erfuhren. Ich verstehe diese ganze Halbblüter-Sache einfach nicht. Mal scheint es in Ordnung zu sein, sich mit Menschen abzugeben und dann wieder nicht. Mache werden deswegen verfolgt, andere nicht."

Siandra wusste, dass sie an ihren Stiefvater dachte, der offen mit einem Menschen zusammenlebte, doch sie hatte schon längst begriffen, dass für Teddy scheinbar ganz eigene Regeln galten.

„Du empfindest etwas für ihn", stellte sie fest. Es war keine Frage. Wenn Becca es schaffte, für jemanden still zu sein und nichts zu verraten, musste sie etwas für ihn empfinden.

Angespannt knabberte Becca auf ihrer Oberlippe. „Keine Ahnung. Ich weiß nur, dass ich gerne mit ihm zusammen bin. Dass ich mich jedes Mal freue, wenn er anruft oder wenn ich ihn nach langer Zeit wiedersehe. Aber das ist egal. Vermutlich ist es für ihn ohnehin nur ein Zeitvertreib."

„Warum sollte das so sein?", fragte Siandra behutsam.

„Manchmal ist er... so seltsam. In einem Moment ist er so kühl und unnahbar, dass es fast schon unheimlich ist und dann ist er wieder der liebe und charmante Kerl, so wie ich ihn kenne.“

Lieb und charmant waren die letzten Adjektive, mit denen Siandra Florian beschreiben würde, doch sie blieb still.

„Ich wollte es dir sagen, wirklich. Du glaubst gar nicht, wie sehr. Als die Sache zwischen uns angefangen hat, war mein erster Gedanke gewesen, dich sofort anzurufen. Aber ich wollte nicht das kleine Bisschen, das wir hatten, aufs Spiel setzen. Ich wollte es nicht zerstören, noch bevor es richtig begonnen hat. Deshalb habe ich es für mich behalten. Nur deswegen.“

„Es ist schon okay“, sagte Siandra und meinte es ehrlich. Behutsam griff sie nach ihrer Hand und ihre Freundin erwiderte den Druck. Sie kramte ein spitzbübisches Lächeln aus ihrem Inneren hervor nach dem sie sich eigentlich nicht fühlte, es sich aber wünschte. „Du weißt aber schon, dass ich jetzt Details erwarte?“, fragte sie und knuffte ihre Freundin in die Seite.

Unruhig lief Fynn auf dem Dach des Krankenhauses auf und ab und zog an der Zigarette, die er zwischen den Fingern hielt. Eigentlich durften sie sich nicht hier aufhalten, doch noch hatte niemand sie bemerkt und eigentlich war es ihm auch egal. Was sollten diese Menschen ihm auch anhaben können? Er hatte ganz andere Sorgen.

Er schnipste die abgebrannte Zigarette über den Rand des Daches und steckte sich gleich die Nächste an. Er hätte nicht gedacht, dass er sich jemals wieder eine anzünden würde. Nun, so konnte man sich täuschen. Er ignorierte die Zwillinge, die unweit von ihm auf einer Erhöhung saßen, ließ seinen Blick mit einem Schauern über den weißen Gebäudeklotz wandern. Wieder spürte er den stechenden Schmerz in seinem Bein, doch er wollte keine Tablette nehmen. Er brauchte den Schmerz, umarmte ihn geradezu. Immerhin lenkte er ihn ein Stück weit von den bohrenden Fragen in seinem Inneren ab. Aber ganz konnte er sie nicht vertreiben.

„Du stinkst, wie ein brennendes Tabakfeld“, sagte Elyano mit zusammengezogenen Augenbrauen, als er auf das Dach trat.

Fynn ignorierte ihn, konnte einfach nicht aufhören zu laufen.

Wie konnte das nur sein? Er wurde Vater? Aber warum hatte Aisling ihm bloß nichts gesagt? Sie hatten doch sonst keine Geheimnisse voreinander, vertrauten sich alles an... so hatte er zumindest immer gedacht. Warum hatte sie es nicht gewagt, es ihm zu erzählen? Hatte sie Angst gehabt? Vor ihm?

Er beäugte die Zigarette in seiner Hand und warf sie halb abgebrannt von dem Dach. Er wurde Vater. Konnte das jemand glauben? So lange hatte er es sich gewünscht, hatten sie es sich gewünscht, doch gerade jetzt... Unter die Freude mischte sich die Bitterkeit ihrer ungewissen Zukunft. In was für eine Welt würde sein Kind geboren werden? Was, wenn die Halbblüter sich zurückholten, was sie für sich beanspruchten? Er seufzte und sah über den Rand des Daches. Was würde bloß aus seiner kleinen Familie werden und was aus dem Orden?

„Warum tust du das?", fragte Elyano plötzlich leise.

„Ich weiß nicht, wovon du sprichst", sagte Fynn, obwohl er sich denken konnte, was sein Bruder meinte. Er wusste ja selbst nicht, was ihn davon abhielt, in dieses Zimmer zu gehen.

„Deine Nichtachtung quält sie mehr als jedes raue Wort."

Fynn schnaubte bekümmert. Natürlich wusste er, dass er sie damit quälte. Es quälte ihn selbst. Doch er konnte nichts dagegen tun. Er schaffte es einfach nicht, dieses Zimmer zu betreten, um diese Ungewissheit und Angst mit ihr zu teilen. Warum hatte sie ihm nichts gesagt? Warum nur? Wundert dich das wirklich?, zischte die Schlange in seinem Inneren. Wie könnte sie dir nur das zutrauen? Wie könnte sie dir dieses Geheimnis anvertrauen?

„Ich sehe doch, dass es dich genauso schmerzt, wie sie."

„Ach ja, siehst du das?", fuhr er seinen Bruder wütend an und stolperte, als er energisch auf ihn zuging. Elyano machte Anstalten, ihm entgegenzueilen, doch Fynn winkte unwirsch ab. Er brauchte keine Hilfe. Mit seiner freien Hand strich er über sein Bein. Der Schmerz wurde immer stärker und machte ihn beinahe blind. Es half nichts. Ohne groß darüber nachzudenken, nahm er eine seiner Tabletten und hoffte, dass die Wirkung schnell einsetzte. „Dann kannst du mir auch sicherlich sagen, weshalb sie mir das alles verschwiegen hat. Sie hat mir doch sonst immer alles gesagt", fügte er leise hinzu, doch dann kehrten die Wut und der Schmerz mit einem Schlag auf sein Gesicht zurück. „Warum sollte man mir auch nur irgendetwas anvertrauen", stieß er bitter hervor. „Ich schaffe es ja nicht einmal, meinen Orden zu führen!“

„Verdammt nochmal, Fynn!“

Perplex drehte der Hüter des Ordens sich zu Zephir um. Er hatte die Anwesenheit der Zwillinge fast vergessen. Noch nie hatte Ariels Sohn so mit ihm geredet.

„Reiß dich endlich mal zusammen! Wir wissen, du hast es schwer. Die vier Göttinnen können es bezeugen. Aber es hilft niemanden weiter, wenn unser Hüter sich ständig in Selbstmitleid badet. Vater ist gestorben, aber du lebst! Bei den Göttinnen, wirf das nicht so weg. Und verschone mich mit deiner Heuchelei“, warf er hinterher, als Fynn Anstalten machte etwas zu sagen. „Das macht ihn auch nicht wieder lebendig.“ Sein Gesicht wurde weicher, als er auf den Mann zuging, der ihm wie ein Bruder war. Mit einem traurigen Lächeln auf den Lippen legte er eine Hand auf Fynns Schulter. „Hör endlich auf, das Leben so sehr zu verachten. Denk an dein Kind. Denk an Aisling, deine Familie. Denk an uns.“

Fynn stand stumm in der Dunkelheit, unfähig etwas zu tun oder zu sagen. Noch immer hinderte ihn die unsichtbare Barriere daran, den Raum zu betreten. Seine Augen hatten sich längst an das diffuse Licht gewöhnt.

Siandra und Aisling schliefen beide. Er selbst hatte all die ihm verbliebenen Künste, die ihm einst als Jäger gelehrt wurden, gebraucht, um ungesehen an den Krankenschwestern vorbei zu schleichen. Doch es hatte ihm keine Ruhe gelassen. Er musste sie sehen, musste sich mit eigenen Augen vergewissern, dass es ihr gut ging.

Eine unbändige Freude erfüllte ihn, als er an das Leben dachte, das in Aisling heranwuchs. Sein Kind. Doch Angst und Sorge gingen mit der Freude Hand in Hand. Er konnte seinen Orden nicht vor den Halbblütern schützen. Nicht ohne auf einen Verräter zu vertrauen. Was war das für eine Welt, in die sein Kind da hineingeboren wurde? Eine Welt, in der sich das Lamm vom Wolf zur Schlachtbank führen ließ und sich eigenhändig die Schlinge um den Hals legte.

Fynn stützte sich an der Tür ab. Warum hatte sie ihm nur nichts gesagt? Er hatte stets gedacht, er würde sie verstehen, gedacht, dass er sie besser kannte, als sich selbst. Wie sehr hatte er sich doch getäuscht. Er konnte seinen Blick nicht von ihrem friedlichen Schlaf abwenden.

Plötzlich öffnete sie die Augen und kurz funkelte Ungläubigkeit in ihnen auf. „Fynn", flüsterte sie leise, um Siandra nicht zu wecken.

Fynn antwortete nicht. Eine seltsame Sehnsucht breitete sich in seinem Inneren aus, die ihn auf sie zu trieb. Wortlos trat er auf sie zu und legte sich neben ihr auf das Bett. Er spürte ihre Anspannung, als er sie dicht an sich heranzog und die Tränen, die sein Oberteil benetzten.

Aisling schluckte, doch ihre Tränen wollten nicht versiegen.

„Warum hast du es mir nicht gesagt?", fragte er kaum hörbar.

„Ich habe es versucht, aber..." Ihre Stimme erstarb.

„Hattest du eine solche Angst vor mir?" Er spürte eine sanfte Berührung an seiner Wange, die ihn dazu brachte sie anzusehen.

„Du weißt, dass ich nicht vor dir Angst hatte", flüsterte sie. „Es war diese ganze Situation."

„Und ich habe dich damit allein gelassen..."

„Ich wollte dir nicht noch mehr Sorgen machen, als dich ohnehin schon plagen."

„Du hättest diese Sorge nicht alleine tragen müssen. Ich hätte bei dir sein und dir die Angst nehmen sollen, stattdessen habe ich deine Hand losgelassen. Verzeih mir. Verzeih mir, dass ich dich mit deinen Ängsten allein gelassen habe."

„Aber was machen wir jetzt?", fragte Aisling unter Tränen und strich über seine Brust. „Die Zeiten sind so unsicher, wie..."

Sie stockte, als Fynn mit ungeahnter Sanftheit seine Hand auf ihren Bauch legte und sie küsste. „Als wir uns wiederfanden, dachten wir unser Zeitglas sei unendlich", flüsterte er leise. „Das wird es wieder sein. Es wird eine sichere Welt für unser Kind geben, daran darfst du nicht zweifeln. Dafür werde ich sorgen."

Mit geschlossenen Augen genoss Siandra die Sonnenstrahlen auf ihrer Haut. Entspannt lehnte sie den Kopf an Elyanos Schulter. Sie saßen schon eine geraume Weile auf der Parkbank in den Gärten des Krankenhauses, doch Siandra hatte auch nicht das Bedürfnis aufzustehen und weiterzugehen.

Die Schmerzen in ihrer Stirn waren fast verschwunden und auch

Aisling ging es wieder deutlich besser. Vermutlich würde man sie schon am Nachmittag entlassen. Ein Grinsen schlich sich auf ihr Gesicht, als ihre Gedanken zum frühen Morgen zurückkkehrten. Die arme Krankenschwester hätte beinahe einen Herzinfarkt bekommen, als sie Fynn in Aislings Bett vorgefunden hatte.

Plötzlich legten sich Lippen auf ihre und sie erwiderte den Kuss, ehe sie die Augen öffnete und in die dunklen Augen sah, die sie so sehr liebte.

„Warum lächelst du?", fragte Elyano, doch das Lächeln war auch nicht von seinen Lippen zu verbannen. Auch er hatte von Fynns plötzlichen Auftauchen gehört und gesehen, wie glücklich und liebevoll der Hüter des Ordens auf einmal seine Aisling umschwirrte. Die Probleme um den Orden, die Halbblüter schienen zumindest für einen Augenblick vergessen. Sie würden früh genug zurückkehren, spätestens wenn sie wieder in die steinernen Mauern des Ordens eintraten und ihre Jäger auf sie einströmten. Elyano hatte dafür gesorgt, dass niemand Fynn erreichen konnte. Er wollte nicht, dass sein kleines Glück gleich wieder von Sorgen belastet wurde. Mindestens diese kleine Zeit des vollkommenen Glückes sollte ihnen gegönnt sein.

„Warum sollte ich nicht lachen?", fragte Siandra und knuffte ihn in die Seite. „Es geht mir gut."

„Sollten wir nicht langsam mal zurückgehen?", fragte Elyano mit einem Schmunzeln in der Stimme.

„Noch eine Minute", murmelte Siandra und schmiegte sich wieder an ihn, was ihrem Raben ein Lachen entlockte. Sie spürte es mehr, als dass sie es hörte.

„Siandra?"

Sie hob den Blick, als sie Maries Stimme hörte. Ihre Freundin kam lächeln auf sie zu gelaufen, ihre Stofftasche schlug bei jedem Schritt gegen ihre Hüfte. Die langen Dreadlocks hatte sie wieder locker zurück gebunden und halb unter einer bunten Mütze versteckt. „Ich habe heute morgen erst gesehen, dass du angerufen hast und deine SMS gelesen. Geht es dir..." Sie stockte kurz, als ihr Blick auf Elyano fiel, „... gut?"

Irritiert runzelte Siandra die Stirn, als Elyano neben ihr aufstand und sie mit sich auf die Beine zog. Wollte er höflich sein? Doch als sie sein Gesicht blickte, sah sie da nur Anspannung und Misstrauen.

Elyano wollte sie hinter sich schieben, doch sie machte sich energisch von ihm los. Was war denn jetzt bloß in ihn gefahren?

Marie ließ sich von Elyanos Ablehnung nicht beeindrucken. Kurz zogen sich ihre Augenbrauen zusammen, aber dann lächelte sie herzlich und umarmte ihre Freundin.

Erneut warf Siandra ihrem Raben einen verwunderten Blick zu. Seit wann hatte er solche Probleme mit Menschen? Zu Becca war er nie so gewesen und das obwohl sie wusste, dass er sie nicht gerade gut leiden konnte. Fürchtete er, sie könne ihr etwas verraten haben? Aber das war kein Grund für seine Reaktion.

„Elyano, das ist Marie“, startete Siandra einen Versuch. die Situation zu retten. „Marie, das ist...“

„Nicht nötig, ich kenne ihn“, erwiderte Marie, ohne den Blick von Elyano abzuwenden.

Verwirrt starrte Siandra erst sie an und dann ihren Raben, der sich kaum merklich ein Stück vor sie geschoben hatte. Was war nur mit ihm los?

„Bist du des Wahnsinns?“, stieß er hervor.

„Was ist nur los mit dir?“, fragte sie ihn leise.

„Siehst du denn nicht, wer sie ist? Oder besser gesagt, was sie ist?“

Siandras Augen weiteten sich. „Spinnst du?“, zischte sie kaum hörbar. „Sie ist ein Mensch. Marie, meine...“

„Mach die Augen auf, Siandra! Sie ist eine von uns!“

Ungläubig sah sie von Elyano zu Marie. Der unnahbare Blick ihrer Freundin war unablässig auf Elyano gerichtet. Erst als sie sich wieder Siandra zu wandte, lächelte sie leicht.

„Ist das wahr?“, fragte Siandra sie.

Marie nickte nur stumm und Siandra fragte sich unweigerlich, warum sie es nicht erkannt hatte, wie Elyano. Lag es daran, dass sie als Halbblut geboren wurde?

„Warum hast du nie etwas gesagt?“

Gelangweilt zuckte Marie mit den Schultern. „Du hast nie gefragt.“

Siandra fuhr zu Elyano herum. „Woher kennst du sie?“

Fast schon abwehrend hob er die Hände. „Ich kenne sie nicht. Ich habe sie noch nie zuvor gesehen.“ Doch es lag etwas in seiner Stimme, das sie stutzen ließ, auch wenn sie nicht wusste, was es war.

„Du kennst mich, Rabe“, erwiderte Marie kalt. „Auch wenn du

mich noch nie selbst gesehen hast. Und ich kenne dich ganz genau. Mutter hat immer in den höchsten Tönen von dir gesprochen und das selbst dann noch, als du ihr Feind warst. Nur mein Vater hat stets gesehen, was du wirklich warst: eine Bestie, dazu abgerichtet im Auftrag größerer Herren zu töten. Hätte meine Mutter nur auf ihn gehört. Doch sie hat Rotkäppchens Schlächter vertraut, sogar noch in dem Moment, als du ihr deine Klinge ins Herz gejagt hast."

Einen Augenblick lang starrte Elyano sie nur fassungslos an, ehe sich langsam die Erkenntnis in seinen Augen ausbreitete. „Deine Mutter ist...", flüsterte er bleich.

„...Isabella", vervollständigte Marie kühl.

Isabella. Glühend heiß fiel Siandra ein, wo sie den Namen schon einmal gehört hatte. Isabella. Die Gänsemagd. Sie war im Kampf um den Orden gefallen. In einem Kampf in dem Elyano noch auf der anderen Seite gestanden hatte. Siandras Blick wanderte zu ihm, doch das Gesicht ihres Raben war bewegungslos.

„Ich wusste nicht, dass du auch einen richtigen Namen hast, Schlächter", sagte Marie auf einmal. „Man könnte ja fast annehmen, du wärst eine Person aus Fleisch und Blut und nicht nur Rotkäppchens willenlose Marionette."

Siandra legte beschwichtigend eine Hand auf seinen Arm. Sein ganzer Körper war angespannt, als stände er knapp davor, den letzten Rest seiner Beherrschung zu verlieren.

„Ich sollte besser gehen", sagte Marie und musterte Elyano kühl. „Immerhin will ich nicht das Schicksal meiner Mutter teilen."

„Marie..."

Kurz zeigte sich ein schwaches Lächeln auf Maries Lippen. „Mach dir nichts draus. Dein Geschmack ist zwar recht zweifelhaft." Ihr Blick wanderte über Elyanio, der sie nicht aus den Augen ließ, ganz als sei sie eine giftige Schlange, die nur auf seine Unachtsamkeit wartete, um Siandra anzugreifen. „Aber das macht nichts. Ich habe mir nur Sorgen gemacht und wollte kurz nach dir sehen. Das ist alles. Ich muss auch weiter. Eigentlich bin ich für meinen Vater unterwegs. Die Leine wird immer enger, das kannst du mir glauben." Sie lachte bitter. „Aber hey. Irgendwie muss man ja sein Studium finanzieren, was?"

„Dein Vater spannt dich wieder ganz schön ein?"

„Kannst du laut sagen. Aber ich geh mal lieber besser, bevor dein

Kampfhund noch nen Herzkasper bekommt." Noch einmal umarmte sie Siandra und warf Elyano einen kalten Blick, ehe sie sich umdrehte und im Gehen ihr Handy zückte.

„Was war denn das?", fragte Siandra ihren Raben erbost. „Wenn sie doch eine von uns ist, warum hast du so ein Problem mit ihr? Liegt es daran, dass Isabella ihre Mutter war?"

„Was ist denn mit dir? Du scheinst dich ja schnell damit abgefunden zu haben, dass deine Marie kein Mensch ist."

„Darüber denke ich später nach. Weich nicht aus, verdammt. Was ist dein Problem mit ihr? Liegt es wirklich an Isabella?"

„Nicht ihre Mutter ist das Problem", knurrte Elyano. „Sie gehört nicht zu uns."

„Aber du hast doch gesagt..."

„Sie ist eine Eshani'i. Aber sie gehört nicht zu Aschenputtel und wir dürfen niemandem vertrauen."

„Jetzt übertreibst du aber schon ein wenig, findest du nicht? Du führst dich ja auf, als käme sie von Rotkäppchen höchstpersönlich. Ich kenne sie jetzt schon eine Weile und kann dir beschwören, dass sie keine bösen Absichten hat."

„Genau wie du beschwörst, dass wir Pyrros vertrauen können?", fragte Elyano mit vor Geringschätzung triefender Stimme. Doch Siandra war zu geladen, um sich von ihrem Raben einschüchtern zu lassen.

„Du siehst immer nur das Schlechte in den Menschen."

„Und du siehst zu viel Gutes."

„Dabei sagt man doch, es läge in der Natur der Menschen immer nur das Negative zu sehen", sagte sie und funkelte ihn wütend an.

Elyano erwiderte ihren wütenden Blick einen Moment, bevor er die Augen abwandte und seufzte. „Lass uns nicht streiten. Wir dürfen nicht zulassen, dass man einen Keil zwischen uns treibt. Versprich mir nur, dass du vorsichtig bist. Ich habe ein schlechtes Gefühl bei der Sache."

Siandras Wut verpuffte so schnell, wie sie gekommen war. Sanft strich sie über seine Wange und brachte ihn dazu sie anzusehen. „Was ist es, das dir so große Sorgen bereitet?"

Elyano sah sie einen Moment lang nur stumm an, schien über etwas nachzudenken. Doch dann schüttelte er nur den Kopf. „Ich weiß es nicht. Nur so ein Gefühl. Sei vorsichtig."

Als Antwort küsste sie ihn. „Das bin ich doch immer", sagte sie lächelnd und griff nach seiner Hand. „Komm, wir sollten glaube ich langsam wirklich zurück. Wer weiß, wann die Ärzte sich endlich dazu herablassen, uns zu entlassen."

„Siandra..."

Irritiert blieb sie stehen und drehte sich zu ihrem Raben um. „Was ist denn?"

„Ihr Vater..." Er stockte, als sein Handy klingelte. Kurz warf er einen Blick auf das Display und nickte, schien einen Gedanken zu begraben. „Du hast recht", lächelte er schließlich. „Die Ärzte haben sich endlich dazu durchgerungen, euch einen Besuch abzustatten."

15. Die Halbblüter

Äußerlich wirkte der Hüter des Ordens völlig gelassen. Er saß auf seinem Schreibtisch und kraulte Knecht Ruprechts Kopf, während seine Augen Elyano verfolgten, der unruhig in seinem Büro auf und ab lief. Er spürte immer wieder Siandras unsicheren Blick auf sich liegen, doch er wandte seine Augen nicht von seinem Bruder ab. So sehr der Sturm auch in dem Raben tobte, sie mussten ihm dieses Mal standhalten. Die Sicherheit des gesamten Ordens stand auf dem Spiel. „Jetzt beruhig dich doch“, versuchte er zu ihm hervor zu dringen, doch Elyano fuhr nur wütend zu ihm herum.

„Ich soll mich beruhigen, Fynn?“, fragte er aggressiv. „Wie kann ich das, wenn du Siandra in den Tod schickst?! Das ist Irrsinn!“

„Ich habe nicht vor sie...“

„Du willst sie doch wohl zu den Halbblütern schicken, zusammen mit dem verräterischen Wolf. Was anderes bedeutet es doch nicht“, stieß er bitter hervor. „Schick einen unserer Jäger, meinetwegen auch mich, aber nicht sie!“

„Keiner unserer Jäger kommt auch nur in die Nähe der Halbblüter. Du kennst Gabriel und Ekziel besser noch als ich. Sobald die beiden Lunte wittern, sind sie weg. Und wir können Pyrros nicht alleine schicken.“ Fynn warf Siandra einen kurzen Blick zu. „Siandra scheint dem Wolf zu vertrauen, doch ich tue es noch lange nicht. Wer weiß, was er den Halbblütern einredet, wenn niemand von uns dabei ist.“

„Du sagst, du hast kein Vertrauen in Pyrros“, sagte Elyano bitter und blieb stehen. „Und doch vertraust du ihm Siandras Leben an.“

„Wir haben keine andere Wahl.“

„Ich bin Eoghan Eachann Montgomery! Ich habe immer eine Wahl“, polterte er, doch Fynn bot ihm die Stirn.

Einen Herzschlag lang hob Siandra die Augenbrauen. Er war... bitte was? Doch sie drängte den Gedanken zurück. Sie trat auf ihn zu und umfasste seinen Nacken mit beiden Händen. „Er hat Recht", flüsterte sie und küsste ihn sanft. „Wir haben nur diese eine Chance."

„Vertraust du ihr nicht?", fragte Fynn mit ruhiger Stimme.

„Bis in den Tod", erwiderte Elyano, ohne den Blick von Siandra zu lösen. „Er ist es, dem ich nicht traue." Er ließ seinen Kopf in den Nacken wandern und schloss mit einem lautlosen Fluch die Augen. „Das gefällt mir ganz und gar nicht", knurrte er wütend. „Ich will dich nicht gehen lassen. Nicht mit ihm. Nicht zu ihnen."

„Sie werden mir nichts tun", sagte Siandra, ohne ihn loszulassen und ohne selbst davon überzeugt zu sein. Der Gedanke zu den Halbblütern zu fahren, jagte ihr eine Heidenangst ein, doch Fynn hatte Recht. Es war ihre einzige Chance und es war zu riskant, Pyrros allein gehen zu lassen. Und auch wenn Fynn es nicht ausgesprochen hatte, wusste sie, was er insgeheim dachte. Sie hatte den Wolf befreit und trug die Verantwortung für ihn und sein Handeln. Wenn jemand also mit ihm ging, dann sie.

„Das kannst du nicht wissen", entgegnete Elyano kühl. „Wir wissen nicht, was die Halbblüter vorhaben und ob sie nicht lieber ein Exempel an dir statuieren, statt einen auf Diplomatie zu machen."

„Du hast mir gezeigt, wie ich mich wehren kann. Außerdem gehe ich ja nicht alleine. Pyrros kommt mit."

„Na das beruhigt mich jetzt aber", meinte Elyano nur, mit vor Sarkasmus geradezu triefender Stimme.

„Würde es dich beruhigen, wenn ich Salomo mitnehme?"

„Ihr wird schon nichts passieren, Elyano", mischte Fynn sich ein. „Sie bleibt mit einem Handy im Kontakt und sie bekommt eine Waffe mit, die sie gut verstecken kann..."

„Du würdest dich genauso quer stellen, wenn wir Aisling schicken würden."

„Nicht im Geringsten."

„Stimmt. Denn sie ist eine Jägerin. Sie hat eine jahrelange Ausbildung hinter sich und weiß sich zu verteidigen." Er stockte, als Siandra plötzlich eine Hand auf seine Brust legte. „Würdet ihr mal aufhören von mir zu reden, als wäre ich nicht vorhanden?"

„Schick doch einen deiner Raben hinterher", schlug Fynn nach einem Moment der Stille vor. „Ein einzelner Vogel wird keine

Aufmerksamkeit erregen und dich trotzdem im Notfall schnell genug erreichen."

Elyano seufzte ergeben. „Ich habe kein gutes Gefühl bei der Sache. Aber ich denke, das ist alles schon beschlossene Sache. Immerhin wartet Pyrros bereits draußen."

„Es ist unsere einzige Chance", murmelte Siandra erneut.

Elyanos Blick wurde sanft, als er eine Hand in ihren Nacken legte und sie küsste. „Ich weiß, auch wenn es mir nicht gefällt."

Pyrros wartete, wie sie es ausgemacht hatten, bereits draußen am Fuhrpark und wurde von zwei nervös wirkenden Jägern bewacht. Der Fürst der Wölfe machte eher einen gelangweilten Eindruck. Er stand in der geöffneten Fahrertür. Einen Arm hatte er auf das Dach gelegt, der andere ruhte auf der Oberkante der Tür. Seine Augen hielt er hinter einer getönten Sonnenbrille verborgen. Gewaschen und in sauberer Kleidung ließ nichts mehr auf den Mann hinter den Gitterstäben schließen.

Elyano warf ihm einen misstrauischen Blick zu. Siandra wusste, was in ihm vorging. Sie hatten den Tiger am Schwanz gepackt und wussten jetzt nicht, ob sie ihn festhalten oder weglaufen sollten. Und dass es sich bei ihnen um einen Wolf handelte, machte die Sache nicht ungefährlicher. Elyano atmete geräuschvoll aus, ehe er Siandra dicht an sich zog und küsste. Der Kuss nahm ihr den Atem, aber sie wollte ihn auch nicht beenden, um Luft zu holen. Doch dann ließ Elyano von ihr ab und strich über ihre Wange. „Einer meiner Raben wird die ganze Zeit auf dich Acht geben. Wenn auch nur der geringste Verdacht auf Ärger besteht, gib Bescheid. Lieber einmal zu viel, als zu wenig. Ich will nicht, dass du auch nur irgendwie in Gefahr gerätst."

„Jetzt beruhig dich endlich, Rabe", sagte Florian, der Pyrros im Auge hielt. „Sie sind schon lange im Krieg. Sie werden sie nicht umbringen. Nicht sofort jedenfalls."

Bevor Elyano darauf eingehen konnte, verschloss Siandra seine Lippen mit einem Kuss. Sie strich sanft über seine Wange, ehe sie sich von ihrem Raben löste. „Ich passe schon auf mich auf", flüsterte sie und verabschiedete sich von Fynn und Aisling, Heinrich und den Zwillingen. Aisling machte einen so gelösten Eindruck, dass Siandra unwillkürlich lächeln musste. Fynn hielt sich immer wieder dicht in ihrer Nähe auf und ließ keine Gelegenheit aus besitzergreifend seinen

Arm um sie zu schlingen.

Noch einmal drehte sie sich zu Elyano um und küsste ihn sanft. „Dann bleib mal brav solange ich weg bin", sagte sie lächelnd und drehte sich zu Pyrros um.

„Komm endlich, Prinzessin", sagte Pyrros gelangweilt und ging um das Auto herum um.

„Würdest du mal endlich aufhören, mich so zu nennen?", fragte Siandra und stöhnte genervt auf, ehe sie auf der Beifahrerseite einstieg.

Mit einem mulmigen Gefühl im Bauch sah sie aus dem Fenster zu Elyano und den anderen als Pyrros den Rückwärtsgang einlegte und den Wagen wendete.

„Ich wusste gar nicht, dass du Auto fahren kannst", bemerkte Siandra, als der Wolfsfürst sich durch den Kölner Stadtverkehr schlängelte.

Pyrros grinste lasziv. „Es gibt da so einiges, das du nicht weißt, Prinzessin."

Siandra erwiderte nichts. Stumm sah sie aus dem Fenster, als Pyrros erst auf die Autobahn auffuhr, um kurz danach auf die Landstraße überzuwechseln. Aus dem Radio drangen alte Sommerhits und sie staunte nicht schlecht, als Pyrros leise mitsummte. Unauffällig ließ sie ihren Blick über den Fürsten der Wölfe gleiten. Mit der linken Hand umfasste er das Lenkrad, die andere lag locker auf seinem Bein und trommelte im Takt der Musik. Er war ihr Feind, das wusste sie, doch aus irgendeinem Grund fühlte sie sich nicht unwohl neben ihm. Und trotz der Sorge, vor dem, was vor ihr lag, begann sie die Autofahrt zu genießen.

Pyrros bemerkte ihren Blick und ein Lächeln zeichnete sich auf seinen Lippen ab. Doch es war nicht das spöttische Lächeln, das sie von ihm kannte, es war ein offenes, freundliches Lächeln das ihn fast sympathisch wirken ließ.

„Überlegst du, ob du mit Elyano eine schlechte Wahl getroffen hast?", neckte er sie und beschleunigte, um ein langsames Auto zu überholen.

„Schade aber auch, dass ich dich nicht früher kennengelernt habe", entgegnete Siandra ironisch.

„Ich sag es ja. Dir entgeht was."

„Woher weißt du eigentlich, wo sich die Halbblüter aufhalten?", fragte sie nach einem Moment der Stille. „Ich dachte, sie ziehen von Ort zu Ort."

„Ich weiß es nicht."

Alarmiert fuhr sie zu Pyrros herum, doch der lachte nur.

„Sieh mich nicht so an, Cutie Pie. Ich kenne Gabriel genau und kann mir denken, wo er sich aufhält. Außerdem habe ich eigene Mittel und Wege etwas herauszufinden."

Siandra ließ sich in den Sitz zurück sinken und lauschte der Musik und dem sanften Klang des Motors.

Gute zwei Stunden fuhren sie über die Landstraße, immer wieder von vereinzelten Autobahnabschnitten unterbrochen, als Pyrros den Wagen auf einen unscheinbar und verlassen wirkenden Parkplatz im Wald hielt.

Mit einem mulmigen Gefühl stieg sie aus. Skeptisch spähte sie in den düsteren Tannenwald, ohne Pyrros aus den Augen zu lassen.

Pyrros bemerkte ihren Blick und hob kurz die Augenbrauen, ehe er lachte. „Du glaubst, ich habe dich hierher gebracht, um dich zu töten? Warum hätte ich mir die Mühe machen sollen fast drei Stunden zu fahren? Nein meine Liebe, du brauchst dir keine Sorge zu machen. Von mir geht keine Gefahr für dich aus." Seine Augen wanderten kurz nach oben. „Als würde mir das auch gelingen. Elyano hat überall seine Späher."

Siandra folgte seinem Blick, doch sie entdeckte nichts, was er gesehen haben konnte. Nur gleichbleibende Äste und Tannennadeln.

Erschrocken sog sie die Luft ein, als sie wieder zu Boden sah und ihr Blick auf einen Wolf fiel, der gelassen auf sie zu trottete.

Pyrros grinste sie spöttisch an, doch er erwiderte nichts. Er beugte sich zu dem Wolf herab und streichelte durch sein Fell, schien ein stummes Zwiegespräch mit ihm zu führen. Ein liebevolles Lächeln breitete sich auf seinen Lippen aus, ein Ausdruck, den Siandra überhaupt nicht von ihm kannte und es erstaunte sie viel mehr, dass sie plötzlich keine Angst mehr hatte. Nicht vor Pyrros. Seine Augen bekamen einen schmerzhaften Ausdruck, als der Wolf noch einmal kurz über seine Hand leckte und wieder im dichten Wald verschwand.

„Ich dachte, deine Wölfe sind weg?"

„Das war keiner meiner Wölfe. Niemand aus meinem engeren Rudel. Doch er war so nett, meine Augen zu sein."

„Du vermisst sie."
Pyrros seufzte. „Natürlich vermisse ich sie. Sie sind ein Teil von mir. Doch mir wurde schon so viel genommen. Was für einen Unterschied macht es noch?"
Mitleidig sah Siandra ihn an. „Du sprichst von Rot... Alessandra?"
Pyrros nickte, schien zu schlucken. „Ich weiß, du kannst es nicht verstehen, doch ich vermisse sie jeden Tag, fast mehr noch als meine Wölfe. Ich liebe sie und würde alles dafür geben, sie wieder in meine Arme schließen zu können."
„Das tut mir Leid", sagte sie und meinte es auch so. Sie hatte die Gerüchte um Pyrros und Rotkäppchen gehört, doch sie hätte nicht gedacht, dass ihre Beziehung so tief ging. Wenn sie daran dachte, dass Elyano etwas zustoßen könnte... Sie schüttelte kaum merklich den Kopf, um den Gedanken zu vertreiben.
„Komm", sagte Pyrros schließlich. „Wir wollen die Halbblüter doch nicht warten lassen."
„Du glaubst, sie wissen bereits, dass wir hier sind?"
Pyrros lachte auf seine gewohnt spöttische Art und Weise. „Das glaube ich nicht nur, das weiß ich. Was meinst du denn, warum keiner von euren Kundschaftern je ihr Lager entdeckt hat? Gabriel und Ekziel wissen die Ihren gut zu schützen. Und nun komm."
Siandra schaffte es kaum mit Pyros' Stechschritt mitzuhalten. Immer wieder fiel sie zurück, lief ein Stück weit hinter ihm her. Die Gefangenschaft schien kaum Spuren hinterlassen zu haben. Erst als sie es doch schaffte, zu ihm aufzuschließen, bemerkte sie, wie schwer er atmete. Er wusste es nur gut zu überspielen.
„Und wie lange geht unser Wald und Wiesentrip?"
Pyrros grinste. „Lass dich überraschen, Prinzessin. Lass dich nur überraschen." Er schloss die Augen, atmete den Geruch des Waldes tief ein. „Wie habe ich ihn doch vermisst", murmelte er.
Schweigend liefen sie nebeneinander her. Siandra wusste nicht, ob sie schneller geworden war oder Pyrros sein Tempo gedrosselt hatte. Auf einmal konnte sie mit Leichtigkeit mithalten.
„Wo bist du eigentlich gewesen?", fragte sie irgendwann leise. „Nach dem Kampf im Orden meine ich."
„Ich bin umhergeirrt, habe mich völlig in meinem Schmerz verrannt", flüsterte er. „Nachdem ich Alessandras Überreste mit mir

genommen hatte, bin ich mit meinem Rudel umhergezogen. Bis mir jemand die Hand reichte und mir versprach den Schmerz von mir zu nehmen. Und ich hätte alles dafür getan. Sogar meine Familie, mein Rudel habe ich dafür verraten." Seine Stimme brach.

„An wen hast du sie verkauft?"

„Es war ein guter Bekannter, der mich fast besinnungslos vor Schmerz im Wald fand. Er..."

Pyrros stockte und Siandra zuckte zusammen, als plötzlich ein Arm aus dem Unterholz schnellte und dem Wolfsfürsten ein Großkaliber an den Kopf hielt. „Keinen Schritt weiter, Fremde."

Pyrros brauchte kaum einen Moment, um sich zu fangen und das spöttische Grinsen auf sein Gesicht zurückzurufen. „Wenn du genauer hinsehen würdest, dann würdest du erkennen, dass ich kein Fremder bin."

Siandra hörte leises Gemurmel aus dem Unterholz, doch sie verstand nicht, was sie sagten.

Schließlich trat der Träger der Waffe ins Licht. Seine dunklen Haare hatte er zu einem Pferdeschwanz zusammengebunden und er trug eine dunkle Tunika unter dem schweren Wollmantel. Abschätzig musterte er Pyrros und Siandra, ehe er den Lauf seiner Waffe sinken ließ. „Folgt mir", sagte er kühl, doch nach wenigen Schritten stoppte er, schien mit jemanden im Unterholz Blickkontakt aufzunehmen und nickte in Siandras Richtung.

Siandra zuckte zusammen als plötzlich jemand ihren Arm packte. Pyrros machte Anstalten einzugreifen, doch er beruhigte sich, als er sah, was sie vorhatten. Siandra konnte das alles nicht im Geringsten beruhigten.

„Wer weiß, für wen du spionierst", hörte sie die Stimme einer Frau hinter sich, ehe diese ihr die Augen verband.

Unsanft wurde Siandra voran geschoben, stolperte immer wieder über Wurzeln und Äste, doch das schien niemanden zu stören. Pyrros unterhielt sich mit den Spähern. Siandra versuchte zu lauschen, doch sie sprachen einfach zu leise. Der Sinn ihrer Worte wurde von den Geräuschen des Waldes verschluckt. Die Halbblüter schienen ihm neutral gegenüber zu stehen, doch eher skeptisch, als freundlich.

Siandra atmete auf, als ihr endlich die Augenbinde abgenommen wurde. Das Erste, was sie sah, war das Gesicht eines etwa achtjährigen

Jungen, der sie mit schief gelegtem Kopf musterte. Er hing kopfüber von dem Querbalken einer eigenartigen Holzkonstruktion. Allein mit seinen Beinen hielt er sich fest und strich sich immer wieder die dunklen Locken aus dem Gesicht, die ihm widerspenstig die Sicht versperrten. „Hast du schon mal jemanden umgebracht?"

Irritiert starrte sie ihn an. „Bitte, was?"

„Na, du bist doch ein Jäger. Ekziel sagt Jäger sind böse. Bist du böse?"

„Ich bin kein..."

„Falk!"

Siandra zuckte genau wie der Junge zusammen, als die Stimme über die Waldlichtung polterte. Erst jetzt bemerkte Siandra die vielen großen und kleinen Zelte, die wie ein Heerlager auf einem Mittelaltermarkt wirkten. Einige Halbblüter lugten aus ihren Zelten hervor, andere saßen an einer großen Kochstelle und sahen von ihren Tellern auf. Doch eines hatten alle gemeinsam - das Misstrauen in ihrem Blick.

Zwei Männer traten aus einem Zelt heraus und steuerten geradewegs auf sie zu. Einer von ihnen strich sich die blonden Haare aus dem Gesicht und blickte sie teils freundlich und neugierig, teils abwartend an, während der Dunkelhaarige sie eher kühl musterte. Siandra wusste sofort welcher von ihnen Gabriel war. Die Ähnlichkeit zu Pyrros war verblüffend, obwohl sie nur denselben Vater teilten.

Der Junge, Falk, ließ sich in einem Salto fallen und eilte sofort an die Seite des Dunkelhaarigen. Das war also Ekziel. Die beiden Brüder traten auf den Wolfsfürsten zu und begrüßten ihn herzlich. Selbst Ekziels kühle Ablehnung verschwand für einen kurzen Augenblick. Sie schienen sich lange nicht mehr gesehen zu haben.

Auf einmal drehte Ekziel sich zu ihr um und ein gefährliches Lächeln breitete sich auf ihren Lippen aus. „Und das wäre dann wohl die Geliebte des Raben. Hast dich ja reichlich weit aus deinem sicheren Nest herausgewagt." Er lachte, legte eine Hand auf Siandras Schulter und schob sie in Richtung des Zeltes, aus dem sie herausgekommen waren. „Was sind wir nur für Gastgeber, Gabriel." Der Druck auf ihrer Schulter war nicht unangenehm, dennoch war sie froh, als er sie im Zelt endlich losließ.

Das Innere des Zeltes war mit Teppichen ausgelegt. Obwohl die beiden die Anführer der Halbblüter waren, war ihr Zelt eher spärlich eingerichtet. Einige Stühle, ein Tisch, mehrere Truhen, ein Regal. Siandra konnte jedoch keine Betten ausmachen.

Ekziel bat sie, sich zu ihm an den Tisch zu setzen und füllte eine rötliche Flüssigkeit in mehrere Gläser. Siandra beäugte es skeptisch, als Ekziel es ihr reichte.

„Was? Denkst du etwa, wir wollen dich vergiften?", fragte er amüsiert und hob sein eigenes Glas an die Lippen. „Es gibt bessere Wege einen Jäger zu töten. Also trink."

Siandra zögerte, doch Pyrros warf ihr einen durchdringenden Blick zu, der ihr klar machte, dass Ekziels Angebot auszuschlagen, keine Alternative war. Also nahm sie einen Schluck von dem süßen Wein. „Ich bin kein Jäger."

Ekziel hob die Augenbrauen. „Ach nein?"

Kurz war sie irritiert. Sie hatte angenommen, die Halbblüter wüssten, was sie war. Doch vielleicht wollte er sie seine eigene Unwissenheit nur glauben lassen. „Nein. Vor einiger Zeit war ich noch eine von euch. Ein Halbblut."

Ekziels Augen weiteten sich kurz. „Also hast du diese Entscheidung getroffen", sagte er und tauschte einen Blick mit Gabriel. „Und deiner menschlichen Seite abgeschworen."

„Das habe ich." Unsicherheit überkam Siandra. Warum hatte Ekziel so seltsam reagiert? Doch sie hatte keine Zeit, sich darüber Gedanken zu machen. Auch Gabriel warf ihr einen kurzen Blick zu, den sie nicht deuten konnte.

„Was willst du hier, Siandra?", fragte Ekziel kühl.

„Euch zur Vernunft bringen. Ein Kampf gegen die Jäger von Aschenputtels Orden wird nur Leid und Tod bringen. Auch über euch."

Ekziel musterte sie unbeeindruckt und griff nach einem Pfirsich, der in einer Schale auf dem Tisch lag. „Soll das etwa ein jämmerlicher Versuch sein, mir zu drohen? Ich habe keine Angst vor euch Siandra. Wir sind euch zahlenmäßig weit überlegen. Aber auf einmal ziehen die sonst immer so übermächtigen Jäger den Schwanz ein und kriechen zu Kreuze. Und ich soll euch noch auf eurem eigenen Gang nach Canossa unterstützen und Mitleid haben?"

„Ekziel, lass sie doch sprechen", unterbrach Gabriel ihn. „Vielleicht werden ihre Argumente dich überraschen."

„Glaubst du das tatsächlich?“, fuhr Ekziel ihn an. „Dann bist du naiver, als ich dachte. Auch wenn sie einmal eine von uns gewesen ist, hat sie den Preis bezahlt und sich gegen die Ihren entschieden. Aus welchen Grund auch immer“, bemerkte er mit einem spöttischen Lächeln.

Siandra runzelte die Stirn.Von welchem Preis sprach er? Das Ende ihrer Sterblichkeit? „Aber dieser Krieg müsste nicht sein. Wenn ihr doch nur darüber reden...“

„Mit Schlächtern kann man nicht verhandeln. Hast du das nicht schon längst gelernt?“

„Bist du wirklich bereit so viele Leben in einem sinnlosen Kampf zu opfern? Auch Halbblüter werden in dieser Schlacht fallen.“

„Nicht sinnlos, Siandra“, erwiderte Ekziel mit einem kalten Lächeln. „Wenn wir den Orden der letzten Fürstin in Grund und Boden gestampft haben, werden wir endlich frei und meine Krieger als Märtyrer gestorben sein. Gefallen, um ihr Volk in eine neue Ära zu führen, eine Ära der Sicherheit, ohne Angst, Unterdrückung und Sklaverei.“

„Sklaverei?“

„Ach, das hat dein geliebter Rabe dir etwa nicht verraten? Glaubst du etwa die Jäger lassen sich von den Ihren bedienen? Nein“, stieß Ekziel bitter hervor. „Das sind allesamt Menschen und Halbblüter. Doch bald schon werden sie alle frei sein.“

„Aber das ist Wahnsinn!“

Ekziel schnaubte abfällig und machte eine unwirsche Handbewegung, ganz, als wolle er eine lästige Fliege hinweg scheuchen. „Ich will das nicht mehr hören. Eher friert die Hölle ein, als dass ich mit einem dieser Metzger gemeinsame Sache mache.“ Er nahm einen tiefen Schluck von seinem Wein, ehe er sich an seinen Bruder wandte. „Sei doch so gut und führe Siandra zu ihrem Zelt.“

Ihr ganzer Körper spannte sich an, als Gabriel eine Hand auf ihre Schulter legte. Was hatte das zu bedeuten?

Ekziel bemerkte ihren nervösen Blick und lächelte amüsiert. „Ich hätte dich klüger eingeschätzt. Du glaubst doch nicht etwa, du kannst einfach so in unser Lager spazieren und gehen, wie es dir beliebt?“

Sie sah zu Pyrros, doch der regte sich nicht. „Vermutlich nicht“, bemerkte sie trocken und erhob sich, um Gabriel zu folgen. Sie wollte lieber nicht herausfinden, was geschah, wenn sie sich weigerte. Pyrros unterhielt sich leise mit Ekziel, als sie das Zelt verließ.

„Also bin ich eure Geisel", bemerkte sie kühl.

Gabriel sah sie einen Moment lang verblüfft an, ehe sich ein beinahe freundliches Lächeln auf seinen Lippen abzeichnete und er den Kopf schüttelte. „Du bist unser Gast. Und als solchen werden wir dich auch behandeln."

„Ich darf nicht gehen. Wo ist also der Unterschied?"

Sie zuckte zusammen, als Falk von der Seite auf sie zusprang.

„Nicht so stürmisch", rief Gabriel und fuhr dem Jungen lachend durch das Haar. Übermütig erzählte Falk dem Älteren etwas, doch er sprach so undeutlich und schnell, dass Siandra seinen Worten kaum folgen konnte. Gabriel verstand ihn dafür umso besser. Er lachte und wuselte dem Jungen erneut durchs Haar, wofür er nur ein empörtes „Hey!" erntete.

Noch immer lächelnd hob Gabriel die Plane eines Zeltes an. Das Lächeln schien ihm unglaublich leicht zu fallen. Hatten sie sie nicht eben noch als ihren Feind ausgemacht? Warum war er so nett zu ihr? Mit einem „Nach Ihnen", bat er sie in das Zelt. Doch was hatte sie sich denn vorgestellt? Monster?

Das Gästezelt war schlicht eingerichtet. Ein Bett stand in dem Raum, das mit einladend wirkenden Fellen ausgelegt war. Neben ihm entdeckte Siandra einen kleinen Tisch auf dem ein grob getöpferter Krug und eine Schale standen. Vor dem Bett lag ein bunter Läufer und auf den Fellen stapelten sich einige alt wirkende Bücher.

„Wie gesagt, du bist unser Gast", sagte Gabriel und wandte sich zum Gehen um.

„Das ändert nichts daran, dass ihr mich festhaltet", meinte Siandra bitter und beobachtete im Augenwinkel Falk, der sich auf dem Läufer niedergelassen hatte und in einem der Bücher blätterte.

„Das ist wahr", erwiderte Gabriel ernst und scheuchte Falk auf und in Richtung Zeltausgang. „Es ändert nichts, egal in welche Richtung man es dreht. Komm Falk. Lass sie ein wenig zur Ruhe kommen."

„Gabriel?"

Er stockte in der Bewegung. „Ja?"

„Ihr stellt keine Posten vor meiner Tür auf?"

Einen Moment lang sah er sie nur verwundert an. Dann lachte

er. „Macht ihr das etwa so?", fragte er und legte einen Arm um ihre Schultern, um sie zum Zeltausgang zu führen. „Siehst du das?", fragte er und zeigte in Richtung Waldrand. „Unsere Wachen sind überall. Sie überwachen jede deiner Schritte. Du hast keine Chance ihren Augen zu entgehen."

„Wie beruhigend", murmelte Siandra nur.

Gabriel löste sich von ihr, hob die Hand, doch er ließ sie sofort wieder sinken. „Ich bin auf dem großen Platz, wenn du mich brauchst", sagte er schließlich und deutete eine Verbeugung an, ehe er sich entfernte. Siandra sah ihm einen Moment lang hinterher, bevor sie zurück ins Zelt trat.

Sie seufzte und fuhr sich durchs Haar. Wo hatte sie sich da nur wieder reingeritten? Erschöpft ließ sie sich auf das Bett sinken und strich über die Felle. Sie waren genauso weich, wie sie aussahen. Sie schlüpfte aus ihrer Umhängetasche und ließ sie zu Boden gleiten. Ihre Finger streiften kurz das Handy an der Außentasche und einen kurzen Moment überkam sie das Verlangen Elyano anzurufen. Nicht um ihn um Hilfe zu rufen, sondern einfach nur um seine Stimme zu hören. Doch er würde sich nur aufregen und sich selbst auf den Weg machen, um sie hier herauszuholen. Das würde alles zunichte machen. Noch hatte sie nicht vor, aufzugeben. Und doch wünschte sie sich insgeheim das Handy mit dem Peilsender zurück.

Ihr Blick streifte das Buch, das noch immer auf dem Läufer lag. Sie hob es auf und blätterte vorsichtig durch die alten Seiten. Erstaunt stellte sie fest, dass es Grimms Märchen waren, in der Version, die auch den Menschenkindern erzählt wurde.

Einige Zeit lag sie einfach nur auf den Fellen und blätterte in den Büchern - allesamt verschiedene Märchen. Irgendwann stand sie jedoch auf und trat ins Freie. Wenn sie schon hier festgehalten wurde, wollte sie sich wenigstens umsehen.

Der Wind zerzauste ihre Haare, doch es war kein unangenehmes Gefühl. Sie genoss die späte Herbstsonne auf ihrer Haut, als sie über die Lichtung schritt. Die einzelnen Zelte waren alle auf einen ausufernden Platz hin ausgerichtet. Dort fanden sich zwei große überdachte Tafeln, an denen sich bereits viele der Halbblüter eingefunden hatten. Immer wieder kamen weitere an ihr vorbei, in ihren Armen große Töpfe und Schüsseln. Sie musterten Siandra misstrauisch, doch sie sagten nichts.

Fast schon schienen sie einen gewissen Sicherheitsabstand einhalten zu wollen.

„Siandra!“ Gabriel kam freundlich lächelnd auf sie zu. „Ich wollte dich gerade abholen“, sagte er und berührte sie an der Schulter, um sie zum Tisch zu dirigieren. Ekziel saß bereits mit Pyrros und Falk an einem Ende der Tafel. Ekziel sah sie nur kurz an, ehe er sich wieder an Pyrros wandte. Sein Blick hatte nicht viel freundliches, doch er war auch nicht feindselig.

Siandra setzte sich zwischen Gabriel und Pyrros. Es war seltsam, so dicht neben den zwei Männern zu sitzen, die eigentlich ihre Feinde sein sollten. Doch aus irgendeinem Grund fühlte sie sich nicht unwohl. Sie bemerkte das deftige Essen, das vor ihr stand, kaum. Erst als Ekziel belustigt „Sollen wir es dir vorkosten, oder vertraust du uns, dass wir dich nicht vergiften wollen?“, fragte, sah sie es. Sie lächelte nur und tat sich ein wenig auf.

„Lang ordentlich zu, es ist genug da“, sagte Gabriel und griff nach einer der Schüsseln. Unauffällig legte er etwas Gemüse auf Falks Teller, als der sich zu einer älteren Frau umgedreht hatte. Er maulte empört, als er es bemerkte, doch Gabriel grinste nur belustigt. „Niemand kommt hier an Gemüse vorbei, Großer“, und lud jedem in seinem Umkreis ebenfalls etwas auf.

„Aber...“

„Falk!“ Durchdringend sah Ekziel ihn an, doch dann wurde sein Blick weicher, fast liebevoll. „Du willst doch ein großer Krieger werden, oder etwa nicht?“

Falks Augen leuchteten auf. „Ich werde stärker, als du und Gabriel zusammen! Und dann werde ich die Jäger vertreiben und in ihrem Schloss wohnen!“

„Dann iss dein Gemüse, sonst wird das nichts“, zwinkerte Gabriel ihm zu.

„Wenn ihr mich endlich trainieren...“

„Das Thema hatten wir schon!“, schnitt Ekziel ihm das Wort ab. „Du bist zu jung.“

„Aber...“

„Das diskutieren wir nicht. Kinder haben an Waffen nichts verloren.“

„Außerdem hattest du doch sogar Angst vor Siandra hier. Wie willst

du dich dann den echten Jägern gegenüberstellen?", neckte Gabriel ihn.
Falk japste empört. „Ich habe keine Angst vor ihr! Sie ist nicht so böse, wie die Jäger."
„Ach nein?", fragte Pyrros plötzlich und grinste Siandra an.
Falk lächelte sie mit dem untrügerischen Vertrauen eines Kindes an. „Nein. Sie ist ein Mädchen. Sie kann nicht böse sein."
„Wenn du wüsstest", entgegnete Gabriel und lachte.
„Lass ihm doch die Illusion", sagte Ekziel schmunzelnd. „Du bist erst dann erwachsen, wenn eine Frau dir das erste Mal das Herz gebrochen und dich hintergangen hat."
Falk schob schmollend den Teller von sich weg. „Dann will ich gar nicht erwachsen werden. Mädchen sind doof."
„Ach ja? Und was ist mit deiner Freundin Maja?", neckte Gabriel ihn.
Siandra schmunzelte, als der Junge errötete.
„Boah Gabriel das ist voll peinlich."
Siandra ließ ihren Blick schweifen, als sie über das Für und wieder von Mädchen diskutierten. Abgesehen von Falk entdeckte sie noch zwei etwa fünfzehnjährige Jungen, ein Mädchen in Falks Alter und ihren kleinen Bruder. Ob sie auch Halbblüter waren? Mussten sie ja. Immerhin hatte Ekziel mehr als deutlich gezeigt, was er von Jägern hielt. Und sie konnte sich auch nicht vorstellen, dass sich Menschen unter den Halbblütern aufhielten. Doch was war dann mit ihren Eltern geschehen? Oder besser gesagt: Was war ihnen widerfahren?
Nachdenklich beobachtete sie Falk, der sich aufgeregt mit Ekziel unterhielt. Das Gesicht des Anführers war plötzlich so weich und freundlich, wie sie es nie erwartet hätte. Falk musste sein Bruder sein. Er schien ihm und Gabriel jedenfalls sehr nah.
Sie wachte aus ihren Gedanken auf, als Falk plötzlich ein Lied anstimmte und die Halbblüter nach und nach einstimmten. Sie sangen in einer Sprache, die Siandra nicht kannte. Sie klang melodisch und erinnerte sie ein wenig an das Altenglisch, mit dem sie ihre Lehrerin damals immer wieder gequält hatte. Die Stimmen schwollen immer mehr an und Siandra erfasste das Verlangen mitzusingen, obwohl sie weder Text, noch Sprache beherrschte. Es klang heroisch, fast ein wenig wie Schlachtgesang, der von den Feldern hallte, um die Krieger ihre Schmerzen vergessen zu lassen. Halbblüter. Jäger. Halbblüter.

Jäger. Sie alle kämpften für die Sicherheit der Ihren, für Freiheit und Glück. Doch dieser Krieg, den sie anstrebten, kannte keine Sieger.

Siandra wurde von einem leisen, fast schon unscheinbaren Geräusch geweckt, doch plötzlich war sie hellwach. Im Zwielicht ihres Zeltes erkannte sie eine Person, die im Eingang stand und sie ansah. Ihr Herz schlug schnell in ihrer Brust, doch sie zwang es zur Ruhe. Zögerlich stützte sie sich auf ihre Ellbogen darauf bedacht, dass ihre Decke nicht allzu weit herunterrutschte. Immerhin hatte sie sich nicht auf eine Übernachtungsparty eingestellt und schlief dementsprechend in Unterwäsche.

In der Düsternis konnte sie nur eine Silhouette ausmachen, die sich langsam näherte. Wer konnte das nur sein? Ein Halbblut, das sich der vermeidlichen Jägerin entledigen wollte? Unauffällig ließ sie ihre Hand zum Griff ihrer Umhängetasche wandern, in der sich der Dolch befand, den Fynn ihr mitgegeben hatte, zusammen mit Elyanos Wurfsternen - als würde sie damit auch nur irgend wen treffen.

„Beruhig dich, Prinzessin", kam es rau aus der Dunkelheit. „Ich werde dir nichts tun."

Das Bett senkte sich, als Pyrros sich setzte. Abwartend sah Siandra ihn an, doch der Fürst der Wölfe blieb schweigsam. Er sah sie einfach nur stumm an.

Plötzlich wurde ihr siedend heiß bewusst, wie nah er ihr war und sie zog die Beine an. Was wollte er nur? Ihr Herzschlag wollte sich einfach nicht beruhigen. Was hatte das zu bedeuten?

Im Dämmerlicht konnte sie sein Gesicht nicht erkennen. Warum war er gekommen? Doch als sie den Mund öffnen wollte, um ihn zu fragen, stützte er sich mit einer Hand ab und stand auf. Kurz streifte er dabei ihr Knie und ein Schauer durchlief ihren Körper. Sie war viel zu durcheinander, um zu entscheiden, ob es ein gutes oder schlechtes Gefühl war.

Noch immer verfolgte sie der Besuch der letzten Nacht, als Siandra am Morgen aus dem Zelt trat. Was hatte das verdammt nochmal zu bedeuten? Was hatte Pyrros nur von ihr gewollt?

Als ihre Augen sich an den hellen Schein der Sonne gewöhnt

hatten, fiel ihr Blick sofort auf Pyrros, der sich mit Ekziel und Gabriel unterhielt und sich dann zum Gehen umdrehte. Mit langen Schritten hielt er auf den Waldrand zu. Siandra runzelte die Stirn. Was hatte er vor?

„Pyrros!", rief sie und er stockte tatsächlich in der Bewegung. „Wo willst du hin?"

Pyrros grinste spöttisch. „Was denkst du denn, Prinzessin?"

Wut kam in ihr auf, als sie die Entfernung zu ihm überbrückte. „Das war nicht Teil der Vereinbarung!"

„Sorry Liebelei. Ich habe noch etwas zu erledigen. Frag deinen Vater, wenn du mehr wissen willst." Damit ließ er sie einfach stehen. Perplex starrte sie ihm hinterher, als sie eine Berührung an der Schulter spürte.

„Alles in Ordnung?", fragte Gabriel besorgt.

„Keine Ahnung", antwortete sie wahrheitsgemäß. Was hatte Pyrros nur vor? Und was hatte ihr Vater damit zu tun?

„Pyrros ist nun einmal, wie er ist", sagte Gabriel lächelnd. „Er bleibt nie lange an einem Ort. Er ist eben durch und durch Wolf." Er nickte in Richtung der Zelte. „Komm, ich zeig dir das Lager."

„Er ist dein Bruder oder?", fragte Siandra nach einigen Momenten Stille, obwohl sie die Antwort bereits kannte.

Erst hob er nur die Augenbrauen, doch dann nickte er. „Das stimmt, er ist mein Halbbruder, auch wenn wir uns nicht sonderlich ähneln. Mit meinem guten Aussehen kann er einfach nicht mithalten." Er grinste und Siandra konnte nicht anders, als das Grinsen zu erwidern. Äußerlich waren Pyrros und er sich schon sehr ähnlich. Doch das fast schon wahnsinnige Funkeln, das immer in Pyrros Augen lag, fehlte bei Gabriel völlig. Ob es an seinem menschlichen Erbe lag?

„Und was ist mit Ekziel? Ist er auch..."

„Er ist mein Halbbruder, doch mit Pyrros verbindet ihn lediglich Freundschaft. Wir haben dieselbe Mutter." Er begrüßte einige Frauen, die an einem länglichen Tisch saßen. Ihre Gespräche verstummten, als sie Siandra entdeckten.

Siandras Blick fiel auf Falk, der in einiger Entfernung mit dem Mädchen - Maja vermutete sie - spielte. Als er Gabriel entdeckte, sprang er sofort auf und lief auf ihn zu.

„Ist Falk auch euer Bruder?"

„Nur im Geiste", sagte Gabriel lächelnd und wuselte dem Jungen durchs Haar. „Es war zu gefährlich für ihn, weiter bei seinen Eltern zu bleiben, deswegen haben wir ihn bei uns aufgenommen."

„Ich habe auch einen Bruder. Einen Sternenbruder", sagte Falk und auf einmal verschwand Gabriels immerwährendes Lächeln und machte einem traurigen Gesichtsausdruck Platz. „Jäger haben seinen Bruder getötet. Kurz nachdem die beiden zu uns gekommen sind", erklärte Gabriel leise, als sie ihren Weg durchs Lager fortsetzten. Einige Männer, die auf dem Boden saßen und Karten spielten, winkten ihnen zu. Das Lächeln kehrte auf Gabriels Gesicht zurück, als er an sie herantrat.

„Na, führst du die Khoonda ein wenig durchs Lager? Meinst du, das ist so klug? Diese Metzger wissen doch jeden Gegenstand als Waffe zu missbrauchen."

„Rico, du vergisst dich! Sie ist unser Gast."

„Du weißt genau, wie sie unseresgleichen behandeln. Warum sollten wir..."

„Wir sind nicht wie sie", sagte Gabriel wütend und legte eine Hand in Siandras Rücken, um sie weiterzuschieben. „Tut mir Leid dafür", sagte er, als sie die Männer ein Stück hinter sich gelassen hatten.

„Du brauchst dich nicht bei mir zu entschuldigen. Nicht dafür."

Einige Meter gingen sie schweigend nebeneinander her, jeder von ihnen in eigenen Gedanken versunken. „Khoonda?", fragte Siandra schließlich, um sich von ihren abzulenken.

Gabriel strich kurz über seinen Nacken. „Ich dachte, der Begriff ist euch bekannt."

„Ich bin noch nicht sehr lange eine ‚Khoonda'." Die angedeuteten Anführungszeichen waren kaum zu überhören. „Also, was bedeutet es?"

„Im weitesten Sinne Jäger. Es ist nichts sonderlich nettes." Er hob die Hand, um einige der Wachen am Waldrand zu grüßen. „Wie kommt es, dass du bei den Jägern lebst? Immerhin warst du doch eine von uns. Hätten die Jäger dich nicht umbringen sollen?"

Ein leichtes Lächeln umspielte ihre Lippen. „Das ist eine lange Geschichte."

„Ich bin ganz Ohr."

Siandra zögerte einen Moment, doch dann warf sie ihre Bedenken über Bord. Warum sollte sie es ihm eigentlich nicht erzählen?

„Warum hat sie noch nicht angerufen?", fragte Elyano bereits das dritte Mal und lief unruhig in der Küche auf und ab.

Die beiden ersten Male hatte Fynn seinen Bruder ignoriert. Alles, was er sagte, würde ihn nur noch mehr aufregen. Er seufzte und biss von dem Sandwich ab, das vor ihm lag. „Hast du schon mal darüber nachgedacht, dass das auch ein gutes Zeichen sein könnte?"

Die Augen seines Bruders funkelten angriffslustig. „Ach ja? Und was, wenn nicht?!"

Beruhigend legte Aisling eine Hand auf Elyanos Arm. Besser noch als sein Bruder schaffte sie es die Wogen in Elyanos Inneren zu glätten. Doch jetzt schien auch sie kaum zu ihm durchzudringen. „Ihr wird schon nichts passieren. Sie weiß mittlerweile ganz gut, sich selbst zu verteidigen. Immerhin hatte sie in dir einen sehr guten Lehrer."

Elyano schnaubte nur und verschränkte die Arme vor der Brust.

„Und du willst sicher nicht mit uns kommen?", fragte Fynn ihn.

„Schon vergessen, dass Aschenputtel mir Hausverbot erteilt hat? Nein, fahrt ihr beide zu ihr und findet heraus, wo sie die ganze Zeit über gewesen ist, als ihr Orden sie so dringend gebraucht hat. Ich bleibe hier. Irgendjemand muss die Stellung hier im Orden halten."

Fynn nickte nur, doch ihn beschlich ein schlechtes Gefühl. Er konnte aber nicht sagen, was das Gefühl zu bedeuten hatte. „Mach keinen Unsinn, während wir weg sind. Siandra hat sicher alles bestens im Griff. Sie hat uns schon in ganz anderen Situationen überrascht."

„Würde mir niemals einfallen", sagte Elyano, doch auf seinen Lippen breitete sich ein fast schon stolzes Lächeln aus.

„Na komm", flüsterte Fynn dicht an Aislings Ohr und schlang einen Arm um ihre Taille.

Während sie zu ihrem Auto schlenderten dachte Fynn nicht an das, was vor ihnen lag, sondern genoss einzig und allein die Nähe zu Aisling. Noch immer hingen die Sorgen und Probleme als dunkle Wolken tief über ihnen, doch das Glück, das über sie gekommen war, ließ ihn immer wieder vergessen.

Sanft ließ er seine Finger über ihre Taille zu der sanften Wölbung ihres Bauches wandern und lächelte, als Aisling ihre Hand auf seine legte. Das Wissen um das ungeborene Leben in ihrem Inneren, ihr Kind, ließ sogar die Schlange in seinem Inneren verstummen und zog hohe Mauern um das zischende Reptil.

Nur widerwillig löste Fynn sich von Aisling, als sie ihr Auto erreicht hatten. Wie immer steuerte er auf die Fahrerseite zu, doch Aisling stellte sich ihm grinsend in den Weg und klimperte mit dem Schlüssel vor seinem Gesicht herum. „Nichts da, mein Lieber. Schon vergessen, dass du im Moment keinen Führerschein hast?"

„Als würden sie uns auf der kurzen Strecke anhalten."

„Vergiss das aber schnell", zwinkerte Aisling ihm zu und küsste ihn. „Das Risiko gehen wir gar nicht erst ein."

„Du nutzt das doch schamlos aus."

„Und wenn schon", rief sie lachend und stieg in das Auto ein. Als ihre Hände das Lenkrad umfassten, verschwand das Lächeln von ihrem Gericht. Ihre Augen hingen starr am Armaturenbrett. Sie schluckte hart.

„Alles in Ordnung?", fragte Fynn besorgt und ohrfeigte sich innerlich für diese dämliche Frage. Natürlich war es nicht in Ordnung. Hinter der Maske ihres Gesichts verbargen sich die Alpträume, verbarg sich das, was ihr widerfahren war. Doch Aisling reagierte nicht. Erst als sich Fynns Hand um ihre schloss, hob sie den Blick. „Ich kann auch Elyano oder Zephir bitten", sagte er sanft. „Wenn du nicht möchtest, das ich fahre, ist das okay. Aber du musst dich nicht deswegen..."

Sie unterbrach ihn mit einem Kuss, den er erwiderte. Erst nach einigen Momenten löste sie sich von ihm und legte eine Hand in seinen Nacken.

„Es ist schon okay", sagte sie und ließ das Lächeln auf ihr Gesicht zurückkehren. „Mit der Zeit wird es besser werden. Mit der Zeit werde ich vergessen."

Fynn drückte aufmunternd ihre Hand. „Es wird besser werden."

Noch einmal atmete sie tief durch, ehe sie das Auto startete und vom Gelände des Ordens lenkte. Anfangs waren ihre Bewegungen noch ungelenk, doch nach und nach wurde sie wieder sicherer.

„Du machst dir Sorgen", sagte sie nach einer Weile, in der sie das Schweigen geteilt hatten, wie einen gemeinsamen Freund.

„Natürlich mache ich mir Sorgen", erwiderte Fynn betont ruhig, obwohl die Gedanken sich in seinem Inneren überschlugen. „Beliar klang am Telefon so seltsam."

„Was hat er denn gesagt?"

„Nur, dass Aschenputtel mich zu sehen verlangt. Wir haben nicht lange miteinander gesprochen."

„Aber ihr telefoniert doch nie lange miteinander", bemerkte Aisling und runzelte die Stirn. „Du beschwerst dich doch immer darüber, wie wie kurz angebunden er am Telefon ist."

„Ja schon. Aber irgendwie war er anders als sonst."

Aisling beschleunigte den Wagen, als sie auf die Landstraße fuhr. „Wir werden sehen, was uns erwartet."

„Genau. Lass uns noch einen Moment vergessen, was unser Ziel ist. Jetzt gerade gibt es nur eine Person, die für mich zählt", sagte er mit einem sanften Lächeln und strich über ihre Hand, die auf der Gangschaltung lag. „Oder besser gesagt anderthalb."

„Pass auf", sagte sie und lachte. „Sonst fahre ich vor Rührung auch noch deinen heißgeliebten BMW zu Schrott."

„Keine Angst, das lasse ich nicht zu."

Einen Moment sprach nur Liebe aus ihrem Blick, ehe sie grinste. „Dir sind wohl die ganzen Marvelfilme zu Kopf gestiegen. Du bist nicht Superman oder Flash."

„Die beiden sind aber nicht..."

„Comic ist Comic!"

„Autsch, das saß tief", sagte er mit tadelndem Blick, doch sein Grinsen strafte die Worte Lügen. „Was soll Klein-Fynn nur davon halten, dass seine Mutter eine solche Ketzerin ist."

„Wir nennen unser Kind mit Sicherheit nicht Fynn! Mir reicht einer von der Sorte."

Fynn grinste schelmisch. „Nein, wenn es ein Mädchen wird, nennen wir es Aisling."

„Du willst doch nicht allen Ernstes..." Sie stockte, als sie in sein Gesicht sah. „Du verarschst mich doch."

„Klar verarsche ich dich. Ich bitte dich, unser Kind ist grad einmal so groß wie ein Seepferdchen."

Aislings Mundwinkel zuckte. „Ein bisschen größer ist es schon."

„Wie viel größer?"

„Ein wenig", sagte Aisling und bog an der Kreuzung ab. „Vielleicht sollten wir es auch einfach nach deinem Vater benenn..."

„Nein!"

Aisling lachte. „Ach, stell dich doch nicht so an. Seymour ist so ein wunderschöner Name.“

Auch Fynn lachte und ließ sich in den Sitz zurück sinken. Stumm beobachtete er Aisling, während sie den serpentinenartigen Straßen durch den Wald folgte. Er konnte das Glück, das ihn trotz der Probleme, die über ihnen kreisten, ergriffen hatte, kaum fassen. Ich werde Vater. Er musste es sich in Gedanken immer wieder sagen, um es zu glauben. Und gleichzeitig fragte er sich zum wiederholten Male, wie er nur so blind gewesen sein konnte.

„Lass das“, sagte Aisling plötzlich lächelnd und schon ihn spielerisch weg. „Wie soll ich mich denn aufs Fahren konzentrieren, wenn du mich so ansiehst?“

Mit einem vielsagenden Blick lehnte er sich zu ihr herüber, so dicht, dass seine Nasenspitze fast ihre Wange berührte und er ihren Geruch tief in sich aufnahm. Der Geruch nach Heimat. „Wie sehe ich dich denn an?“

„Ich würd‘s dir zeigen, aber ich glaub bei den Kurven landen wir dann wirklich noch im Graben“, sagte sie, doch in ihren Augen lag ein stummes Versprechen.

„Später“, raunte Fynn an ihr Ohr und lehnte sich auf seinem Sitz zurück.

„Ja später“, lächelte sie und spähte an einer Kreuzung ein wenig hilflos über das Lenkrad. „Dann verrat mir doch erst einmal, wie ich durch diesen Irrgarten finden soll.“

Nach einer weiteren Viertelstunde Fahrt bogen sie endlich auf den hell gepflasterten Weg ein, der zu Aschenputtels Anwesen führte. Und mit dem hohen Gebäude, das sich unaufhaltsam vor ihnen auftat, kehrten auch Fynns Gedanken und Sorgen zurück. Was würde sie bei der Fürstin erwarten? Aisling spürte seine Unsicherheit und griff nach seiner rechten Hand, als sie ausgestiegen waren.

„Was hat sie wohl dazu bewegt, so lange zu verschwinden?“, fragte Fynn, mehr sich selbst, als seine Gefährtin.

„Vielleicht war die Last zu groß.“

Schweigend humpelte Fynn die Stufen zu dem prachtvollen Anwesen hinauf. Ihre Fürstin war immer der Inbegriff von Stärke, Anmut und Macht gewesen. Undenkbar, dass auch nur irgendetwas ihr zusetzen könnte. Doch seit das Netz der Eide fast gänzlich zusammengebrochen war, lag all sein Gewicht auf Aschenputtels Schultern.

Die Wachen nickten ihnen nur stumm zu, als sie in das Gebäude eintraten und den Weg zum Prunksaal einschlugen. Sie kannten den neuen Führer des Ordens und waren es gewohnt, ihn gleich durchzulassen. Doch irgendetwas in ihren Blicken alarmierte Fynn. Er versuchte sich selbst zu beruhigen. Das war nur seine eigene Unruhe, die ihm den Gedanken in den Kopf pflanzte.

„Sieh an, wer kommt denn da?"

Fynn zuckte zusammen, als sein Blick nicht wie erwartet seine Fürstin streifte.

16. Krieg ohne Sieger

Lässig saß der Fürst der Wölfe auf dem langen Esstisch, die Beine übereinandergeschlagen. In einer fließenden Bewegung sprang er auf und kam auf sie zu. Als er sie fast erreicht hatte, deutete er eine spöttische Verbeugung an und griff nach Aislings Hand, um ihr einen Kuss auf die Knöchel zu hauchen.

Instinktiv wollte Fynn zwischen sie springen, doch Aislings Hand, die in seiner lag, hinderte ihn daran und versuchte ihn zu beruhigen.

„Mein Hüter. Meine Herrin", er ließ seinen Blick über Aisling schweifen. „Herzlichen Glückwunsch. Ein großer Gewinn für die Jäger, schätze ich. Wenigstens die Erbfolge ist gesichert."

„Was machst du hier?", fragte Fynn kühl, ohne darauf einzugehen. „Wo ist Aschenputtel?"

Doch Pyrros achtete nicht auf ihn. Fast schon beschwingt schlenderte er um den Tisch herum, griff nach einem Apfel, der in der pompösen Obstschale lag und warf ihn immer wieder in die Luft. Sein Blick wanderte über die Fresken an der Wand zu der mosaikbesetzten Decke und ein Lächeln umspielte seine Lippen.

Fynn starrte ihn fassungslos an. Was hatte das zu bedeuten? Seine Gedanken jagten geradezu durch das Karussell in seinem Kopf. Was hatte er hier zu suchen? Warum war er nicht bei Siandra und den Halbblütern?

„Pyrros", sagte Aisling plötzlich leise. Sie löste sich von Fynn und trat abschätzend auf den Fürsten der Wölfe zu. „Was machst du hier? Und wo ist die Fürstin?"

Ein gefährliches Lächeln trat auf seine Züge. Er warf den Apfel zurück in die Schale, wobei diese über den Tisch schlidderte und mit einem lauten Klirren am Boden zerbrach. Pyrros warf einen kurzen Blick dorthin, doch er zuckte mit den Schultern. „Die Taube ist

ausgeflogen."
Fynns Hand krampfte sich um seinen Stock. „Was hast du ihr angetan?"
„Immer so misstrauisch, mein Hüter?" Pyrros ging an Aisling vorbei und auf ihn zu. „Ich habe sie nicht entführt, wenn du das etwa von mir denkst. Ich habe keine Ahnung, wo deine teuerste Fürstin ist."
„Wo ist Siandra?", fragte Aisling beunruhigt.
Kurz drehte Pyrros sich zu ihr um, doch dann wandte er sich wieder an Fynn. „Ihr habt sie doch zu den Halbblütern geschickt. Ich bin nicht hier, um über Siandras ausweglosen Plan zu sprechen. Der kleine Vogel wird bald schon nicht mehr singen."
Fynn schluckte. „Was haben die Halbblüter mit ihr vor?"
„Die Halbblüter? Nichts. Es gibt andere, die Interesse an ihr haben. Letztendlich ist es egal auf welcher Seite man gestanden hat. Am Ende fügt sich alles zusammen. Und die Familie siegt immer."
Fynn wurde heiß und kalt zugleich. „Warum bist du hergekommen, verdammt?"
Pyrros Mundwinkel zuckte. „Um unerledigtes zu erledigen."
Fynn zuckte zusammen, als der Fürst der Wölfe plötzlich Aislings Arm packte und sie an sich zog. Er wollte vorstürmen, doch er stolperte über sein eigenes taubes Bein und griff nach einem der Stühle, um nicht zu stürzen.
Aisling schlug nach Pyrros und traf seine Magengrube. Keuchend krümmte er sich, doch sein Griff schloss sich noch fester um ihren Arm und riss ihn auf ihren Rücken. Er ließ Fynn nicht aus den Augen, als er Aisling dicht an sich heranzog und ihr ins Ohr raunte. Seine Lippen waren ihr fast so nah, dass sie sie berührten. Fynn verstand nicht, was er sagte, doch Aislings Augen weiteten sich und sie versuchte erneut sich zu befreien - erfolglos.
„Lass sie los!", rief Fynn wütend und stolperte auf den Wolfsfürsten zu. Doch der grinste nur belustigt.
„Blut für Blut, mein Lieber", sagte Pyrros lächelnd und zog Aisling auf die Tür zu. Fynn wollte nach ihm schlagen - der massive Gehstock würde selbst ihn ausknocken - doch die Gefahr war zu groß Aisling zu treffen. Pyrros hielt sie wie einen lebendigen Schutzschild vor sich.
„Alessandra braucht sie. Wir brauchen sie." Er drehte ihr Kinn zu sich herum. Aisling versuchte sich aus seinem Griff zu winden, doch

es gelang ihr nicht. „Alessandras Blut ist stark in dir. Doch nun fordert sie es zurück."

„Du bist doch wahnsinnig!", wütete Fynn und versuchte nach ihm zu greifen, doch Pyrros wich ihm mit Leichtigkeit aus.

„Wahnsinnig? nein." Er grinste spöttisch. „Nur loyal."

Fynn traf Aislings Blick und spürte ihre Furcht, so sehr, wie seine eigene. Pyrros starrte ihn abwartend an. Er trug sein spöttisches Grinsen fast wie eine zweite Rüstung. Am liebsten würde er es ihm aus dem Gesicht prügeln. Die Hilflosigkeit nahm ihm beinahe den Atem. Warum waren sie nur so leichtsinnig gewesen? Er wusste, dass Aisling niemals ohne Dolch das Haus verließ, doch ihre Tasche lag unerreichbar im Auto. Hier im Anwesen hatten sie stets unter Aschenputtels Schutz gestanden, Waffen waren nie nötig - seit einigen Jahren sogar verboten gewesen.

Fynns Blick schoss im Raum umher. Es musste doch irgendetwas geben, was er tun konnte. Selbst wenn er Elyano über das Netz der Eide erreichen könnte, würde er niemals rechtzeitig hier sein. Wenn er doch nur hinter Pyrros kommen könnte. Doch der Fürst der Wölfe ließ ihn keine Sekunde aus den Augen.

„So sehr ich dieses Blickduell auch genieße, ich habe heute noch andere Verpflichtungen. Die Lady und ich werden nun gehen."

„Du lässt sofort die Finger von ihr..."

Pyrros Mundwinkel zuckte. „Sonst was? Aber wenn du dich um deinen Erben sorgst, wir brauchen nur Alessandras Blut. Das Kind kannst du behalten. Ich schneide es dir gerne heraus."

Fassungslos starrte Fynn ihn an, als ein gleißender Schmerz in seinem Hinterkopf explodierte.

„Fynn!", rief Aisling. Seine Sicht verschwamm und er wurde in die Knie gezwungen. Er hörte Pyrros genervte Stimme, doch sie wurde immer mehr eins mit der Schwärze, die ihn nach und nach weiter umhüllte.

„Ashara, war das wirklich nötig? Solltest du nicht eigentlich längst bei deinem Vater..."

„Ekziel muss das sein?", fragte Falk schmollend und verschränkte die Arme vor der Brust.

Mitleidig sah Siandra ihn von ihrem Platz an dem Tisch in Ekziels Zelt aus an. Mathe. Nicht ihre Lieblingsbeschäftigung und ebenso wenig Falks. Doch der Führer der Halbblüter war gnadenlos.„Ich hatte damals ebenso wenig eine Wahl. Warum sollte es dir besser gehen?“, zwinkerte er ihm zu und legte seinen Finger auf eine Seite des ramponierten Mathebuchs. „Jetzt die Aufgabe.“

„Och Mann....“

„Du bist grausam“, sagte Gabriel und lachte.

Ekziel zuckte nur mit den Schultern. „Da muss er durch.“

„Muss ich gar nicht!“

„Sorry Kleiner, da hast du nicht mitzureden.“

Mit einem Lächeln auf den Lippen beobachtete Siandra die drei. Gabriel hatte ihr erzählt, dass die Kinder hier im Lager von einer der Frauen unterrichtet wurden. Der Krieg, der auf sie zukam, würde die Halbblüter genau wie die Jäger zerreißen. Es musste doch eine Möglichkeit geben Ekziel zu überzeugen. Es musste einfach.

Sie hob den Kopf, als Gabriel ihr plötzlich ein kleines Glas zuschob. Fragend hob sie die Augenbrauen, doch Gabriel grinste nur. „Probier mal.“

„Wenn dir dein Leben lieb ist, tu es nicht“, bemerkte Ekziel beiläufig, ohne den Blick von Falks Rechenheft zu lösen. „Niemand ist vor Gabriels Selbstgebranntem sicher.“

„Machst du dir etwa wirklich Sorgen um sie? Oder bist du nur eifersüchtig, weil ich dir nichts angeboten habe?“

„Gott bewahre! Ich sorge mich lediglich, um das Innenleben meines Zeltes.“

Siandra betrachtete die bräunliche Flüssigkeit. Wie schlimm konnte es schon sein? Es war ja nicht so, als hätte sie noch nie zuvor Alkohol getrunken. Doch noch bevor das Glas ihre Lippen berührte, begann Siandra zu begreifen, was Ekziel meinte. Der beißende Geruch wurde von einer heißen Woge begleitet, die sich durch ihre Speiseröhre brannte und ihr die Luft zum Atmen nahm. Sie keuchte und umklammerte die hölzerne Tischplatte.

„Was hat sie?“, fragte Falk als er von seinen Aufgaben aufsah.

„Och nichts“, sagte Ekziel ruhig. „Sie hat nur Gabriels Künste im Schnapsbrennen ein wenig unterschätzt. Ist ja nicht so, als hätte dich gewarnt.“

„Mir geht‘s gut“, presste sie hervor und hustete.

Ekziel schmunzelte und wollte etwas erwidern, als ein asiatisch wirkender Mann eintrat. „Bastian und Malte wurden an den Grenzen gesichtet.“

Ekziel nickte. „Das ist gut. Ich hoffe sie haben erfreuliche Nachrichten im Gepäck. Sonst brauche ich tatsächlich etwas von diesem Fusel.“

„Wo hast du sie hingeschickt?“, fragte Siandra, obwohl sie sich nicht sicher war, ob Ekziel es ihr beantworten und sie die Antwort auch hören wollte.

Ekziel hob eine Augenbraue. „Wo werde ich sie wohl hingeschickt haben? Zu den Metzgern natürlich.“

Siandra knabberte an ihrer Unterlippe. Ihre Gedanken wanderten zu Elyano, Fynn und dem Rest der Jäger. Was war passiert? Sie erinnerte sich nur allzu lebhaft an die letzte Begegnung mit einem Halbblut, das dem Orden zu nahe gekommen war... Eine heiße Woge Schuldgefühle brach über ihr zusammen. Was waren sie nur für Monster. Hastig versuchte sie diesen Gedanken zu vertreiben. Sie waren keine Monster, auch nicht Fynn, der den Befehl ausgesprochen hatte. Er war mehr, wie ein verletzter Hund, der nach jeder Hand schnappte, die ihm zu nahe kam. Und immerhin hatte dieser Abend auch Jägern das Leben gekostet. Sie musste sie irgendwie davon überzeugen, dass sie so nicht weiter machen mussten. Doch wie sollte es ihr nur gelingen? Beide waren zu verbohrt, um die Gräueltaten des anderen zu vergessen und in jeder Sekunde, die der Krieg weiter zwischen ihnen wütete, kamen mehr dazu.

„Ekziel“, begann sie vorsichtig. „So muss es nicht sein.“

Ekziels Lippen bekamen einen bitteren Zug. „Versuchst du mich wieder mit deinen Sen-Sprüchen zu überzeugen? Vergiss es Siandra. Nichts bringt mich dazu, mich mit einem Mörder an einen Tisch zu setzen.“

„Aber das bringt doch nichts. Ihr kämpft einen Krieg, bei dem niemand mehr weiß, wer ihn eigentlich begonnen hat.“

„Wenn du nicht bald still bist“, knurrte er. Er wandte den Kopf um, als jemand plötzlich die Hand auf seine Schulter legte.

„Meinst du nicht, sie könnte Recht haben?“, fragte Gabriel behutsam, doch sein Bruder schob nur seine Hand unwirsch weg.

„Ich werde nicht aufgeben“, sagte Siandra und versuchte das Zittern in ihrer Stimme zu unterdrücken, das in ihr aufkam, als Ekziel plötzlich die Entfernung zu ihr mit wenigen Schritten überbrückte und sich vor ihr aufbaute.

„Ich sollte deinem Vater deinen Kopf zurückschicken“, knurrte er, doch Siandra setzte alles daran ihm die Stirn zu bieten.

„Wir sollten wirklich versuchen, endlich Nutzen aus ihr zu ziehen. Vielleicht ist Shaikos tatsächlich so käuflich wie es immer den Anschein macht“, bemerkte der asiatische Krieger.

„So jemandem kann man nicht vertrauen“, fragte Ekziel, ohne den Blick von Siandra zu lösen. „Aber seid unbesorgt meine Freunde. Wir werden uns unsere Freiheit schon verdienen. Freiheit ist überall, wenn man nur den Mut zeigt, sie einzufordern.“

„Da ist Bastian“, sagte Ekziels Krieger, als er aus dem Zelteingang lugte. „Er...“ Seine Stimme brach ab. Ohne noch einen Moment zu warten, stürmte er hinaus. Siandra beschlich ein ungutes Gefühl, als sie Gabriel und Ekziel folgte.

Ekziel lief zielstrebig auf den lagen Tisch zu, an dem sie am Abend zuvor noch gegessen hatten. Nun hatte sich eine Traube Halbblüter darum zusammengefunden. Als Siandra näher kam, entdeckte sie einen dunkelhaarigen Mann, der auf der Tischplatte lag und eine ältere Frau, die sich um die tiefe Fleischwunde an seinem Bauch kümmerte. Ihr Gesicht war ernst. Kurz hob sie den Kopf, als Ekziel sie erreichte und schüttelte auf seine stumme Frage hin nur unmerklich den Kopf.

Plötzlich legte sich eine Hand um ihren Nacken und zwang sie gnadenlos näher an den Tisch heran. „Siehst du das, Siandra?“, zischte Ekziel ihr ins Ohr. „Fragst du dich immer noch, warum ich mit diesen Metzgern nicht verhandeln will?“ Sein Griff schmerzte sie, doch sie schaffte es nicht sich ihm zu entwinden oder den Blick abzuwenden. Ihr wurde beinahe schlecht bei dem Gedanken daran, dass die Jäger dafür verantwortlich waren. Gleichzeitig fragte sie sich, ob auch sie solche Verletzungen erlitten hatten.

„Lass sie los“, sagte Gabriel neben ihm, doch Ekziel lockerte den Griff nicht.

„Sie soll es sehen. Sie soll genau sehen, was diese Monster uns immer wieder antun!“

„Ich glaube sie hat es begriffen. Jetzt lass sie doch endlich los.“

Nur langsam ließ Ekziel von ihr ab. Mit einem abfälligen Schnauben drehte er sich zu den anderen Männern um, die zusammen mit dem Dunkelhaarigen eingetroffen waren. Sie waren nur leicht verletzt.

„Was ist passiert?", fragte Ekziel mit ruhigerer Stimme und setzte sich zu ihnen auf die lange Bank.

„Es ging alles unheimlich schnell", sagte einer der Männer und fuhr immer wieder über das Blatt seiner Axt. „So haben wir die Jäger noch nie erlebt. Wie ein Schatten sind sie aus dem Hinterhalt heraus auf uns losgegangen. Sie waren zu viele. Wir hatten nicht den Hauch einer Chance. Das Einzige, was uns übrig blieb, war zu fliehen. Doch ich fürchte wir haben damit einen großen Fehler begangen."

Ekziels Augenbrauen zogen sich zusammen. „Wovon sprichst du?"

„Ich glaube, wir haben sie hierher geführt."

„Da hat er nicht ganz Unrecht."

Hastig fuhren sie herum. Siandra erstarrte als ihr Blick auf die Person in der dunklen Kutte fiel, die von zwei Wolfsbestien flankiert auf sie zukam.

„Warum haben die Grenzwachen sie nicht aufgehalten?", sprach Gabriel neben ihr leise die Frage aus, die auch in ihrem Kopf herumspukte. Einige unscheinbar gekleidete Männer traten hinter ihrem Anführer hervor.

Ekziel tauschte einen Blick mit seinem Bruder und machte einen Schritt auf sie zu. „Was wollt ihr?", fragte er kühl, aber nicht feindselig.

Der Fremde lachte. „Was können wir schon wollen? Unserem Schwur folgen und euch auslöschen. Der Norden erinnert sich an alles und er vergisst niemals!"

Siandras Herzschlag raste, doch Gabriel und Ekziel neben ihr wirkten völlig gelassen. Waren sie nur so optimistisch oder war es ihnen einfach egal?

„Wenn das euer einziger Grund wäre, hättet ihr uns längst angegriffen und uns nicht erst die Chance gegeben, uns selbst zu rüsten."

„Vielleicht haben sie ja Angst", bemerkte Falk mit einem frechen Grinsen.

Siandra hielt die Luft an, als der Fremde sich zu dem Jungen umdrehte, der auf einem der Querbalken saß.

„Sei leise!", zischte Ekziel.

„Lass den Jungen ausreden", sagte der Fremde mit gefährlich ruhiger Stimme. „Heißt es nicht, dass euch Kinder heilig sind? Also lasst ihn sprechen. Wie heißt du?“

„Nenn mir deinen Namen, vielleicht sagt ich dir dann auch meinen.“

„Kleines Mistbalg“, zischte einer der Männer neben dem Fremden, doch der hob beschwichtigend die Hand, noch ehe Ekziel oder Gabriel einschreiten konnten.

„Warum denkst du, wir hätten Angst, Junge?“, fragte er ohne auf ihn einzugehen.

„Ihr seid keiner von uns, ihr seid Jäger. Und Jäger sind böse.“

„Und böse ist gleich feige?“

„Du zeigst uns ja noch nicht einmal dein Gesicht!“

„Pass auf was du sagst, Bürschlein.“

„Falk!“, war es nun Gabriel, der den Jungen anfauchte. Siandra wagte es kaum zu atmen.

„Ist doch wahr“, rief Falk und schwang sich lachend auf den Balken. Für ihn schien alles nur ein Spiel zu sein. Doch die Wut, die sich immer weiter in dem Fremden und seinen Begleitern aufbaute, war unverkennbar. „Schau sie dir doch an. Jäger werden uns niemals in die Knie zwingen.“ Damit stimmte er wieder das Lied an, das Siandra nicht verstand doch kaum einer setzte ein.

Der Fremde kannte das Lied scheinbar ganz genau. Wütend ballte er die Hände zu Fäusten. „Das reicht, Junge!“, knurrte er und griff in die Tasche seiner Kutte. Erschrocken weiteten sich Ekziels Augen, als er vermutete, was er vorhatte. „Falk!“, rief er entsetzt und lief auf ihn zu, doch der Junge hörte nicht auf ihn.

Unbeirrt sang er weiter. „Wir fallen jung, doch wir sterben nie!“

Ein Schuss peitschte über die Lichtung. Siandra erstarrte, als Falk nach hinten kippte und mit einem dumpfen Knall auf dem Boden landete. Der Fremde hatte dem Jungen geradewegs in den Kopf geschossen.

Gabriel und Ekziel starrten einen Moment fassungslos auf den Leichnam ihres kleinen Ziehbruders. Auf Ekziels Gesicht machte die Ungläubigkeit der blanken Wut Platz. „Du Bastard!“, brüllte er und zog seine Waffe. Siandra hörte das Lachen des Fremden, als seine Krieger zum Angriff übergingen. Plötzlich stieß Gabriel sie zurück, hinter eines der Fässer und griff selbst nach seiner Waffe. Der sanfte Ausdruck auf seinen Lippen war verschwunden und hatte eine zornige, schmerzgeplagte Maske hinterlassen.

Ein Meer aus Schreien, dem Bersten von Schüssen und dem Klang aufeinander schlagender Schwerter breitete sich auf der Lichtung aus. Einen Moment lang war Siandra wie erstarrt.

Die Halbblüter kämpften einen ausweglosen Kampf. Nur wenige von ihnen schienen mit Schusswaffen zu kämpfen, die meisten vertrauten auf die Durchschlagskraft ihrer Klingen. Doch gegen die Waffen der fremden Krieger hatte ihr Stahl keine Chance. Ekziel versuchte sich zu dem Fremden durchzukämpfen, doch immer wieder musste er ausweichen, schaffte es immer nur um ein Haar, den tödlichen Kugeln zu entgehen.

Hinter den Tonnen schien niemand von Siandra Notiz zu nehmen. Ihr Herz schlug schnell und ihr Atem raste. Vorsichtig tastete sie den Boden ab und erwischte den Griff eines der Messer, die in der Nähe der Kochstelle lagen.

Gabriel kämpfte mit der Besessenheit eines verwundeten Bären nur wenige Meter von ihr entfernt. Immer wieder bohrte sich seine Klinge in fremde Körper, färbte den Waldboden nach und nach blutrot.

Verzweifelt sah Siandra auf die Klinge in ihrer Hand herab. Sie war kaum mehr, als ein Buttermesser. Wenn die Schwerter der Halbblüter kaum etwas gegen ihre Angreifer ausrichten konnten, was sollte sie schon tun? Immer mehr Halbblüter fielen unter den Schüssen. Sie hatten nicht den Hauch einer Chance. Das konnten keine Jäger sein. Siandras Hand klammerte sich krampfhaft um den Griff des Messers. Keiner der Jäger kämpfte mit Schusswaffen... oder doch? Sie kannte die anderen Orden nicht. Was, wenn sie aus einem der anderen Reiche kamen? Sie biss auf ihre Unterlippe, schmeckte Blut, doch es kümmerte sie nicht. Nein, das konnte sie sich nicht vorstellen. Aber machte sie sich da etwas vor?

Sie fuhr herum, als Ekziel aufschrie. Eine Kugel hatte ihn am Bein getroffen. Rasend schnell breitete sich das Rot auf seiner hellen Hose aus. Doch es war nicht der Fremde in der dunklen Kutte, der ihn verwundet hatte. Siandra konnte ihn nicht entdecken.

„Nein!", schrie Gabriel und versuchte sich zu seinem Bruder durchzuschlagen. Doch immer wieder stellten sich Gegner in seinen Weg. Er kam zu spät. Ekziel hob den Kopf, als sein Gegner mit einem siegessicheren Grinsen auf ihn zu kam. Die eine Hand presste er auf die Wunde, in der anderen hielt er seine Klinge erhoben und trotzte dem selbstgefälligen Blick.

„Knie nieder“, brüllte sein Gegner ihn an, doch er reagierte nicht. Erst als der Krieger seine Waffe gegen Ekziels Schläfe donnerte, ging er zu Boden, fing sich mit den Händen auf.

Ich muss doch irgendetwas tun, dachte Siandra verzweifelt. Wenn ich ihn nur irgendwie ablenken könnte.... Sie stockte. Ihr Blick wanderte zu dem Messer in ihrer Hand. Es war riskant, doch sie konnte es schaffen. Ohne über die Folgen ihres Handelns nachzudenken, warf sie ihr Messer. Doch sie hörte nicht, ob ihr Geschoss sein Ziel traf. Plötzlich wurde sie an ihren Haaren hochgerissen. Ein heller Schmerz explodierte in ihrem Hinterkopf und die Welt um sie herum versank im Schwarz.

„Es ist alles meine Schuld!“ Verzweifelt vergrub Fynn das Gesicht in den Händen. Durch die Schatten seiner Finger sah er Aiofé, die ihm mit einer Mischung aus Mitleid, Angst und Sorge beobachtete. Doch er beachtete sie nicht. Er hatte sich in dem Netz aus Vorwürfen verfangen und schaffte es einfach nicht, sich daraus zu befreien. Er hatte sich zu sicher gefühlt. Warum hatten sie nur so viel riskiert? Sie hatten sie auf Aschenputtels Schutz vertraut, doch die Fürstin war fort gewesen. Sie war an allem Schuld! Bitterkeit und Wut stiegen in ihm auf und gleichzeitig erschrak er vor diesen Gefühlen. Sie war ihre Fürstin! Er war ihr zu Gehorsam verpflichtet. Wie konnte er nur so von ihr denken? Es würde sich alles klären. Aschenputtel war bereits auf dem Weg.

Eine kalte Nase drückte sich an seine Hand. Fynn seufzte, als er Knecht Ruprecht über den Kopf strich. Der Windhund drängte sich nah an den Sessel auf dem er saß. Fynn hörte Aiofé nur mit halbem Ohr zu. Er hörte ihre Worte, doch ihr Sinn strich einfach an ihm vorbei.

Sein Bruder stand am Fenster des Zimmers und starrte in die Ferne, konzentriert, als würde er nach etwas Ausschau halten. Seit einer der Kundschafter zurückgekehrt war, hatte er kein Wort mehr gesagt. Sie hatten das Lager der Halbblüter gefunden. Doch anstatt eine Antwort aus diesen Mistkerlen herauszupressen oder Siandra da rauszuholen, hatten sie nur Verwüstung und Tod vorgefunden. Er wusste, was in seinem Bruder vorgehen musste. Er selbst war fast krank vor Sorge um

Aisling, doch er wusste wenigstens was mit ihr passiert war - oder er vermutete es zumindest. Elyano hatte keine Ahnung, ob Siandra noch in dem Lager gewesen war, als der Kampf begann, ob sie fliehen konnte, oder... Oder ob das, was auch immer die Halbblüter angegriffen hatte, auch sie erwischt hatte.

Plötzlich löste Elyano sich von dem Fenster und trat auf ihn zu. Er sagte nichts, legte nur eine Hand auf die Schulter seines Bruders. In seinen Augen lag ein stummes Versprechen und Fynn erwiderte es.

„Deine Raben werden sie finden", sagte Aiofé zittrig. „Sie haben bisher jeden gefunden."

„Ja das haben sie", entgegnete Elyano ausdruckslos. „Aber es gibt immer ein erstes Mal."

„Heute nicht."

„Fynn..."

„Heute ist nicht das erste Mal!"

Fynn wusste nicht, woher er den Optimismus nahm, das zu sagen. Die Chancen, dass Siandra der Schlacht entkommen konnte, waren gering. So viele Halbblüter, so viel Blut. Er schloss kurz die Augen, als die Bilder, die seine Jäger ihm gezeigt hatten, auf ihn einstürmten. Es war ein Massaker. Er konnte sich nicht vorstellen, wie sie es geschafft haben sollte. Und wie sollten die Raben sie dann je finden? Es war hoffnungslos. Er versuchte die Bitterkeit abzuschütteln, die nach seinem Herzen griff. Er musste daran glauben, dass Siandra irgendwo da draußen war, genauso, wie er darauf vertrauen musste, dass es Aisling und ihrem Kind gut ging. Pyrros dieser Bastard! Seine Hände krampften sich an die Lehne. Wenn er ihr nur irgendetwas getan hatte, würde er mit seinem Blut dafür bezahlen. Dieses Mal konnte ihn niemand aufhalten. Nicht einmal ihre Fürstin.

Er verschränkte die Finger im Nacken. Aber was, wenn er nicht nur Aisling hatte? Konnte das möglich sein? Wer auch immer die Spielzüge aus der Dunkelheit heraus setzte, hatte er auch etwas mit dem Angriff auf die Halbblüter zu tun?

„Ich glaube ich weiß, wo Siandra ist", sagte er und hoffte, dass er sich nicht nur an einen Strohhalm klammerte.

Elyano fuhr zu ihm herum und seine Finger gruben sich noch fester in seine Schulter. „Was? Woher? Wo ist sie?"

„Pyrros sagte etwas, bevor einer seiner Speichellecker mich

ausgeknockt hat. Dass jemand anderes Interesse an ihr hat. Was, wenn Pyrros auch Siandra dorthin gebracht hat, wo Aisling ist?“

„Dann ist dieser Bastard definitiv tot“, knurrte Elyano und wollte noch etwas anfügen, als sich plötzlich die Tür öffnete und eine Jägerin eintrat.

Respektvoll neigte sie den Kopf. „Mein Hüter. Die Fürstin ist eingetroffen.“

Fynn nickte und stand auf. Seine Panik verschloss er sorgsam hinter der dichten Mauer. Er spürte den Blick seines Bruders im Nacken, doch nichts, was er sagte, konnte es besser machen. Keine Worte würden Siandra und Aisling zu ihnen zurückbringen. Das mussten sie wohl oder übel selbst übernehmen.

„Meine Fürstin“, sagte er und deutete eine Verbeugung an, als Aschenputtel eintrat. Die Fürstin des Reiches trug einen dunklen Mantel und ihr Gesicht war von der Kälte gerötet. Beliar stand an ihrer Seite. Sein Gesicht war voller Sorge und Fynn bemerkte, wie er ihn musterte. Doch Fynns Blick blieb nicht an Beliar hängen, sondern an seiner Fürstin. Irgendetwas war anders an ihr, doch er konnte nicht sagen was. Du wirst langsam paranoid, dachte er und bat seine Besucher sich zu setzen.

„Wir haben von dem gehört, was in unseren Mauern geschehen ist“, setzte Beliar an und sah zu seiner Gemahlin. Etwas unruhiges lag in seinem Blick. „und wir bedauern es zutiefst. Unsere Hallen sollten stets ein Ort des Schutzes und der Zuflucht sein, doch nun hat Pyrros auch sie entweiht.“

„Wie konnte das passieren?“, fragte Fynn schroffer als beabsichtigt.

„Du zürnst uns. Das verstehe ich“, fuhr Aschenputtel fort. „Aber das ändert nichts mehr. Dein Zorn kann dir die Liebste nicht zurückbringen. Wir müssen einen anderen Weg finden hinter Pyrros Geheimnis zu kommen.“

„Wo seid Ihr gewesen? Warum habt Ihr nach Fynn verlangt, wenn ihr selbst nicht dort gewesen seid?“ Elyano beobachtete sie mit einer Spur Misstrauen.

Einen kurzen Augenblick lang dachte Fynn die Fürstin würde ihm nicht antworten. Sie wandte den Blick ab, streifte mit ihren Augen kurz Aiofé, ehe sie sich wieder auf ihren Hüter richteten. Fynn entging nicht, wie Beliar seine Gefährtin kurz musterte und nach ihrer Hand griff.

„Es gab wichtige Angelegenheiten, um die wir uns kümmern mussten“, sagte Beliar anstelle seiner Gemahlin, als diese zum Sprechen ansetzte. „Angelegenheiten, die keinen Aufschub erduldet haben.“

Fynn tauschte einen kurzen Blick mit seinem Bruder. Das gefiel ihm alles ganz und gar nicht. Was hatte das zu bedeuten? „Was kann so wichtig sein, dass ich es, als Euer Hüter, nicht weiß? Wie hat es Pyrros geschafft, an Euren Augen vorbei zu schleichen? Wo sind Eure Wachen gewesen, als dieser Bastard von Wolf einfach so in Euren Palast marschiert ist?“

„Du lehnst dich verdammt weit aus dem Fenster, Hüter“, sagte Aschenputtel kühl.

„Wir sollten uns alle beruhigen“, fuhr Beliar dazwischen und warf Fynn einen durchdringenden Blick zu. „Was in der Vergangenheit liegt, können wir nicht ändern und wir sollten es ruhen lassen. Unser höchstes Anliegen sollte es sein Aisling zu finden.“

„Und Siandra“, sagte Elyano mit seidenkalter Stimme.

Der Fürst nickte. „Und Siandra.“

„Aber wo können sie nur sein?“, warf Aiofé ein und knetete unruhig ihre Hände.

„Was hat Pyrros genau gesagt? Kannst du dich an irgendetwas erinnern?“, fragte Beliar ruhig.

Fynn strich über seine Schläfen. „Er sagte etwas davon, dass Alessandra sie braucht. Dass sie ihr Blut zurückfordert.“

Aschenputtel warf Beliar einen eigenartigen Blick zu, den Fynn nicht deuten konnte. Was wusste sie drüber? Was hatte das zu bedeuten?

„Alessandras Blut?“, mischte Aiofé sich ein und runzelte die Stirn. „Wer ist Alessandra?“

„Rotkäppchen“, sagte Aschenputtel gedankenversunken.

Aiofés Augen weiteten sich. „Aber Aisling war nicht mit ihr verwandt. Was also das Gerede von ihrem Blut?“

„Wir scheinen weniger über sie gewusst zu haben, als gedacht.“

„Nein!“

„Fynn?“ Aschenputtels Augenbrauen hoben sich verwundert, doch ihr Hüter schüttelte nur vehement den Kopf.

„Wäre das wahr, hätte ich es gewusst!“

„Es gibt andere Dinge, die du ebenfalls nicht gewusst hast, wie mir zu Ohren gekommen ist", sagte Beliar ruhig.

Ehe Fynn aufspringen konnte, griff Elyano nach der Schulter seines Bruders und hinderte ihn mit seinem gnadenlosen Griff davor, etwas dummes zu tun. „Wir sollten aufhören, nach dem Warum zu suchen. Ich bezweifle, dass wir so schnell hinter Pyrros wirre Gedanken kommen. Wir sollten uns lieber überlegen, wo wir unsere Suche beginnen sollten. Wo Aisling und Siandra sein könnten."

„Die Frage stellt sich doch überhaupt nicht", warf Aschenputtel ein. „Sie können nur an einem Ort sein. Die rote Fürstin ist immer in ihr Reich zurückgekehrt und hat es nur ungern verlassen. Wenn Aisling und Siandra in Pyrros Gewalt sind, kann er sie nur in das Schloss seiner Herrin gebracht haben. In das Landgrafenschloss!"

Fynn sah kurz zu seinem Bruder herüber und in Elyanos Augen las er das Gleiche, das auch er dachte. Pyrros war alles, doch er war nicht dumm. Er würde sie nicht dorthin bringen. Fynn glaubte nicht, dass er alleine handelte. Nicht Pyrros. Wer auch immer den Wolf beauftragt hatte, hatte Aisling und hoffentlich auch Siandra. „Nicht einmal Pyrros ist so hirnrissig, derart bereitwillig in eine Falle zu laufen", gab er zu Bedenken.

„Er hat Recht", sagte nun auch Elyano. „Pyrros würde nicht dorthin zurückkehren. Er würde niemals im Alleingang handeln. Irgendwer muss im Hintergrund die Strippen ziehen."

„Das ist doch lächerlich. Wer sollte das denn deiner Meinung nach sein?", fragte Aschenputtel kühl.

Fynn sah genau, dass seinem Bruder etwas auf den Lippen lag, doch der Rabe sprach es nicht aus. „Egal was wir tun und wo wir suchen, wir sollten bald beginnen. Ich..."

Aschenputtel schienen für den Bruchteil einer Sekunde die Gesichtszüge zu entgleiten. „Du kannst nicht selbst nach ihnen suchen. Als mein Hüter musst du die Stellung im Orden halten."

Wut verhärtete Fynns Gesicht. „Das kann nicht Euer Ernst sein! Ich muss..."

„Du musst deinen Orden verteidigen!", hielt Aschenputtel nicht minder aufgebracht entgegen. „Du versteifst dich derart auf die Sache nach den Halbblütern, dass du unser Volk völlig aus den Augen verlierst! Die Unruhen breiten sich immer weiter aus. Ist dir eigentlich bewusst, dass sie dir, als den letzten verbleibenden Hüter die Schuld für alles geben?“

„Warum sollten sie das tun?“, warf Elyano ein. „Fynn und der Orden schützen sie.“

„Aber zu welchem Preis? Viele glauben schon lange nicht mehr an die Macht des Orden. Die Jäger sind nicht mehr imstande sie zu schützen und sie sind im Gegenzug nicht bereit euch weiterhin zu unterstützen. Wie lange meinst du, soll das noch gehen?“

„Und was soll ich dagegen tun?“, raunzte er sie an. Es war ihm völlig egal, dass sie seine Fürstin war und er ihr Respekt entgegen musste. Ihm waren diese Probleme durchaus bekannt, sie musste sie ihm nicht auch noch vorhalten. Doch es gab keine Möglichkeit ihnen entgegenzutreten. Sie mussten eine Bedrohung nach der anderen bekämpfen und die Unzufriedenheit des Adels musste hinten anstehen. „Ich kann nicht an allen Fronten gleichzeitig kämpfen! Die Halbblüter sind“, er stockte. „waren die größere Bedrohung. Ich musste mich zuerst um sie kümmern.“

„Nun, die Halbblüter sind besiegt“, sagte Aschenputtel kühl.

Entgeistert starrte er sie an. Selbst das Klingeln seines Handys, kurz gefolgt von Aiofés Stimme erreichte ihn nicht. Er brauchte einen Moment um zu begreifen, was seine Fürstin ihm damit sagen wollte. „Das könnt Ihr nicht von mir verlangen.“

„Das habe ich bereits. Deine Pflicht steht immer an erster Stelle“, entgegnete Aschenputtel und ignorierte den Blick, den Beliar ihr zuwarf. Sie richtete sich auf und zog den Mantel eng um ihre Schultern. „Ich befehle dir, dich an deinen Eid zu halten!“, sagte sie und rauschte an der Jägerin vorbei, die noch immer mit gesenktem Blick an der Tür stand und hastig die Tür für die Fürstin öffnete. Beliar erhob sich langsamer, schien mit sich zu ringen, folgte seiner Gemahlin dann jedoch ohne Fynn und Elyano noch einen Blick zuzuwerfen.

Fynn starrte Aschenputtel einen Moment lang wütend nach, ehe er in sich zusammensank und sich mit beiden Händen durchs Haar fuhr. Elyano fluchte neben ihm unbeherrscht. „Das kann nicht ihr Ernst sein!“

„Scheinbar doch. Aber das ist mir gleich.“

„Du kannst nicht gegen ihren Willen verstoßen. Das würde bedeuten...“

„... ich würde den Eid brechen. Ich weiß.“

Elyano wurde blass. „Das ist Irrsinn. Du kannst nicht..."

„Sie ist meine Familie, Elyano!", fuhr Fynn ihn an. „Du wirst schon sehen, was ich kann und was nicht. Ich lasse nicht zu, dass..."

„Jungs...", mischte Aiofé sich ein, das Handy an die Schulter gepresst, doch die Brüder ignorierten sie.

„Ich lasse nicht zu, dass du deinen Eid brichst! Du weißt, was es für Konsequenzen hat."

„Dafür geht es dir aber noch recht gut", sagte Fynn kalt und bot seinem älteren Bruder die Stirn. Er wusste, dass er unfair war, doch die Wut und Verzweiflung in seinem Inneren hatten sich seiner bemächtigt und ließen ihn nicht durchatmen.

„Ich lasse es nicht zu", knurrte Elyano und schien sich nur mit Mühe und Not zu beherrschen. „Und wenn ich dich hier einsperre und alleine nach Aisling und Siandra suche!"

„Jungs!"

„Was?!", blaffte Elyano Aiofé an, doch die ließ sich von ihm nicht einschüchtern.

„Es ist Zephir", sagte sie ruhig. „Er will, dass wir sofort kommen."

„Hat er gesagt, worum es geht?"

„Mir ist völlig egal, was er will", blaffte Fynn, ohne seinen Bruder aus den Augen zu lassen.

„Glaub mir, das wirst du hören wollen."

17. Der Norden vergisst nicht

Zephir kam ihnen auf der Hälfte entgegen. Die weißblonden Haare fielen ein wenig wirr über seine Augen und ein gehetzter Ausdruck lag auf seinem Gesicht. Fynn runzelte die Stirn, beschleunigte dann aber den Schritt, als er das Blut entdeckte, das an seiner hellen Jacke klebte. Auch Aiofés Augen weiteten sich panisch. Sie schob sich an Fynn vorbei und eilte auf ihren Bruder zu. „Was ist passiert?“, rief sie, doch Zephir hob nur beschwichtigend die Hände.

„Das ist nicht mein Blut.“

„Wessen Blut ist es dann?“, fragte Elyano und zog die Augenbrauen zusammen.

Zephir nickte in Richtung Gang. „Das sollte ich euch besser zeigen.“

Fynn warf Zephir immer wieder Blicke zu, als er sie durch mehrere Türen führte. „Jetzt hör endlich auf uns auf die Folter zu spannen. Wir haben nicht den ganzen Tag Zeit. Aisling...“ Er stockte, als sie in den nächsten Raum traten. Es war Zephirs Zimmer. Doch der Raum war nicht leer. Ein Mann saß auf dem Bett und strich mit der Hand über den notdürftig verbundenen Arm. Im ersten Moment dachte Fynn Pyrros würde dort sitzen. Er war schon fast im Begriff auf ihn zu zu schnellen, als er erkannte, dass der Fremde nicht der Wolfsfürst war. Sein blondes Haar war dreckig und blutverkrustet und seine Kleidung wies die Spuren eines Kampfes auf. Abwartend beobachtete er sie. In seinem Blick lag nichts außer Sorge, Neugierde und einer Spur Misstrauen.

Noch bevor Zephir ansetzen konnte ihn vorzustellen, wusste Fynn wer ihnen da gegenüber saß. Ein Halbblut, das Pyrros auf untrügerische Art und Weise ähnelte. „Du bist Gabriel.“

Der Mann nickte. „Und du dieser neue Hüter von Aschenputtels Orden.“

„Wie hast du ihn gefunden?“, fragte Elyano Zephir, ohne den Blick von dem Halbblut vor ihm abzuwenden.

„Ich brauchte ihn nicht zu finden. Er ist zu uns gekommen.“

Fynn legte die Stirn in Falten. „Warum hätte er das tun sollen?“

„Ich sitze genau vor dir. Du könntest mich auch einfach fragen“, bemerkte Gabriel und grinste schwach. Sein Lächeln erinnerte Fynn so sehr an Pyrros, dass er es ihm am liebsten mit seiner Klinge aus dem Gesicht gekratzt hätte.

„Also was ist es?“

„Ich bin hier, um eure Hilfe zu ersuchen. Nichts, was ich gerne tue, wie ihr euch sicherlich denken könnt.“

Fynns Augen verengten sich. War das etwa ein Trick? Warum sollte er ausgerechnet sie um Hilfe bitten? „Warum solltest du das wollen?“

„Es bleibt mir nichts anderes übrig. Sagen wir es so: Es gab Argumente, gegen die ich nicht ankam und Umstände, die mich zum Handeln zwangen.“

Elyano zog seine Augenbrauen zusammen. „Argumente?“

„Argumente einer hartnäckigen Dame, die auch meinen Bruder nicht kalt gelassen haben, selbst wenn es oft den Anschein machte.“

Fynn spürte, wie Elyano sich neben ihm anspannte. „Wo ist sie?“, fragte der Rabe mit einem drohenden Unterton in der Stimme.

Doch Gabriel antwortete nicht. Traurig wandte er den Blick ab. Fynn reagierte nicht schnell genug um seinen Bruder aufzuhalten. Zornig stürmte Elyano vor und packte das Halbblut am Kragen. „Wo ist sie?!“

„Elyano, lass ihn runter, sonst wird er dir nie sagen können, was du wissen willst“, sagte Zephir neben ihm und legte eine Hand auf seinen Arm. Erst schien seine Stimme ihn nicht zu erreichen, doch dann ließ Elyano ihn so ruckartig los, dass Gabriel sich mit einer Hand am Bettpfosten festhalten musste, um nicht das Gleichgewicht zu verlieren.

„Was ist passiert?“, fragte Fynn ihn ruhiger, als sein Bruder es vermochte.

Gabriel wandte kurz den Blick ab. Er versuchte sich nichts anmerken zu lassen, doch Fynn erkannte, wie die Erinnerungen des Kampfes über ihn hereinbrachen. Wie viele der seinen mussten an diesem Tag gestorben sein? Wen hatte er verloren? Geschwister? Frau und Kind? Elyano setzte neben ihm zum Sprechen an, doch Fynn legte eine Hand auf seinen Arm und schüttelte den Kopf. Es brachte sie nicht weiter, wenn Elyano versuchte mit dem Kopf durch die Wand zu gehen. „Ich habe keine Ahnung, wie sie uns finden konnten. Wie aus dem Nichts tauchten sie plötzlich in unserem Lager auf."

Fynn runzelte die Stirn. „Eure Angreifer haben nicht aus dem Hinterhalt angegriffen?"

„Nein. Es schien fast, als wollten sie mit uns reden. Doch dann haben sie..." Er schluckte und krallte die Finger in den Stoff seiner Hose.

„Was ist passiert?", fragte Aiofé sanft und lehnte sich an einen der Bettpfosten.

„Sie haben Falk getötet, unseren kleinen Bruder. Er war gerade mal acht Jahre alt, doch das hielt sie nicht davon ab, ihm ohne mit der Wimper zu zucken eine Kugel in den Kopf zu jagen."

Aiofés Augen weiteten sich und auch Fynn schluckte. „Das ist ja schrecklich."

„Dann ging alles furchtbar schnell. Es war ihnen gleich, wen sie niederschlugen, niemand hatte eine Chance zu fliehen. Ich stürzte in eine Grube und wurde ohnmächtig. Nur das bewahrte mich davor, den meinen zu folgen. Ekziel, Falk..."

„Was ist mit Siandra?", fragte Elyano mit wächsernem Gesicht. „Ist sie...?"

Doch Gabriel schüttelte den Kopf. „Sie wurde weggebracht, kurz nachdem der Kampf begann. Ich stand zu weit entfernt, war nicht schnell genug, um zu ihr zu gelangen. Sie müssen noch etwas mit ihr vorhaben."

„Aber was kann das sein? Was können sie von ihr wollen?", fragte Aiofé in die Runde.

„Vielleicht wollen sie uns mit ihr erpressen", überlegte Zephir laut.

Fynn schüttelte den Kopf. „Dann hätten wir längst schon von ihnen gehört. Außerdem gäbe es einfachere Wege dies zu tun, als in das Lager der Halbblüter zu marschieren. Ich frage mich, wer das gewesen ist."

„Ekziel glaubte, sie seien Jäger."

Fynn sah zu Gabriel. „Glaubst du das ebenfalls?"

„Wäre ich dann hier?" Er lachte freudlos. „Nein, ich kann mir nur eine Person vorstellen, die noch einen größeren Groll gegen uns hegt als ihr. Vor allem, nachdem wir sein Angebot ausgeschlagen haben."

„Wer soll das sein?", fragte Elyano misstrauisch.

„Shaikos Beleton."
„Das ist nicht möglich", fuhr Fynn ihn an. „Warum sollte er seine eigene Tochter entführen und dafür all das auf sich nehmen? Das macht keinen Sinn."
Gabriel hielt seinem kalten Blick stand. „Ich weiß nur, was ich gesehen habe. Der Kerl, der Siandra entführt hat, war ganz eindeutig Willem, Shaikos Bruder."
„Aber...", wollte Elyano einwerfen, doch Zephir unterbrach ihn.
„Weißt du, wo er sie hingebracht haben könnte?"
„Shaikos ist nicht dumm. Er hat sie mit Sicherheit nicht mit nach Hause genommen."
Fynn versuchte sich nicht von seiner Panik beherrschen zu lassen, doch das war alles andere als leicht. Er spürte, dass Aisling bei Siandra sein musste - oder war das nur seine verzweifelte Hoffnung? Pyrros war es, der ihnen aufgelauert hatte. Anderseits hatte Shaikos darauf gepocht Pyrros zu befreien. „Es macht keinen Unterschied", sagte er schließlich bitter. „Ich kann nichts ausrichten. Aschenputtel hat mir die Hände gebunden."
„Eure Eide bringen euch nichts als Ärger, was?", fragte Gabriel mit schiefen Grinsen und hob beschwichtigend die Hände, als er die Blicke bemerkte, die ihn rammten. „Beruhigt euch. Wenn ich eine Sache von meinem Bruder gelernt habe, dann, dass Versprechen immer eine Sache der Auslegung sind."
Fynn wechselte einen flüchtigen Blick mit Elyano. „Was meinst du?"
„Wie lautet dein Eid? Was hat deine teure Fürstin von dir verlangt?"
Immer tiefere Furchen gruben sich in Fynns Stirn. „Ich habe geschworen die Meinen zu schützen. Den Orden zu verteidigen und über unser Volk zu wachen."
„Willst du meine Meinung dazu hören?", fragte Gabriel und fuhr fort, ohne ihm eine Chance zu antworten zu geben. „Der Eid, den du geleistet hast, hindert dich nicht daran den Orden zu verlassen. Siandra gehört zu euch, auch wenn ich nicht begreifen kann, was sie zu dieser Entscheidung getrieben hat."
Fynn wollte eine Hand auf die Schulter seines Bruders legen, doch Elyano regte sich nicht, er starrte Gabriel nur kalt an. Auch Fynn konnte ihn nur stumm ansehen. Wenn er Recht hatte... er musste einfach Recht haben. Andererseits konnte kein Eid der Welt ihn davon

abhalten seine Familie zu schützen. All das änderte jedoch nichts daran, dass sie nicht wussten, wo sie nach den beiden suchen sollten. Es gibt noch immer eine Möglichkeit, flüsterte eine kleine Stimme in seinem Inneren. Fynn schloss die Augen und horchte in sich hinein. Es war Irrsinn. Das Netz der Eide war zu schwach und die Fäden, die sie verbanden zu dünn, um sie auf diesem Wege zu erreichen, doch es war ihre einzige Chance. Sein Herz füllte sich mit Wehmut und Angst, als er vorsichtig nach dem Faden griff, der ihn zu Aisling führen würde. Er konnte kaum nach ihm greifen, er wurde fast schon eins mit dem Nebel, der ihn umgab.

„Was tut er?", hörte er Gabriel fragen und spürte Elyanos Hände auf seinen Schultern, doch er beachtete sie nicht. Mit einer fast schon verzweifelten Hektik folgte er dem Faden, doch der Nebel um ihn herum wurde immer dunkler. Ruckartig öffnete er die Augen, als er an einer schwarzen Wand abprallte. Kälte ergriff sein Herz. Was hatte das zu bedeuten? Das konnte nichts mit dem Netz zu tun haben.

„Was ist passiert?", fragte Elyano ihn behutsam. „War es zu schwach?"

Fynn schüttelte den Kopf. „Es war, als würde etwas mich daran hindern wollen, zu ihr zu gelangen."

Entsetzt schlug Aiofé die Hand vor den Mund. „Ist sie…?"

„Nein", sagte Elyano, bevor Fynn auch nur über die Möglichkeit nachdenken konnte. „Irgendjemand muss sie abgeschirmt haben. Das heißt, dass wir sie noch schneller finden müssen. Ohne die Verbindung zu dem Netz der Eide sind wir verloren."

„Du musst es versuchen", sagte Fynn mit starrem Gesicht.

„Was?", fragte Elyano perplex. Erst einen Moment später schien er zu begreifen, was sein Bruder von ihm verlangte. „Woher willst du wissen, dass Siandra es kann? Woher willst du wissen, dass sie wirklich in jeder Konsequenz an das Netzwerk angeschlossen ist? Immerhin ist sie als Halbblut geboren worden."

„Sie hat dich auch schon einmal erreicht, schon vergessen?"

Angespannt ballte Elyano die Hände zu Fäusten. „Es ist zu gefährlich. Ich könnte ihr damit schaden."

„Ich würde dich nicht darum bitten, wenn wir eine andere Wahl hätten. Es geht um unsere Familie. Wir müssen jede Möglichkeit in Betracht ziehen. Selbst, wenn das Netzwerk zu schwach ist, um mit ihr in Kontakt zu treten, kannst du vielleicht erahnen, wo sie sind."

Elyano nickte nur stumm, ehe er die Augen schloss. Fynn bemerkte, wie Gabriel die Augenbrauen hochzog, doch er achtete nicht darauf. Sein Blick klebte an dem Gesicht seines Bruders. Es wirkte regungslos, doch er erkannte, was unter der Oberfläche brodelte. Es war die selbe Angst, die auch er verspürt hatte, als er dem Netz gefolgt war. Kurz machte sich Erstaunen auf Elyanos Gesicht breit, ehe er die Stirn runzelte. Fynn konnte den Ausdruck in den Augen seines Bruders nicht deuten, als er sie öffnete.

„Nicht Marburg?“, fragte er mit einem unguten Gefühl im Bauch.

„Nicht Marburg.“

Wie durch eine dichte Blase hörte Siandra die Stimmen, die sie umgaben. Schwammig und weit entfernt, wurden sie immer lauter, doch der Sinn ihrer Worte blieb ihr dennoch verschlossen. Die Schmerzen in ihrem Kopf und ihrem Rücken trieben ihr fast die Tränen in die Augen. Sie konnte nichts sehen und sie spürte den weichen Stoff, der über ihren Augen lag. Ihre Hände tasteten glattes Leder, das unter ihr sanft vibrierte. Als sie genauer hinhörte, bemerkte sie den Klang von Motoren. Ein Autositz? Angst erfasste sie, doch sie versuchte sie niederzukämpfen. Wo brachten sie sie hin?

„Ich fürchte Dornröschen ist erwacht“, hörte sie plötzlich die Stimme eines Mannes dicht neben sich. Sie versuchte sich aufzurichten, was ihr nur mäßig gelang. Der Schwindel packte sie und brachte sie dazu sich an den Sitz zu klammern. Sie konnte die fremde Stimme absolut nicht einordnen. „Was ist passiert?“, fragte sie, als ihre Stimme ihr endlich gehorchte. „Wo sind Gabriel und die anderen?“

„Du scheinst ziemlich vertraut mit deinen Kerkermeistern“, sagte die Stimme aus der Dunkelheit und lachte rau. „Aber mach dir keine Sorgen. Die werden sich nie wieder gegen das große Ganze erheben.“

Siandra spürte, wie ihr die Brust eng wurde, was sie selbst überraschte. Die Halbblüter hatten sie festgehalten und vor allem Ekziel war ihr nicht sonderlich freundlich gesinnt gewesen. Doch so ein Ende hatten sie einfach nicht verdient. Wie hatten sie sie nur gefunden? Sie hatte immer gedacht, dass die Halbblüter wussten, wie sie sich vor aller Welt zu verbergen konnten. Sie erschauderte, als sie an die Wolfskreaturen dachte und den Fremden in der dunklen Kutte. Er musste es sein, der sie in das Auto verfrachtet hatte. Doch es war nicht der Mann, der neben ihr saß. Seine Stimme klang anders, deutlich tiefer und rauer. Was hatte es mit diesen Bestien nur auf sich? Sie überlegte, ob es tatsächlich Pyrros Wölfe waren - oder besser gesagt das, was von ihnen übrig geblieben war. Der Norden erinnert sich. Der Norden vergisst nicht. Sie hatten sie gewarnt, doch sie waren zu sehr mit den Halbblütern beschäftigt gewesen, um darauf zu reagieren. Was hatte das alles zu bedeuten? War es ein Rachefeldzug gegen die Halbblüter? Aber warum hatten sie die Halbblüter dann angegriffen, warum hatten sie ihnen die Warnung zukommen lassen und warum hatten sie sie entführt, anstatt sie, wie die Halbblüter, auf dem Schlachtfeld niederzustrecken? Was hatte das alles mit ihr zu tun?

Der Mann neben ihr unterhielt sich leise mit jemand anderem. Sie verstand nicht, was sie sagten, doch irgendwoher erkannte sie die zweite Stimme. „Wo bringt ihr mich hin?"

„Jetzt sei endlich still, Mädchen!", knurrte der Mann neben ihr. „Sonst setzt es was!"

„Warum habt ihr sie angegriffen? Was habt ihr vor?!"

Der Mann schwieg einen Moment, ehe er scharf die Luft einsog. „Muss das...", hörte sie noch, doch dann spürte sie erneut einen Schmerz im Hinterkopf, der sie zusammensinken ließ.

„Hör endlich auf damit, du machst mich völlig wahnsinnig!", fuhr Aiofé ihn an, als Fynn weiterhin Kreise in den Teppich lief. Angespannt beobachtete er Elyano, der inmitten seiner Raben kniete und ein stummes Zwiegespräch zu führen schien. Elyanos Raben hatten ihnen schon in manch einer Situation geholfen, doch manchmal wünschte Fynn sich sie würden sich ein wenig kürzer fassen.

„Wie macht er das?", fragte Gabriel neben ihnen und beobachtete Elyano mit einem Hauch von Faszination.

Zephir zuckte mit den Schultern. „Keine Ahnung. Er macht es einfach."

„Er macht es einfach? Sehr hilfreich."

Fynn achtete nicht auf die beiden. Er versuchte aus dem Gesicht seines Bruders zu lesen, doch dessen Miene war bewegungslos. Fynn zuckte zusammen, als sich plötzlich alle Raben gleichzeitig in die Lüfte

erhoben und wie ein einziger dunkler Teppich davonflogen.
„Und?“, rief Fynn ihm entgegen, als sein Bruder auf sie zu kam.
Elyano warf einen letzten Blick über die Schulter und runzelte die Stirn. „Sie wissen, wo Shaikos sich aufhält und können uns zu ihm führen.“
„Das ist ja klasse!“, sagte Aiofé lächelnd, doch Fynn musterte den Raben nachdenklich.
„Wo liegt das Problem?“
„Vielleicht täuschen sich deine Raben“, bemerkte Gabriel, der in sauberer Kleidung und mit gewaschenen Haaren neben Ariels Tochter saß.
„Meine Raben täuschen sich nicht!“, knurrte Elyano und machte einen Schritt auf ihn zu. Fynn legte beschwichtigend eine Hand auf seine Schulter.
„Und doch machst du dir Sorgen“, sagte Fynn leise. „Was haben deine Raben dir erzählt?“
Gabriel hob die Augenbrauen, aber er schwieg und Fynn war für diesen Umstand sehr dankbar. Nichts konnten sie weniger gebrauchen, als dass Elyano Gabriel an die Gurgel ging. Auch wenn er genauso wenig begeistert von ihm war. Doch er wusste viel über Shaikos Machenschaften und sie brauchten jede Hilfe, die sie kriegen konnten. Shaikos, dieser Bastard, hatte hinter ihrem Rücken mit den Halbblütern Verhandlungen geführt. Vermutlich hatte er gehofft, sie würden sich gegenseitig erledigen, damit er damit zwei Fliegen mit einer Klappe schlagen konnte. Doch so leicht würden sie es ihm nicht machen.
„Sie haben mir weniger etwas gesagt, als etwas gezeigt. Doch ich habe keine Ahnung, was ich davon halten soll. Sie sind eine ganze Weile geflogen. Wenn es stimmt, was sie mir zeigen, ist Siandra zu einer Art Gut inmitten eines Labyrinths gebracht worden. Aber sie konnten mir nur Bruchstücke zeigen. Ich bin mir weder sicher, ob ich verstanden habe, was sie mir da gezeigt haben, noch, wo dieses Gut liegt.“ Unruhig lief er im Raum auf und ab. „Der Fluss könnte der Rhein gewesen sein. Oder genauso gut irgendein anderer Fluss. Ich habe keine Ahnung!“ Er fluchte und fuhr sich durch die dunklen Haare.
„Gibt es irgendwelche Details? Ein Schild, ein Denkmal, irgendetwas, was uns auf die richtige Spur bringen könnte?“

Elyano fasste sich an die Nasenwurzel. „Nicht so richtig. Da war ein Torbogen, der völlig mit Ranken bewachsen war. Unter ihm hing ein Schild, doch es war zu verwittert, um es zu lesen. Vielleicht der Name des Gutshofes."

„Des Weinguts", unterbrach Gabriel ihn.

Ruckartig fuhren die Brüder zu ihm herum. „Woher willst du das wissen?"

„Ich kenne dieses Labyrinth leider besser, als du denkst. Viel zu gut, wenn du mich fragst. Der Name steht schon lange nicht mehr auf dem Schild. Zeit vernichtet alles. Doch einst nannte man es Gut Miramar."

„Warum kennst du es so gut?", fragte Zephir und trat auf ihn zu.

„Sagen wir es so, ich habe genug Jahre meines Lebens dort verbracht, um es gut genug zu kennen. Es ist schon seit langer Zeit im Besitz der Familie Beleton."

Fassungslos starrte Fynn ihn an und vergrub kurz das Gesicht in den Händen. Das war doch alles nur ein böser Alptraum. Er hätte auf Elyano hören sollen. Er hätte niemals auf Shaikos vertrauen dürfen.

„Wir dürfen keine Zeit verlieren!", sagte Elyano und wollte sich zum gehen umdrehen, doch Gabriels freudloses Lachen ließ ihn in der Bewegung stocken. „Ein Problem damit?", knurrte er.

„Hast du wirklich vor frontal drauf los zu stürmen? Du hast das ganze schon richtig gesehen. Es ist ein Labyrinth, durch das man nur findet, wenn man den Weg kennt. In jeder Ecke hängen Überwachungskameras und in jedem Gang patrouillieren Pyrros Wölfe - oder zumindest das, was nun aus ihnen geworden ist. Wie also, willst du reinkommen?"

„Da wird mir schon etwas einfallen!"

„Wird es nicht. Und während du dir vor den Toren dein kleines Spatzenhirn zermaterst, sitzt Siandra im Inneren mit dem Irren fest."

Fynn sah, wie sehr sein Bruder mit der Beherrschung kämpfte.

„Er ist ihr Vater. Meinst du wirklich, er wird ihr etwas antun?", fuhr Aiofé dazwischen.

Gabriel schüttelte den Kopf. „Nicht, solange sie seinen Plänen nicht im Wege steht."

„Aber es muss einen Weg dort hinein geben", rief Elyano aufgebracht.

„Den gibt es auch. Aber um ihn zu finden, müsst ihr mir vertrauen. Könnt ihr das?"

„Bleibt uns denn eine Wahl?“, fragte Fynn kühl und strich über Knecht Ruprechts Kopf, der sich dicht an sein Bein drängte.

„Nein.“

Fynn atmete tief durch und ließ sich auf dem Sofa nieder, das gegenüber des Bettes stand. „Also. Wie sieht der Plan aus?“

Gabriel verschränkte die Beine zum Schneidersitz. „Unter dem Weingut befindet sich ein langes Tunnelsystem, das teilweise zur Kanalisation gehört und teilweise zu verlassenen Bauen. Ich will euch nichts vormachen, es ist nicht ungefährlich. Aber es ist die einzige Chance unter seinem wachsamen Auge hindurch zu schlüpfen.“

„Von Gefahr lasse ich mich nicht aufhalten“, sagte Elyano und warf Fynn einen kurzen Blick zu, ehe er aus dem Zimmer trat. Fynn seufzte. Er wusste, wie Elyano sich fühlen musste. Die Angst um Aisling nahm fast sein ganzes Denken ein und bei dem Gedanken, was Shaikos ihr antun könnte, wurde ihr beinahe schlecht. Immer wieder hörte er Pyrros Stimme in seinem Kopf. Alessandras Blut. Was hatte das nur zu bedeuten?

„Ich hätte dann auch gerne meine Sachen zurück“, sagte Gabriel plötzlich und hob die Augenbrauen.

Verwirrt sah Fynn zu Zephir, der nach einer Tasche griff und sie auf das Bett warf. „Reine Vorsichtsmaßnahme.“

Aiofé rollte mit den Augen. „Was soll in der kleinen Tasche schon drin...“

Sie stockte, als Gabriel plötzlich die Tasche öffnete und ausrollte. Stumm ließ er seinen fachmännischen Blick über mehrere Pistolen, einen Karabiner und eine Schrotflinte schweifen. Ohne auf die anderen zu achten, überprüfte er seine Waffen, ehe er sich eine der Pistolen in die Hosentasche steckte und die Tasche sorgfältig schloss. Erst, als er sich wieder aufrichtete, bemerkte er die Blicke der anderen und grinste. „Was? Seid ihr Jäger noch nicht in diesem Jahrtausend angekommen?“

„Und du meinst die Kanalisation ist der richtige Weg?“, fragte Fynn, ohne darauf einzugehen.

„Ich bin schon einmal durch die Kanalisation entkommen. Wenn es einen Weg hinaus gibt, muss es auch einen Weg hinein geben.“

Aiofé tauschte einen Blick mit ihrem Bruder. „Warum musstest du fliehen?“, fragte sie sanft.

Gabriels Gesicht wurde starr, als er seine Waffentasche schulterte.

„Er nahm mir die Möglichkeit freiwillig zu gehen", sagte er nur emotionslos und stand auf.

Nur langsam lichtete sich Siandras Blick. Kalter Wind peitschte ihr um die Ohren. Landstriche zogen unter ihr vorbei. Dichte Wälder gesäumt von Straßen, kleine Dörfer, immer wieder von Feldern unterbrochen. Sie flog... Sie flog! Hektisch versuchte sie sich aufzurichten, verlor beinahe das Gleichgewicht und wäre gestürzt, hätte sie nicht schon längst auf dem Bauch gelegen. Plötzlich griff jemand nach ihrem Kragen und riss sie zurück. Mit festem Druck schob eine Hand sie in einen der Sitze. „Siehst du?", rief hinter ihr jemand über den Lärm des Helicopters hinweg. „Das hat bisher noch jeden zurückgebracht." Als Antwort kam nur ein leises Grummeln, das auch von den Motoren stammen konnte.

Obwohl sie sich noch ein wenig benommen fühlte, erkannte sie den Mann, der ihr gegenüber saß sofort. Es war der gleiche, der ihr die Einladung ihres Vaters überbracht hatte. Der eigenartige Anzugträger auf dem Pferd. Auch heute trug er einen dunkelgrauen Anzug. Seine Haare wirkten fast wie betoniert, als könne nicht einmal ein Sturm sie aus ihrer akkuraten Bahn verjagen.

„Was...? Wie...? Warum...?", stotterte Siandra und ihre Augen erhaschten erneut einen kurzen Blick hinaus. Wo brachten sie sie nur hin?

Der Mann lachte rau. „So viele Fragen auf einmal, Siandra?" Er drehte sich um und lehnte sich zu der Tür, die zum Cockpit führte. „Ashara?"

„Was ist?" Siandra erkannte den Fremden in der Kutte, der seinen Kopf durch die Tür schob.

„Schreib Shaikos bitte, dass wir auf dem Weg sind."

Siandra versuchte sich ihre Verwirrung nicht anmerken zu lassen. Ashara? Doch wenn sie genauer darüber nachdachte, hatte die Stimme des Fremden schon ein wenig weiblich geklungen.

Siandra ließ ihren Blick unauffällig schweifen. Sie war nicht festgekettet, doch aus dem Helikopter zu fliehen, war reiner Selbstmord. Sie musste einen Weg finden, sobald sie am Boden war.

„Wer seid ihr?", fragte sie und versuchte ihr unruhig schlagendes

Herz zu beruhigen.

„Wo sind bloß meine Manieren. Mein Name ist Willem Beleton und das liebreizende Wesen, das vorne neben dem Piloten sitzt, hört auf den Namen Ashara."

Siandra runzelte die Stirn. „Beleton?"

„Ja, meine liebe Nichte. Beleton."

„Warum...?"

„Warum haben wir was getan? Dich vor den Halbblütern gerettet oder dich ins Reich der Träume geschickt? Es musste schnell und möglichst unauffällig sein. Deine kleinen Freunde waren uns schon fast auf den Fersen."

Elyano... Ihr Herz machte einen Sprung, als sie an ihren Raben dachte. Doch dann traf die Ernüchterung sie. Sie wusste ja selbst nicht einmal, wo sie war, geschweige denn, wo sie hingebracht wurde. Nein. Sie musste selbst einen Weg hinaus finden.

Unauffällig musterte sie ihren Onkel. Ihr Vater hatte den Mord an all den Halbblütern in Auftrag gegeben und sie entführt. Was hatte er vor? Wollte er sie wirklich retten? Oder steckte noch mehr dahinter? Und warum hatte er ohne Fynns Anweisung gehandelt? Sie konnte es sich nicht vorstellen, dass er zum Angriff gerufen hatte. Sie dachte an die Wolfsbestien und an Ashara, die Fremde, die sie schon zweimal zuvor angegriffen hatte. Nein, Fynn hatte damit nichts zu tun.

„Aber warum? Ich dachte..."

„Dass Shaikos auf der Seite des Ordens steht? Das glaubst du doch nicht wirklich, oder? Fynn glaubt mit Mut zur Verzweiflung, aber mach du nicht den selben Fehler. Alles was wir tun, geschieht einzig und allein zum Schutz des Reiches."

Siandra zog die Augenbrauen zusammen. „Schutz des Reiches?", fragte sie angewidert. „Ihr habt unzählige Frauen und Kinder, unschuldige Männer umgebracht. Zählen die etwa nicht zum Reich?"

Willem überging ihre Frage und lehnte sich erneut zur Tür herüber. „Was sagt Shaikos?"

Siandra verstand nicht, was Ashara antwortete.

„Wir dienen dem Reich auf unsere Weise und werden es einen, so wie es sich unsere Fürstin erträumt hat."

Siandra antwortete nichts. Ihr Blick wanderte ins Freie, während sie überlegte, wie sie aus dieser vertrackten Situation nur entfliehen konnte. Doch egal wie sie es drehte und wendete, sie fand einfach keine Lösung.

Kurz hielt sie den Atem an, als ihr Blick auf einen Raben fiel, der etwas abseits des Helikopters flog. Er drehte den Kopf und es erschien fast, als würde er sie ansehen.

Siandra zuckte zusammen, als ein Knall dicht neben ihrem Kopf durch die Luft fegte. Ein Pfeifen drängte durch ihr Ohr. Fassungslos starrte sie den Himmel an. Dort wo der Rabe geflogen war, blieben nur kurz wenige blutige Federn zurück. Ashara zog ihre Pistole zurück, sicherte sie und warf sie Willem zu. „Verdammtes Viechzeug", zischte sie und schob sich zurück ins Cockpit.

„Meinst du wirklich, das ist notwendig?", fragte Elyano misstrauisch und musterte die Pistole in seiner Hand.

Kniend schloss Gabriel seine Waffentasche und erhob sich, nicht ohne Elyano einen abschätzigen Blick zuzuwerfen. „Ihr wolltet mir vertrauen", erinnerte er ihn und folgte Fynn und Elyano aus dem Orden hinaus. „Dann tut es auch. Ansonsten haben wir in der Kanalisation nicht sonderlich viel zu lachen. Auch wenn wir es vermeiden sollten zu schießen, braucht ihr sie, zu eurer eigenen Sicherheit. Es gibt immer die eine Situation, in der ein Schuss unausweichlich ist." Er strich über seinen Arm und verzog kurz das Gesicht.

Nachdenklich beobachtete Fynn ihn. Auch wenn das meiste Blut auf Zephirs und Gabriels Kleidung nicht von dem Halbblut stammte, wurde auch er in dem Kampf verletzt. „Geht es?"

Gabriel schnaubte. „Ich habe schon schlimmeres überlebt", sagte er knapp und warf Elyano einen Blick zu, der die Pistole in seiner Hand misstrauisch betrachtete. „Weißt du, wie..."

„Ja, verdammt!", fuhr Elyano ihn an und steckte die Pistole zurück in seine Hosentasche.

Fynn suchte den Blick seines Bruders, doch der starrte stumm geradeaus.

Ehe Fynn durch die Tür trat, drehte er sich zu Zephir und Aiofé um. „Ihr bleibt hier. Vertretet mich, während ich weg bin."

Aiofé setzte zum Protest an, doch Zephir unterbrach sie, indem er ihr eine Hand auf die Schulter legte und nickte.

„Was machst du hier?", polterte Elyano plötzlich neben ihm, als sie ins Freie traten. Ungläubig starrte Fynn in Richtung des Autos.

Becca saß auf der Motorhaube und schien auf sie zu warten. Florian stand ein wenig abseits, die Arme vor der Brust verschränkt.

„Was hast du hier verloren?", fragte Elyano kalt. Die Angst um Siandra ließ ihn nichts anderes mehr sehen.

Doch Becca ließ sich von Elyanos Schroffheit nicht einschüchtern. „Was ich hier verloren habe? Meine beste Freundin sitzt in der Klemme, da werde ich sicherlich nicht tatenlos herum sitzen."

Mit einem Anflug von Wut fuhr Fynn zu Florian herum. „Du hast es ihr gesagt?"

Selbst auf die Entfernung sah er wie Florian mit den Zähnen knirschte. „Sie hat direkt neben mir gestanden. Was hätte ich tun sollen?"

„Keine Ahnung", knurrte Elyano und machte einen Schritt auf sie zu. „Dafür sorgen, dass sie uns nicht im Weg steht?"

„Hey! Hört auf zu reden, als wäre ich nicht vorhanden!", empörte Becca sich und sprang von der Motorhaube. „Hattet ihr wirklich vor, mir das zu verheimlichen? Sie ist meine beste Freundin! Da werde ich doch nicht hier herum sitzen und Däumchen drehen."

Elyano stöhnte genervt auf und fuhr sich durch die Haare. „Du wirst uns nur im Weg herumstehen und alles gefährden!"

Beccas Augen huschten über die Pistole in seiner Hosentasche und ihre Augenbrauen hoben sich. „Ich bin im Schützenverein. Vermutlich habe ich damit allemal mehr Erfahrung als ihr."

Elyano starrte sie nur wütend an, doch Becca hielt seinem Blick stand. „Kümmere du dich darum!", sagte er plötzlich zu seinem Bruder. „Immerhin bist du der Hüter des Ordens."

Nachdenklich musterte Fynn Becca. Elyano hatte Recht. Es war gefährlich sie mitzunehmen. Doch was war in diesen Zeiten schon ungefährlich. Zumal er sich sicher war dass Becca einen Weg finden würde, ihnen zu folgen. „Fein!", sagte er und trat an das Auto heran. „Fahr ruhig mit. Aber du wirst nicht mit reinkommen, sondern am Auto warten!"

„Aber es ist zu gefährlich für sie alleine...", setzte Florian an.

„Deshalb wirst du ihr dabei Gesellschaft leisten!", sagte Fynn und schloss die Beifahrertür hinter sich. Er spürte den Blick seines Bruders auf sich liegen, als dieser sich hinter das Steuer setzte, doch er achtete nicht drauf. Er schaffte es einfach nicht das Gedankenkarussell in seinem Kopf zu stoppen. Er konnte nicht aufhören an Aisling zu denken, daran wo sie war, wie es ihr ging und was diese Bastarde ihr antun würden. Sein Herz verkrampfte sich in seiner Brust.

„Also, wie sieht der genaue Plan aus?“, fragte Elyano, als er den Wagen über die Autobahn jagte. „Ich habe keine Lust auf böses Erwachen. Und wage es dich nicht nochmal, zu verlangen dir zu vertrauen! Mein Vertrauen hat Grenzen.“

Gabriel überging seine Anfeindungen. „Es gibt einen Zugang zur Kanalisation in der Nähe eines kleinen Wachturms. Er ist längst verfallen und sollte kein Problem darstellen. Eigentlich dürfte Shaikos seine Diener nicht so weit raus schicken.“

Nachdenklich beobachtete Fynn ihn. Hinter Gabriels Worten lag etwas, das ihn verunsicherte, doch er versuchte sich nichts anmerken zu lassen.

„Sollte?“, zischte Elyano. „Wir brauchen verdammt nochmal etwas besseres als sollte!“

Gabriel erwiderte nichts, warf dem Raben nur einen geringschätzigen Blick zu. Fynn war froh, dass Elyano den Blick in seinem Nacken nicht sah. Sie mussten an das, was vor ihnen lag denken. Auf keinen Fall durften sie sich von der Wut blenden lassen und Elyano war derart geladen, dass Gabriel nicht einmal etwas zu sagen brauchte, um ihn zur Weißglut zu treiben.

Nach einiger Zeit, die Fynn wie eine halbe Ewigkeit vorkam, beugte Gabriel sich auf einmal zu Elyano vor. „Die nächste müssen wir runter“, sagte er und zeigte auf eines der blauen Schilder.

Elyano warf ihm nur einen kurzen Blick zu, ehe er die Augen wieder auf die Straße richtete. „Ach ja?“

Fynn seufzte und krallte die Finger in den Stoff seiner Hose. „Wir haben keine Zeit für Misstrauen. Denk an Siandra und Aisling.“

„Wie können wir ihm trauen? Woher wissen wir, dass er uns in die richtige Richtung führt? Vielleicht bringt er uns, im Gegenteil, immer weiter von den beiden weg und wir merken es nicht einmal.“

Gabriel lehnte sich in seinen Sitz zurück und beobachtete den Raben schweigend im Rückspiegel. „Du hast Recht. Ihr wisst nicht, ob ihr mir trauen könnt. Ihr müsst euch ins Dunkle begeben. Ich mache das auch nicht, um euch einen Gefallen zu tun. Es ist meine Schuld, dass sie in dieser Lage ist. Ich habe etwas gutzumachen."

Elyano erwiderte nichts. Seine Hände umfassten das Lenkrad so fest, dass seine Fingerknöchel weiß hervortraten. Fynn unterdrückte den Drang ihm beruhigend eine Hand auf die Schulter zu legen. Das hätte seinen Bruder nur noch mehr aufgeregt. Er war völlig besessen von dem Gedanken zu Siandra zu gelangen. Etwas anderes gab es für ihn nicht.

Fynn nestelte am Radio herum, um sich ein wenig abzulenken. Die Angst um Aisling zerfraß ihn beinahe. Ihm wurde schlecht bei dem Gedanken, was diese Monster mit ihr vor hatten. Mit ihr und ihrem ungeborenen Kind. „Wir haben keine andere Wahl, wir müssen ihm vertrauen", flüsterte Fynn über den nervigen Popsong hinweg.

„Du weißt genau, wer sein Bruder ist", zischte Elyano zurück. „Er hat uns erst in diese Lage gebracht. Wir haben ihm vertraut und was war der Dank dafür?"

„Du kannst niemanden für seine Familie verantwortlich machen. Das sollten wir beide doch am besten verstehen können."

„Pyrros...", sagte Gabriel plötzlich leise hinter ihnen. „Er ist nicht schlecht. Er ist nur ein Kerl, der das falsche Los gezogen hat. Er hat falsche Entscheidungen getroffen, sich auf die falsche Frau eingelassen. Aber er ist kein übler Kerl."

Elyano schwieg und Fynn tat es ihm gleich. Er durfte nicht an den Wolfsfürsten denken, wenn er die bodenlose Wut zurückdrängen wollte, die ihn immer wieder zu überwältigen drohte. Die hellen Ziffern auf der digitalen Uhr verstrichen und mit jeder Sekunde drängte die Panik sich näher an Fynn heran. Doch er durfte sich nicht von ihr überwältigen lassen. Er versuchte sich an seine Instinkte als Jäger zu klammern, versuchte seine Gefühle ganz zurückzuschieben, doch es wollte ihm nicht so recht gelingen. Dafür war seine Angst zu groß.

„Hier ist es", sagte Gabriel plötzlich, nachdem sie über einen schmalen Schotterweg gefahren waren. „Wir sollten das Auto in den Büschen verstecken. Ich glaube zwar nicht, dass Shaikos den Turm bewachen lässt, aber besser, wenn wir auf Nummer sicher gehen."

Noch immer beäugte Elyano misstrauisch den Lauf der Waffe, der in seiner Hand lag. Er vertraute lieber auf die Macht seiner Klingen, als auf diese Kugelschleuder. Doch wenn sie Gabriel Glauben schenkten, würden sie diese Pistolen brauchen. Er wollte gar nicht genauer darüber nachdenken, was da unten vor sich ging.

Gabriel wies sie mit einer Handbewegung an, zu warten und schlich auf den Wachturm zu. Erst als er sich vergewissert hatte, dass keine Gefahr drohte, winkte er sie heran.

Fynn humpelte auf Gabriel zu, der seinen Blick über den Turm schweifen ließ. Wie ein vergessenes Mahnmal ragte er zwischen den Blättern und Zweigen hervor und wirkte mit dem ganzen Efeu, das ihn überwucherte, wie ein verlassener Dornröschenturm.

„Meinst du nicht, du solltest lieber am Wagen bleiben?", fragte Florian plötzlich neben ihm. Seine Mimik war bewegungslos und ließ nicht erkennen, was er dachte.

„Vergiss es. Ich bleibe sicherlich nicht hier, während Aisling da drinnen sitzt und diese Bastarde wer weiß was mit ihr machen!"

„Beruhigt euch!", fuhr Gabriel dazwischen. „Wir erreichen nichts, indem wir uns gegenseitig ankeifen. Erst einmal müssen wir einen Weg hinein finden."

Fynn nickte und umrundete den Turm. Er durfte sich von seiner Wut nicht leiten lassen. Kurz überlegte er, ob es nicht wirklich besser war, wenn er am Auto wartete, doch er verwarf den Gedanken so schnell er aufgekommen war. Er war noch immer der Hüter des Ordens und er war ein Jäger. Von so etwas ließ er sich nicht einschüchtern.

„Keine Tür, nicht einmal ein Fenster", sagte Elyano neben ihm grimmig.

„Und jetzt?", fragte Florian und lehnte sich an einen der Bäume.

Elyano war im Begriff ihm etwas an den Kopf zu werfen, als Gabriel Efeu beiseite riss und eine Klappe freilegte. Vorsichtig schob er seine Finger unter das Metall und zog kräftig daran. „Helft mir doch mal", schnaufte er und lehnte sich noch stärker dagegen. Die Jäger nickten und traten neben das Halbblut. Mit einem kräftigen Ruck lösten sie die rostige Klappe aus ihrer Verankerung. Hinter ihr lag ein dunkler Gang, der in die Tiefe führte. Vermutlich endete er in der Kanalisation, doch sicher konnten sie das nicht sagen. Er war gerade einmal so breit, dass sie sich hindurch zwängen konnten.

„Und das ist der richtige Weg?", fragte Elyano abschätzig. „Oder doch eher eine Falle?"

Gabriels Augen funkelten, als er sich vor dem Raben aufbaute. Er war fast einen Kopf kleiner als Elyano, doch er ließ sich von ihm nicht einschüchtern. „Willst du Siandra befreien oder nicht?!"

„Verdammt, komm da wieder raus!"

Die beiden fuhren herum, als sie Florians Stimme hörten. Der Jäger beugte sich über den Schacht, die Hände krampfhaft um das Metall gelegt.

„Was ist los?"

„Becca!"

Gabriel schien mit sich zu hadern, doch dann drängte er Florian ruppig beiseite und schob sich in den schmalen Gang. „Ich geb euch ein Zeichen", sagte er und war im nächsten Moment verschwunden. Elyano und Fynn tauschten einen Blick. Fynn wusste, was sein Bruder dachte. Es war eine schlechte Idee gewesen Becca mitzunehmen. Diese Verrückte würde sie noch einmal den Kopf kosten.

„Er glaubt doch nicht, dass ich hier tatenlos rumstehe", zischte Florian und wollte einen Fuß in den Gang setzen, doch Elyano hielt ihn am Arm zurück. „Lass mich los verdammt!"

„Verstehst du nicht...?"

„Hört ihr das?", unterbrach Fynn ihn und lauschte in die Dunkelheit. Da war doch etwas! Ein leises Klopfen, immer lauter und drängender. Ohne auf die anderen beiden zu achten zwängte er sich durch den dunklen Tunnel. Der feuchte Geruch nach Schimmel lag in der Luft. Vorsichtig tastete er sich mit den Füßen voran, stützte sich mit den Händen auf dem nassen Metall ab. Sein ganzer Körper war zum bersten angespannt. Der Untergrund war rutschig und er wusste nicht, wie tief er fallen würde. Seine Hand krampfte sich um den Gehstock, damit er nicht abrutschte und in die Tiefe fiel. Hoffentlich geht das nur gut, dachte er angestrengt.

Er erschrak, als seine Hand wegglitt und er hart auf dem Metall aufschlug. Er rutschte, versuchte irgendwie das Gleichgewicht zu halten, aber er fand auf dem glatten Untergrund keinen Halt. Plötzlich tat sich der Gang auf und endete in einem Kanal. Fynn hatte keine Chance seinen Sturz abzufangen. Hastig hielt er die Luft an, als das Wasser über ihm zusammenschlug. Eine Hand schloss sich um seinen Arm und riss ihn hoch.

Hustend rappelte er sich von dem feuchten Stein auf. Das kalte Brackwasser klebte überall an seinem Körper und er befürchtete den fauligen Geschmack des Wassers nie wieder aus seinem Mund vertreiben zu können.

„Ich weiß ja, ihr Jäger liebt es zu baden, aber meinst du nicht, das ist ein wenig übertrieben?", grinste Gabriel plötzlich neben ihm und reichte ihm seinen Gehstock.

„Wo ist...?", setzte er an, doch Becca stand nicht weit von ihm und sah ihn abwartend an. Doch Fynn seufzte nur und wandte sich dem Rohr zu, durch das Elyano und Florian ins Innere der Kanalisation kletterten - ohne Taucheinlage wohlgemerkt.

Florian schob sich sofort an Fynn und Gabriel vorbei und umfasste Beccas Arme. „Verdammt! Das ist gefährlich! Wie kommst du darauf so einen Mist zu machen?"

Fynn sah, dass Becca langsam Angst vor ihrer eigenen Courage bekam, doch sie reckte nur das Kinn trotzig vor und erwiderte seinen Blick. „Ihr hättet gerne noch weiter da herumstehen können. Ich für meinen Fall werde nach Siandra suchen."

„Das ist doch wahn..."

„Komm", sagte Gabriel und legte kurz eine Hand auf seinen Arm, ehe er seine Waffe zückte. „Es ist nichts zu ändern. Heißt nur für uns, dass wir noch vorsichtiger sein müssen." Er machte einige Schritte durch die Kanalisation, ehe er stockte und sich zu Becca umdrehte. „Du sagst, du kannst mit Waffen umgehen?"

Als sie nickte, zog er seine Waffentasche vom Rücken und reichte ihr die letzte Pistole. Florian starrte ihn fassungslos an, wollte etwas einwerfen, doch Elyanos Hand legte sich einem Schraubstock gleich um seinen Arm und hinderte ihn am Sprechen.

Vorsichtig tastete Gabriel sich voran. Die Pistole auf Anschlag, schlich er um die Ecke, schien jeden Moment mit einer unheilvollen Begegnung zu rechnen. So leise wie möglich, versuchte Fynn dem Halbblut zu folgen. Ein ungutes Gefühl machte sich in ihm breit, das sich mehr und mehr verstärkte, je länger sie durch dunkle Kanalisation liefen. Er wurde das Gefühl einfach nicht los, dass Gabriel mehr wusste, als er ihnen zeigte.

Ein Schauer durchlief Fynns Körper. Die Feuchtigkeit der Kanalisation zog immer mehr in seinen Körper und unter den Geruch nach Schimmel und kaltem Stein mischte sich der, von Verwesung.

„Ob wir schon in der Nähe sind?", überlegte Becca und klammerte sich fast Halt suchend an die Pistole. Fynn hoffte nur, dass sie sich wirklich mit der Waffe auskannte. „Ich frage mich..."

„Warum können Menschen verdammt nochmal nicht den Mund halten?", fluchte Elyano, der die Schlusshut übernahm.

Wütend funkelte Becca ihn an. „Du bist ganz schön unausstehlich, wenn du Angst hast."

„Still!", fuhr Gabriel dazwischen und riss Becca zurück, die schon halb um die Ecke getreten war. „Verhaltet euch ganz still!"

„Was ist das?", flüsterte Becca angewidert und Fynn folgte ihrem Blick. Der Gang vor ihnen teilte sich und führte geradeaus in eine Sackgasse und um die Kurve. Am Ende des Ganges entdeckte er einige schemenhafte Kreaturen, die sich über etwas lehnten. Erst als einer von ihnen den Kopf hob, um hastig zu schlucken, erkannte Fynn, dass es diese großen Wolfsbestien waren. Der Wolf in ihnen war kaum noch zu erkennen. Einem von ihnen fehlte der halbe Unterkiefer, bei dem anderen schien das trübe Auge ins Jochbein gewandert zu sein. Fetzen verfaulten Fleisches hingen aus ihren aufgerissenen Mäulern. Es war einer von ihnen, der reglos auf dem Boden lag. Der dritte von ihnen, der die beiden zur Seite schob, schien keine Hinterbeine zu haben und rutschte über den feuchten Boden. Fynn unterdrückte die Übelkeit, die in ihm aufstieg. Diese Kreaturen schienen äußerlich zu sterben, doch innerlich lebten sie weiter. Ihr Fell war verfilzt. An vielen Stellen war nur noch raue Haut zu sehen, voller Striemen, Narben und blutigen, eitrigen Wunden. An manchen Stellen schienen fast schon ganze Stücke herausgerissen worden zu sein.

„Das ist ja grauenhaft", flüsterte Becca, als Florian einen Arm um sie legte und sie hinter sich her zog, um die Kurve, weg von diesen Kreaturen.

„Das", sagte Gabriel leise und entsicherte seine Pistole. „ist der Grund für die Waffen."

18. Der Preis der Macht

Was sind sie?", fragte Fynn und warf einen Blick über die Schulter. Er hatte gedacht, dass diese Wolfsbestien grotesk wirkten, doch diese Kreaturen - sie waren weder tot noch lebendig.

„Pyrros Wölfe. Die, die den Anforderungen nicht standgehalten haben. Sie waren als Wirt nicht stark genug und wurden wie Abfall hier herunter geworfen. Sie sehen vielleicht schwächlich aus, aber glaubt mir, ihr wollt euch mit ihnen nicht anlegen. Wenn sie auf uns aufmerksam werden, sind wir geliefert."

„Aber wir müssen hier durch", warf Becca mit fast schon schriller Stimme ein.

„Das weiß ich auch! Aber es wird nicht einfach. Diese drei sind nicht die Einzigen, die hier unten herum geistern."

Unsicher sah Fynn sich um, als sie weiter durch den Gang schlichen. Die Waffe lag entsichert in seiner Hand. Es war lange her, seitdem er das letzte Mal eine Schusswaffe genutzt hatte. Jäger kämpften nicht mit den Waffen der Menschen, sie vertrauten nur auf ihre eigenen, lautlosen Klingen. Doch hier mussten sie auf Gabriel vertrauen.

Gabriel schien seine Gedanken fast zu lesen. „Eure Waffen können diesen Kreaturen kaum etwas anhaben. Shaikos hat mit ihnen Wesen geschaffen, die weder tot noch lebendig sind. Sie sind unverwundbar."

Fassungslos starrte Elyano ihn an. „Was?! Aber das ist nicht möglich!"

„Ihnen wurde ein Parasit eingesetzt, der die körpereigenen Zellen durch eigene ersetzt. Sobald sie verletzt werden, ersetzen die Stammzellreserven des Parasiten das verletzte Gewebe. Damit sind sie praktisch unsterblich. Es gibt nur eine Möglichkeit das zu verhindern. Der Parasit muss zerstört werden und der sitzt im Gehirn. Und glaubt mir: Ihr wollt nicht nah genug an sie heran, um eure Klinge durch ihren Schädel zu bohren."

Nachdenklich musterte Fynn ihn, während er neben ihm her humpelte. „Woher weißt du das alles?"

Einen Moment lang sah er ihn nur stumm an. Er schien mit sich zu hadern, mit seinen Erinnerungen zu kämpfen, ehe er seufzte. „Glaubt mir, ich wünschte, ich würde es nicht wissen", sagte er und schlich um die nächste Ecke. „Zielt auf ihre Köpfe und hofft, dass keiner von denen, uns zu nahe kommt."

Vorsichtig, um nicht zu laute Geräusche zu machen, schob Fynn sich durch den Gang, immer hinter Gabriel hinterher. Er wusste nicht, ob diese Kreaturen noch hören oder sehen konnten oder sie sie durch den Geruch fanden, doch er war auch nicht scharf darauf, es herauszufinden. Gabriel schien zu wissen, wo es lang ging. Dieses Halbblut war ein einziges Rätsel, doch die Bestimmtheit, mit der er seine Wege wählte, gab auch ihm Kraft an einen Ausweg aus dieser Situation zu glauben. Er wusste nicht, wie Gabriel sich in der matten Dunkelheit, die nur hin und wieder von Lichteinfall unterbrochen wurde, orientieren konnte. Es kam ihm fast vor, als würde die Schwärze die Geräusche völlig verschlucken.

Ohne Vorwarnung drehte Gabriel sich plötzlich zu ihnen um und drängte Fynn zur Seite. Eine eisige Kälte breitete sich in Fynn aus, als Gabriel ohne mit der Wimper zu zucken seine Waffe hob und den Lauf auf Elyano richtete. Fynn war zu langsam, um zu reagieren, als sich der Schuss löste. Ein Ruck ging durch Elyanos Körper und er wurde nach vorne ins Wasser geschleudert.

„Elyano!", rief Fynn panisch. Florian drängte Gabriel mit dem Lauf seiner Waffe zurück und drückte ihn gegen die Wand.

„Nicht Elyano", presste Gabriel hervor und versuchte den Arm des Jägers von seiner Kehle zu lösen.

Plötzlich brach die Wasseroberfläche und Elyano zog sich keuchend aus den Fluten. Nun erkannte Fynn auch den Leib der Kreatur, die im Wasser trieb. Er hatte den Wolf nicht einmal gehört.

„Warum hast du das getan?", fragte Elyano atemlos und presste die Hand in seine Seite.

„Du kannst mir später danken. Jetzt müssen wir erst einmal weiter. Diese Viecher sind nicht dumm und sie laufen immer im Rudel. Der Knall hat vermutlich auch noch dazu beigetragen." Im Gehen strich er über seinen malträtierten Hals. „Ihr Jäger lasst nichts anbrennen, was?"

Florian ging nicht darauf ein. Seine Hand hatte sich um Beccas Arm geschlossen und er beugte sich zu ihr vor, zischte ihr etwas ins Ohr. Becca blieb still, doch ihr Blick machte unmissverständlich klar, dass sie ihm nicht zustimmte. Fynn verstand nicht, was sein Jäger sagte. Vermutlich ging es um die Waffe, die sicherer als gedacht in Beccas Hand lag.

Fynns Blick wanderte zu Gabriel, der einige Schritte vor ihm voran schlich, die Waffe im Anschlag und die Augen wach. War es richtig, was sie da taten? Solange er zurückdenken konnte, jagten sie Halbblüter, führten einen Krieg von dem kaum noch jemand von ihnen wusste, wer ihn begonnen hatte. Vielleicht standen sie wirklich am Anfang einer neuen Ära. Vielleicht waren Aschenputtels Gesetze tatsächlich längst überholt.

Plötzlich ertönte ein Knurren aus der Dunkelheit. „Fuck!", rief Gabriel, doch sein Fluchen ging in einem Keuchen über, als die Kreatur ihn zu Boden riss. Die scharfen Zähne bohrten sich tief in seinen Arm. Doch ehe er die Waffe heben konnte, peitschte ein Schuss durch den Tunnel und die Kreatur brach leblos auf ihm zusammen. Gabriel blieb keine Zeit sich umzusehen, wer ihn gerettet hatte. Er sprang gerade rechtzeitig auf, als eine der grotesken Bestien auf ihn zuhielt. Doch er war nicht schnell genug. Die Wucht des Aufpralls schlug ihm die Waffe aus der Hand und drängte ihn an die Wand. Er trat nach der Bestie, doch das schien sie nur noch wütender zu machen. Hastig riss er seinen Karabiner von der Schulter und rammte ihm den Lauf gegen den Kopf, ehe er abdrückte.

„Haben wir es geschafft?", fragte Becca keuchend. Sie hielt die Waffe noch immer krampfhaft auf den Wolf gerichtet, über dem sie stand. Sanft löste Florian ihren starren Griff.

Gabriel antwortete nicht. Fynn konnte den Ausdruck in seinen Augen nicht deuten, als er den Karabiner schulterte und nach der Pistole am Boden griff. Fast behutsam strich er dem Wolf über den entstellten Kopf; ehe er sich aufrichtete. „Es gibt viel zu viele von ihnen."

Etwas unsanft stieß ihr Onkel Siandra in den Raum und schloss die Tür, ohne ein weiteres Wort mit ihr zu wechseln. Wo hatte er sie hingebracht? Der Hubschrauber hatte an einem kleinen Weingut gelandet. Unscheinbar von außen, doch Siandra hatte gelernt einer friedlichen Oberfläche zu misstrauen. Angespannt schlang sie die Arme um ihren Oberkörper. Ein dunkler Fleck hob sich von ihrer Haut ab, aber sie spürte keinen Schmerz. Sie fröstelte, doch die Kälte kam aus ihrem Inneren. Es war die Ungewissheit, die ihr zusetzte. Nicht zu wissen, wo sie war, was passiert war und aus welchem Grund man sie hergebracht hatte. Der Raum wirkte wie ein Kinderzimmer, das die Zeit überdauert hatte. Ihr Blick wanderte von dem dunklen Teppich über die unordentlichen Regale, den Schreibtisch und das Bett bis zu dem Gitterfenster, das den Raum erhellte. Im ersten Moment erkannte sie die Gestalt nicht, die dort auf dem Fensterbrett saß, doch dann durchfuhr es sie eiskalt.

„Aisling!“, rief sie und stürmte auf ihre Freundin zu.

Aisling schien sie erst nicht zu bemerken. Sie hatte die Beine an ihren Körper gezogen, eine Hand lag schützend auf ihrem Bauch und sah aus dem Fenster, schien geradezu nach etwas zu suchen. Erst als Siandra sie ein zweites Mal ansprach, wandte sie den Kopf zu ihr um.

„Siandra“, sagte sie und drehte sich zu ihr um. Sie schien keineswegs überrascht, sie hier zu sehen. Anders als Siandra.

„Was machst du hier?“, fragte Siandra und spürte wie die Sorge sie überrannte. Wenn sie hier war, wo war dann Fynn? Seit sie aus dem Krankenhaus gekommen waren, ließ er sie kaum länger als einige Minuten aus den Augen und bewachte sie wie eine übereifrige Glucke. Was war nur geschehen? Ihr schwante böses.

Ruhig hörte sie ihrer Freundin zu, als diese von ihrer Audienz bei der Fürstin berichtete, die von Pyrros gesprengt wurde. Das ist alles meine Schuld, dachte sie verzweifelt. Sie hatte wirklich gedacht, sie könnten ihm vertrauen. Natürlich wusste sie, wer er war. Sie würde diese Gedanken niemals ablegen können, die Gedanken daran, was er ihnen angetan hatte. Doch ein kleiner Teil von ihr hatte wirklich gedacht...

„Du magst ihn, oder?“ Abwartend sah Aisling sie an. Sie schien die Schuldgefühle und ihre Gedanken geradezu in ihren Augen zu lesen.

Einen Moment wusste Siandra nicht, was sie darauf antworten

sollte. Mochte sie Pyrros? Hatte sie jemals etwas wie Freundschaft für ihn empfunden? Sie wusste es nicht. Doch er war in Zeiten für sie da gewesen, als sie sich allein gefühlt hatte. War das etwa alles gespielt gewesen? Oder hatte die Verzweiflung um seine Liebste Pyrros zu dieser Tat getrieben? Siandra dachte an den einen Abend im Zelt, an dem Pyrros nur stumm am Bettrand gesessen und sie angesehen hatte. Ob er den Verrat schon da geplant hatte?

„Ich glaube, er weiß sich nur nicht anders zu helfen", sagte Aisling, als Siandra weiterhin stumm blieb.

Verwundert hob Siandra die Augenbrauen. „Das sagst du jetzt noch?" Nach allem was Pyrros ihr angetan hatte? Nach all dem, was er zerstört hatte und für was er verantwortlich war?

Aisling lächelte leicht und schloss die Augen. „Vielleicht bin ich einfach zu naiv. Vielleicht wird uns beiden das den Kopf kosten."

„Aber warum hat Pyrros dich hierher gebracht? Was glaubt er zu finden?"

„Dein Vater hat ihm erzählt, er könne mit der Hilfe von Alessandras Blut... meinem Blut seine Liebste zurückbringen. Er hofft so sehr sie von den Toten zurückzuholen, dass er nichts anderes sieht und gegen jede Vernunft handelt."

„Alessandras Blut... Warum...?"

Aislings Gesicht bewölkte sich, als sie sich vom Fensterbrett schob. Die Wölbung ihres Bauches hob sich mittlerweile deutlich unter dem Pullover ab. „Damals in den Höhlen hat sie nicht nur Experimente mit meinem Blut durchgeführt. Ich glaube sie fand es spannend zu erfahren, was mein Körper mit ihrem Blut macht."

Unruhe breitete sich in Siandra aus. „Heißt das, es hat dich verändert?"

„Ich kann keine Zauber wirken, oder was auch immer sie konnte, wenn du das meinst." Aisling seufzte schwer und strich sich über die Arme. „Aber ich spürte, dass da etwas ist. Etwas, das nicht zu mir gehört und sich trotzdem nicht vertreiben lässt."

Hektische Bilder blitzten vor Siandras inneren Augen auf. Bilder aus den Höhlen, Schläuche, die aus der Wand ragten, eine dünne Gestalt, die auf dem Boden lag.

„Für diesen abwegigen Preis hat er mich entführt und sich selbst an Shaikos verkauft."

„Genau wie seine Wölfe."

Aisling nickte. „Genau wie seine Wölfe."

„Aber warum tut Shaikos das?", fragte Siandra aufgebracht. „Warum hat er uns hierher gebracht?"

Aisling ließ sich auf einen der Sessel sinken. „Ich habe keine Ahnung. Vielleicht als Lockvogel. Vielleicht will er wirklich seine und Alessandras Forschungen vorantreiben. Vielleicht hat er dich da raus geholt, weil er tatsächlich dachte, er würde dich retten. Wer weiß schon, was in diesem Kopf vorgeht."

Ruhelos schritt Siandra im Zimmer auf und ab. „Aber warum? Warum gerade jetzt?"

Doch Aisling zuckte nur mit den Schultern. Sie wirkte äußerlich völlig gelassen. Die Jägerin in ihr war an die Oberfläche getreten. Ob sie im Inneren genauso zitterte wie Siandra?

Sie mussten irgendwie einen Weg hinaus finden. Doch die Fenster waren vergittert.

„Da kommst du nicht durch", sagte Aisling ruhig, fast schon tonlos. „Die Gitter sind felsenfest. Weichen keinen Zentimeter. Habe ich schon alles versucht."

„Dann müssen wir einen anderen Weg finden", sagte Siandra und ließ den Blick wandern. „Welches Kinderzimmer braucht Gitter an den Fenstern?"

„Bist du dir sicher, dass hier ein Kind wohnt?" Aisling sah zu dem Schreibtisch vor dem Siandra stand. Unzählige Blätter stapelten sich auf der Tischplatte, Tabellen, mathematische Formeln, Bücher. Siandras Blick fiel auf eine kleine Holztruhe, die zwischen den Stapeln lag. „Ich weiß nicht. Es wirkt für mich nicht, wie das Zimmer eines Physik- oder Mathematikstudenten. Ich kann dir nicht sagen warum."

Sie öffnete die Truhe und eine sanfte Melodie erklang aus ihrem Inneren. Kurze, abgehackt klingende Töne formten sich zu einem fast schon traurigen Lied. Das Innere der Box war mit dunkelblauen Samt ausgelegt, doch in der Ecke ragte etwas helles heraus. Siandra runzelte die Stirn und zog daran. Ein Foto kam hervor. Es schien mehrmals zerrissen und unsauber geklebt worden zu sein und war schon etwas älter. Es zeigte zwei Jungen auf einem Feld, die Arme eng umeinander geschlungen. Auch wenn die beiden noch jung waren, erkannte Siandra sie sofort. Es waren Gabriel und Pyrros. Was hatte das hier zu suchen?

Ihr Blick wanderte weiter und blieb an ihrer Tasche hängen, die achtlos auf dem Boden lag. Tasche! Einen kurzen Augenblick überkam sie die Hoffnung etwas in ihrem Inneren zu finden, das ihr weiterhelfen konnte. Doch Willem schien alles herausgenommen zu haben, was ihr auch nur irgendwie nützlich sein konnte. Vielleicht fand sie in dem Chaos auf den Tischen wenigstens eine Schere oder einen anderen spitzen Gegenstand, einfach, um sich nicht ganz so schutzlos zu fühlen. Doch wo sie auch hinsah nur weitere Zettelberge, Pläne und Aufträge. Die Schrift veränderte sich. Von Zettel zu Zettel schienen die Striche immer sicherer. Ihr Blick fiel auf ein ledergebundenes Buch und ihre Augenbrauen zogen sich zusammen. Vorsichtig öffnete sie es.

„Was hast du da?“, fragte Aisling hinter ihr, doch Siandras Augen flogen nur stumm über die Seiten. Es schien ein Tagebuch zu sein.

„Ich glaube ‚er wird langsam wahnsinnig‘“, las sie vor. „Er glaubt, ich könne ihm helfen den Plan der roten Hexe zu vollenden. Doch unseren größten Feind haben wir selbst erschaffen und ich habe Angst vor dem, was wir da geweckt haben. Ich kann so nicht mehr weitermachen. Ich kann ihn nicht weiter hintergehen und seine Freunde quälen. Das bringt mich um. Es macht mich fertig. Die, die nicht stark genug sind als Wirt zu bestehen, werden wie Abfall weggeworfen. Was habe ich getan? Was habe ich getan?“

Sie fluchte, als sie bemerkte, dass die nächsten zwei Seiten fehlten.

„In die Kanäle. In die Kanäle. Ich habe einen Weg gefunden. Ich kann von diesem Ort fliehen. Vielleicht schaffe ich es zu meinem Bruder Ekziel, bevor Shaikos mich findet. Er wird mich umbringen, wenn er herausfindet, dass ich ihn verraten habe. Aber wie könnte ich mir selbst im Spiegel gegenüber treten, wenn ich Shaikos weiterhin walten lasse und zulasse, dass er noch mehr Kreaturen quält. Er sucht so verzweifelt nach einer Rettung für seine Tochter. Doch ich habe keine Wahl. Er darf nicht erfahren, was ich gefunden habe.“

Gabriel... Siandras fassungsloser Blick traf Aislings. Was hatte das nur zu bedeuten?

Vorsichtig spähte Gabriel durch das breite Gitter. Erst als er sicher war, dass sich niemand in dem überdachten Gang aufhielt, schob er es beiseite und half den anderen hindurch.

In der Mitte der Bogengänge befand sich ein Innenhof, auf dem ein einzelner Baum wuchs. Doch Fynn beachtete ihn kaum. Unruhig wanderte sein Blick zu den Überwachungskameras.

Gabriel schien seine Gedanken zu erahnen. „Keine Sorge. Die hier funktionieren schon lange nicht mehr."

Fynn verkniff sich die Frage, woher er das schon wieder wusste. Dieser Kerl war ein einziges Rätsel.

„Und was wenn sie doch funktionieren und Shaikos durch sie erfährt, dass wir auf dem Weg sind?", fragte Florian misstrauisch.

Gabriel sah den Jäger gleichgültig an. „Shaikos weiß schon längst, dass wir kommen."

Hastig fuhren sie zu ihm herum, doch ehe sie dem Halbblut etwas an den Kopf werfen konnten, fuhr er fort. „Shaikos weiß, was wir vorhaben. Er weiß nur nicht, wo wir sind."

„Aber", wollte Elyano einwerfen, doch Gabriel unterbrach ihn sofort.

„Shaikos hat weit mehr Späher, als du Elyano."

Hektisch griffen sie nach ihren Waffen, als ein Pfiff an ihre Ohren drang. Nur Gabriel blieb völlig gelassen. Er hob den Kopf und trat hinter eine der Säulen. Er ignorierte seine Begleiter, die wie zur Salzsäule erstarrt schienen. Kurz unterhielt er sich flüsternd mit jemandem, ehe er wieder ins Licht trat.

„Was hatte das denn bitte zu bedeuten?", fragte Fynn angespannt. Sie hatten keine andere Chance, als ihm zu vertrauen und das gefiel ihm ganz und gar nicht.

„Du glaubst nicht, wo ich überall meine Ohren habe. Wir Halbblüter müssen unsere Augen und Ohren überall haben."

„Was verschweigst du uns noch?", knurrte Elyano doch Gabriel achtete nicht auf ihm. Er schob sich an dem Raben vorbei und wandte sich direkt an Fynn.

„Siandra und eine eurer Jägerinnen sind hier. Sie wurden scheinbar in einem der Zimmer untergebracht."

„Was machen wir dann noch hier?!"

„Sie sind nicht mehr dort", sagte Gabriel, ohne Elyano große Beachtung zu schenken. „Sie werden gerade in diesem Moment in die Weinhalle gebracht", erklärte er, während er wachsam durch den Schatten des Ganges schritt.

„Wofür brauchst du uns überhaupt? Du scheinst bestens allein zurechtzukommen", fragte Fynn kühl.

Gabriel antwortete nicht. Er sah ihn nur an, mit einem Blick den Fynn nicht deuten konnte. Ein ungutes Gefühl breitete sich in seinem Inneren aus.

„Shaikos mag zwar wissen, dass wir kommen", sagte Gabriel ohne darauf einzugehen. „Aber das muss nicht zu unserem Nachteil sein. Es gibt Gänge, die oberhalb der Weinhalle verlaufen. Wenn wir es schaffen, sie zu erreichen und von der anderen, schlechter bewachten Seite auf den Saal zukommen, können wir ihn überraschen."

Fynn knirschte mit den Zähnen. „Das ist so verrückt, das könnte klappen"

Becca hob die Augenbrauen. „Das ist also eure Art zu sagen, dass es völlig wahnsinnig ist, euch aber nichts besseres einfällt?"

Elyano tauschte einen Blick mit seinem Bruder und stöhnte genervt auf. „Wir hätten den Vogelkäfig im Auto festketten und einschließen sollen."

Noch bevor Siandra die Stimme ihres Onkels hörte, wusste sie, dass er es war, der in den Raum getreten war.

„Dein Vater wünscht dich zu sehen", sagte er rau, doch Siandra wandte sich ab. Die Wut kochte wieder in ihr hoch und drohte sie zu ersticken. Die Wut auf ihren Vater, auf Pyrros, aber am größten war die Wut auf sich selbst. „Wenn er etwas von mir will, kann er gerne herkommen."

Siandra hatte den Satz kaum beendet, als Willem die Distanz zu ihr überbrückt und nach ihrem Arm gegriffen hatte. Mit einem wütenden Funkeln in den Augen zog er sie dicht an sich heran. „Lehne dich nicht zu weit aus dem Fenster", zischte er ihr ins Ohr. „Denk daran, ich bin noch der nette Bruder!"

Unsanft schubste er sie durch die Tür, ehe er sie wieder am Arm fasste. Der feste Griff schmerzte, doch sie würde ihm nicht die Genugtuung geben und jammern. Willem lief so schnell über den unebenen Pflasterboden, dass Siandra alle paar Schritte stolperte und seine Hand sie immer wieder hochriss.

Es dauerte nicht lange, bis ihr Onkel sie in einen großen Saal schob.

Ihre Augenbrauen zogen sich zusammen. Was war das bloß für ein Ort?

Hier schien der Wein gelagert zu werden. An den Wänden stapelten sich die schweren Fässer. Trotzdem hatte es keine urig düstere Atmosphäre. Mit seinem glatten hellen Boden wirkte es mehr, wie ein steriles Labor. In den Nischen standen kleinere Tische und an den Wänden hingen Regale voller Reagenzgläser. In den größeren Gläsern schwammen grotesk wirkende Organe. War das ein Embryo?

„Siandra!“ Ihr Vater erhob sich von der langen Tafel in der Mitte des Raumes und bat sie mit einer Handbewegung sich zu setzen. Willem ließ sie so ruckartig los, dass sie beinahe das Gleichgewicht verloren hätte. Doch als sie sich zu ihm umdrehte, war er verschwunden.

Ohne ihren Vater aus den Augen zu lassen, ließ sie sich auf den Stuhl sinken. Shaikos beobachtete sie nur freundlich kühl, während er einen Bediensteten herbei winkte, um ihr Wein einzuschenken. Alles wirkte so absurd und wäre sie nicht so angespannt gewesen, hätte sie vermutlich gelacht. Stolz erzählte er ihr etwas über den eigens gekelterten Wein, doch Siandra hörte ihm nicht zu. Fieberhaft suchte sie nach einem Weg hinaus, nach einer Lösung ihres Problems.

„Was ist das hier?“, fragte sie und konnte die Abscheu in ihrer Stimme kaum verbergen, als ihr Blick wieder über die Reagenzgläser streifte.

Shaikos schien es nicht zu bemerken oder er überging es geflissentlich. Das Weinglas in die Höhe gestreckt, beobachtete er die dunkelrote Flüssigkeit, die sanft in seinem Inneren umher schwang. „Dieses Weingut ist schon seit Jahrhunderten im Besitz unserer Familie.“

„Weingut?“, fragte Siandra abschätzig.

„Weingut. Wenn auch ein wenig zweckentfremdet.“

Siandra schwieg einen Moment, ehe es aus ihr herausbrach. „Was treibst du hier für kranke Experimente?“ Sie biss auf ihre Unterlippe. Ganz toll Siandra. Ganz große Diplomatie.

Shaikos lächelte gefährlich. „Kranke Experimente? Nein. Das ist Wissenschaft.“

„Du hast Pyrros Wölfe zu diesen Bestien gemacht.“

„Ich habe sie verbessert“, sagte Shaikos ruhig und nahm einen Schluck Wein. „Wenn das Werkzeug besser wird, steigen auch die

Erwartungen. Und was wir alles erschaffen könnten. Genug, um das alte Weltbild aus den Angeln zu heben."

Siandra dachte an die monströsen Kreaturen, wie sie die Halbblüter mit ihren schweren Leibern umgeworfen und sie mit ihren messerscharfen Zähnen aufgeschlitzt hatten. „Du hast mit ihnen verhandelt", setzte sie leise an. „Warum hast du sie angegriffen? Warum gerade jetzt?"

„Gabriel hat es immer vortrefflich geschafft seinen genauen Aufenthaltsort zu verschleiern", sagte Shaikos beinahe beiläufig. „Aber ich habe auf der Lauer gelegen und auf den rechten Moment gewartet. Und dann hat der kluge Junge einen Fehler gemacht."

„Da waren Frauen und Kinder! Unschuldige Männer, die deine Bestien einfach abgeschlachtet haben!", rief Siandra aufgebracht.

Der Blick, der sie traf war kalt und glatt wie Marmor. „Niemand ist unschuldig. Es gibt nur Verbündete und Verbrecher. Wer mächtig ist, kann sich nun einmal keine Skrupel erlauben, liebste Tochter. Gabriel hat sich mich verraten und der Norden vergisst niemals. Ich hatte keine andere Wahl. Ich brauche ihn hier. Das war die Bedingung."

„Aber warum...?"

„Der Plan war niemals gewesen Gabriel zu töten. Er hätte lebendig ergriffen werden sollen, doch er konnte entwischen. Aber das ist nicht schlimm. Ich hoffe, es war ihm Drohung genug."

Unbeeindruckt trank er von seinem Wein, ohne die Augen von Siandra abzuwenden.

Angespannt strich sie ihren Ärmel glatt. „Warum hast du mich hergebracht? Warum hast du mich nicht zusammen mit den anderen getötet?"

Siandra zuckte zusammen, als Shaikos seinen Weinkelch mit einem lauten Knall auf den Tisch stellte. „Du bist meine Tochter! Ich könnte dich niemals umbringen!"

Kühl erwiderte sie seinen Blick und hoffte, dass er nicht ihr Herz unruhig hinter der unnahbaren Maske schlagen sehen konnte. „Du hast es schon einmal versucht."

„Ich wollte dich nur vor schlimmerem bewahren." In seiner Stimme lag ein Schmerz der unmöglich gespielt sein konnte. „Immerhin habe ich es erst so weit kommen lassen. Ich habe die Göttinnen herausgefordert."

Siandra runzelte die Stirn. Ein ungutes Gefühl machte sich in ihr breit, schleichend wie dichter Nebel. „Wovon sprichst du?"

„Deine Mutter hat es geschafft dich zu verbergen und meine Schwester hat ihr dabei geholfen. Aber sie haben dich nicht vor mir versteckt. In der ersten Zeit vielleicht. Aber glaub mir. Ich hatte alle Möglichkeit dich umzubringen. Hätte ich es gewollt, wärst du längst nicht mehr. Es waren die Jäger, vor denen sie dich verborgen haben. Doch irgendwann hatte auch die Macht meiner Schwester ein Ende."

„Aber warum das alles? Und warum ist Aisling hier?"

Shaikos lächelte freudlos. „Ist das nicht offensichtlich? Um Fürstin Rotkäppchens Werk fortzusetzen. Die Macht des Blutes zu nutzen, um unser Volk aus dem Dunkel zu führen und die Macht zurückzufordern, die die Göttinnen uns gegeben haben."

„Pyrros glaubt Rotkäppchen zurückholen zu können", bemerkte Siandra.

Shaikos schnaubte. „Dieser Narr. Alessandra ist tot und wird nicht zurückkommen. Aber Pyrros war immer schon ein hoffnungsloser Träumer gewesen."

„Warum hast du ihn dann angelogen?"

Siandra konnte den Ausdruck in Shaikos Augen nicht deuten. „Was schert dich dieser Wolf auf einmal?", fragte er ärgerlich. „Ich habe ihn nicht angelogen. Ich habe ihn nur nicht korrigiert. Doch in einem hat er Recht. Er braucht Alessandras Blut, das seit den Experimenten in dem Körper der kleinen Jägerin fließt. Er braucht das und das Blut eines Raben, um den Kreis zu schließen und das Ritual zu beenden." Er erzählte es ihr so beiläufig, als würde er über das Wetter reden. Mit einer einfachen Handbewegung brachte er einen Bediensteten dazu, ihr eine Käseplatte zu reichen, doch sie lehnte ab. „Aber das werde ich zu verhindern wissen. Er wird es nicht schaffen, sich aus seinem Blutbann zu befreien. Ich habe den Wolf lieber in Ketten an meiner Seite. Noch ein Schluck Wein?"

Siandra antwortete nicht. Sie wandte ihren Blick ab. Ihre Gedanken wanderten zu Pyrros, der sie verraten hatte und es doch nur aus Verzweiflung tat. Zu Aisling und in den Orden zu Elyano und Fynn.

Misstrauisch beobachtete sie ihren Vater, als er um den Tisch herum trat und auf sie zukam. Er lehnte sich auf die Lehne ihres Stuhl und die Tischplatte. Siandra wagte es kaum zu atmen oder zurückzuweichen.

„Ich könnte dir helfen, das weißt du“, sagte er mit leisem Bedauern in der Stimme. „Ich könnte dir einen Weg aus dem Vergessen weisen.“

„Wovon sprichst du?“

Shaikos hob einen Mundwinkel, doch es hatte nichts freundliches an sich. „Du verleugnest dich also immer noch. Dich und die Folgen deiner Entscheidung.“ Er stockte und lehnte sich ein Stück zurück. „Deine Freunde haben wir nie erzählt, was damit verbunden ist, oder? Der Grund, weshalb fast alle Halbblüter diese Entscheidung ablehnen.“

Das ungute Gefühl legte sich wie eine eiskalte Hand um ihr Herz und drückte es zusammen.

„Vermutlich wussten sie es nicht einmal. Es gibt nur eine handvoll Halbblüter, die die gleiche Wahl getroffen haben. Es ist keine leichte Entscheidung, keine Entscheidung ohne Folgen. Die Macht, die eigene Lebensspanne zu beeinflussen, hat ihren Preis.“

„Als du Gang sagtest, meintest du wohl eher Schacht“, fluchte Elyano hinter Fynn, doch Gabriel drehte sich nicht zu ihnen um.

„Weniger meckern, mehr kriechen“, zischte er leise und zog sich mühsam voran. Der Gang war eher ein Lüftungsschacht und obwohl er recht breit war, war er nicht gerade hoch.

„Meinst du nicht, sie können uns sehen?“, fragte Fynn misstrauisch. Der Gang wankte immer wieder unter ihnen und der Boden knarzte bedrohlich.

„Keine Sorge“, sagte Gabriel leise. „Die Lüftungsschächte liegen teilweise hinter einer Zwischendecke.“

Fynn runzelte die Stirn, doch er hakte nicht nach. Vermutlich war es ratsam nicht allzu laut zu sprechen.

Vorsichtig tastete Gabriel sich an der Spitze voran. Schritt für Schritt kamen sie ihrem Ziel immer näher. Doch auch wenn er lange Zeit hier gelebt hatte, wusste er nicht, was vor ihnen lag. Er wusste nicht, was sich in der Zeit, in der er fort gewesen war, verändert hatte. Er konnte nur hoffen, dass sich seine Befürchtungen nicht bewahrheiteten.

„Scheiße!“, zischte er, als das Gitter unter ihnen plötzlich nachgab und die Klappe mit einem Scheppern in den Gang fiel. Alle hielten die Luft an und warteten auf das Schlimmste. Doch es blieb aus.

Vorsichtig lugte Gabriel durch die schmale Öffnung. Der Gang war leer. Kurz gestattete er sich die Augen zu schließen und tief einzuatmen. „Wir müssen weiter“, sagte er schließlich.

„Ach“, bemerkte Elyano bissig.

„Es ist alles unter Kontrolle!“

„Dann will ich nicht wissen, wie außer Kontrolle aussieht!“

„Es reicht jetzt!“, zischte Fynn genervt. „Begrabt diesen Scheiß, zumindest bis wir sicher hier raus sind. Danach könnt ihr euch gerne weiter an die Kehle springen, aber gerade gibt es etwas deutlich wichtigeres!“

Gabriel und Elyano antworteten nicht. Fynn seufzte kaum hörbar, als die beiden weiterkrochen. Erst Minuten später drang Gabriels leise Stimme an sein Ohr. „So“, setzte er an und schien sich an etwas Schwerem zu schaffen zu machen.

„Lass mich mal“, sagte Elyano mit versöhnlicher Stimme. Kurz danach knarzte Metall.

„Warte!“, zischte Gabriel und legte eine Hand auf Elyanos Arm. Der Rabe hielt inne, sah ihn nur verwundert an. „Ich höre etwas.“

Elyano lauschte und auch Fynn tat es ihm gleich. Gabriel hatte Recht. Jemand lief durch den Gang jenseits des Gitters am Ende des Lüftungsschachts. Er näherte sich unaufhaltsam.

„Still“, zischte Gabriel leise.

Fynn sah nicht, was sich vor ihm abspielte, doch der Fremde schien sie nicht zu bemerken. Die Schnitte wurden lauter und verklungen schließlich.

„Ich wusste gleich, dass du Dreck am Stecken hast, Liebelein.“

Verwundert starrte Fynn in das Zwielicht. Wen hatte sein Bruder gesehen? Doch als er zur Frage ansetzen wollte, kam Bewegung in das Eisengitter und gab den Gang frei. „Kommt schon!“, sagte Gabriel und schob sich durch die enge Öffnung.

Fynn sog scharf die Luft durch die Zähne, als er über sein schmerzendes Bein strich. Das Kriechen hatte ihm nicht sonderlich gut getan, doch er hatte keine Zeit darüber nachzudenken. Gabriel stand bereits an einer Tür, die eine Hand an dem Knauf, die andere an seine Waffe gelegt. Hoffentlich geht das gut, dachte Fynn und folgte ihm, als er vorsichtig die Tür aufschob.

Ein beißender Geruch schlug ihnen entgegen, der ihn entfernt an das Raubtierhaus im Kölner Zoo erinnerte. Angewidert rümpfte Fynn die Nase. Ein ungutes Gefühl beschlich ihn und als das Fauchen und Knurren und das Krachen immer lauter wurde, wusste er, dass er sich nicht täuschte.

„Was ist das?“, fragte Becca angeekelt.

„Das sind Shaikos Gehege“, erklärte Gabriel bitter und trat an die Gitterstäbe heran. Die Wölfe waren in kleinen Einzelkäfigen untergebracht. Zornig schrien sie immer wieder auf und warfen sich gegen die Metallstäbe. „Wir sollten hier verschwinden“, zischte Florian. „Sie werden noch jemanden herführen.“

Erst dachte Fynn, Gabriel hätte den Jäger nicht gehört. Traurig beobachtete er den Wolf, die Bestie, die unruhig im Käfig auf und ablief und immer wieder die Augen rollen ließ. Fynn fragte sich, wie viel Gabriel tatsächlich mit all dem zu tun hatte. Es musste einen tieferen Grund dafür geben, dass er so viel wusste. Shaikos schien nicht die Art Mann zu sein, die Informationen in die Welt hinein warf.

„Nein“, sagte Gabriel schließlich. „Sie müssen schon etwas länger toben. Sonst wäre längst jemand hier.“

„Bist du dir da sicher?“

„Die Wölfe sind Shaikos...“ er stockte, „Erfolgsgaranten. Sollte irgendetwas mit ihnen sein, wäre er vermutlich hier, noch bevor sie anfangen zu kläffen.“

„Außer er ist mit etwas anderem beschäftigt“, sagte Elyano und sprach genau das aus, was Fynn dachte. Wieder griff die Angst mit kalten Fingern nach seinem Herzen, doch er mahnte es zur Ruhe. Er musste jetzt Jäger sein, der Hüter seines Ordens, nicht Geliebter, Gefährte und werdender Vater.

„Achtung, da kommt jemand“, rief plötzlich Becca und riss Fynn aus seinen Gedanken. Noch ehe er reagieren konnte, hatte Gabriel seinen Arm gegriffen und ihn in einen leerstehenden Käfig gezogen. Fynn tauschte einen schnellen Blick mit seinem Bruder, als sie sich hinter die unzähligen Kartons kauerten, die im Inneren des Käfigs lagerten. Er wollte gar nicht genauer darüber nachdenken, was sich wohl in ihrem Inneren befand. Dem Gestank nach zu urteilen nichts angenehmes, auch wenn der Geruch von den Ausdünstungen der Wölfe fast verdeckt wurde.

Gabriel runzelte die Stirn und Fynn folgte seinem Blick. Drei Jäger waren in den Gang getreten und gingen zielstrebig auf einen der

Käfige zu. An ihrer Kleidung, dem kleinen Emblem auf ihrer Schulter, an ihren Waffen und ihrer ganzen Ausstrahlung erkannte Fynn, dass sie zu Rotkäppchen gehört haben mussten. Er zog die Augenbrauen zusammen. Hatten seine Jäger nicht alle von ihnen nach Rotkäppchens Fall erwischt?

Unsicher tuschelten die drei miteinander, ehe zwei von ihnen die Tür öffneten und in den Käfig traten. Gabriel sog scharf die Luft ein, doch die Jäger bemerkten es nicht. „Was haben sie nur vor?", flüsterte er fassungslos.

Der Wolf schien seine Besucher nicht zu bemerken. Wie ein Wahnsinniger tobte er umher, als einer der beiden nach seinem Maul griff, es mit beiden Armen umfasste und gegen seine Brust drückte. Wütend versuchte die Bestie sich gegen den Griff zu wehren, doch sie schaffte es nicht.

„Verdammt Garo!", zischte die Frau neben der Kreatur. „Halt den scheiß Kopf still, sonst klappt das hinten und vorne nicht!"

„Das ist nicht gerade ein Spaziergang", entgegnete der Mann mit zusammengebissenen Zähnen.

„Dann muss es eben so gehen", zischte die Jägerin und zog einen länglichen Gegenstand hervor. Mit einer Hand griff sie in das Fell am Hals und zog mit den Zähnen die Kappe der Spritze ab. Dann rammte sie die Nadel in einer gekonnten Bewegung unter die Haut.

„Ähm Garo?"

„Was ist denn?", zischte der Jäger den Mann vor dem Käfig aggressiv an.

„Ich glaube, da hinten hat sich etwas bewegt."

Fynn erstarrte. Das war ganz und gar nicht gut.

„Ich glaub's nicht. Captain Obvious hat Linar gerammt. Siehst du nicht, wie die Viecher toben? Hier bewegt sich ständig was, du Held! Ehrlich mal Garo, wir hätten diesen Idioten niemals..."

Fynn zuckte zusammen als auch Garos Blick auf ihren Käfig fiel.

„Wir müssen hier weg", flüsterte Gabriel neben ihm.

„Ne Idee? Schon bemerkt? Wir sitzen in der Falle!", zischte Elyano leise.

Gabriel schwieg einen Moment, ehe sich sein Gesicht erhellte. „Die Kartons." Er zog an Fynns Arm, als dieser nicht reagierte und schubste ihn in einen der geöffneten Kartons, möglichst darauf bedacht, keine sichtbaren Bewegungen und zu viel Lärm zu machen.

Dunkelheit brach über Fynn zusammen, als er den Karton schloss. Seine Hand tastete unter sich etwas feuchtes, kleine Gegenstände, die immer wieder unter ihm nachgaben und doch fest waren. Verklebtes Fell berührte seine Haut. Er wollte lieber nicht darüber nachdenken, was da mit ihm zusammen eingesperrt war. Er stockte in Gedanken, als Schritte näher kamen und Kartons auseinander geschoben wurden.

„Siehst du Linar? Kein Grund zur Sorge. In diesen Kartons ist schon lange nichts mehr lebendig. Du siehst wieder einmal Gespenster!"

„Ist das nicht verständlich, bei dem was wir hier drinnen machen? Ich hätte schwören können, dass da etwas gewesen ist."

„Verdammt Garo!" Die Stimme der Frau wurde lauter. „Jetzt nimm dieses weinerliche Kleinkind und komm, bevor Shaikos dahinter kommt, dass wir nur hier sind, um seine Forschungsergebnisse zu stehlen. Oh shit!"

Hektisch wurden einige Kartons beiseite gestoßen. Auch Fynns Karton wackelte bedrohlich und was auch immer zusammen mit ihm da drinnen war, umspielte seinen Körper. Ihre Schritte entfernten sich hastig, doch ehe Fynn aufatmen konnte, erklangen andere Schritte und eine Stimme drang an sein Ohr.

„Komm hilf mir mal mit den Kisten!", rief die tiefe Stimme und nur Sekunden später hob sich der Boden unter Fynn. Er wagte es kaum zu atmen. Die Sekunden und Minuten kamen ihm wie Stunden vor, in dem er nichts sah, nur das Schnaufen und Fluchen des Kerls hörte.

„Sicher, dass wir die Kartons hierher bringen sollten?", fragte eine heiser klingende Stimme.

„Pyrros sagte, der Boss braucht sie heute noch für irgendwas. Keine Ahnung, was er wieder damit treibt und ich will es auch gar nicht wissen." Er lachte rau und der Heisere stimmte ein.

Fynn schaffte es erst seine Atmung zu beruhigen, als Schritte und Stimmen längst verklungen waren. Erst nach einigen Minuten lugte er aus dem Karton. Die Luft war rein, abgesehen von dem Gestank, der noch immer in seiner Nase hing und vermutlich für den Rest aller Tage an ihm haften würde. Mühsam versuchte er sich aus dem Karton zu ziehen und spürte sofort die Hände seines Bruders, die ihm heraus halfen. Noch vor einiger Zeit hätte er Bitterkeit dabei empfunden, doch nun war da nur Dankbarkeit.

„Verdammt, wo sind wir hier?", fragte Gabriel, mehr sich selbst als, die anderen und schob sich durch den dunklen Gang, der in einer Tür mündete. Helles Licht fiel durch die Ritzen.

Fynn wagte einen kurzen Blick in die Kiste und wünschte sich sofort er hätte es nicht getan. Er konnte nicht sagen, ob die armen Tiere einmal Meerschweinchen gewesen waren oder Ratten. Jetzt war es nicht mehr zu erkennen.

„Kommt", sagte Gabriel neben ihm mit belegter Stimme und lugte in den erhellten Raum. Gabriels Augen weiteten sich, als seine Augen auf eine große Apparatur fielen. „What the fuck... Dieser Wahnsinnige!"

Fassungslos starrte Siandra ihren Vater an, versuchte zu begreifen, was er ihr da gerade gesagt hatte. Die Macht, die eigene Lebensspanne zu beeinflussen, hat ihren Preis... Was hatte das zu bedeuten? Ihr wurde flau im Magen und sie schaffte es einfach nicht das ungute Gefühl zu vertreiben, das von ihr Besitz ergriff. „Was meinst du damit?", fragte sie und hoffte, dass ihr Vater das leichte Zittern in ihrer Stimme nicht hörte.

Fast schon mitleidig sah Shaikos sie an. „Niemand ist so mächtig, um bedenkenlos mit der Zeit zu spielen. Etwas, das sterblich war, wird unsterblich, was vergehen sollte, bleibt bestehen. Der Körper wird unsterblich..." Shaikos stockte, als die Tür aufgerissen wurde und mit einem lauten Knall die Wand traf.

„Verdammte Mistviecher", fluchte die Fremde in der Kutte. Ashara, wenn Siandra sich recht erinnerte. „Wenn ich diese verdammten Wölfe noch einmal lärmen höre, drehe ich ihnen höchstpersönlich den Hals um! Keinen Moment kann man da die Augen zumachen. Wir hätten ihnen die Stimmbänder..." Sie schüttelte den Kopf. „Ist ja auch egal. Pyrros kommt gleich nach. Er ist noch draußen bei Willem. Die Halbblüter sind ausgemerzt, wie du es wolltest."

„Wir sprechen später weiter", sagte Shaikos leise und legte kurz die Hand auf Siandras Schulter, ehe er sich zu Ashara umdrehte. „Und Gabriel?"

Ashara knirschte mit den Zähnen. „Ist ausgebüxt", sagte sie verärgert. „Wozu brauchst du ihn überhaupt so dringend? Ich dachte, er hätte sämtliche Aufzeichnungen hier gelassen, als er wie ein feiger

Hund geflohen ist. Was kann man von einem halben Wolf auch anderes erwarten?“

Shaikos ballte die Hände zu Fäusten. „Er hat nicht alles hier gelassen“, knurrte er, schien sich dann aber schlagartig wieder zu beruhigen. „Egal, das soll uns heute nicht mehr beschäftigen. Diesem Verräter können wir noch morgen hinterher jagen. Komm, setz dich zu uns.“

Ashara schien zu zögern, nickte dann jedoch und steuerte einen der Stühle an. Im Gehen schlug sie ihre dunkle Kapuze zurück.

Siandra erstarrte. Das war nicht möglich. Fassungslos starrte sie Marie an, die ihren Blick seelenruhig erwiderte.

„Siandra“, setzte Shaikos mit einem kühlen Lächeln auf den Lippen an. „Das ist meine Tochter Ashara. Deine Halbschwester.“

Das konnte nicht sein. All die Zeit in der Uni, ihre Treffen... war das alles geplant gewesen? Sie hatte wirklich gedacht, in Marie eine Freundin gefunden zu haben. Doch Elyano hatte Recht. Man konnte niemanden trauen.

„Alles war eine Lüge“, flüsterte sie.

Ashara schien ihre kühle Miene aufrecht erhalten zu wollen, doch Siandra bemerkte, wie sie kurz auf ihre Unterlippe biss. „Ich habe dich nie angelogen. Ich habe dir nur nicht alles gesagt.“ Sie atmete geräuschvoll aus. „Hör zu, ich wollte nicht, dass die Dinge sich so entwickeln. Ich sollte dich nur ein wenig im Auge behalten.“

„Aber warum das alles? Du hast uns angegriffen, du...“

„Wir wollten, dass Fynn sich in Acht nimmt. Er braucht nicht zu glauben, dass er der Einzige ist, der Anspruch auf Macht hat, nur weil die Fürstinnen nicht mehr am Leben sind.“ Asharas Augen verengten sich und ihre Hand schloss sich krampfhaft um das Glas vor ihr. „Er sollte Angst haben. Nicht nur vor uns, sondern auch vor der Frau, die er Fürstin nennt.“

Siandra starrte noch immer fassungslos Marie an, als sich plötzlich ein Arm um ihre Schultern legte. Sie hob den Blick und sah in Shaikos wasserblaue Augen. Kurz lächelte er sie an, ehe sein Blick zu Ashara wanderte. Er nickte in Richtung Tür und bat Siandra aufzustehen. Siandra wäre nicht einmal in der Lage gewesen sich zu wehren, wenn sie es beabsichtigt hätte. Alles war so surreal, so unwirklich. „Warum hast du mich hergebracht?“, fragte Siandra leise.

Shaikos lächelte leicht, den Arm immer noch um sie gelegt, als sie durch eine unscheinbar wirkende Tür traten. „Seht euch doch an. Beide Schwestern endlich vereint.“ Er nickte zwei Jägern zu, die sich ihnen anschlossen und hinter ihnen herliefen. Misstrauisch beobachtete Siandra im Augenwinkel die beiden Wolfsbestien, die plötzlich wie aus dem Nichts auftauchten und sie flankierten.

„Die Familie steht immer an erster Stelle, Siandra, vergiss das nicht. Die Familie siegt immer. Aber jetzt, meine Perlen, muss ich euch erst einmal etwas zeigen.“

Shaikos führte sie eine marode wirkende Treppe hinab. Fieberhaft überlegte Siandra hin und her, doch sie fand einfach keinen Ausweg. Immer wieder streifte ihr Blick die Wolfsbestien und die Jäger in ihrem Rücken. Es war hoffnungslos. Sie musste es irgendwie schaffen Aisling hier raus zubringen. Was auch immer ihr Vater vorhatte, es konnte nichts gutes sein.

Angespannt knabberte Siandra auf ihrer Unterlippe. Sie fühlte sich hin und hergerissen. Ihr Blick streifte Shaikos. Sie hasste diesen Mann ... oder nicht? Sie hasste ihn für all das, was er ihnen angetan hatte. Und sie hasste Marie, nein Ashara, für das Spiel, das sie mit ihr getrieben hatte. Doch sie waren ihre Familie. Die Familie kommt immer an erster Stelle.... Aber dann blitzten Bilder von Elyano, Aisling, Fynn und den anderen vor ihrem inneren Auge auf. Sie schluckte. Sie hatte sich schon einmal für die Freunde, die ihre Familie geworden waren, entschieden und sie würde es wieder tun.

Shaikos führte sie in einen von Licht durchtränkten Raum. Übelkeit stieg in Siandra auf, als ihr Blick auf hohe mit einer seltsamen Flüssigkeit gefüllten Röhren fiel. In manchen von ihnen befanden sich Wölfe, in anderen hingegen Menschen - oder Halbblüter und Jäger. Sie konnte es nicht sagen. Alles in diesem Raum schien durch Leitungen mit einer großen Maschine in der Mitte des Zimmers verbunden. Die Maschine erinnerte Siandra ein wenig an die ersten Computer, die man immer wieder in den ganzen Pseudodokumentationen im Fernsehen sah. Die Macht, die diese Apparatur umgab, war förmlich greifbar. Ein seltsamer Nebel ging von ihr aus, schlang sich in dichten Bahnen um die Maschine und traf über ihr in einem Bündel zusammen. Siandra überfiel das Verlangen die Hand auszustrecken und danach zu greifen. Doch bevor sie jedoch die Hand heben konnte, schienen die Nebelflächen sich wie lebendige Wesen zu bewegen. Sie wurden länger, krochen unaufhaltsam auf sie zu. Siandra wollte zurückweichen, doch Shaikos Hand in ihrem Rücken hinderte sie daran.

„Keine Angst, es tut euch nichts", flüsterte er dicht an ihrem Ohr.

Panik überrollte Siandra, als es plötzlich an ihrem Bein hoch kroch. Bilder blitzten vor ihrem inneren Auge auf, zu schnell, um sie zu halten, zu schnell, um sie zu erkennen. Sie hinterließen nur ein beklemmendes Gefühl und Trauer. „Was ist das, verdammt nochmal?!", keuchte sie, als es sich endlich von ihr löste.

Shaikos lächelte triumphierend. „Das ist das Netz der Eide."

Siandra blinzelte, versuchte zu begreifen, was ihr Vater da gesagt hatte. Das Netz der Eide. Aber das war nicht möglich! Das Netz war nichts, das man in einem besseren Fischer-Technik-Kasten nachbauen konnte. Ihr Vater konnte sie nur auf den Arm nehmen.

„Nein", sagte sie. „Du kannst das nicht."

Sein Mundwinkel zuckte. „Und ob ich das kann. Ich habe ein künstliches Netz geschaffen. Ein Netz, um allen bestehenden Eiden zu entgehen und in einem neuen System eins zu werden. Nicht mehr lange und es wird die Welt revolutionieren." Shaikos trat vor und streckte die Hand aus. Sofort begannen die Nebelschwaden sich um seinen Arm zu winden. „Diese Maschine wird uns die Kraft geben, die wir brauchen, um uns die Macht zurückzuholen. Um Alessandras letzten Wunsch zu erfüllen und unser Volk zurück ins Licht zu führen."

„Aber wie…?"

„Diese Maschine, meine Lieben, ist unser Ticket ins Paradies. Die einzig wahre Macht, die Macht, uns selbst die Göttinnen untertan zu machen."

„Aber das ist wahnsinnig!"

Shaikos wollte zum Sprechen ansetzen, als sich die Tür öffnete und Pyrros eintrat. Siandra erkannte den Wolfsfürsten kaum wieder, so unterwürfig und mit gesenktem Kopf trat er vor ihren Vater. Was hatte Shaikos nur mit ihm gemacht?

„Unser lieber Wolf hat schon Bekanntschaft mit ihr gemacht." Shaikos lachte rau. „Dieser Narr dachte doch tatsächlich, er könne sich mir zur Wehr setzen. Er dachte, ich würde ihm seine geliebte Alessandra zurückholen. Sie ist tot, wie ihr Bruder und der Rest ihrer Familie. Je eher er das einsieht, desto besser."

Pyrros hob den Kopf. Der Schmerz, der über sein Gesicht huschte, stand im harten Gegensatz zu der kalten Wut in seinen Augen. Ein Knurren verließ seine Kehle, doch es klang unterdrückt, als würde es sich ans Freie kämpfen müssen. Immer wieder fuhr er über seinen Arm, als versuche er den Ärmel hochzuschieben. Doch er schob ihn auch jedes Mal wieder zurück.

„Hast du getan, was ich dir aufgetragen habe?“, fragte Shaikos kühl.

Pyrros nickte nur stumm. Er senkte den Kopf und wies jemanden mit einer Handbewegung an näher zu treten.

Nein! Siandra stürmte vor, als ein Mann Aisling hereinbrachte, doch Ashara griff nach ihrem Arm und hielt sie zurück.

Ohne auf die wütenden Schreie seiner Tochter zu achten, ging Shaikos auf Aisling zu, griff im Gehen nach einem Messer, das auf dem Tisch lag. Siandras Augen weiteten sich. Ihr Blick traf Aislings. Die Jägerin versuchte ruhig zu wirken, doch Siandra erkannte die Panik, die in ihr tobte. Siandra versuchte sich von Ashara zu lösen, doch ihr Griff war felsenfest. „Was hast du vor, verdammt nochmal. Lass sie los!“

Ein wahnsinniges Lächeln trat auf Shaikos Züge, als er die Klinge behutsam, fast schon zärtlich über Aislings Wange, über ihren Hals, ihre Schultern bis zu ihrem Bauch gleiten ließ.

Siandra setzte ihr ganzes Gewicht ein, als sie sich Ashara entgegen schmiss und diese damit aus dem Gleichgewicht brachte. Sie kam hart auf dem Boden auf, doch sie rappelte sich sofort taumelnd auf. Eine Hand presste sie in die schmerzende Seite. Ihr Blick huschte halb suchend, halb panisch über die Regale, auf der Suche nach etwas, das ihr irgendwie weiterhelfen konnte. Das ist es, dachte sie, als sie ein Skalpell entdeckte. Ehe sie danach greifen konnte, sprang Ashara auf sie zu, aber Siandra schaffte es auszuweichen. Doch nun stand ihre Halbschwester zwischen dem Skalpell und ihr. Ein kurzer Blick auf Shaikos verriet, dass ihr Vater sie amüsiert beobachtete und die Klinge weiterhin über Aislings Körper wandern ließ. Alles oder nichts, dachte Siandra und wollte loslaufen, als Ashara in ihre Richtung stürmte. Nein, nein, nein, ich muss schneller sein. Sie dachte nicht an die Waffe, die ihre Halbschwester mit Sicherheit bei sich trug. Sie musste einfach nur schneller sein. Für den Bruchteil einer Sekunde stockte sie in der Bewegung, als Ashara plötzlich stoppte. Mit einem unbeteiligten Gesicht hatte Pyrros einen Schritt zurück gemacht und Ashara damit den Weg abgeschnitten. Siandra hörte Ashara fluchen, doch sie hatte keine Zeit sich nach ihr umzudrehen. Sie schaffte es erst aufzuatmen, als sich ihre Finger um das kühle Metall schlossen.

„Alessandra mag nicht in allem Recht gehabt haben, Siandra", sagte Shaikos plötzlich und hob kurz die Augenbrauen, als sie das Skalpell gegen ihn richtete. „Sie hat dir Unrecht getan, als sie sagte, du würdest dich nur hinter deinem Raben verstecken. Doch in einem hatte sie Recht. Freiheit kostet Blut."

Siandra stockte der Atem, als die Spitze seiner Klinge plötzlich verharrte. Sie lief auf sie zu. Im Augenwinkel sah sie, wie Ashara ihr nachsetze. Sie würde sie nicht einholen. Sie war zu langsam. Genau wie Siandra.

19. Dunkler Friede

Siandra stolperte, als plötzlich etwas aus der Dunkelheit auf Shaikos zusprang. Erst erkannte sie den Schemen nicht, der seinen Arm in die Höhe hielt und Aisling aus der Gefahrenzone schob.

Wutentbrannt starrte Shaikos den Hüter von Aschenputtels Orden an und drängte das Messer in seine Richtung, doch Fynn hielt eisern gegen. „Was steht ihr da so herum?!", brüllte er seine Untergebenen an, die wie Siandra erstarrt waren. „Tut endlich etwas!" Er riss den Arm hoch und brachte Fynn damit aus dem Gleichgewicht. Fynn taumelte zurück und prallte gegen die große Maschine. Einige Kabel lösten sich und fielen zu Boden. Ein tiefes Rumoren erfüllte den Raum.

„Ihr Narren!", rief Shaikos. „Ihr könnt es nicht aufhalten."

Siandra wurde plötzlich zurück gerissen, als die Jäger auf Fynn zu stürmten, der nur knapp neben ihr gelandet war. Erleichterung durchflutete sie, ehe die Furcht und Anspannung wieder an ihre Stelle traten. Es war ihr Rabe. Mit einem gezielten Fausthieb schlug er einen der herannahenden Gegner zu Boden. Siandra hörte Knochen knacken. Schreie, die in den Gemäuern widerhallen. Noch immer hielt sie ihre Hand um das Skalpell geschlossen. Nur kurz drehte Elyano sich zu ihr um. Er küsste sie nicht, berührte sie kaum, doch sein Blick zeigte ihr viel mehr und trieb ihr beinahe die Tränen in die Augen. Aber dafür war keine Zeit. Ruckartig fuhr Elyano herum, als eine weitere Faust auf ihn zuflog. Der Gegner drängte ihn immer weiter zurück. Rabe verlor immer mehr an Boden, schaffte es kaum einen Treffer zu landen. Plötzlich stach Siandra zu. Die Klinge des Skalpells surrte dicht an Elyanos Kopf vorbei und bohrte sich in die Schulter des Jägers. Er schrie vor Schmerzen auf.

Nur kurz weiteten sich Elyanos Augen, ehe er die Chance ergriff, die Siandra ihm geboten hatte und den Gegner zu Boden schickte. Als ihre

Blicke sich trafen, lag auf Elyanos Gesicht ein Ausdruck, den sie nicht deuten konnte.

„Nein!", rief Shaikos. „Der Kreis muss geschlossen werden!"

Siandra entdeckte Gabriel und ein jähes Gefühl der Erleichterung durchflutete sie, das sie gar nicht so recht erklären konnte. Er lebte! Immer wieder schlug er mit seiner Waffe zu, schien fast zu zögern in dem engen Raum zu schießen. Florian stand ein Stück weit von ihm, hinter ihm Aisling und Becca. Siandras Augen weiteten sich. Was hatte sie hier zu suchen?

„Wag es dich ja nicht!", rief Shaikos plötzlich, als Gabriel die Maschine erreicht hatte. „Das kannst du nicht tun!"

Er und seine Verbündeten schienen allesamt die Luft anzuhalten, als Gabriel ein Messer an die Hauptversorgungsleitung legte. „Die Maschine ist Wahnsinn!", rief Gabriel und stach zu. Doch sein Messer verlief ins Leere. Blitzschnell hatte Ashara ihm mit dem Schienbein die Füße weggezogen.

„Siandra!", rief Elyano hinter ihr, doch da war sie bereits losgelaufen. Immer wieder half das Glück ihr von der Schippe zu springen und den Jägern auszuweichen. Ihr Herz raste in ihrer Brust. Sie musste diese Apparatur erreichen. Sie ahnte, was Gabriel vorhatte. Ohne Zufuhr von Energie würde das Netz schwinden. Sie mussten es zerstören. Ohne nachzudenken, stach sie zu und durchdrang das feste Gummi, ehe sie auf etwas hartes traf. Sie legte ihr ganzes Gewicht auf das kleine Stück Metall.

„Verdammt, Siandra", brüllte Elyano. „Pass auf!" Doch da hatte sich eine Hand um ihre Schulter geschlossen und sie zurück gerissen. Ein kaltes Messer legte sich an ihre Kehle.

„So weit wollte ich niemals gehen, das weißt du", flüsterte Shaikos dicht an ihrem Ohr. „Ich liebe dich, aber du gefährdest das Projekt."

Mit einem Klacken rollte die Kugel ins Magazin. „Lass sie los!", verlangte Elyano kalt und richtete den Lauf seiner Waffe auf Shaikos.

Doch der Ratsherr lächelte nur kühl. „Du bist genauso wahnsinnig wie dein Vater. Die Kugel könnte nicht nur mich treffen, sondern auch deine geliebte Siandra."

Für den Bruchteil einer Sekunde blitzte Panik in seinem Gesicht auf, ehe er den Arm drehte und den Lauf auf die große Apparatur richtete.

Schlagartig wurde Shaikos blass. Zum ersten mal erkannte Siandra

Unsicherheit in seiner Stimme. „Das wäre Wahnsinn. Ihr würdet alle mit ihr zusammen in die Luft fliegen. So viel Energie... Sie kann nicht entweichen, ohne alles mit sich zu reißen..."

Kurz traf Elyanos Blick Siandra und sie erkannte die Zerrissenheit in seinem Inneren. Sie mussten die Maschine zerstören. Doch konnte er sie alle guten Gewissens opfern?

Siandra spürte plötzlich, wie sich ihr Vater hinter ihr anspannte, als Geräusche laut wurden: Schreie, Knurren und schnelle Schritte auf hartem Stein.

„Was zum Teufel...?", setzte Shaikos an, doch da sprang die Tür bereits auf. Siandras Augen weiteten sich vor Entsetzen. Mit unvorstellbarer Geschwindigkeit brachen die Wolfskreaturen in den Raum und fielen über die Jäger her, die ihnen am nächsten standen.

Schüsse peitschten durch den Raum. Jemand rief immer wieder „Auf den Schädel, zielt auf den Schädel!", doch dann ging seine Stimme in einem qualvollen Schrei über.

„Stoppt!", schrie Ashara wutentbrannt und richtete einen Gegenstand auf die Bestien, den Siandra nicht erkennen konnte. Eine Waffe? „Gehorcht meinen Befehlen!"

Blutige Mäuler hoben sich von ihren Opfer. Sie knurrten, doch Ashara machte einen weiteren Schritt auf sie zu, den Arm noch immer auf die Bestien gerichtet. „Warum funktioniert das...?"

„Ashara!", rief Shaikos, als die Kreaturen ihren Körper anspannten. Doch da hatten sie schon einen Satz gemacht und Ashara unter sich begraben. Siandra wandte den Blick ab, als Asharas Schreie laut wurden.

„Nein!", rief Shaikos, doch er konnte nichts mehr tun.

Zielsicher streckte Gabriel zwei der Wölfe zu Boden. Er versuchte auf möglichst kurzer Distanz zu schießen, was die Bestien ihm immer wieder mehr als einfach machten.

„Achtung!", hörte er plötzlich eine Stimme hinter sich und sah etwas im Augenwinkel aufblitzen, doch er war zu langsam um zu reagieren. Die spitzen Zähne der Kreatur bohrten sich in seinen Oberarm und jagten den Schmerz durch seinen ganzen Körper. Er stöhnte auf, versuchte sich zu befreien, doch das Vieh hatte sich regelrecht in ihm verbissen. Plötzlich lockerte sich der Kiefer der Bestie schlagartig und sie jaulte auf, als Elyano ihr den Griff seiner Waffe gegen den Schädel donnerte. Gabriel starrte den Raben perplex an, ehe er ihm zunickte. Für mehr war hier weder der rechte Ort, noch die passende Zeit.

„Nein!", schrie Shaikos, als zwei der Bestien gegen die Maschine geschleudert wurden. Das Licht flackerte, Leitungen brachen und stürzten zu Boden. Plötzlich schien der ganze Boden zu beben. Siandra spürte es, wie ein Sturm, der immer mehr herannahte. Erst ein feines Vibrieren, wurde es schnell zu einem dröhnenden Donnern. Der Boden wurde von der enormen Energie aufgerissen und nahm Wölfe mit sich in die Tiefe. Nur im letzten Moment schaffte Fynn es zurückzuspringen und dem Fall in die Tiefe zu entgehen. Die Luft war erfüllt von Jaulen, Schreien und dem Tosen herab brechender Deckenteile. Erneut ging ein Ruck durch den Raum und riss Siandra von den Beinen. Sie wurde durch die Luft geschleudert, überschlug sich auf dem harten Boden.

„Siandra!", rief Elyano doch seine Stimme klang fern und die Felsspalte kam immer näher.

Plötzlich legte sich eine Hand um ihre Kehle und riss sie zurück. Panisch versuchte sie Shaikos Griff, um ihren Hals zu lösen, doch sie war nicht stark genug. Sie sah den Wahnsinn in seinen Augen leuchten, aber auch einen tiefen, gleißenden Schmerz, der sich durch sein Inneres fraß. „Das hätte deine Rettung sein können, Siandra!", brüllte er. Sie spürte wie ihr immer weniger Luft blieb und ihr Blickfeld nach und nach immer mehr verschwamm. „Du hättest frei sein können, doch jetzt bist du verdammt! Verdammt im Nebel des Vergessens umherzuwandern! Mit deiner törichten Entscheidung hast du dein eigenes, langsames Ende bestimmt. Niemand hat die Macht..."

Plötzlich löste sich Shaikos Griff um ihren Hals und sie schlug hart auf dem Boden auf. Im ersten Moment sah Siandra nur noch Schwarz, war nicht imstande sich zu bewegen. Sie hörte Shaikos Schreie, die in dem Jaulen und in dem Rumoren fast unterging. Durch den Schleier der Bewusstlosigkeit sah sie, dass zwei Kreaturen ihren Schöpfer gepackt hatten. Sie wollte aufspringen, als sich der Riss verbreitete und Shaikos und die Bestien in die Tiefe riss.

„Kannst du aufstehen?", fragte Elyano plötzlich neben ihr, hektisch und doch voller Sanftheit. Siandra nickte nur stumm und ließ sich von ihm auf die Beine ziehen. Sie verschloss den Schmerz, den die nicht benennen konnte, tief in ihrem Inneren. Das Rumoren schwoll zu einem Sturm an. Das Blinken der Maschinen und die seltsame Flüssigkeit der Tanks waren das Einzige, das den Raum erhellte. „Ihr müsst hier verschwinden!“, rief plötzlich Gabriel neben ihr gegen die Lautstärke an. „Wenn ich die letzten Verbindungen kappe, wird die entweichende Energie alles zerstören! Das hier fliegt uns gleich alles um die Ohren.“

Fassungslos starrte Siandra ihn an. „Wir können dich nicht zurücklassen.“

„Ihr müsst“, sagte Gabriel unnachgiebig. „Ich bin der Einzige hier, der dieses Ding kennt und weiß, wie man es zerstört. Immerhin bin ich auch derjenige gewesen, der mit dem Bau alles begonnen hat.“

„Aber...“

Doch Gabriel schüttelte vehement den Kopf, ehe sein Blick zu Elyano, Fynn und Florian wanderte. „Ihr müsst sie hier raus schaffen. Sofort!“

„Wir werden hier niemanden zurücklassen“, beharrte Siandra und auch Becca nickte bekräftigend, die sich blass an Florian klammerte. Sie versuchte sich zu wehren, als sich Elyanos Arme plötzlich um sie legten und sie hochhoben. Doch sie hatte nicht die Kraft sich dem Raben entgegenzusetzen.

Ihre Schritte gingen in dem Getose um sie herum fast unter, als sie durch das Weingut eilten. Immer wieder stürzten Brocken von der Decke, schlugen dicht neben ihnen im Boden ein. „Schneller!“, rief Fynn, der humpelnd versuchte Schritt zu halten. Aisling hatte einen Arm um ihn gelegt, doch sie waren nicht schnell genug.

Ein gleißender Schmerz fuhr durch Fynns Bein, als es unter ihm wegbrach und er hart auf dem Steinboden aufschlug.

„Elyano!“, rief Aisling panisch.

Elyano fuhr herum, wollte zu seinem Bruder zurückeilen, als Florian plötzlich an der Seite seines Hüters auftauchte und ihm aufhalf.

„Wir müssen zurück!“, rief Becca, als sie ins Freie liefen. „Wir...“ Ihre Stimme ging in einem großen Knall unter. Die Wucht der Explosion riss sie von den Füßen. Schützend warf Elyano sich über Siandra, als Schutt über sie hinwegfegte, als Stein aus der Wand gerissen wurde und Holz krachte.

Als der Staub sich lichtete, rollte Elyano sich von ihr herunter. Fassungslos starrte Siandra auf die brennende Fassaden, den Putz, der von den Wänden bröckelte und das Feuer, das auf die Hecken des Labyrinths übergriff. Elyano griff nach ihrer Hand und half ihr auf die Beine. Er musste nichts sagen. Mit schnellen Schritten liefen sie die breite Straße hinab, die durch die Hecken führte. Um die Kameras brauchten sie sich keine Gedanken mehr zu machen. Erst, als sie genügend Meter zwischen sich und den Brand gebracht hatten, gestatteten sie es sich langsamer zu werden.

„Das kann nicht sein…", flüsterte Siandra und schlang die Arme um ihren Oberkörper, als die Trauer sie überrannte. Die Trauer um Gabriel, um ihren Vater und ihre Schwester, um die Freundin, die sie verloren hatte.

„Er kann das nicht überlebt haben", sagte Elyano leise.

„Das weiß ich auch!", fuhr Siandra ihn an. „Das weiß ich auch", sagte sie eine Spur leiser und ließ es zu, dass Elyano sie in seine Arme zog.

„Wir müssen weg", sagte Florian kühl, die Arme vor der Brust verschränkt. „Wir sollten die Fliege gemacht haben, bevor die Polizei hier auftaucht. Auch wenn ich es mich sehr interessieren würde, wie ihr den Menschen das da erklärt."

Fynn nickte nur, ohne auf Florians Anfeindungen einzugehen. Warum hatte er ihm da drinnen geholfen? Er wollte sich zum Gehen umdrehen, als eine Stimme ihn in der Bewegung stocken ließ. „Was geschieht jetzt?", fragte Siandra tonlos.

Fynn atmete geräuschvoll aus. „Wir müssen herausfinden, ob Shaikos noch mehr geplant hat. Und ob unsere Fürstin darüber Bescheid wusste."

Aisling horchte alarmiert auf. „Du glaubst…"

„Ich weiß nicht, was ich glauben soll."

„In den frühen Abendstunden des fünfzehnten Dezembers kam es zu einer Explosion auf einem nahegelegenen Weingut. Die Ursachen sind bislang unbekannt, Experten gehen jedoch von einem Gasleck aus. Noch ist unklar, ob es bei diesem Unglück Opfer…"

Siandra hörte die Stimme, die aus dem Fernseher in dem kleinen Besucherzimmer erklang, doch sie hörte nicht zu. Die Unruhe, die zwischen ihnen, wie ein Gummiball umhersprang, ließ sie nicht zur Ruhe kommen. Elyano zeichnete mit dem Daumen Kreise auf ihren

Handrücken. Äußerlich wirkte er völlig gelassen, doch sie spürte die Anspannung tief in seinem Inneren. Das Treiben um sie herum, erreichte sie kaum. Trotz der Hektik, die in dem großen Krankenhaus herrschte, hatte Siandra das Gefühl, dass die Zeit langsamer verstrich. Elyano und sie hatten gerade in einem Restaurant auf ihr Essen gewartet, als Fynns Anruf kam. Obwohl sie noch nichts gegessen hatten, hatte Elyano einfach nur einen Schein auf den Tisch geknallt und sie wortlos mit sich gezogen. Erst als sie im Auto saßen, war er mit der Sprache herausgerückt. Es war soweit.

Seit sie im Krankenhaus angekommen waren, war Fynn immer wieder zu ihnen heraus gestürmt, nur um kurz danach wieder in Aislings Zimmer zu verschwinden. Einmal hatte er sogar zu seinen Zigaretten gegriffen, doch er hatte sie nur angesehen und im hohen Bogen in den Mülleimer befördert. Nun war er schon eine ganze Weile nicht mehr im Besucherzimmer gewesen.

Auf dem Sofa gegenüber saßen Aiofé und Zephir. Beide waren ungewöhnlich still, schienen ihren eigenen Gedanken nachzuhängen. Zephir zuckte zusammen, als sein Handy klingelte. Mit einem Satz sprang er vom Sofa und entfernte sich einige Schritte, ehe er abnahm.

Siandra hob die Augenbrauen und auch Aiofé sah ihrem Bruder nach. „Scheint wieder diese Andrea zu sein, die in letzter Zeit immer wieder anruft."

Verwirrt runzelte Siandra die Stirn. Sie hatte gedacht...

Sie hob den Kopf, als Elyano neben ihr aufschreckte. Fynn stand im Türrahmen, in seinen Armen hielt er ein kleines Bündel, vorsichtig, als könne die kleinste Bewegung es zerbrechen. Er lächelte stolz, als er ihnen seine Tochter präsentierte. „Darf ich vorstellen? Die kleine Schönheit hier ist Fianna Arielle Montgomery." Der frisch gebackene Vater konnte kaum aufhören zu strahlen. Sie war perfekt, einfach nur perfekt. Trotz allem was geschehen war und dem, was noch kommen würde, konnte keiner von ihnen aufhören zu lächeln.

Erst Stunden später kehrte Ruhe ein. Elyano und die anderen waren längst zum Orden zurückgefahren und Aisling und seine Tochter schliefen, doch Fynn kam nicht zur Ruhe. Lächelnd sah er auf die beiden herab, ehe er leise aus dem Zimmer verschwand. Wie von selbst trugen seine Füße ihn aufs Dach. Er schloss kurz die Augen, als der eisige Nachtwind durch sein Gesicht strich, doch die Kälte störte ihn nicht. Er konnte sich noch genau daran erinnern, als er das letzte Mal hier gestanden hatte. Doch wo damals nur Bitterkeit, Angst und Wut gewesen war, überlagerte nun die Freude alles. Schon komisch wie viel so wenige Wochen ändern konnten. Er seufzte, trat näher an den Rand des Daches. Sein Blick wanderte zu dem nachtblauen Himmel, auf dem sich die Sterne hell abzeichneten. Ariel.... In was für eine Welt war seine Tochter da hineingeboren worden und in was für einer würde sie aufwachsen?

Er konnte an nichts anderes mehr denken, als an das Gefühl, sie in seinen Armen zu halten, ihren Geruch, ihre weiche Haut. Wie sagte man noch gleich? Wenn Eltern ihr Kind das erste Mal sahen, merkten sie, dass sie bislang gar nicht wussten, was Liebe überhaupt bedeutete. Früher hatte Fynn diesen Satz nicht verstanden, doch jetzt sah er es klar vor sich. Plötzlich war ihm einiges klar. Heinrich hatte Recht. Es war nicht der Wind, der seine Richtung in diesen wilden Zeiten lenkte, sondern das Segel. Er würde seiner Tochter eine Welt schaffen, in der es sich zu leben lohnte. Denn die Zukunft war etwas, auf das er sich wieder freuen konnte.

Bewegungslos verharrte die Fremde zwischen den Zweigen der Bäume. Mit einem süffisanten Lächeln beobachtete sie den Hüter des Ordens, der auf dem Krankenhausdach stand und zu den Sternen hinauf sah. „Freue dich nicht zu früh“, flüsterte sie und streichelte zärtlich den hellen Vogel, der sich auf ihrer Schulter niedergelassen hatte. Sollten die Jäger doch ihren kleinen Krieg führen. Ihr Sieg würde nur von kurzer Dauer sein.

Sie richtete sich ein wenig auf, als sie spürte, dass sie nicht mehr allein war. Sie spürte es, noch bevor sich eine Hand auf ihre Schulter legte. Sie hätte seine Schritte fast überhört. Er bewegte sich lautlos wie ein Schatten - genau wie seine Brüder. Ein Lächeln umspielte ihre Lippen, als sich der helle Vogel von ihrer Schulter erhob und sich den Sternen entgegenstreckte.

„Sollten wir nicht endlich in Aktion treten?“, fragte der Schatten ungeduldig. „Wir...“

Die Fremde drehte sich zu ihm um und legte einen Finger auf seine Lippen. „Schht. Unterbreche niemals einen Feind, wenn er einen

Fehler macht." Sie trat in das Licht der Sterne und richtete ihre Augen wieder auf Fynn, der zu blind war, um das Übel zu sehen, das ihnen unaufhaltsam entgegen rollte. Sie ergriff die Hand des Schattens und ihr Mundwinkel hob sich. „Denk immer daran. Was lange währt, wird endlich gut."

Das war der zweite Teil der Rabentrilogie, doch die Geschichte um Siandra und Elyano ist noch nicht vorbei!

Eine Rezension ist das Brot eines jeden Autoren. Wenn euch die Geschichte gefallen habt, würde ich mich sehr freuen, wenn ihr eine Rezension auf Amazon und Co. hinterlasst. Oder kontaktiert mich und schreibt mir eure Meinung persönlich. Ich freue mich schon auf euch!

Besucht mich doch auf meiner Website www.katharina.erfling.de oder auf Facebook und Instagram und verpasst keine Neuigkeit!

Danke

Jemand hat mir mal gesagt, dass es ein großer Schritt ist, ein Buch auf den Markt zu bringen, die eigentliche Hürde aber danach wartet: Nämlich an das, was man schon einmal geschafft hat anzuknüpfen. Nachdem nun der zweite Teil hinter mir liegt, kann ich das nur bestätigen - und das obwohl das Manuskript zu Teil 2 schon fertig war, als ich Rabenlied veröffentlicht habe.

Nach dem ersten Buch hatte ich genaue Pläne, wie die weitere Reise zu verlaufen hatte. Ich wusste, genau, wann der zweite Teil erscheinen und wann es mit Teil 3 weitergehen sollte. Doch dann ist dieses seltsame Ding namens Alltag, namens Leben passiert. Da kam auf einmal eine berufliche Neuorientierung dazwischen, ein ziemliches Tohuwabohu im Privaten und schon kippte die ganze Planung.
Neben den äußeren Problemen hat man als Autor auch immer mit einem weiteren Feind zu kämpfen: dem inneren Kritiker und den Zweifeln. Es waren eure vielen netten Kommentare, die mich dazu gebracht haben, an die Rabentrilogie, an das, was ich hier tue zu glauben und weiterzumachen. Ein großer Dank geht deshalb an alle Leser da draußen. Ja genau an dich, der hier immer noch sitzt und diese Zeilen liest.

Ich habe nicht genug Platz um tatsächlich allen Menschen zu danken, die direkt oder indirekt an Rabenschwinge beteiligt waren. Allen voran wären da natürlich meine Familie, ganz besonders meine Schwester im Geiste Janina Gergen. Dafür, dass du meine nerdigen Themen aushältst und immer ein offenes Ohr für mich hast - Danke! Danke an Annelie Michaelis, die mich damals, als wir noch in einer Buchhandlung gearbeitet haben, davon überzeugt hat, die Fortsetzung zu schreiben, obwohl ich das Ganze ursprünglich nur als Einteiler geplant hatte. An Andrea Rammisch, die mich immer wieder dazu antreibt, über mich hinaus zu wachsen. An Conny Berlandi, meine kreative Sparring-Partnerin. An Anna Dörscheln, die mich bei der Korrektur unterstützt hat. Und zu guter Letzt: Danke noch einmal an dich, der das hier liest. Danke, dass ich Siandras Geschichte mit dir teilen darf!

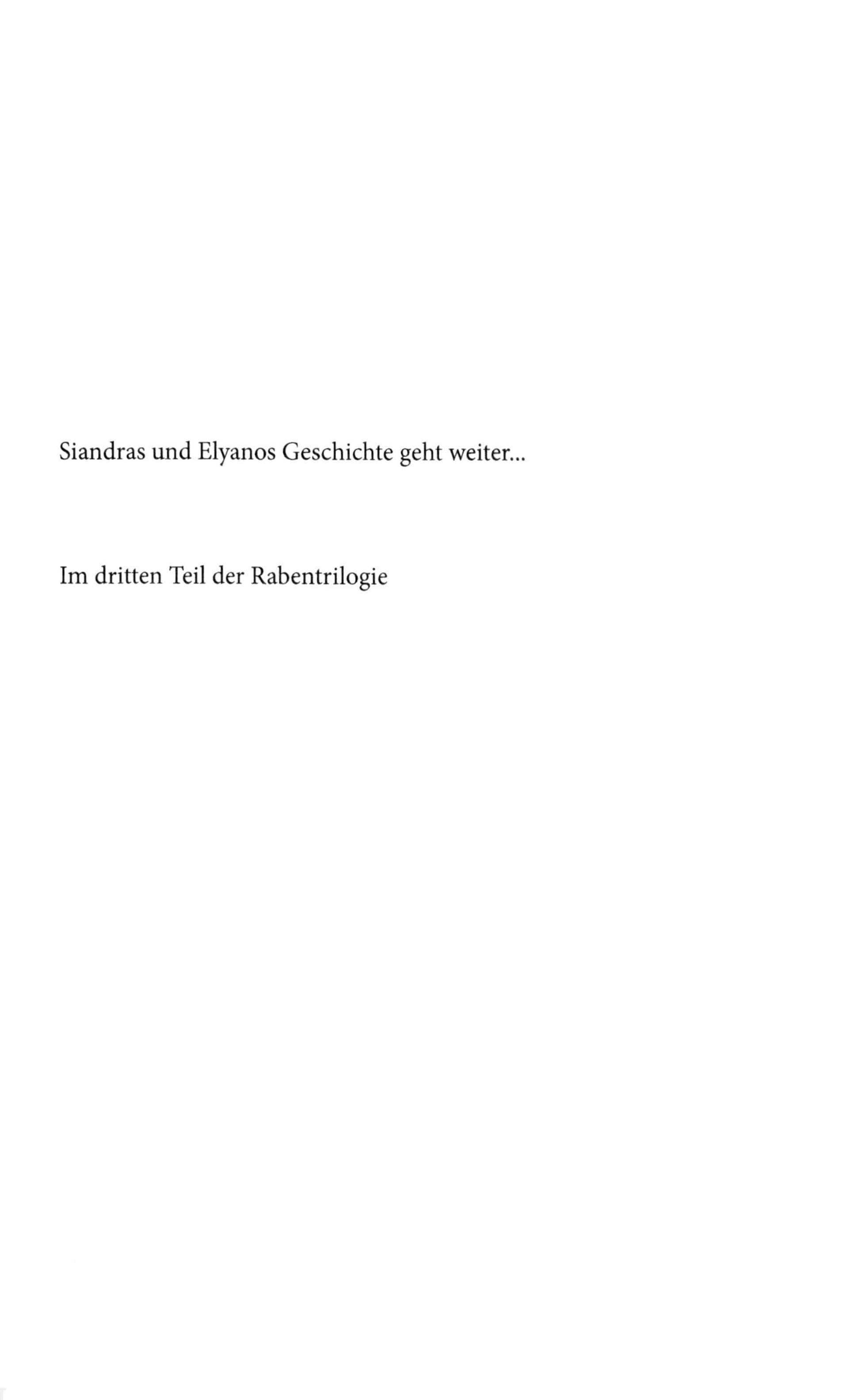

Siandras und Elyanos Geschichte geht weiter...

Im dritten Teil der Rabentrilogie

So geht es weiter …

Mit jeder Minute, die zähflüssig an ihm vorbeifloss, verstand Fynn besser, weshalb Zephir es abgelehnt hatte, seinem Vater zu folgen und Hüter des Ordens zu werden. Er unterdrückte das Seufzen, das in seiner Kehle aufstieg und strich mit dem Daumen über seine Fingerkuppen. Am liebsten hätte er bereits vor einer knappen halben Stunde seinen Stuhl aus dem Fenster geschmissen. Angestrengt versuchte er, dem Streit, der zwischen den Ratsmitgliedern Malik Sorokov und John Ryan entbrannt war, zu folgen. Schon wieder. Verhandlungen über Besitztümer, Genehmigungen, Abgaben, doch ihrem eigentlichen Ziel kamen sie nicht näher. Jedem Schritt, den sie in die richtige Richtung setzten, folgten Drei in die entgegengesetzte. Seit einem knappen Jahr ging es weder vor noch zurück. Ein Jahr voller erfolgloser, diplomatischer Bemühungen. Eine Ratssitzung folgte der nächsten. Zeit, in der er Sinnvolleres tun könnte.

Immerhin hatte er es geschafft, die Großen des Reiches an einen Tisch zu bringen. Zwanzig Politiker, Männer und Frauen aus den obersten Schichten, dazuzubringen an einem Strang zu ziehen, war kein Spaziergang. Nach dem Fall der Fürstinnen mussten sich die Machtverhältnisse neu zusammensetzen und ein jeder versuchte, sich das größte Stück vom Kuchen zu sichern. Und Fynn stand als letzter verbliebener Hüter zwischen ihnen, nachdem Jaquar vor einem dreiviertel Jahr gestorben war. Er versuchte, sie irgendwie davon abzuhalten, sich gegenseitig zu meucheln und zu unterjochen, und sich gleichzeitig zwischen ihnen zu behaupten. Er wusste nicht, wie lange er sie noch hinhalten konnte. Sie pochten auf Antworten, verlangten Entscheidungen, die er nicht treffen konnte. Er und die Seinen waren die Letzten, die noch an eine Fürstin gebunden waren. Bei den vielen Entscheidungen, die er dennoch traf, schabte er jedes Mal haarscharf am Rand des Möglichen entlang. Noch wagte er es nicht, ihn zu übertreten.

Fynns Blick streifte Ted Brockmann. Der Reichskanzler saß nicht weit von ihm, die Arme vor der Brust verschränkt, und beobachtete die beiden Kontrahenten mit grimmiger Gelassenheit. Fynn wusste, dass er mit den Fortschritten der Verhandlungen genauso unzufrieden war, wie er. Doch seine Stimme hatte kaum noch Gewicht im Rat. Dass er überhaupt noch vertreten war, hatte er seinem Namen, seinem Eid und einflussreichen Freunden zu verdanken. Vor ihm lag eine schwere Entscheidung. Er konnte seiner Familie die Wahrheit sagen und erneut den Zorn des Rates auf sich ziehen – womöglich dieses Mal schutzlos – oder seiner Familie den Rücken kehren. Lange würde er es jedenfalls nicht mehr geheim halten können. Seine Frau wurde misstrauisch.

Kurz trafen sich ihre Blicke und Teddys Lippen verzogen sich kurz zu einem schwachen Lächeln. Fynn erwiderte es. Doch auch das konnte ihn nicht vergessen lassen, wo er hier saß. Es frustrierte ihn, dass es keinen Schritt vorwärts ging. Er wusste, dass er seiner Fürstin gehorchen musste. Dass er ihr vertrauen musste. Doch wie konnte er das? Ständig wich sie ihm aus, beantwortete seine Fragen mit Gegenfragen, stellte ihn vor Rätsel, die er nicht lösen konnte. Wenn es doch nur eine Möglichkeit gäbe, sich von ihr zu lösen und nach eigenem Willen zu handeln. Aber es gab keinen Weg und allein schon der Gedanke daran, konnte als Verrat ausgelegt werden. Und doch konnte er es nicht verhindern. Das Misstrauen pflanzte ihre Saat immer tiefer in sein Herz. Langsam und schleichend. Er wurde das Gefühl einfach nicht los, dass sie ihnen etwas verschwieg.

Angespannt presste Fynn die Fingerspitzen aneinander. Nach den Geschehnissen in Shaikos‘ Weingut hatte er seine Fürstin zur Rede gestellt. Aschenputtel hatte seine Fragen gleich im Keim erstickt, abgeblockt und sich herausgeredet… und er hatte keine Macht, etwas dagegen zu unternehmen. So konnte es nicht weiterlaufen. Doch jedes Mal, wenn sie das Thema in den Ratsversammlungen ansprachen, kam es wieder zum Streit, aus dem keine Gewinner hervorgehen konnten. Eigentlich hatten sie es sogar fast geschafft, eine Einigung zu erzielen: Neue Fürstinnen einzusetzen, die an der Spitze ihrer Reiche und Räte standen. Doch niemand schien dafür geeignet, es gab niemanden, der sich mit den verstorbenen Fürstinnen messen konnte. Einige andere kämpften dafür Aschenputtel offiziell als alleinige Herrscherin anzuerkennen – ein Gedanke, der Fynn einen Schauer über den Rücken jagte. Andere verlangten einen großen, offiziellen Rat, der über die Reiche herrschte. Für einen Entschluss brauchten sie eine eindeutige Mehrheit – ein Umstand, der dem Ganzen schon seit langem den Hals brach.

Angespannt strich Fynn über seinen Nacken. „Könnten wir bitte zum Thema zurückkommen?“, warf er kühl ein, als Malik Sorokov auf Teddy und seine Stellung im Rat losging, um von seinen eigenen Fehlern abzulenken. Der Russe schien etwas erwidern zu wollen, doch er schluckte es herunter und wandte sich wieder dem Thema zu.

„Wir sollten unser Treffen vertagen“, schlug eines der älteren Ratsmitglieder vor, dessen Name Fynn jedes Mal aufs Neue vergaß. „Wir werden heute sicherlich keine Ergebnisse mehr erzielen.“ Erleichtert seufzte Fynn auf und strich über sein leicht pochendes Bein. Sein Blick wanderte über die Ratsmitglieder, eines unterschiedlicher, als das andere. Doch eines hatten sie alle gemeinsam: Ihr Streben nach Macht und ihre Sturheit.

Er atmete geräuschvoll aus, als er sich aufrichtete. Neben ihm regte sich Knecht Ruprecht, der seinen gräulichen Kopf auf sein Bein gebettet hatte. Hastig sprang er auf und starrte ihn fast schon entrüstet an, doch Fynn achtete nicht auf den Hund. Hatte das Herz des Reiches aufgehört zu schlagen oder pochte es schneller als zuvor?

Fynn hob den Kopf, als er eine Hand auf seiner Schulter spürte. Lächelnd nickte Teddy in Richtung Tür und der Hüter des Ordens erkannte, was sein Ratsherr gesehen hatte. Erwartungsvoll spähte ein kleines Mädchen durch den Türrahmen und wich immer wieder den Beinen aus, die an ihm vorbeidrängten. Die langen schwarzen Haare fielen ihr glatt ins Gesicht. Suchend tastete ihr Blick den Raum ab, bis sie ihn entdeckte. Ihre blauen Augen leuchteten auf, als sie sich ungestüm vom Türrahmen löste und sich an den Ratsmitgliedern vorbei schob. „Daidí!“

Fynn wurde warm ums Herz, als er sich mühsam hinkniete und beinahe umgerannt wurde. „Thoir an aire!“, rief er und zog sie an sich. „Nicht so stürmisch, Fia.“ Sein Blick fiel auf Llwyn, die etwas langsamer folgte und er zwinkerte ihr zu. Ihre Lippen verzogen sich zu einem breiten Lächeln. Die beiden waren ein Herz und eine Seele. Ständig heckten sie irgendeinen Unfug aus. Wobei Fia der Kopf dieses infernalischen Duos war. Manchmal glaubte er, dass Llwyn einfach zu lieb für seinen kleinen Teufel war.

„Ich habe extra gewartet, daidí“, eröffnete Fia stolz. Sie lispelte ein wenig und vor lauter Begeisterung drohte ihre Stimme sich zu überschlagen. „Ich bin nicht früher reingekommen.“

Sanft strich Fynn ihr eine dunkle Strähne hinters Ohr. „Ja, du hast gewartet, mo cuishle. Aber du musst dich noch einen kleinen Moment länger gedulden."

Aus dem Augenwinkel beobachtete er Fia und Llwyn, die rechts und links neben ihm standen, als er seiner Rolle gerecht wurde und die Ratsmitglieder gebührend verabschiedete. Während Llwyn ruhig neben ihm wartete und den Vorbeiziehenden schüchtern zulächelte, schaffte Fia es kaum, ruhig stehen zu bleiben. Er lachte in sich hinein. Das kleine Wiesel konnte es scheinbar kaum erwarten, an den Ratsmitgliedern vorbeizuschießen. Unruhig schielte sie in Richtung Tür. Fynns Blick streifte kurz seine Schwester. Fia würde sie bald schon eingeholt haben. Bis zu ihrem 12. Lebensjahr wuchsen ihre Kinder mehr als doppelt so schnell wie die der Menschen. Von dem Zeitpunkt aus verlangsamte sich ihre Entwicklung so immens, dass Menschenkinder sie sogar überholten. Der Kampf in Shaikos' Weingut war über ein Jahr her und doch glich Fia eher einem Menschenkind von knapp vier Jahren. Llwyn hingegen war bei Menschen aufgewachsen. Sie hatten ihre Entwicklung verlangsamen müssen, damit sie nicht auffiel und sie würde nicht mehr schneller wachsen.

Fynn seufzte auf, als auch der letzte der Ratsherren den Raum verlassen hatte. Mit einem erleichterten Grinsen auf den Lippen beugte er sich zu seiner Tochter herunter. Die verstand den Wink sofort. Vergnügt quietschte sie und erklomm seine Schultern, klammerte sich mit ihren kleinen Ärmchen an seinen Kopf. „Halt dich gut fest", rief er und stand, mühsamer als es ihm lieb war, auf. Aber sie hatten es schließlich geübt, auch wenn Aisling es gar nicht gerne sah, wenn er das tat. Grinsend kitzelte er Llwyn mit der freien Hand, mit der anderen stützte er sich auf seinen Gehstock.

Jemand rief nach ihnen. Fynn erkannte Heinrich am Ende des Ganges, der grüßend die Hand hob. Er erwiderte den Gruß und stupste seine Schwester leicht. „Nun geh schon. Sonst kommst du noch zu spät zu deinem Unterricht." Llwyn nickte eilig und lief auf ihren Lehrer zu.

Fynns Weg führte ihn in die entgegengesetzte Richtung. Etwas schwerfälliger als früher setzte er einen Fuß vor den anderen, doch es störte ihn nicht. Nicht, wenn er an das Glück dachte, das ihm beschert war – und in diesem Moment auf seinen Schultern saß und sein rechtes Ohr malträtierte.

„Erinnerst du dich an die super geheime Sache, die ich dir aufgetragen habe?", flüsterte er seiner Tochter verschwörerisch zu. Es war sicherer, sie zu beschäftigen, damit sie nicht auf dumme Gedanken kam und am Ende noch den Orden in Schutt und Asche legte. Fynn grinste innerlich. Er erinnerte sich gut an Zeiten, als man ihn selbst auf irgendwelche Botengänge geschickt hatte, um ihn von seinen Plänen abzulenken. An manchen Tagen schien Fia ihn jedoch noch zu übertreffen.

„Mama hat gesagt, Yano ist mit Sia in der Schule zum Lernen."

„Haben sie gesagt, wann sie zurück sein wollten?"

Fia schüttelte den Kopf. Er spürte die Bewegung mehr, als dass er sie sah. „Mama ist böse auf mich", sagte sie nach einer Weile.

Fynn hob die Augenbrauen. „Warum? Was hast du getan?"

Doch seine Tochter brummelte nur, legte ihr Kinn auf seinem Haar ab und schlang ihre Arme noch fester um seinen Kopf.

„Fia?"

„Ich wollte doch nur nachgucken, ob die Schere scharf ist..."

Seine Augen weiteten sich. „Was hattest du denn damit vor, ghràidh?"

Vergnügt zupfte Fia an seinen blonden Haaren. „Mein Bild ausschneiden."

„Also. Was hast du angestellt?"

„Auf dem Stuhl lag Mamas Kleid...", nuschelte sie in sein Haar.

Fynn sog scharf die Luft ein, wurde dann aber von einem Grinsen übermannt. „Oh je. Dann sollten wir vielleicht schauen, ob wir Mamis Laune ein wenig verbessern können und ihr bei den Vorbereitungen helfen, meinst du nicht auch?"

Angestrengt versuchte Siandra, sich auf die Blätter, die vor ihr lagen, zu konzentrieren, doch das war alles andere als einfach. Sie wusste, dass Elyano sie beobachtete, auch wenn er jedes Mal unbeteiligt tat, wenn sie den Kopf hob. Doch der vertraute Schleier umspielte jedes Mal doppelung aufs Neue ihre Schultern und sein Blick lag so schwer auf ihr, dass es ein Kraftakt war, ihn weiterhin zu ignorieren. Und so gerne sie auch alles beiseite fegen und Dinge tun wollte, die sich in einer Bibliothek absolut nicht gehörten, musste sie immer wieder nötig ?an die Klausuren denken, die vor ihr lagen und für die sie noch viel zu wenig getan hatte.

„Du stresst dich zu sehr“, sagte Elyano, ohne von dem Tablet-PC pc nötig? in seinen Händen aufzusehen. Seine Füße hatte er auf die Heizung gelegt, ganz zum Missfallen der Mitarbeiterin, die gelegentlich vorbei kam, die Nase rümpfte, aber ansonsten kein Wort darüber verlor.

„Glaub mir, ich stresse mich noch viel zu wenig“, erwiderte Siandra und suchte in ihren Mitschriften hektisch nach einer ganz bestimmten holprig Zeichnung. Natürlich fand sie sie nicht. War ja klar. Kurz ertappte sie sich dabei, zu Elyano herüber zu sehen. Seine Augen hingen gebannt auf dem Bildschirm in seiner Hand. Sie musste ihm zugute halten, dass er sich alle größte prüfenMühe gab, aber stillsitzen war nun einmal absolut nicht seine Ding. Eine halbe Stunde lang war es sogar noch gut gegangen. Sie hatte gelernt, während er mit seinem Handy rumgespielt und seine Opfer mit zahlreichen SMS genervt hatte. Kurz danach hatte die Bibliothekarin schon gedroht, sie raus zuwerfen, als Elyano plötzlich angefangen hatte, einen Ball an die Wand zu werfen. Sie fragte sich noch immer, wo er den auf einmal hergenommen hatte... besser sich über so etwas keine Gedanken zu machen. Nun starrte er aber schon seit einer geschlagenen Stunde auf den flachen Bildschirm, auf dem er neuerdings alte Atarispiele spielte. Gefühlte drei Pixel, die sich auf einem farbigen Hintergrund bewegten... riss sie persönlich jetzt nicht unbedingt vom Hocker. Schöner?

Ihre Augen wanderten zurück zu ihren Aufzeichnungen. Seit Stunden starrte sie schon auf die Zettel,und oa? versuchte ihre Zusammenfassungen zu schreiben, doch sie hatte nicht das Gefühl je etwas davon lernen zu können. Ihr Kopf war ein verfluchtes Sieb. Es war zum verrückt werden. Genervt strich Siandra mit den Zähnen über ihre Unterlippe. Das Lernen war einfacher gewesen, als Marie noch Marie gewesen war – und nicht Ashara, ihre Halbschwester. Bilder blitzten vor ihrem inneren Auge auf. Bilder von Ashara, ihrem Vater Shaikos und dem Weingut. Von Wolfsbestien und Blut. Als sie an ihre Schwester und auch an ihren schöner? Vater dachte, überkam sie für einen kurzen Moment Traurigkeit. Das war doch verrückt. Wie konnte sie um Personen trauern, die sie kaum gekannt hatte? Die sie verraten und festgehalten hatten und für den Tod so vieler Unschuldiger verantwortlich waren? Doch ihre Gefühle konnte sie nicht lenken.

„Was ist los, meine Herzensschöne?“Kosewort nötig bzw passend? ,

fragte Elyano sanft.
Siandra hob den Kopf und begegnete seinen dunklen Augen, die sie besorgt musterten. Das Tablet hatte er auf den Tisch gelegt und er hakte einen Fuß hinter das Stuhlbein, um sie an sich heranzuziehen. Satzstruktur
Siandra drängte sich ein Lächeln auf die Lippen. „Es ist nichts, schon okay. Anatomie nervt nur tierisch."
Elyano sagte nichts, erwiderte ihr Lächeln nur warm. Sie spürte, dass er ihr das nicht abnahm, doch er hakte nicht weiter nach. Er strich ihr nur behutsam übers Bein und ließ seine Hand dort ruhen. Siandras Lächeln wurde ehrlicher, als sie ihre Hand auf seine legte und die Finger mit seinen verschränkte. Sie wusste ja nicht einmal, warum sie überhaupt traurig war. Shaikos und Ashara hatten sie von vorne bis hinten belogen und hintergangen. Und doch waren sie ihre Familie. War es da nicht normal zu trauern?
Siandra versuchte die negativen Gedanken zu verbannen, doch ganz schaffte sie es nicht. Ihre Familie, das waren Elyano und die Jäger. Familie, das war mehr als Blut. Familie blieb Familie, ob blutsverwandt oder nicht. Rhythmus In einer fahrigen Bewegung strich sie sich über den Nacken. Von ihrer Tante hatte sie schon lange nichts mehr gehört, wenn man von den einsilbigen Telefonaten absah, die sie in letzter Zeit geführt hatten. Immerhin hatte sich das Verhältnis zu ihrer Mutter verbessert. Sie würden wohl nie zu den Gilmore Girls werden, aber es reichte für wöchentliche Telefonate, ganz ohne Mord und Totschlag.
Mit einem Seufzen schob Siandra ihre Unterlagen beiseite und legte ihren Kopf auf Elyanos Schulter, Rhythmus beobachtete ihn bei seinem Spiel. Ihr Rabe legte einen Arm um sie und zog sie noch dichter an sich heran.
„Du weißt aber schon, dass du nicht die ganze Zeit hier bei mir bleiben musst, oder?", flüsterte sie an seiner Schulter. Sie spürte sein Lachen mehr, als dass sie es spürte. Gleiche Formulierung wie bei Fuß Kopfschütteln
„Und den ganzen Spaß verpassen?"
Sie knuffte ihm spielerisch in die Seite. „Du bist unmöglich."
Elyano beugte sich zu ihr vor und war ihr plötzlich so nah, dass sie seinen Atem auf ihrer Haut spürte, als er sprach.holprig „Da hat man mich schon weitaus schlimmer genannt." Seine Lippen, die kurz vor

ihren innehielten, hinterließen eine drängende Hitze, als er sich wieder zurücklehnte. Letzteres nötig? Oder neuer Satz Ein verheißungsvolles Lächeln trat auf das Gesicht ihres Raben, als er sah, was er in ihr ausgelöst hatte. Tadelnd schnalzte er mit der Zunge, doch der Ausdruck, der auch in seinen Augen lag, strafte ihn Lügen.

„Komm", flüsterte Siandra, die ihrer holprig Stimme nicht mehr so recht vertraute. „Für heute habe ich mehr als genug gelernt."

Siandra sia sia seufzte auf, als sie den großen grauen Block hinter sich lassen konnte. Auch wenn sie deutlich weniger geschafft hatte, als sie sich eigentlich vorgenommen hatte, dachte sie nur noch daran, endlich nach Hause zu kommen. Das Einzige, was sie jetzt noch wollte, war sich in ihren bequemsten Sachen zusammen mit Elyano aufs Sofa zu kuscheln und irgendwelche Wiederholungen zu gucken.

Elyano hatte den Arm um ihre Taille geschlungen und tippte etwas auf sein Handy ein. Siandra störte das nicht. Sie wusste, wie viel er koordinieren musste. Die unruhigen Zeiten machten die ganze Sache nicht einfacher. Auch nicht sein Kontrollwahn, der ihn immer wieder dazu brachte, alles nochmal selbst nachzuprüfen und der es ihm schwer machte, Aufgaben zu delegieren. Rhythmus?

Angestrengt strich Siandra über ihren Nacken und unterdrückte das Gähnen, das in ihr aufstieg. Wie war sie froh, dass Elyano sie dazu überredet hatte, das Auto zu nehmen. Auf eine Fahrt in der überfüllten Straßenbahn konnte sie ganz gut verzichten. Sie zuckte zusammen, als Elyano sie kitzelte.

„Wer macht denn da schon schlapp?", fragte er feixend und zog sie enger an sich.

„Nach dem Anatomie-Marathon habe ich es ja wohl mehr als verdient, müde zu sein. Ich will jetzt nur noch zwei Dinge. Eine warme Decke und ein Sofa. Okay und dich vielleicht auch noch obendrauf."

Elyano grinste und steckte sein Handy zurück in die Hosentasche, um nach dem Autoschlüssel zu fischen. „Zu gütig. Aber ich fürchte, du wirst noch nicht gleich zur Ruhe kommen, meine Herzensschöne. too much?"

Siandra schmollte spielerisch. „Aber ich bin müde. Es ist schon 27 Uhr."

Elyanos Grinsen wurde immer breiter. „Vertrau mir, das wird dir gefallen."

Er ignorierte Siandras fragenden Blick, als er ihr die Tür aufhielt und sich selbst auf dem Fahrersitz niederließ.

„Was hast du vor?“, fragte Siandra beunruhigt, als Elyano das Auto in den Verkehr lenkte. Wenn ihr Rabe schon so anfing, konnte das nichts Gutes bedeuten.

Vergnügt zuckten seine Augenbrauen. „Lass dich nur überraschen.“

„Aha“, sagte Siandra nur schlicht und machte sich an dem Radio zu schaffen. Überraschungen brachten in der Regel nie etwas gutes. Nur Chaos. Und Chaos war etwas, auf das sie heute gut verzichten konnte. Das Studieren ließ sie scheinbar ganz schön alt werden. Sie nieste plötzlich Rhythmus und griff nach einem der Taschentücher, die sie wohlweislich weit oben in ihrer Tasche deponiert hatte. Seit Wochen zog sich das nun schon und ließ sie einfach nicht los. Das volle Programm. Laufende Nase. Kopfschmerzen. Sie schmeckte kaum noch etwas und riechen konnte sie gleich vergessen. Eigentlich hatte sie gedacht, ihre Entscheidung würde sie vor so etwas bewahren. Sie hatte nie beobachtet, dass Elyano oder einer der anderen jemals krank gewesen war – von Erwachsenenkopfschmerzen mal abgesehen.

„Du schleppst das ganze immer noch mit dir rum?“ Kurz löste sich Elyanos Blick von der Straße und streifte sie mitleidig.

„Was soll ich sagen. Ich hab‘s halt liebgewonnen. Vielleicht sollte ich ihm einen Namen geben und ein Halsband kaufen.“

„Mit Strass“, zwinkerte Elyano und verfiel in leises Lachen. Siandra erwiderte es, als ihr einfiel, woran er sich erinnern musste. Als sie das letzte Mal mit Fynn und seiner kleinen Familie einkaufen waren, hatte Fia sich in ein pinkes Hundehalsband verliebt. Princess stand in Strassbuchstaben geschrieben und ein neonfarben leuchtender Anhänger in Form eines Herzchens war daran befestigt. Fia wollte den Laden partout nicht ohne das Halsband für „ihren“ Ruppi verlassen und Fynn hatte alle Mühe sie davon zu überzeugen, dass das pinke Strasswunder nicht das Richtige für ihren Rüden war. Das Ende vom Lied? Fynn hatte den Laden um zwanzig Euro ärmer verlassen und Knecht Ruprecht trug seitdem ein neues Halsband. Fynn konnte seiner Kleinen einfach keinen Wunsch abschlagen. Wie gut, dass Aisling ab und an den Part des bösen Bullen übernahm. Andernfalls würde wohl alles ein wenig aus dem Ruder laufen.

Fast schon im Schritttempo krochen sie über die Innere Kanalstraße. Genervt trommelte Elyano auf dem Lenkrad und bewies ihr aufs Neue, dass Geduld nicht unbedingt eine Tugend war, mit der er übermäßig gesegnet war. Beruhigend strichen ihre Finger über die Hand, die auf der Gangschaltung lag.

Nach einer Weile wanderte ihr Blick aus dem Fenster, beobachtete die Fußgänger, die stetig an ihnen vorbeizogen, während sie inmitten einer Baustelle schmorten. Im Radio verlas die monotone Moderatorenstimme die Nachrichten, doch sie hörte kaum zu. Die Nachrichten dieser Welt waren nicht mehr wichtig für sie, zumindest nicht mehr so wichtig, wie noch vor einiger Zeit. Doch auch als sie noch ein Mensch – oder besser gesagt ein Halbblut gewesen war, hatte sie sich nicht sonderlich für Politik interessiert. Einen kurzen Augenblick dachte sie den Namen Ashara Beleton gehört zu haben, doch sie schob den Gedanken beiseite. Das konnte sie sich nur eingebildet haben.

Die Macht die eigene Lebensspanne zu beeinflussen hat ihren Preis. Sie schloss die Augen, als die Stimme ihres Vaters sie zu übermannen drohte. Sie hatte versucht, es zu verdrängen, einfach nicht darüber nachzudenken, doch in den letzten Tagen kam es immer wieder hoch. Noch immer wusste sie nicht, was sie davon halten sollte. Was hatte ihr Vater nur damit gemeint? Unter ihre Unsicherheit mischte sich nach und nach immer mehr Furcht. Was hatte es bloß mit dem Preis auf sich von dem Shaikos erzählt hatte? Auch Beliar hatte etwas von einem Preis gesagt, den er gezahlt hatte und wie schwer es war – auch wenn er seine Entscheidung nicht bereute. Doch was hieß das für sie?

Elyano spürte, dass etwas sie beschäftigte. Ohne den Blick von der Straße zu heben, auf der der Verkehr wieder im normalen Tempo floss, legte er seine Hand auf ihre. Er zeichnete mit seinem Daumen kleine Kreise und unterbrach den Hautkontakt nur zum Schalten. Er sagte nichts und das brauchte er auch nicht. Seine Nähe allein schaffte es, einen Teil ihrer Angst hinfortzuwischen. Doch unter die Angst mischte sich auch noch immer Trauer. Trauer um eine Familie, die sie nie gekannt und doch verloren hatte. Nötig nochmal zu erwähnen?

„Jetzt rück endlich mit der Sprache heraus. Was hast du geplant?" Siandra versuchte sich von den Gedanken in ihrem Inneren abzulenken, doch Elyano blieb weiterhin geheimnisvoll. Er grinste verschwörerisch, als er den Wagen auf den hellen Kiesweg lenkte, der zum Orden führte.

Siandra hob die Augenbrauen, als er plötzlich nötig? um das Auto herumkam und die Tür öffnete. Galant hielt er ihr den Arm hin. „Milady", flüsterte er und hauchte ihr einen Kuss auf die Wange.

Mit einer Mischung aus Misstrauen und Belustigung beobachtete sie ihn, während er sie um das Hauptgebäude herumführte. Einen Moment schwieg sie, doch dann brach die Neugierde wieder aus ihr hervor. „Was...?"

Sie stockte, als ihr Blick auf den Pavillon und die Wiese hinter dem Haus fiel. Lampions leuchteten ihnen aus der Abenddämmerung entgegen und überall hingen Banner mit bunten Schriftzügen. Geburtstagsglückwünsche in allen Variationen. Sie entdeckte Fynn und Aisling, die vor einem langen Tisch standen, Teddy und Becca, selbst ihre Mutter stand dort. Als die hellen Töne einer e-Gitarre Schreibweise erklangen, fiel ihr Blick auf eine kleine Bühne auf der Zephir mit zwei weiteren Männern stand und ihr zuzwinkerte. Etwas abseits erkannte sie sogar Beliar. Erstaunt hob sie kurz die Augenbrauen. Er war ohne Aschenputtel gekommen. Doch sie hatte keine Zeit länger darüber nachzudenken. In diesem Moment kam Fynn auf sie zu und zog sie in seine Arme.

„Alles Gute, kleine Nachtigall", lächelte er und gab sie frei, als Aisling an seine Seite trat und sie ebenfalls umarmte.

„Ihr Scherzkekse." Rührung überkam Siandra, als sie all das sah, was ihre Freunde, ihre Familie für sie vorbereitet hatten. „Ich werde doch nicht mehr älter. Das ist doch der Witz an der Sache. Warum dann Geburtstag feiern?" Immer wieder wurde sie umarmt und beglückwünscht.

Fynn feixte. „Tut mir Leid. Herzlichen Glückwunsch zu deiner Entscheidung-Luftballons gibt es halt noch nicht."

„Eine Marktlücke", erwiderte Siandra gespielt ernst, ehe sie den Arm um ihre Taille spürte, der sie an einen festen Körper zog. Sie musste sich nicht umdrehen um zu wissen, wer wieder neben ihr stand.

„Irgendwie fehlt mir hier ein bisschen die Musik", sagte Elyano dicht an ihrem Ohr.

Das schien das Stichwort für Zephir zu sein, der erst ein paar Töne auf seiner Gitarre anklingen ließ und dann das erste Lied anstimmte. Im ersten Moment erkannte Siandra das Lied nicht, doch als Ariels Sohn den Refrain einleitete, erkannte sie, dass es eigentlich von Abba war – eine schnelle metallartige Version von Dancing Queen, doch immer noch Abba. Elyano legte beide Arme um sie und zog sie dicht an sich heran. Entspannt lehnte Siandra sich zurück, genoss seine Nähe, seinen Herzschlag an ihrem Rücken und den Atem, der über ihre Haut strich.

Einige johlten, als Zephir von Abba zu 90er Teenie Musik überging. Als Siandra die Klänge von Genie in a Bottle erkannte, seufzte jemand theatralisch neben ihr. Ihr Blick traf Becca, die die Arme in gespieltem Ärger vor der Brust verschränkt hatte. Doch nicht einmal sie konnte das Schmunzeln verbergen, das sich hinter ihren Lippen versteckte. „Als ich gesagt habe, er könne ein wenig freier interpretieren, habe ich sicherlich nicht so was gemeint."

„Mach dir nichts draus", sagte Aisling plötzlich hinter ihnen. „Zephir macht in der Regel nie das, was man von ihm erwartet." Sie lächelte, drehte sich zu dem Büffettisch um und griff nach einem langhalsigen Glas. Siandras Blick fiel kurz auf Zephir, der wie eine angespannte Feder auf der Bühne auf und ab sprang. Doch ihr entging nicht, wie er seine Schwester immer wieder mit Argusaugen beobachtete. Siandra verfolgte seinem Blick und entdeckte Aiofé, die mit einem der Jäger flirtete. Ob er sich immer noch solche Sorgen machte?

„Wenn ich um diesen Tanz bitten dürfte?" Elyanos Stimme schien durch ihren ganzen Körper zu vibrieren. Sie küsste ihn zur Antwort und griff nach der Hand, die er ihr reichte.

Sanft wogen sie sich zu dem Takt, den die Musik ihnen vorgab. Kurz warf Siandra einen Blick über Elyanos Schulter hoch zur Bühne, auf der Zephir ein langsameres Lied angestimmt hatte. Ariels Sohn reicht er? lächelte ihr nur kurz zu und ließ seine Augen wieder über die Menge schweifen.

Mit einem lautlosen Seufzen schmiegte Siandra sich an ihren Raben. Elyano bettete sein Kinn auf ihr Haar und strich sanft über ihren Rücken. Sie vergaß alles um sich herum, verlor sich in der Geborgenheit seiner Umarmung.

Irritiert hob sie den Blick von Elyanos Schulter, als ihr Rabe innehielt.

„Habt ihr Fia gesehen?", fragte Fynn unruhig. „Ich finde sie einfach nicht."

„Beruhige dich, sie kann nicht weit sein", sagte Elyano und lächelte seinem Bruder beruhigend zu. Fia hatte das unweigerliche Talent von jetzt auf gleich wie vom Erdboden zu verschwinden.

„Vielleicht glaubt er ja dir", sagte Aisling plötzlich, als sie näher kam und einen Arm um Fynn schlang. Sie trug ein dunkelgrünes Kleid und ihre Haare, die mittlerweile wieder deutlich länger geworden waren, fielen ihr offen über die Schultern. Haben wir sie nicht schon gesehen? Oben prüfen und ändern Sanft küsste sie ihn auf die Wange. „Wo soll sie denn auch hin gelaufen sein? Die Tore sind geschlossen und die Mauern sind hoch. Und noch hat sie keine Maulwurfsklauen entwickelt, um sich unter den Mauern hindurch zu graben." Mauer nötig? Und zusammen

Fynn schien das alles nicht im mindesten zu beruhigen. Angespannt ließ er seinen Blick wieder über den Garten wandern. „Glaub mir, sie kann auch hier drinnen genug anstellen", sagte er, ehe er seine Schwester entdeckte und herbeiwinkte.

Mit hochroten Wangen kam Llwyn angelaufen. Doch auf die Frage, ob sie Fia gesehen hatte, schüttelte sie vehement den Kopf. Siandra und Elyano tauschten wissende Blicke. Llwyn würde Fia nicht verraten. Doch langsam fragte Siandra sich wirklich, wohin die Kleine jetzt schon wieder verschwunden war.

„Mach dir nichts draus", sagte Elyano und wandte sich wieder Siandra zu. Er zog sie dichter an sich heran und begann sich ganz demonstrativ im Takt der Musik zu wiegen. „Du warst viel schlimmer, als du noch klein warst."

„Das kann ich mir kaum vorstellen", erwiderte Fynn trocken, als Aisling die Arme um ihn schlang und ihn ebenfalls dazu brachte, mit ihr zu tanzen. Sie flüsterte ihm etwas ins Ohr. Siandra verstand nicht, was sie ihm da zu raunte, doch er schien sich zu entspannen und ein zweideutiges Lächeln trat auf seine Züge.

Nach einer Weile wurde die Musik wieder schneller und auch Becca und die anderen zog es auf die Tanzfläche. Zephir sprang von der Bühne, ohne in seinem Lied zu stoppen und ohne, dass die Musik verstummte. Er zog eine Flöte hervor und stimmte ein schnelles, fröhliches Lied an, während er die Tanzenden zu einer Polonaise antrieb. Too much? Es dauerte nicht lange, bis ihm unzählige Gäste folgten, während er sie in Schlangenlinien durch den Garten führte.

Siandras Herz quoll beinahe über vor lauter Freude. All das hatten ihre Freunde für sie auf die Beine gestellt. Sie schafften es sogar, die trüben Gedanken und Fragen beiseite zu wischen, die sie noch im Auto beschäftigt hatten.

Zephir war verdammt gut. Er hatte die Bühne wieder für sich erobert und heizte sein Publikum mit immer schnelleren Gitarrenklängen und seinem Gesang an. Siandra wusste ja, dass er singen konnte und auch eine Zeit lang in einer Band gespielt hatte, aber, dass er so gut war, hätte sie nicht gedacht.

„Sieh mal da." Sie folgte Elyanos Blick zur Bühne und atmete auf. Ein kleines schwarzhaariges Mädchen schlich sich an Zephir heran und zupfte an seinem Bein. Erst schien er sie gar nicht zu bemerken, doch Fia blieb hartnäckig. Sie jauchzte vergnügt, als Zephir sich plötzlich zu ihr hinabbeugte und sie auf die Schultern nahm. Ihn schien das zusätzliche Gewicht kaum zu stören. Als hätte sich nichts verändert, spielte er weiter und stimmte sogar ein kleines Duett mit Fia an.

Siandra runzelte die Stirn, als Zephir seine Gitarre schlagartig verstummen ließ. Wärme durchfuhr sie, als er nach einem Moment der Stille einige Töne spielte und zu einem Lied wachsen ließ. Elyano schlang von hinten die Arme um sie, als sie ein Geburtstagslied anstimmten. Vor lauter Rührung wusste Siandra nicht, was sie sagen sollte und spürte, wie sich ein Kloß in ihrem Hals breit machte. „Wenn ihr so weitermacht, sehe ich noch aus wie ein Waschbär", rief sie lachend und strich sich eine Träne aus dem Augenwinkel.

Die anderen fielen in ihr Lachen ein, als Elyano sie zu sich herumdrehte und küsste. „Aber du bist der schönste von allen. Außerdem bist du mein Waschbär." In seinem Blick lag ein stummes Versprechen, das sie nur allzu gerne erwiderte.

Doch plötzlich machte sich ein anderer Ausdruck in Elyanos Augen breit. Sie verengten sich und seine Brauen zogen sich zusammen. Sie folgte seinem Blick und entdeckte Fynn, der mit Florian sprach. Der Jäger schien nicht hier zu sein, um zu feiern. Er trug seine Lederrüstung und hielt eine Klinge in der Hand. Auch wenn Florian sich nichts anmerken ließ, las sie aus Fynns Blick, dass etwas passiert sein musste. Noch bevor Elyano irgendetwas sagen konnte, setzte sie sich in Bewegung und bemerkte im Augenwinkel, dass ihr Rabe direkt neben ihr lief. Er griff nach ihrer Hand und drückte sie kurz.

„Was ist los?", fragte Elyano ruhig. Er wirkte unbeteiligt, doch sie spürte die Unruhe, die durch ihre Verbindung pulsierte.

Kurz streifte Fynns Blick Siandra. „Wir bekommen Besuch", sagte er nur knapp und drehte sich zu Aisling um. Er sprach so schnell auf gälisch auf sie ein, dass Siandra es wohl nicht einmal dann verstanden hätte, wenn sie die Sprache beherrschen würde. Schöner? Kurz breitete sich stiller Protest in Aislings Augen aus, doch dann nickte sie. Sie wandte sich den Gästen zu und doppelung und schaffte es mit ihrem entwaffnenden Lächeln, sie wieder auf die Feier zu konzentrieren. Auf ein Zeichen hin fing die Band an zu spielen, diesmal jedoch ohne Zephir. Ariels Sohn lief schon in Richtung Haupttor.

Siandra folgte Elyano und Fynn, als sich auf einmal eine Hand um ihren Arm legte. Holprig. Als würde jemand anderes nach ihr greifen nicht elyano Elyano schien irgendetwas sagen zu wollen, doch er atmete nur geräuschvoll aus und griff nach ihrer Hand.

Das Erste, was Siandra sah, waren die Jäger, die mit Scharfschützengewehren auf der Mauer standen. Die roten Punkte der Projektile tanzten wie Glühwürmchen über den Boden.

Am Tor hatte sich eine kleine Menge gebildet. Wütend Stimme fuhren durcheinander, verschwommen zu einer Einheit. Die Jäger forderten Blut. Furcht kroch wie eine eiskalte Hand über Siandras Rücken. Beunruhigt folgte sie Elyano und Fynn, die sich durch die Traube der Jäger schoben.

Siandra erstarrte. Ihre Augen weiteten sich, als sie an Elyano vorbei sah und erkannte, wer da vor dem Tor stand. „Ich dachte du wärst tot..."